KB077220

사주 명리는 비과학적(非科學的)이지만, 과학적(科學的)이다.

즉, 사주 명리는 최첨단 현대의학의 기반인 고전물리학(古典物理學)으로 풀게 되면 안 풀리게 되므로 비과학적(非科學的)이 되지만, 사주 명리의 기반인 양자역학(量子力學)으로 풀게 되면 제대로 잘 풀리게 되면서 과학적(科學的)이 된다.

즉, 눈에 보이지 않는 에너지 현상을 전문으로 다루는 양자역학(量子力學)을 겨우 눈에 보이는 현상을 다루는 고전물리학(古典物理學)으로 풀게 되면, 양자역학(量子力學)은 자동으로 비과학적(非科學的)인 미신(迷信)이 되고 만다는 뜻이다.

즉, 최첨단 현대의학으로 사주 명리를 풀면 자동으로 사주 명리는 비과학적(非科學的)인 미신(迷信)이 되고 만다는 뜻이다.

체질의학의 원천

자평진전(子平眞詮)

인체 에너지 지문(指紋)

DNA 에너지 보고서

양자역학의 르네상스

(에너지를 알면 운명을 바꿀 수 있다)

D.J.O 東洋醫哲學硏究所

목 차

자평진전 본문 해설

들어가면서....

AI가 판치는 시대의 수험생과 한의사를 위한 필독서인 사주 명리는 미신(迷信)으로 취급되는 전형적인 분야이다. 그 이유는 뭘까? 그 해답은 사주 명리가 최첨단 과학(最尖端科學)이기 때문이다. 이는 또 무슨 황당한 이야기인가? 그 해답은 아인슈타인에 있다. 즉, 그 해답은 $E=mc^2$에 있다. 여기서 E는 에너지를 말하고, mc^2는 질량을 말한다. 즉, 이는 질량(mc^2)은 곧 에너지(E)라는 뜻이다. 이를 인체에 적용하면, 인체 질량(mc^2) 자체가 에너지(E) 덩어리라는 뜻이다. 그리고 사주 명리는 바로 이 에너지를 기반으로 분석을 시작한다. 그래서 사주 명리에서는 에너지를 말하는 음양오행(陰陽五行)이 핵심이 된다. 그러나 우리는 인체의 에너지를 ATP(아데노신 3인산:adenosine triphosphate)라고 잘못 배웠다. ATP는 에너지가 아니라 에너지 조절자이다. 이는 양자역학을 기반으로 한 전자생리학 분야이다. 이 문제는 본 연구소가 발행한 전자생리학을 참고하면 된다. 그러면, 우리는 왜 ATP를 에너지로 착각하고 있을까? 그 해답은 과학의 수준 차이(水準差異)에 있다. 사주 명리에서 말하는 에너지인 음양오행(陰陽五行)은 눈에 보이지 않는 에너지이다. 그리고 눈에 보이지 않는 에너지를 연구하는 학문이 양자역학(量子力學)이다. 그래서 음양오행의 에너지는 양자역학이 말하는 에너지이다. 그리고 현재 우리의 일상을 지배하고 있는 과학은 양자역학(量子力學)보다 수준이 엄청나게 떨어진 고전물리학(古典物理學)이다. 그래서 수준이 낮은 과학인 고전물리학으로 에너지의 실체를 찾다가 보면, 눈에 보이지 않는 에너지를 조절해주는 ATP가 에너지처럼 보이게 된다. 이는 ATP가 눈에 보이기 때문이다. 추가로 ATP는 눈에 보이지 않는 에너지를 간섭하므로, 자연스럽게 에너지처럼 보이게 된다. 그래서 눈에 보이지 않는 에너지인 음양오행은 눈에 보이지 않는 인체의 에너지를 간섭하는 인자가 된다. 그리고 아인슈타인의 공식($E=mc^2$)에 따라서 인체는 에너지 덩어리 그 자체가 된다. 그러면, 음양오행이라는 외부의 에너지가 에너지 덩어리인 인체를 간섭(干涉)하는 일은 너무나도 당연한 일이 된다. 그리고 에너지 덩어리인 인체는 사람마다 그 특성이 각각 다르므로, 사람마다 자기가 보유한 에너지 특성도 마찬가지로 다르게 된다. 그리고 이 고유한 에너지 특성은 평생토록 유지된다. 이는 각각 개인의 지문(指紋)이 평생토록 변하지 않는 원리와 똑같다. 즉, 사람마다 각자 보유한 고유의 에너지 지문(energy 指紋)이 존재한다는 뜻이다. 그리고 사주 명리는 이 에너지 지문(energy 指紋)을 읽어내는 일이다. 그러면, 인간의 몸체에서 평생토록 변하지 않는 인자는 뭘까? 이는 인체의 설계도를 보유하고 있는 DNA(디옥시리보핵산:Deoxyribo nucleic acid)이다. 그리고 모든 생명체는 DNA라는 생체 설계도의 구조를 평생토록 원형대로 유지한다. 그러면, 자동으로 DNA는 인체 에너지 지문이 된다. 그리고 이는 부모에서 나로 전달되고, 내 자식에게까지 전달된다. 물론 이는 형제까지 연결된다. 이를 사주 명리로 풀게 되면, 사주(四柱)에서 연주의 에너지는 부모가 되고, 월주의 에너지는 형제가 되고, 일주의 에너지는 내가 되고, 시주의 에너지는 자식이 된다. 물론 이는 DNA 안에 에너지 정보(情報) 형태로 저장되어있다. 즉, DNA는 인체 에너지와 연관된다는 뜻이다. 이 문제는 양자역학을 기반으로 한 전자생리학 분야이다. 이 문제는 본 연구소가 발행한 전자생리학을 참고하면 된다. 그러면, 구체적으로 인체에서 에너지는 어떤 존재일까? 이는 한마디로 무소불위(無所不爲)의 존재이다. 그리고 우리는 무소불위의 존재를 신(神)이라고 부른다. 맞다. 인체에서 에너지의 존재는 신의 존재이다. 즉, 에너지(energy)가 곧 신(神)이라는 뜻이다. 그래서 에너지를 말하는 음양오행에서 신(神)은 자동으로 따라 나오게 된다. 이는 자동으로 신(神)을 모르면, 음양오행의 문제를 풀지 못한다는 뜻도 된다. 그래서 사주 명리에서 신(神)은 자동으로 핵심이 된다. 이는 에너지(神)를 이용(用)하는 용신(用神)이라는 개념으로 나타난다. 인체에서 에너지인 신은 무소불위의 존재이므로, 이는 인체의 수정, 탄생, 성장, 성숙, 노화, 죽음이라는 인체의 모든 문제에 개입하게 된다. 즉, 인체의 모든 문제는 에너지가 좌지우지한다는 뜻이다. 즉, 인체의 모든 문제는 신(神)이 좌지우지한다는 뜻이다. 즉, 인간의 모든 문제는 에너지인 신이 가지고 놀게 된다. 아인슈타인의 공식($E=mc^2$)을 다시 한번 상기해보자. 그런데, 이런 에너지 지문이 개인마다 다르다는 사실이다. 그러면, 자동으로 이에 따라서 인간 개개인의 특성도 다르게 나타나게 되고, 이어서 개개인의 능력도 다르게 나타나게 되고, 그러면, 자동으로 인간 개개인의 운명도 다르게 나타날 수밖에 없게 된다. 즉, 인간이 보유한 에너지 지문이 인간의 운명을 결정한다는 뜻이다. 그리고 사주 명리는 이런 개인의 고유(固有) 에너지 지문을 읽어내게 된다. 이는 한마디로 숙명론(宿命論)이다. 그러면, 사주 명리는 숙명(宿命)을 따르기 위해서 분석할까? 당연히 아니다. 이는 개명론(改命論)을 위해서이다. 즉, 사주 명리의 존재 가치는 우리의 운명을 바꾸는(改) 데 있다. 그러나 현재 통용되는 사주 명리에서는 이런 사실을 전혀 모르고 있어서 숙명론으로 흐르고 있다. 이는 음양오행이라는 에너지 개념을 모르므로 인해서 나타나는 당연한 일이다. 즉, 사주 명리의 존재 가치는 인체의 에너지 정보 일부를 조절(調節)해서 타고난 운명(運命)을 바꾸는 것이다. 그러면, 사주 명리는 자동으로 인체가 보유한 DNA의 정보를 인위적으로 바꾸는 후성유전학(後成遺傳學:epigenetics 또는 후생유전학:後生遺傳學)으로 흘러간다. 이는 일란성 쌍둥이가 서로 살아가는 환경이 바뀌면, 이들은 서로 다른 운명(運命)의 길을 걷는다는 사실에서 확인된다. 이는 자동으로 에너지가 결정하는 체질(體質) 문제로 간다. 그러면, 사주 명리는 자동으로 체질의학(體質醫學)으로 향한다. 즉, 사주 명리는 체질의학의 근원(根源)이라는 뜻이다. 그리고 인체를 에너지로 분석한 의학이 바로 이제마의 동의수세보원이라는 사상의학(四象醫學)이다. 이는 더욱더 발전해간다. 즉, 이는 인체 에너지의 표현형(表現型)으로 간다. 이것이 관상(觀相)이다. 즉, 관상은 에너지가 구체적으로 표현된 형태라는 뜻이다. 그래서 보통은 관상을 신상(神相)이라고 부른다. 여기서 신(神)은 인체의 구체적인 형태를 만들어내는 성장인자(成長因子)라는 사실을 상기해보자. 그러면, 인체의 에너지를 어떻게 바꿀까? 이는 먹은 것이, 곧 그 자체를 만든다는 개념으로 간다. 그러면, 이는 자동으로 식료본초(食療本草)로 가게 된다. 그래서 필자가 사주 명리학책을 해석한 이유도 이제마의 동의수세보원을 해석했기 때문이다. 그래서 이제마의 동의수세보원이라는 사상의학을 완성하기 위해서는 사주 명리, 관상, 식료본초라는 부문이 포함되어야만 한다. 즉, 체질의학은 동의수세보원, 사주 명리. 관상. 식료본초가 한 세트라는 뜻이다. 그러면, 자동으로 식료본초에서는 용신(用神)의 개념을 이용하게 된다. 이 시점에서 지금까지 기술한 내용을 간단히 정리를 해보자. 사주 명리는 음양오행이라는 눈에 보이지 않는 에너지를 기반으로 한다. 그리고 이 에너지는 인체의 모든 과정을 통제한다. 또한 DNA는 인체를 통제하는 모든 정보를 담고 있다. 그러면, 자동으로 DNA에는 눈에 보이지 않는 에너지 정보가 담겨있게 된다. 그리고 사주 명리는 눈에 보이지 않는 인체 에너지 정보를 해독한다. 그러면, 자동으로 사주 명리는 DNA에 담긴 인체 에너지 정보를 해독하게 된다. 여기서 우리가 넘어야 할 장벽은 DNA에 인체의 에너지 정보가 담겨있다는 사실을 인지하는 일이다. 이는 자동으로 양자역학을 요구한다. 즉, 이 문제는 고전물리학으로는 풀리지 않는 문제라는 뜻이다. 그러나 우리는 지금 고전물리학이 지배하는 세상에 살고 있다. 그러나 양자역을 배우게 되면, 이 세상은 고전물리학이 아니라 양자역학이 지배하고 있다는 사실을 인지하게 된다. 그러면, 고전물리학은 자동으로 사주 명리를 미신(迷信)으로 만들고 만다. 그래서 고전물리학으로 DNA를 바라보게 되면, DNA는 인체의 설계자(設計者)이다. 그러나 양자역학으로 DNA를 바라보게 되면, DNA는 생체의 에너지 정보 데이터베이스이다. 즉, 양자역학으로 DNA를 바라보게 되면, DNA는 생명체의 에너지 정보를 담고 있는 담체(Carrier)이다. 그러면 인체의 설계자(設計者)는 DNA가 아니라 DNA 안에 들어있는 눈에 보이지 않는 에너지가 된다. 그러면, 여기서 에너지(energy)는 신(神)이므로, 신(神)이 인체의 설계자(設計者)가 된다. 그러면, 여기서 아주 재미있는 논쟁(論爭)에 대한 해답이 튀어나오게 된다. 이는 진화론(進化論)과 창조론(創造論)이다. 창조론은 지적 설계론으로 불리기도 한다. 사실 이를 양자역학으로 풀면 논쟁할 가치조차도 없는 문제이다. 사실 진화론(進化論)은 후성유전학(後成遺傳學)이다. 즉, 생명체가 마주치는 환경에 따라서 유전자(遺傳子)가 변하는 상황을 묘사한 것이 진화론(進化論)이다. 그리고 환경(環境)은 에너지(energy)를 말한다. 태양계 아래 생명체가 사는 모든 공간은 에너지로 가득하다는 사실을 상기해보자. 그리고 창조론은 신(神)이 설계한 설계도(設計圖)가 존재한다는 이론이다. 그러나 창조론자들은 이 설계도의 존재(存在)를 고전물리학으로 증명하려고 하면서, 당연히 제대로 증명(證明)하지 못하고 있다. 이는 이 설계도가 눈에 보이지 않는 에너지 문제이기 때문에, 너무나도 당연한 일이다. 그래서 창조론은 사주 명리가 마주치는 현실과 똑같은 현실을 마주하게 된다. 이 해답은 이미 정해져 있다. 이 문제는 고전물리학으로 풀 문제를 넘어서 양자역학의 문제이기 때문이다. 그래서 눈에 보이지 않는 문제를 눈에 보이는 문제나 겨우 풀고 있는 고전물리학으로 풀게 되면, 이는 자동으로 미신(迷信)이 되고 만다. 그래서 진화론이나 창조론의 해답은 DNA 안에 있게 된다. 즉, 진화론과 창조론이 대립하는 이유는 진화론은 눈에 보이는 문제에 집착하고, 창조론은 눈에 보이지 않는 문제에 집착하기 때문이다. 즉, 이 둘의 해답은 DNA를 어떻게 바라보느냐의 문제로 다가간다. 그래서 진화론이나 창조론이나 똑같은 손을 보고서 말하는데, 하나는 손바닥을 보고 손이라고 우기고 있고, 하나는 손등을 보고 손이라고 우기고 있을 뿐이다. 이는 현재 문명인(文明人)이라고 자부하는 인간들의 무식함이 어느 정도인지를 명확히 말하고 있다. 한마디로 진화론이냐 창조론이냐의 논쟁은 문명인들의 무식함의 극치(極致)이다. 다시 본론으로 가서 DNA를 좀 더 분석해보자. 음양오행에서 오행은 하늘에 존재하는 목화토금수라는 천체(天體)를 말한다. 그리고 이들은 모두 고유의 색을 발산한다. 그리고 이 색은 인체의 색과 공명(共鳴)하면서 인체와 서로 에너지로 대화한다. 그리고 DNA는 염색체(染色體) 일부이다. 여기서 염색체(染色體)라는 뜻은 염색(染色)이 되는 물체라는 뜻이다. 이는 자동으로 DNA의 구성 요소들인 아데닌(Adenine, A), 구아닌(Guanine, G), 사이토신(Cytosine, C), 타이민(Thymine, T)의 네 가지 물질이 고유의 색을 보유한다는 뜻으로 간다. 하나의 예를 들어보게 되면, 구아닌은 백색으로 나타나게 된다. 그리고 이때 구아닌의 백색은 빛을 쪼임에 따라서 점점 어두워져서 노란색으로 변하게 된다. 이는 똑같은 유전자를 가졌을지라도 유전자가 빛이라는 에너지를 받게 되면, 해당 유전자는 다른 에너지 특성을 보유함을 말하게 된다. 이는 자동으로 오행이 만들어내는 빛이라는 에너지 문제로 다가간다. 빛이 색이라는 사실을 상기해보자. 그러면, 오행이 만들어내는 빛이라는 에너지를 받음에 따라서 DNA에 저장된 에너지 지문은 개개인에 따라서 다르게 나타나게 된다. 이 시점에서 사주 명리가 등장하게 된다. 사주 명리는 음양오행이라는 눈에 보이지 않는 에너지와 인체의 태생적 에너지의 관계를 분석한다는 사실을 상기해보자. 그리고 이 태생적 에너지 정보는 DNA에 보관되어있다. 그러면, 자동으로 사주 명리는 DNA 안에 보관된 에너지 정보(energy 情報)를 판독(判讀)하는 일이 된다. 이 사실을 고전물리학으로 풀면, 이는 자동으로 황당무계한 일이 되지만, 양자역학으로 풀게 되면, 너무나도 자연스러운 일이 된다. 이는 사주 명리가 최첨단 과학(最尖端科學)이라는 뜻이다. 그래서 사주 명리에서는 두 가지 인자를 핵심으로 보고, 운명이라는 생체 에너지 분석을 시작하게 된다. 이때 하나의 인자는 월지(月支)이고, 하나의 인자는 일간(日干)이다. 여기서 월지는 당사자의 태어난 달(月)을 말하고, 일간은 태어난 일(日)을 말한다. 물론 여기서 주인공(主人公)은 일간(日干)이다. 이 시점에서 알아야 할 중요한 일은 일간은 오행을 대표하고, 월지는 오행의 1/3을 대표한다는 사실을 아는 일이다. 월지는 12개월로 표시되므로, 당연히 한 계절을 말하는 천간의 1/3을 말하게 된다. 그리고 사주 명리는 오행(五行)의 에너지를 분석하는 일이다. 그러면, 자동으로 천간(天干)으로 표시되는 일간이 사주 명리의 주인공(主人公)이 된다. 그러나 일간은 실제로는 해당 달(月)의 일부이다. 그러면, 일간은 자동으로 해당 달의 에너지 안에 구속되게 된다. 그러면, 일간을 해당 달인 월지가 잡고 뒤흔들어버린다. 그러면, 자동으로 주인공인 일간을 보호하기 위해서는 월지의 에너지를 먼저 살펴보게 된다. 그래서 사주 명리를 분석할 때는 월지의 에너지를 맨 먼저 보게 된다. 그러면, 자동으로 사주 명리를 분석할 때는 일간과 월지의 에너지 관계를 맨 먼저 보게 된다. 그러나 사주(四柱)에서 보면, 에너지는 모두 네 쌍이다. 그리고 이들은 모두 에너지이므로, 자동으로 서로를 간섭하게 된다. 그러면, 이때는 자동으로 사주 에너지 중에서 어떤 에너지(神)를 이용(用)해서 일간을 보호하느냐의 문제로 다가간다. 이를 용신(用神)이라고 말한다. 그러면, 자동으로 사주 명리에서 용신(用神)은 엄청나게 중요한 개념이 된다. 이는 거꾸로 사주 분석의 경우의 수를 많이 만들어서 사주를 분석할 때 어려움을 만들어낸다. 또한, 이 어려움은 사주를 분석하는 묘미를 품고 있기도 하다. 그리고 체질의학에서는 이 용신(用神)을 이용하게 된다. 그러면, 용신은 왜 일간으로 향할까? 이는 일간이 태어난 날(日)이기 때문이다. 즉, 태어난 날(日)에 생체가 오행의 에너지를 직접 받기 때문이다. 그리고 이때 생체의 에너지 지문은 완성되고, 이어서 생체는 이 에너지 지문을 평생토록 보유하게 된다. 그리고 사주 명리는 이 에너지 지문을 분석한다. 그리고 이 에너지 지문은 인체를 가지고 놀게 된다. 그러나 이 에너지 지문은 구조(構造)는 유지가 되더라도, 이 구조가 보유한 정보(情報) 일부는 바뀔 수 있게 된다. 이는 자동으로 후성유전으로 이어진다. 이 사실이 현실에서 나타나는 증거는 일란성 쌍둥이의 운명(運命)이다. 일란성 쌍둥이가 태어나서 서로 다른 환경(環境)에서 살게 되면, 이 둘의 운명(運命)은 서로 바뀌게 된다. 즉, 환경(環境)이라는 에너지가 운명(運命)이라는 에너지를 바꿔버린 것이다. 이는 자동으로 에너지(energy)가 만드는 체질(體質) 문제로 다가간다. 그리고 이 체질을 결정하는 인자는 보이지 않는 에너지인 음양(陰陽) 에너지이다. 그리고 이 음양 에너지는 pH7.45로 표시된다. 음과 양은 알칼리와 산으로 표시된다는 사실을 상기해보자. 이 문제도 역시 본 연구소가 발행한 전자생리학을 참고하면 된다. 그리고 pH7.45는 오장이 조절해준다. 즉, 오장은 산과 알칼리의 조절자이면서, 동시에 음과 양의 조절자이다. 이 시점에서 사주 명리와 체질의학이 만나게 된다. 즉, 오장의 기능을 어떻게 운용하느냐에 따라서 체질이 바뀌게 되고, 이어서 당사자의 행동(行動)과 지능(知能)이 바뀌게 되고, 이어서 운명(運命)도 바뀌게 된다. 이 과정은 최첨단 현대의학을 이용해서도 설명이 가능해진다. 그 해답은 오장이 분비하는 호르몬(Hormone)의 성질과 오장이 통제하는 체액(體液)의 성질에 있다. 이 문제도 역시 본 연구소가 발행한 전자생리학을 참고하면 된다. 예를 들면, 간은 담즙을 통해서 신경을 통제해서 뇌(腦)를 통제하고, 신장은 뇌척수액을 통제해서 뇌(腦)를 통제한다. 이는 자동으로 지능(知能) 문제로 다가간다. 이를 호르몬 측면에서 보자면, 폐는 행복 호르몬인 도파민(Dopamine)을 분비해서 근심(憂)을 통제하고, 기쁨(喜)을 통제하는 심장은 웃음 호르몬인 세로토닌(Serotonine)을 통제한다. 그러면, 이런 호르몬들은 자동으로 당사자의 행동(行動)들을 바꿔버리게 된다. 그러면, 자동으로 체액과 호르몬의 통제(統制)는 당사자의 운명(運命)을 바꾸게 된다. 최첨단 현대의학이 말하는 것처럼, 인체는 호르몬과 체액의 노예(奴隷)라는 사실을 상기해보자. 이는 결국에 에너지의 조절(energy 調節)에 불과하다. 이는 일란성 쌍둥이가 어떤 환경 에너지(環境 energy)에 접하느냐에 따라서 운명(運命)이 바뀌는 과정을 말하게 된다. 즉, 이는 팔자(八字)를 고친 것이다. 물론 이때는 환경 에너지의 종류에 따라서 팔자가 좋게 고쳐지기도 하고, 나쁘게 고쳐지기도 한다. 인간뿐만이 아니라 모든 생명체는 환경의 동물이므로, 이는 별수가 없다. 그리고 이 점이 사주 명리를 미신(迷信)으로 만들기도 한다. 즉, 환경 요인이 태어난 사주와 실제 현실의 사주가 맞지 않게 만든다는 뜻이다. 즉, 나쁜 사주팔자를 가지고 태어났을지라도, 살아가는 환경이 좋게 되면, 이 사람의 인체 에너지 구조는 좋은 쪽으로 바뀌게 되고, 이어서 나쁜 사주팔자는 좋은 사주팔자로 바뀌게 되고, 이어서 팔자를 고칠 수 있게 된다. 이는 살아가는 환경이 다른 일란성 쌍둥이를 보면, 금방 알 수 있는 문제이다. 거꾸로 아무리 좋은 사주팔자를 가지고 태어났을지라도, 살아가는 환경이 나쁘게 되면, 사주팔자는 자동으로 나쁘게 변하고 만다. 이때 사주 명리를 배우게 되면, 자기를 뒤돌아보는 지혜(智慧:知慧)가 생기게 된다. 그래서 사주팔자는 자기가 자기를 스스로 개척하는 일이기도 하다. 그러면, 타고난 사주는 어느 사이에 바뀌어있게 된다. 이때 사주 명리의 원리를 모르게 되면, 이때 사주는 자동으로 미신이 되고 만다. 즉, 타고난 실제 사주와 현재 사주가 맞지 않는 것이다. 이는 자신의 반성(反省)을 말한다. 그래서 인생을 사는 지혜(智慧:知慧)를 알게 되면, 자동으로 사주 명리는 불필요해진다. 그러면, 사주 명리는 미신(迷信)이 아니라 미신(美神)이 된다. 그리고 이것이 사주 명리가 존재하는 이유이다. 즉, 사주 명리는 자기의 선천적(先天的) 운명을 파악해서 후천적(後天的)으로 이 운명을 좋게 바꿔보자는 것이다. 즉, 사주 명리를 보는 이유는 숙명론(宿命論)을 개명론(改命論)으로 바꿔보자는 것이다. 그리고 이는 인체의 에너지 조절을 통해서 가능하므로, 인체의 에너지를 조절하는 오장을 이용하면 된다. 이는 또한 체질의학이 존재하는 이유이기도 하다. 그러면, 자동으로 체질의학과 사주 명리가 만나게 된다. 이 문제는 자동으로 세운(歲運)의 문제로 간다. 세운이란 당해 년(年)의 에너지를 말하므로, 이 에너지는 자동으로 인체의 에너지를 간섭하기 때문이다. 그러면, 이때는 자동으로 인체의 행동과 지능이 영향을 받게 되고, 그에 따라서 자동으로 부귀(富貴)와 건강(健康)도 바뀌게 된다. 이때는 오장(五臟)을 용신(用神)으로 이용해서 대처하면 된다. 이 모든 문제는 오장이 조절하는 에너지의 조절 문제이기 때문이다. 이때 사주 명리와 체질의학은 자동(自動)으로 만나게 된다. 이는 에너지 의학인 한의학(韓醫學)에서 사주 명리는 필수가 된다는 뜻이기도 하다. 그리고 오장은 오행의 에너지와 공명하면서 에너지로 대화하므로, 오장은 오행과 인체 사이에서 에너지 중개자가 된다. 물론 이때 오행이라는 에너지는 자동으로 음양이라는 인체의 에너지도 간섭하게 된다. 이 문제는 상당히 복잡하므로, 본 연구소가 발행한 황제내경 소문과 전자생리학을 참고하면 된다. 지금까지 말한 모든 문제를 명확히 이해하려면, 태양계 아래에 존재하는 모든 생체(生體)는 인간의 눈에 보이지도 않고, 인간의 손에 잡히지도 않는 양자역학이 말하는 에너지를 통해서 통제(統制)된다는 사실을 인지해야만 한다. 아니면, 이 문제는 자동으로 미신이 되고, 이어서 헛소리가 되고 만다. 이를 아주 간단히 말하자면, 사주 명리를 정확히 이해하기 위해서는 양자역학(量子力學)을 알아야만 한다는 뜻이다. 그러나 우리는 지금 양자역학보다 수준이 훨씬 낮은 고전물리학이라는 과학이 지배하는 세상에 살고 있다. 이 문제는 루퍼트 쉘드레이크(Rupert Sheldrake)가 쓴 "과학의 망상"에 잘 나타나 있다. 즉, 고전 물리학자들은 자기들이 모르면, 무조건 미신이라고 치부하고 만다. 그래야 자기들의 무식함을 덮으면서, 동시에 과학자들이 신(神)이 될 수 있으니까! 물론 이때 신은 무식하고 멍청한 신(神)의 유사품(類似品)이지만 말이다. 그래서 사주 명리를 정확히 볼 수 있으려면, 당사자의 삶의 이력(履歷)을 반드시 살펴봐야만 한다. 그래야만, 사주 명리가 미신(迷信)이 안 되고, 완벽한 과학(科學)이 된다. 이것이 후성유전의 중요성이다. 그리고 사주 명리의 속으로 깊숙이 들어가 보면, 별의별 운명이 모두 나오게 된다. 말이 나온 김에 천간(天干)의 의미와 지지(地支)의 의미를 조금만 더 알아보자. 천간(天干)이란 하늘(天)에 존재하는 에너지의 근간(干)을 말하고, 지지(地支)란 땅(地)을 지지(支)하고 있는 에너지를 말한다. 그리고 천간의 에너지는 오성(五星)이 태양의 에너지를 받아서 만들어내는 오행(五行)의 에너지이다. 그런데, 땅(地)을 지지(支)하고 있는 에너지는 그리 간단하지 않다. 그 이유는 땅을 지지하고 있는 에너지(地支)는 땅이 보유한 중력(重力)과 대기(大氣)라는 두 가지 에너지로 구성되기 때문이다. 그리고 오행(五行)이라는 에너지는 대기(大氣)라는 지구의 에너지를 직접 간섭(干涉)하게 된다. 그러면, 자동으로 지지(地

支)라는 에너지는 그리 간단한 에너지가 아니게 되고 만다. 이 시점에서 지장간(支藏干)의 개념이 자동으로 등장하게 만든다. 지장간(支藏干)이란 지지(支)가 품고(藏) 있는 천간(干)의 에너지라는 뜻이다. 그래서 지장간에서는 여기(餘氣), 중기(中氣), 정기(正氣)라는 에너지 개념이 자동으로 만들어지게 된다. 이 자세한 내용은 본문에서 다시 다뤄진다. 여기서 중기(中氣)는 삼합(三合)의 개념으로 이어진다. 그러면, 사주의 주인공인 일간(日干)은 자동으로 월지(月支)라는 아주 복잡한 에너지 위에 던져지게 된다. 그러면, 자동으로 일간과 월지의 에너지 관계(關係)를 안정시키기 위해서 용신(用神)의 개념이 튀어나오게 된다. 이 가운데에서 갖가지 운명이 만들어지게 된다. 그리고 이들은 모두 인체 에너지(energy)의 상생(相生)과 상극(相剋) 관계에서 나온다. 즉, 사주 명리에서 나오는 모든 운명의 문제는 에너지의 상생과 상극의 조합이 만들어낸다는 뜻이다. 물론 이들은 겉으로는 아주 복잡하게 기술된다. 앞에서 이미 말했지만, 운명의 문제는 에너지의 문제이고, 이는 인체에서 오장이 조절하게 된다. 그리고 오장은 체액과 호르몬에 의존한다. 이 과정에서 인간의 행동과 지능이 조절된다. 그리고 이들은 운명을 조절하게 된다. 예를 들자면, 폐는 간을 상극하게 되는데, 이때 폐는 산성 담즙을 만들어서 담즙을 처리하는 간으로 이를 보내서 폐는 간을 상극한다. 그러면, 간이 통제하는 신경이 문제가 되면서, 행동과 지능에서 문제가 발생하는 식이다. 결국에 사주 명리에서 상생과 상극의 문제는 체액(體液)과 호르몬(Hormone)의 문제가 된다. 체액과 호르몬은 에너지(energy)를 싣고 다니는 담체라는 사실을 상기해보자. 추가로 사주 명리 문제는 에너지(energy) 문제라는 사실도 상기해보자. 그리고 이들을 조합해서 경우의 수를 만들게 되면, 자동으로 다양한 운명의 경우의 수가 나오게 된다. 그러면, 자동으로 인체의 체액과 호르몬의 분비를 조절하게 되면, 자신의 운명도 바뀌게 된다는 결론으로 자연스럽게 흘러가게 된다. 이 경우도 할 말이 많다. 그래서, 이 문제도 역시 상당히 복잡하므로, 본 연구소가 발행한 황제내경 소문과 전자생리학을 참고하면 된다. 그리고 사주 명리에서는 자평진전, 궁통보감, 적천수 정도는 봐줘야만 사주 명리의 책을 봤다고 말할 수 있다. 여기서 보면, 자평진전과 궁통보감만 봐도 충분하다. 그런데, 궁통보감은 자평진전의 이론을 기초로 하고 있다. 그래서 자평진전을 완벽하게 이해하지 못하게 되면, 자동으로 궁통보감은 이해가 안 된다. 그런데, 사주 명리는 에너지 문제이므로, 에너지를 중심에 두고서 사주 명리를 보게 되면, 궁통보감이 수준이 더 높게 된다. 이 덕분에 궁통보감이 너무나 어렵다고 말한다. 그러나 자평진전이나 궁통보감이나 모두 다 음양오행을 기준으로 사주 명리를 풀고 있으므로, 그냥 둘 다 똑같은 사주 명리를 기술한 책일 뿐이다. 그리고 자평진전을 번역한 이유가 체질의학 때문이므로, 여기서는 자평진전 한 가지만 번역했다. 대신에 궁통보감에서 아주 중요한 개론에 관한 부분은 모두 가져와서 실어줬다. 그리고 사주 명리학의 책이 AI(artificial intelligence)가 판치는 시대의 수험생을 위한 필독서(必讀書)라고 한 이유는 AI는 인간을 완벽한 바보로 만들어버리기 때문이다. 그런데 사주 명리학이라는 책을 보려면, 맨 먼저 한자의 문제가 나오게 되고, 그래서 한자를 잘 알게 되면, 한글 문장의 이해력이 엄청나게 빨라지게 된다. 추가로 사주 명리학의 책은 뇌 구조를 바꿔야만 볼 수 있는 책이다. 즉, 사주 명리학의 책은 뇌를 구조적이고, 종합적이고, 조직적으로 바꿔 놓게 된다. 그래야만 사주 명리학의 책을 보고 사주를 분석할 수 있게 된다. 이는 자동으로 국영수를 공부하는 수험생에게 필독서가 되게 만든다. 추가로 맞든 안 맞든 사주 명리까지 분석하기 시작하면 흥미까지 더해져서 아주 좋게 된다. 그러면, AI가 인간을 바보 천치로 만드는 세상에서 사주 명리학의 책은 성인들의 필독서도 될 것이다. 아무쪼록 이 책이 모두에게 도움이 되기를 바랄 뿐이다. Good Luck!

From D. J. O. 20240723.

저자와 독자의 소통 공간

E-Mail : energymedicine@naver.com

네이버 카페 : D.J.O. 동양의철학 연구소

(계속해서 업데이트되는 새로 출판된 책들의

개요를 만나 볼 수 있는 소통 공간이다)

(https://cafe.naver.com/djoorientalmedicine)

D.J.O. 동양의철학 연구소 네이버 카페 QRCode

자평진전 보충 자료

궁통보감에서 가져온 오행 총론

오행 총론(五行總論)

五行者，本乎天地之間而不窮者也，故謂之行．北方陰極而生寒，寒生水．南方陽極而生熱，熱生火．東方陽散以洩而生風，風生木．西方陰止以收而生燥，燥生金．中央陰陽交而生溫，溫生土．其相生也所以相維，其相克也所以相制，此之謂有倫．火為太陽，性炎上．水為太陰，性潤下．木為少陽，性騰上而無所止．金為少陰，性沉下而有所止．土無常性，視四時所乘，欲使相濟得所，勿令太過弗及．夫五行之性，各致其用．水者其性智，火者其性禮，木其性仁，金其性義，惟土主信，重寬厚博，無所不容：以之水，即水附之而行；以之木，則木托之而生；金不得土，則無自出；火不得土，則無自歸．　必損實以為通，致虛以為明，故五行皆賴土也．推其形色，則水黑、火赤、木青、土黃，此正色也．及其變易，則不然．常以生旺從正色，死絕從母色，成形冠帶從妻色，病敗從鬼色，旺墓從子色．

오행이라고 하는 것은(五行者), 본래 하늘과 땅 사이에서 끊이지(窮) 않는 것을 말하며(本乎天地之間而不窮者也), 이를 운행이라고 말한다(故謂之行). 여기서 하늘과 땅 사이에서 끊이지 않는 존재는 에너지를 말한다. 우리는 물고기가 물이 없으면 죽듯이, 사람도 에너지가 없으면 죽게 된다. 그리고 사람이 생각하기에 물고기는 물의 존재를 모르듯이, 사람도 에너지가 없으면 죽는데도 불구하고 에너지의 존재를 모른다. 물론 인간의 극히 일부는 에너지의 존재를 안다. 그 대표적인 극히 일부는 반야심경이나 천부경을 쓴 사람들을 비롯해 황제내경을 기반으로 한 책을 쓴 사람들이다. 이들 책 자체가 에너지가 뭔지를 모르면, 이해가 어렵기 때문이다. 인간이 사는 우주 공간은 온통 에너지로 가득하다. 당장 인간이 숨 쉬고 있는 대기(大氣)는 에너지 그 자체이다. 그래서 대기(Big Energy)이다. 그러나 인간들은 이 대기 에너지를 몸으로 느끼지는 못한다. 역으로 인간이 하등동물이라고 칭하는 하등동물들은 에너지의 변동에 아주 민감하게 반응한다. 이는 지진이라는 에너지의 변동이 있을 때, 하등동물들이 지진 에너지를 먼저 감지하고 인간보다 먼저 움직이는 경우에서 극명하게 드러난다. 이 문제는 최첨단 현대의학이 그 원인을 제공하고 있다. 돈에 환장한 최첨단 현대의학은 돈을 벌기 위해서 생체의 에너지를 ATP라고 사람들을 초등학교 때부터 세뇌시키고 있다. 그러나 전자생리학으로 세상을 바라보게 되면, 생명체의 에너지나 비 생명체의 에너지는 모두 똑같다. 그리고 그 에너지는 바로 자유전자이다. 이는 뇌의 건강 상태를 측정할 때 뇌에서 전기의 흐름 즉, 자유전자의 흐름을 측정하는 뇌전도(腦電圖)를 측정하는 경우에서 아주 쉽게 드러난다. 추가로 보자면, 심장의 건강을 측정할 때는 심전도(心電圖)를 측정하고, 근육의 건강을 측정할 때는 근전도(筋電圖)를 측정하고, 눈의 건강을 측정할 때는 안전도(眼電圖)를 측정한다. 이는 인간이라는 몸체를 작동시키는 것은 자유전자라는 사실을 극명하게 증명하고 있다. 전기(電氣)란 자유전자(自由電子)의 흐름(Flow)이라는 사실을 상기해보자. 그리고 이는 곧 경락(經絡)을 말한다. 경락(經絡)은 24시간 항상 전기(電氣)가 흐르는 도선(導線)이기 때문이다. 즉, 인체의 뇌전도(腦電圖), 심전도(心電圖), 근전도(筋電圖), 안전도(眼電圖)를 측정(測定)하는 일은 경락(經絡)의 정상적인 작동(作動)을 측정(測定)하는 일이다. 그래서 인체의 뇌전도, 심전도, 근전도, 안전도를 측정한다는 말은 경락의 정상적인 전기의 흐름 즉, 자유전자의 흐름을 측정하는 것이다. 그리고 이는 인간은 에너지로 작동하는 존재이므로 별수가 없다. 이 문제는 본 연구소가 발행한 전자생리학을 참고하면 된다. 그리고 이 자유전자는 전자기파라는 에너지를 발산하게 된다. 그래서 자유전자라는 에너지가 변동을 만들면 자동으로 자유전자가 만드는 전자기파의 변동이 생기게 되고, 지진이 일어나기 전에 하등동물들은 이 전자기파를 감지하게 되면서, 지진보다 먼저 움직이게 된다. 인간도 ATP가 아닌 자유전자가 인간의 에너지라고 초등학교 때부터 교육받았다면, 지진을 미리 감지할 수도 있을 것이다. 즉, 인간의 탐욕이 인간의 기본적 감각까지 말살하면서 인간은 지진이나 해일 그리고 폭우 등등 자연 에너지 변동의 희생자가 되고 만다. 양자전기역학으로 노벨상을 받은 파인만의 말처럼, 이 세상에서 일어나는 모든 일은 전자(Electron)의 문제이다. 이 문제는 너무나 긴 이야기라서 본 연구소가 발행한 전자생리학을 참고하길 바랄 뿐이다. 그리고 사주 명리(四柱命理)는 인체의 타고난 에너지를 측정하는 도구이다. 이는 자동으로 사주 명리학의 책에서 우주의 에너지 문제를 다루는 오행의 문제가 등장하게 만든다. 그래서 궁통보감은 오행을 맨 앞에서 다루고 있다. 그래서 궁통보감이라는 명리학책을 제대로 보기 위해서는 인간을 비롯해 우주의 에너지 문제를 다루는 전자생리학은 필수가 된다. 그래서 우주의 에너지 문제를 다루는 전자생리학책은 우주의 에너지 문제를 다루는 양자역학을 기본으로 할 수밖에 없다. 그리고 양자역학은 극도(極度)로 어려운 학문이다. 이는 곧바로 궁통보감을 비롯한 명리학책이 극도(極度)로 어렵다는 사실을 말하고 있기도 하다. 또한 이는 자동으로 궁통보감을 비롯한 명리학책을 미신(迷信)으로 만드는 계기가 된다. 즉, 이는 안 풀리면 미신(迷信)이라고 치부해야 과학자라는 나부랭이들의 체면을 세워주기 때문이다. 결국에 사주명리(四柱命理)는 미신(迷信)이 아닌 미신(美神)이다. 여기서 신(神)은 자유전자로서 에너지(energy)를 말한다. 이 문제도 역시 본 연구소가 발행한 전자생리학을 참고하면 된다. 여기서 신(神)이라는 개념을 풀지 못하면, 사주명리학의 정확한 해석은 엉망진창이 되고 만다. 그리고 이는 현재도 여전히 진행 중이다. 그래서 인간이 사는 태양계 아래 모든 공간은 에너지 그 자체이다. 이는 아인슈타인이 우주 공간은 휘어져 있다고 말하는 데서 그 실상을 명확히 찾아볼 수 있다. 그리고 궁통보감은 인간의 태생(胎生) 에너지를 측정하는 책이다. 그러면 에너지를 다루는 양자역학(量子力學)은 자동으로 필수가 된다. 그리고 양자역학을 인체에 적용해서 만든 생리학이 전자생리학이다. 그러면 인체의 태생(胎生) 에너지를 연구하는 궁통보감을 해석할 때는 자동으로 양자역학의 개념과 전자생리학은 필수가 될 수밖에 없다. 지금까지 명리학책은 어떤 책이든지 간에 모두 미신(迷信)으로 치부되었다. 그 이유는 에너지를 다루는 명리학책은 에너지를 다루는 양자역학을 기반으로 하고 있는데, 양자역학(量子力學)보다 수준이 엄청나게 떨어지는 고전물리학(古典物理學)으로 명리학책을 분석했기 때문이다. 이는 마치 초등학교 산수(算數)를 이용해서 대학교 물리학(物理學)을 푸는 꼴이다. 그러면, 이때 대학교 물리학은 자동으로 미신(迷信)이 되고 만다. 그래서 명리학은 고전물리학으로 풀게 되면, 완벽(完璧)한 미신(迷信)이 되지만, 양자역학으로 풀게 되면 완벽(完璧)한 과학(科學)이 된다. 즉, 명리학은 비과학적(非科學的)이지만, 과학적(科學的)이라는 뜻이다. 즉, 사주명리학은 고전물리학으로 풀면 비과학적(非科學的)이지만, 양자역학으로 풀면 과학적(科學的)이라는 뜻이다. 이를 다르게 표현하자면, 사주명리학은 아무나 풀 수 있는 책이 아니라는 뜻이다. 이는 양자역학이 얼마나 어려운지를 알면 곧바로 이해가 갈 것이다. 생체(生體)의 에너지(energy) 정의(定義)는 엄청나게 중요하다. 심해 열수공은 섭씨 300도가 넘는다. 그런데, 이는 인간이 생각하기에는 거의 극한(極限)의 환경인데, 여기에서 생명체들이 떼를 지어서 살고 있다. 아마도 인간은 여기에 들어가는 순간 고기가 되어서 푹 삶아질 것이다. 그리고 여기에 사는 생물 중에는 먹이를 먹는 입도 없고, 이에 따라서 당연히 소화기관도 없고, 이에 따라서 당연히 배설기관도 없는 종(種)이 많다. 즉, 이 생명체들은 생체의 에너지라고 주장되는 ATP를 만들 수 있는 소위 영양소를 먹지 않고도 에너지를 이용해서 잘도 살아가고 있다. 이는 자동으로 고전물리학을 기반으로 한 최첨단 현대의학에게는 미스터리(mystery)로 남게 되고 만다. 그러나 이를 양자역학을 기반으로 한 전자생리학으로 풀어보게 되면, 이들은 자유전자라는 에너지만 있으면 되므로, 에너지로 쓰이는 자유전자를 만들어내는 발효(醱酵)를 통해서 에너지 쓰레기에서 에너지를 재활용하면 된다. 그래서 이들은 발효(醱酵)가 필수이다. 그래서 열수공에 사는 생물들은 자기 안에 발효 박테리아(bacteria)를 필수로 공생(共生)시키고 있다. 이 문제도 너무 긴 이야기라서 본 연구소가 발행한 전자생리학을 참고하라고 할 수밖에 없다. 그래서 사주명리를 풀기 위해서는 인간이라는 생명체의 에너지가 ATP가 아닌 자유전자라는 사실부터 먼저 알아야만 한다. 이 문제도 너무 긴 이야기라서 본 연구소가 발행한 전자생리학을 참고하라고 할 수밖에 없다. 이는 자동으로 궁통보감을 최첨단 현대의학으로는 풀 수가 없다는 사실로 다가가게 만든다. 그래서 궁통보감을 제대로 풀기 위해서는 ATP가 인체의 에너지가 아니라는 엄청난 큰 장벽을 뛰어넘어야만 한다. 현재 이 장벽은 어마어마하게 견고하다. 그러나 이를 깨뜨려야만 궁통보감이 제대로 풀리게 된다. 그래서 이 엄청난 장벽을 깨뜨리고 나면, 드디어 인체와 우주가 서로 대화하는 원리의 실체가 드러나게 된다. 이렇게 신(神) 문제와 생체(生體)의 에너지(energy) 문제가 실체를 드러내게 되면, 동양철학, 동양의학, 동양 종교, 동양 문화 전반에 대한 문제가 자동으로 풀리게 된다. 그리고 이들의 중심에는 인간이 자리하고 있다. 즉, 이들이 탐구하는 대상이 인간이라는 뜻이다. 즉, 인간이 살다 보면, 건강을 위해서 의학이 필요하고, 인간 자체가 어떤 존재인가를 탐구하는 철학이 필요하고, 이를 제도화한 것이 종교가 되었고, 이들은 모두 모여서 자동으로 문화를 만들게 된다. 그리고 이 중심에는 신(神)이 있다. 다시 말하자면, 인간이 사는 태양계(太陽系)는 신(神)의 놀이터에 불과하다. 이를 더 구체적으로 표현하자면, 인간은 신(神)의 장난감이다. 즉, 인간은 신을 받들지 않으면, 이는 곧 고통과 죽음을 말한다. 이는 자동으로 신(神)을 받드는 종교를 만들게 했다. 여기서 말하는 종교(宗教)는 지금처럼 권과 부에 찌들어서 썩을 대로 썩어서 시궁창 냄새가 풀풀 나는 타락(墮落)할 대로 타락(墮落)한 현대 종교가 아니라 순수(純粹) 종교를 말한다. 즉, 종교(宗教)는 인간의 존재를 탐구하는 학문이라는 뜻이다. 그래서 에너지 문제를 다루는 황제내경과 에너지 문제를 다루는 양자역학을 정확히 알게 되면, 자동으로 불교의 경전인 반야심경(般若心經)도 자동으로 알게 되고, 대종교의 경전인 천부경(天符經)도 자동으로 알게 된다. 이는 자동으로 본 연구소가 왜 황제내경을 연구하면서 생뚱맞게 반야심경과 천부경을 번역하게 되었는지를 설명하고 있다. 이는 또한 자동으로 본 연구소가 왜 황제내경을 연구하면서 생뚱맞게 사주 명리를 다루는 명저인 궁통보감(窮通寶鑑)을 해석하게 되었는지를 설명하고 있다. 이는 또한 자동으로 음양오행설(陰陽五行說)을 기반으로 한 주역(周易)으로 다가가게 된다. 이는 또한 자동으로 신비한 동양 문화(Mysterious Oriental Culture)를 이해하는 핵심이 된다. 그리고 이들 모두는 신(神)의 구체적인 실체와 그 기능을 알았기 때문에 가능한 일이다. 이 문제도 역시 신(神) 문제를 집중적으로 다룬 전자생리학을 참고하면 된다. 사실 전자생리학은 신(神)의 생리학이다. 신(神)이 전자(Electron)이기 때문이다. 이 문제는 결국에 자유전자(自由電子)로서 신(神)이 에너지(energy)이므로, 에너지 문제로 다가간다. 이 문제는 또한 최첨단이라고 떠들어대는 최첨단 현대과학이 증명해주고 있기도 하다. 이를 대표하는 학자가 아인슈타인이다. 아인슈타인은 1905년 특수상대성 이론에서 **질량과 에너지 등가원리**인 $E=mc^2$를 발표했다. 여기서 핵심은 **질량(mc^2)과 에너지(E)가 똑같다**는 사실이다. 이를 다시 표현하자면, 태양계 아래 존재하는 모든 물체는 에너지 그 자체라는 사실이다. 물론 여기에서 인간도 예외가 아니다. 그리고 동양에서는 이 문제를, 황제내경을 기준으로 보자면, 멀게는 약 5,000년 전에 짧게는 약 2,500년 전에 이미 정확히 알고 있었다. 그리고 이를 기반으로 동양 문화 전반이 만들어졌다. 최첨단 문화를 만들었다고 자랑하는 서양은 겨우 1900년 안팎에 양자역학(量子力學)의 개념을 수립했다. 즉, 동양이 약 5,000년 전에 이미 정확히 알고 있었던 양자역학의 개념을 서양은 겨우 100년 전에야 알기 시작했다는 뜻이다. 그래서 서양의 눈으로 보기에는 양자역학을 기반으로 한 동양의 문화가 미스터리(mystery)로 남을 수밖에 없다. 그리고 이는 서양의 무식하고 폭력적인 우월감을 지키기 위해서 자동으로 미신(迷信)으로 폄하(貶下)되었다. 그리고 이는 지금도 여전히 진행 중이다. 오행(五行)을 간략하게나마 알기 위해서는 먼저 음양(陰陽)의 개념부터 알아야만 한다. 음양이 에너지 문제를 말한다는 사실은 잘 안다. 그러나 여기서 에너지가 먼지를 모른다. 그 이유는 최첨단 현대의학이 인체의 에너지를 ATP라고 헛소리를 하는 바람에 사람들이 인체의 에너지를 잘 모르고 있기 때문이다. 에너지란 동력(動力)을 말하는데, ATP를 아무리 들이부어도 동력(動力)은 절대로 만들어지지 않는다. 그러나 에너지인 자유전자 즉, 전기를 조금만 흘려도 곧바로 동력이 만들어진다. 이는 동력을 통해서 작동하는 인체가 에너지로 자유전자를 이용한다는 사실을 그대로 말해주고 있다. 즉, 이는 인체의 에너지가 자유전자라는 뜻이다. 그러면, 최첨단 현대의학은 왜 굳이 말도 안 되는 ATP를 인체의 에너지라고 강제(強制)하고 있을까? 이는 돈에 대한 탐욕 때문이다. 이 문제는 본 연구소가 발행한 전자생리학을 참고하면 된다. 음양(陰陽)을 살펴보면, 음(陰)은 에너지가 없는 상태를 말하고, 양(陽)은 에너지가 존재하는 상태를 말한다. 그러면 자동으로 음과 양 사이에서는 에너지가 곧 중개자(仲介者)가 된다. 이 중개자는 최첨단 현대과학으로 말하자면, 자유전자(自由電子)가 되고, 이는 보통 자유전자의 흐름인 전기(電氣)로 통한다. 그리고 이를 동양철학으로 말하자면, 신(神)이 된다. 즉, 동양철학에서는 신(神)이 인체의 에너지라는 뜻이다. 그래서 음과 양의 결정인자는 신(神)이다. 그래서 자동으로 음양을 다루게 되면 반드시 신(神)이 따라붙게 된다. 이는 또한 자동으로 신(神)은 음과 양 어느 쪽에도 속하지 않게 된다. 이를 서양 과학으로 표현해보면, 산(Acid)과 알칼리(Alkali)가 된다. 이는 산에는 자유전자가 포함되고, 알칼리에는 자유전자가 포함되지 않기 때문이다. 이 문제는 너무 긴 이야기라서 본 연구소가 발행한 전자생리학을 참고하면 된다. 그래서 음양 문제를 간단히 정리해보게 되면, 신과 자유전자가 서로 짝이 되고, 양과 산이 서로 짝이 되고, 음과 알칼리가 서로 짝이 된다. 이것이 동양철학과 서양 과학이 만나는 접점이다. 그리고 여기서 자유전자가 만들어내는 전자기파라는 에너지를 연구하는 양자역학이 등장하게 된다. 그리고 이 양자역학에서 우리가 이용할 핵심은 공명(共鳴) 내지는 공진(共振)이다. 이는 자동으로 주파수(周波數) 문제로 다가간다. 이는 자동으로 똑같은 주파수를 가진 에너지는 서로 교감(交感)한다는 뜻으로 간다. 이 교감을 다시 표현하면 간섭(干涉)한다는 뜻으로 간다. 그래서 주파수가 똑같은 물질은 서로 간섭하게 되고, 그 힘은 더 커지게 된다. 이는 약한 바람이 건물에 공진을 만들어내서 거대한 건물을 무너뜨리는 원리가 된다. 이 문제는 우주의 에너지와 인체의 에너지가 서로 교감할 때 엄청나게 중요한 역할을 하게 된다. 그리고 이는 자동으로 동양철학의 근간이 되고, 이어서 동양 문화 전반을 지배하게 된다. 즉, 동양 문화의 키워드는 우주와 인체가 서로 에너지로 대화한다는 사실이다. 여기서 다른 주파수를 만들어내는 오행의 근간인 5개의 천체와 다른 주파수 물질을 보유한 5개의 오장이라는 인체 기관이 서로 교감(交感)하면서 에너지로 대화(對話)한다는 개념이 나오게 된다. 이 개념만 정확히 알고 있게 되면, 동양의 신비 철학은 자동으로 없어지게 되고, 이는 자동으로 동양철학이 양자역학이라는 사실도 명확히 드러나게 한다. 결국에 철학은 인간을 연구하는 학문인데, 이는 자동으로 인간이 어떻게 작동하고, 어떻게 구성되느냐로 다가간다. 그래서 인간을 양자역학으로 풀게 되면, 인간은 신(神)으로서 자유전자인 에너지로 작동하는 존재이고, 신(神)인 전자의 공유결합(共有結合)을 통해서 조립된 존재라는 사실로 다가간다. 태양계 아래 존재하는 모든 물체는 예외 없이 전자를 통한 공유결합으로 구성된다는 사실을 상기해보자. 그리고 해체는 이 공유결합을 자유전자가 풀어버리는 것이다. 결국에 태양계 아래 모든 존재의 공유결합을 통한 조립이라는 탄생과 해체라는 죽음은 모두 전자(Electron) 문제가 된다. 이는 자동으로 태양계 아래 존재하는 모든 물체는 신(神)의 장난감이 되고 만다. 즉, 태양계 아래 존재하는 모든 물체는 전자(Electron)의 장난감이 되고 만다. 그래서 인간은 신을 잘 받들지 않게 되면, 질병, 고통, 죽음이라는 대가가 따르게 된다. 이는 자동으로 인간으로 하여금 신(神)을 따르는 종교(宗敎)를 만들게 했다. 그래서 어떤 종교이건 간에 반드시 신(神)이라는 글자 따라붙게 된다. 그리고 동양에서는 이 신(神)을 불교가 설명해주고 있다. 그리고 이 대표가 반야심경(般若心經)이다. 그래서 반야심경은 전자가 만들어내는 회전 공간(空)과 색깔(色)을 중요시하면서 공(空)의 개념을 중요하게 여기고, 이를 핵심으로 삼는다. 전자는 일분일초도 쉬지 않고 회전한다는 사실과 이 회전은 빛을 만들어내게 되고, 이는 자동으로 색깔로 표현된다는 사실을 상기해보자. 이 문제는 본 연구소가 발행한 반야심경과 천부경을 기술한 소책자를 참고하면 이해가 쉬울 것이다. 이제 오행(五行)이라는 에너지와 오장(五臟)이라는 인체 기관이 어떻게 대화하는지를 살펴보자. 즉, 오행(五行)과 오장(五臟)의 공명(共鳴) 내지는 공진(共振)을 살펴보자는 뜻이다. 오행을 만드는 천체는 목화토금수라는 오성(五星)인데, 이들은 각각 청적황백흑의 색깔이라는 파장을 만들어낸다. 그리고 오장(五臟)은 각각 자기들이 처리하는 물질들에서 각각 청적황백흑의 색깔이라는 파장을 만들어낸다. 그래서 이 둘은 자동으로 양자역학의 원리에 따라서 서로 에너지로 공명하게 되면서, 자동으로 에너지로 서로 교감하면서 대화하게 된다. 그리고 오장은 이런 에너지를 조절하는 인체 기관이다. 이 기전이 인체의 에너지가 우주의 에너지와 대화하는 기전이다. 이 원리는 본 연구소가 발행한 황제내경 소문이나 전자생리학을 참고하면 된다. 그리고 이때 만들어지는 청적황백흑의 파장을 만드는 장본인은 전자(Electron)이다. 그리고 이때 파장이 만들어지는 과정에서 자동으로 열(熱)이라는 에너지도 만들어진다. 그리고 이때 만들어지는 열이라는 에너지는 에너지의 원천인 자유전자의 행동을 간섭하게 된다. 이는 자동으로 오성이 만들어내는 열(熱)과 한(寒)이라는 에너지가 인체를 작동시키는 에너지인 자유전자를 간섭하면서, 오성은 인체의 에너지를 간섭하게 된다. 즉, 오성이 만들어내는 오행이 인체의 에너지인 자유전자를 간섭한다는 뜻이다. 그리고 오행에서 파생되는 모든 인자는 이 과정에서 만들어진다. 이 기전이 인체의 에너지가 우주의 에너지와 대화하는 기전이다. 이 원리는 너무나 긴 이야기라서 본 연구소가 발행한 황제내경 소문이나 전자생리학을 참고하라고 하는 수밖에 없다. 이때 파생된 다양한 변수를 정리해서 표를 만들어보면, 아래와 같다.

< 오행과 오성의 공명을 중심으로 본 여러 현상 >

오행(五行)	목(木)	화(火)	토(土)	금(金)	수(水)
오성(五星)	목성(靑)	화성(赤)	토성(黃)	금성(白)	수성(黑)
계절	봄	여름	장하	가을	겨울
공명 색깔	청(靑)	적(赤)	황(黃)	백(白)	흑(黑)
에너지	풍(風)	서(暑)	습(濕)	조(燥)	한(寒)
방위	동쪽	남쪽	중앙	서쪽	북쪽
오장	간	심장	비장	폐	신장
고유 물질	담즙(靑)	혈색소(赤)	빌리루빈(黃)	중조(白)	유로빌린(黑)
공명 색깔	청(靑)	적(赤)	황(黃)	백(白)	흑(黑)
감정	분노(怒)	기쁨(喜)	스트레스 (思:배려)	근심(憂)	두려움(恐)
호르몬	스테로이드 (담즙)	세로토닌 (엔도르핀)	위산 (중조)	도파민	아드레날린
우주 음(聲)	각(角)	치(徵)	궁(宮)	상(商)	우(羽)
인간 음(聲)	어금니 소리 아음(牙音)	혓소리 설음(舌音)	목구멍소리 후음(喉音)	잇소리 치음(齒音)	입술소리 순음(脣音)
수/중력(陰)	8	7	10	9	6
수/일조(陽)	3	2	5	4	1
운(運)	인(仁)	예(禮)	신(信)	의(義)	지(智)

이 표에서 보면, 문제의 핵심은 오성이 만들어내는 에너지와 인체가 보유한 에너지이다. 나머지는 모두 이 두 변수에서 파생된 부수물에 불과하다. 그리고 이 에너지의 중심에는 신(神)이라는 자유전자로서 에너지가 있다. 그리고 이때 핵심을 차지하고 있는 자유전자는 에너지이기도 하지만, 정보를 기록(記錄)하고 저장(貯藏)하고 전달(傳達)하는 도구이기도 하다. 이는 USB 포트를 보면 쉽게 이해가 갈 것이다. USB 포트는 보통 때는 데이터(data)라는 정보(情報)가 소통하는 통로이지만. 이는 또한 전기(電氣)라는 에너지를 충전(充電)하는 통로이기도 하다. 이 비유(比喩:譬喩)는 명리학(命理學)에서 엄청나게 중요한 개념이다. 그 이유는 이 개념이 사주명리학과 DNA(**deoxyribonucleic acid**)를 연결해주기 때문이다. 즉, 이 시점에서 동양철학과 서양 과학이 접점을 찾게 된다. 즉, DNA는 에너지 정보를 기록(記錄)하고 저장(貯藏)하고 전달(傳達)하는 도구라는 뜻이다. 그리고 우리는 이 정보를 유전(遺傳) 정보라고 부른다. 이를 동양철학에서는 명리(命理) 정보라고 부른다. 인간의 운명(運命)은 정보로서 에너지가 결정하기 때문이다. 여기서 중요한 개념은 정보(情報)와 에너지(energy)가 동일(同一)하다는 사실이다. 이 원리도 너무나 긴 이야기라서 본 연구소가 발행한 전자생리학을 참고하라고 하는 수밖에 없다. 그리고 생명체의 DNA에 에너지 정보가 기록(記錄)되고 저장(貯藏)되고 전달(傳達)될 때, 오성이 만든 오행(五行)이라는 에너지가 이들을 간섭(干涉)하게 된다. 이런 복잡한 개념을 모르게 되면, 명리학은 자동으로 미신(迷信)이 되고 만다. 결국에 명리학(命理學)은 인체의 에너지 정보를 읽어내는 기술이다. 즉, 명리학이란 DNA에 기록된 에너지 정보를 읽어내는 기술이다. 이 문장은 상당히 이해가 어려울 것이다. 이는 DNA가 인체의 유전 정보를 기록해서 보관하고 있다고까지는 알고 있지만, 이 유전 정보가 또한 에너지 정보라는 사실을 모르고 있기 때문이다. DNA가 보유한 자유전자(自由電子)는 에너지(energy)이면서 동시에 정보(情報)라는 사실을 상기해보자. DNA는 자유전자를 몽땅 보유한 음이온 덩어리 그 자체라는 사실도 더불어 상기해보자. 이는 자동으로 ATP가 인체의 에너지라는 거대한 장벽을 만나게 만든다. 그래서 명리학을 제대로 풀기 위해서는 자동으로 ATP는 인체의 에너지가 아니라는 사실을 먼저 인지해야만 한다. 이 문제는 본 연구소가 발행한 전자생리학을 참고하면 된다. 그리고 여기서 또한 엄청나게 중요한 사실은 한 개인의 타고난 명리(命理)는 쉽게 변하지도 않을뿐더러 변한다고 해도 아주 조금만 변한다는 사실이다. 즉, 한 개인이 보유한 DNA 정보는 쉽게 변하지도 않을뿐더러 변한다고 해도 아주 조금만 변한다는 사실이다. 이 시점에서 자기가 사는 삶의 방식에 따라서 자기의 운명을 바꿀 수 있다는 말이 나오게 된다. 즉, 타고난 선천적(先天的) 명리를 후천적(後天的)으로 바꿀 수 있다는 뜻이다. 다시 말하자면, 선천적(後天的)으로 타고난 DNA 에너지 정보를 후천적(後天的)으로 바꿀 수 있다는 뜻이다. 이때 파생되는 DNA 유전학이 후성유전학(後成遺傳學:epigenetics) 또는 후생유전학(後生遺傳學)이다. 이는 DNA의 염기서열은 변화하지 않는 상태에서 이루어지는 유전자 발현의 조절을 말한다. 즉, DNA의 염기서열이라는 뼈대는 그대로 있지만, 이 뼈대에 새겨진 에너지 정보는 바뀐다는 뜻이다. 이것이 후성유전학(後成遺傳學:epigenetics) 또는 후생유전학(後生遺傳學)이다. 이는 명리학에서 타고난 선천적(先天的) 명리를 후천적(後天的)으로 바꿀 수 있다는 명제로 통한다. 명리학이란 인체의 에너지 정보를 읽어내는 기술이라는 사실을 상기해보자. 이는 자동으로 관상을 보는 상법(相法)으로 통한다. 그 이유는 관상이라는 물리적 실체를 만드는 인자도 자유전자이기 때문이다. 즉, 명리(命理)도 관상(觀相)도 모두 자유전자(自由電子)가 중심(中心)이라는 뜻이다. 이 문제도 본 연구소가 발행한 전자생리학을 참고하면 된다. 여기서 자유전자(自由電子)는 태양계 아래 존재하는 모든 물체를 가지고 노는 신(神)이라는 사실을 상기해보자. 여기서 용신(用神)이라는 단어가 탄생한다. 용신(用神)은 결국에 자유전자로서 에너지인 신(神)을 한 개인이 어떻게 이용(用)하느냐의 문제로 다가간다. 즉, 이는 한 개인이 자기가 보유한 에너지를 어떻게 쓰느냐의 문제이다. 이때 에너지는 인체의 육체(肉體)와 정신(精神)을 모두 지배한다. 이는 자동으로 우주의 에너지를 만드는 목화토금수라는 오성이 만든 오행(五行)으로 향한다. 이런 이유로 명리를 풀이하는 궁통보감에 오행이 나오게 된다. 왜? 인체 안에서 일어나는 모든 에너지 변화는 오행이라는 에너지가 자극하기 때문이다. 결국에 음양(陰陽)과 오행(五行)의 개념만 정확히 알게 되면, 사주명리는 완벽하게 풀리게 되고, 이는 자동으로 완벽한 과학(科學)이 된다. 이는 자동으로 전자생리학(電子生理學)을 필수로 요구하게 된다. 그래서 명리학은 DNA의 문제가 되므로, 한 개인의 명리를 정확히 풀기 위해서는 부모의 명리도 동반되어야만 한다. 우리는 이를 유전(遺傳)이라고 부른다. 즉, 명리가 유전된다는 뜻이다. 여기서 부전자전(父傳子傳)이라는 말이 나오게 된다. 그리고 어느 한 시점에서 어느 한 개인의 명리를 볼 때는 당연히 그 시점의 오행을 살펴야만 한다. 오행은 한 개인이 보유한 에너지를 간섭하기 때문이다. 이에 따라서 자동으로 한 개인의 운명도 바뀌게 된다. 그리고 이 운명 안에는 건강, 질병, 일, 부, 권력 등등이 모두 들어있게 된다. 인간의 모든 행동은 인간이 보유한 에너지에서 나온다는 사실을 상기해보자. 그래서 년 초에 그 해의 오행을 따져서 토정비결(土亭祕訣)을 보게 된다. 그리고 이 오행은 일 년을 통해서 변화하는 에너지이므로, 토정비결은 일 년 각각 달에 해당하는 에너지 변화도 예측이 가능하게 된다. 인간의 모든 행동은 인간이 보유한 에너지에서 나온다는 사실을 다시 한번 상기해보자. 그러면 자동으로 토정비결은 미신이 아닌 과학(科學)이 된다. 그러면, 토정비결이 과학이 되기 위해서는 우리가 사는 태양계 아래 모든 공간은 에너지로 가득하다는 양자역학(量子力學)을 필수로 요구한다. 아니면, 이는 곧바로 미신(迷信)이 되고 만다. 양자역학(量子力學)에서 역(力)은 에너지(力)라는 사실을 상기해보자. 이 문제는 아주 재미있는 문제로 다가간다. 즉, 젖먹이 영아(嬰兒)가 부모를 알아보는 도구도 바로 에너지이기 때문이다. 영아는 부모로부터 DNA라는 에너지 정보를 받아서 태어나므로, 자동으로 부모와 영아의 생체 주파수는 서로 통하게 된다. 그리고 영아는 이 주파수를 몸으로 감지하는 것이다. 이는 인간 세계에서만 나타나는 현상이 아니라 모든 생명체에서 똑같이 나타난다. 즉, 수많은 갈매기 새끼 중에서 자기 새끼를 알아보는 어미 갈매기를 보면 된다. 이를 형태장(形態場:morphic field)이라고 부른다. 여기서 자동으로 형태적 공명(morphic resonance)이 만들어지면서, 같은 종(種)끼리 교감하는 통로가 만들어진다. 공명은 같은 주파수가 반응한 결과물이라는 사실을 상기해보자. 이 문제는 같은 종(種)끼리만의 문제로 끝나지 않는다. 인간이 현재 살고 있는 태양계 아래 존재하는 모든 생체(生體)는 오행이라는 에너지의 영향을 땅을 통해서도 받게 된다. 이때 땅이 주는 에너지는 중력(重力)이다. 그래서 똑같은 오행이라는 에너지를 받고 태어났을지라도 태어난 지역이 다르게 되면, 그 사람의 에너지도 다르게 된다. 이는 자동으로 생체와 땅의 에너지가 서로 교감하는 기반이 된다. 즉, 생체와 탄생지의 중력이 서로 교감하는 것이다. 그리고 생체의 에너지와 중력의 에너지는 쉽게 변화하는 구조는 아니므로, 이는 평생의 관계로 이어진다. 이를 극명하게 볼 수 있는 경우가 바로 연어의 회귀성과 장어의 회귀성 그리고 비둘기의 회귀성이다. 즉, 이 셋은 자기가 태어난 곳의 중력 에너지를 감지하고서 이를 따라서 회귀(回歸)하는 것이다. 이는 우리가 옛 고향의 주소를 보고 고향을 찾아가는 원리와 똑같다. 그러면, 이때 인간은 예외일까? 아니다. 인간도 자기가 태어난 고향을 그리워하고 다시 돌아가고(回歸) 싶게 만들기 때문이다. 즉, 같은 주파수끼리 동조(同調)하면 몸이 편하지만, 다른 주파수가 간섭(干涉)하면 몸이 불편하기 때문이다. 이는 자동으로 남녀의 궁합(宮合)으로도 이어진다. 이를 우리는 코드(code)가 맞아야 한다고 말한다. 여기서 코드는 에너지 기운을 말한다. 그리고 여기서 상생(相生)과 상극(相剋)의 문제가 등장한다. 즉, 주파수가 서로 동조해서 돕는 주파수냐 아니면 어느 한쪽 주파수가 강하게 간섭해서 상대방의 주파수를 억눌러버리느냐가 문제가 된다. 이를 우리는 코드(code)가 맞아야 한다고 말한다. 그러면, 이 주파수는 어디에서 발산될까? 그 해답은 경락(經絡)이다. 경락은 쉬지 않고 계속해서 전기가 흐르는 도선(導線)이다. 이 문제도 상당히 어려운 문제인데, 이는 본 연구소가 발행한 전자생리학을 참고하면 된다. 전기가 흐르는 도선은 전자기파라는 주파수가 만들어진다는 사실을 상기해보자. 그리고 이 경락이 형태장을 만들어낸다. 이때 경락의 전기 흐름이 끊기게 되면, 드디어 질병이 발병하게 된다. 이를 에너지로 표현하게 되면, 에너지인 기(氣)의 순환이 끊기게 되면, 병(病)이 생긴다고 말한다. 그래서 인체의 건강과 장수를 위해서는 자동으로 인체의 에너지 조절이 필요해진다. 그리고 이 에너지의 조절을 위해서는 에너지의 과부족(過不足)을 알아야 한다. 그러기 위해서는 원래(元來:原來) 인체가 보유한 에너지의 특성(特性)과 정도(程度)를 알아야만 하고, 이는 자동으로 명리학으로 이어진다. 즉, 명리학은 한 개인이 보유한 에너지의 특성과 정도를 파악하는 학문이다.

여기서 에너지의 특성(特性)은 목화토금수라는 오성(五星) 중에서 어떤 오성의 영향을 받았는가를 말하고, 에너지의 정도는 에너지의 보유 정도를 말하는 것으로서 몸집의 문제가 된다. 이제 이를 이용해서 에너지를 조절해서 건강을 조절하면 된다. 그러면 건강을 조절하기 위해서는 자동으로 사주명리가 필요하게 된다. 그래서 사주명리는 체질의학의 기초(基礎)가 된다. 여기에 추가로 몸집의 에너지 보유 정도를 보기 위해서 관상(觀相)을 보게 된다. 즉, 관상은 에너지로 표현된 결과물이다. 그래서 상법(相法)은 체질의학의 표현형(表現型)이 된다. 그리고 이제마의 사상의학은 체질의학의 치료법(治療法)을 말하고 있다. 그러면, 체질의학에 관한 문제가 거의 완성되는데, 하나가 더 필요하다. 즉, 식약동원(食藥同源) 또는 약식동원(藥食同源) 또는 의식동원(醫食同源)이다. 이를 대표하는 본초가 식료본초(食療本草)이다. 그러면, 체질의학이 완성된다. 그래서 체질의학을 완성하기 위해서는 맨 처음에 명리학(命理學)으로 공부하고, 그다음에 상법(相法)을 공부하고, 뒤이어서 사상의학(四象醫學)을 공부하고, 마지막으로 식료본초(食療本草)를 공부해야만 한다. 그러면, 체질의학의 구색이 맞춰진다. 이들 모두는 자동으로 양자역학을 기본으로 요구하고 있다. 이는 자동으로 이 분야의 완성이 결코, 쉽지 않다는 사실을 말하고 있다. 인체의 건강은 에너지의 조절인데, 에너지 문제를 다루는 학문이 양자역학이기 때문이다. 여기서 에너지는 인간이 눈으로 볼 수 없는 에너지를 말한다. 현재 우리는 대기(大氣)라는 눈에 보이지 않는 거대한 에너지의 바다 안에서 살고 있다는 사실을 상기해보자. 이는 결코 눈에 보이는 에너지를 연구하는 고전물리학으로는 풀 수 없는 문제가 되고 만다. 이 덕분에 눈에 보이지 않는 에너지를 중심으로 확립된 동양철학(東洋哲學)은 자동으로 미신(迷信)이 되고 만다. 현재 우리는 상대적으로 후진적인 고전물리학(古典物理學)이 주도하고 있는 세상에 살고 있다는 사실을 상기해보자. 그리고 이 미신(美神)의 중심에는 신(神)이 있다. 그래서 어떤 동양철학이든지 간에 동양철학을 풀면서 신(神)의 구체적 실체를 모르게 되면, 이의 해석은 어떤 해석이 되었든지 간에 무조건, 허구(虛構)인 소설(小說)이 되고 만다. 그리고 이런 현실은 지금도 여전히 진행 중이다. 이렇게 신(神)의 구체적인 실체를 알고 나면, 이제 오운육기(五運六氣)를 정확히 다룰 수 있게 된다. 지금까지 오운육기는 실체가 없는 관념(觀念) 속에만 존재하는 개념에 불과했다. 물론 오운육기는 양자역학으로 풀어야만, 그 실체를 드러내기는 한다. 오운육기는 오행을 만들어내는 오운(五運)과 목화토금수와 태양을 포함해서 하늘에 존재하는 6개의 천체가 만들어내는 기운인 육기(六氣)로 나눠진다. 그리고 오운은 사계절의 에너지를 대표하게 되고, 육기는 24절기를 대표하게 된다. 즉, 오운은 계절(季節)을 기준으로 지구에 미치는 에너지를 측정하는 도구이고, 육기는 24절기(24節氣)를 기준으로 지구에 미치는 에너지를 측정하는 도구이다. 그래서 당연히 표시하는 도구도 다를 수밖에 없다. 즉, 사계절을 표시하는 오행은 10 천간(十天干)으로 표시되고, 24절기를 표시하는 육기는 12 지지(十二地支)로 표시된다. 이 문제는 본 연구소가 발행한 황제내경 소문 하편을 참고하면 된다. 여기에서 자동으로 60갑자 표가 만들어진다. 즉, 60갑자 표는 천체의 에너지 일람표(一覽表)라는 뜻이다. 그래서 60갑자 표에는 실제로는 두 개의 60갑자 표가 들어있는 셈이다. 그래서 60갑자 표는 당연히 10 천간과 12 지지의 짝으로 구성된다. 그리고 이는 음양이라는 에너지 문제이므로, 음과 양이 하나의 짝이 되지 못하고, 음음(陰陰) 또는 양양(陽陽)만 짝이 된다. 에너지란 음과 양이 만나면 서로 중화(中和)되어서 에너지로서 힘을 발휘하지 못하기 때문이다. 구체적인 예를 보게 되면, 2024년은 갑진년(甲辰年)이다. 여기서 10 천간의 하나로서 갑(甲)은 목(木)이라는 오행을 표시하므로, 목성이 발하는 푸른색(靑)을 말한다. 그리고 진(辰)은 12 지지에서 용(龍)을 표시하므로, 2024년은 청룡의 해가 된다. 이런 문제는 뒤에서 더 자세히 논의될 것이다. 명리에서 60갑자 표를 참고하는 이유는 당사자가 어떤 에너지 특성(特性)을 보유하고 있느냐를 알아야 하기 때문이다. 이런 원리를 종합해서 명리를 풀게 되면, 명리는 아주 간단한 공식으로 변하게 된다. 그러면, 이 에너지 특성(特性)을 이용해서 궁합도 볼 수 있고, 해당 해의 운세도 볼 수 있고, 직업의 적성도 찾을 수 있고, 배우자도 선택할 수 있는 등등 많은 문제를 개인이 보유한 에너지로 풀 수 있게 된다. 이는 또한 자기의 에너지 단점은 보완하고 장점을 고양시키는 계기로 만들 수도 있게 한다. 아래에 60갑자 표를 정리해두었다.

< 60갑자 표 >

60갑자(六十甲子) 紀年		사천(司天)			중운(中運)		재천(在泉)		
10천간과 12지지 조합		표시(標)	본질(本)	오행	태과 불급	오행	표시(標)	본질(本)	오행
甲子	甲午	少陰	君火	火	太宮	土運	陽明	燥金	金
乙丑	乙未	太陰	濕土	土	少商	金	太陽	寒水	水
丙寅	丙申	少陽	相火	火	太羽	水	厥陰	風木	木
丁卯 歲會	丁酉	陽明	燥金	金	少角	木	少陰	君火	火
戊辰	戊戌	太陽	寒水	水	太徵	火	太陰	濕土	土
己巳	己亥	厥陰	風木	木	少宮	土	少陽	相火	火
庚午 同天符	庚子 同天符	少陰	君火	火	太商	金	陽明	燥金	金
辛未 同歲會	辛丑 同歲會	太陰	濕土	土	少羽	水	太陽	寒水	水
壬申 同天符	壬寅 同天符	少陽	相火	火	太角	木	厥陰	風木	木
癸酉 同歲會	癸卯 同歲會	陽明	燥金	金	少徵	火	少陰	君火	火
甲戌 歲會 同天符	甲辰 歲會 同天符	太陽	寒水	水	太宮	土	太陰	濕土	土
乙亥	乙巳	厥陰	風木	木	少商	金	少陽	相火	火
丙子 歲會	丙午	少陰	君火	火	太羽	水	陽明	燥金	金
丁丑	丁未	太陰	濕土	土	少角	木	太陽	寒水	水
戊寅 天符	戊申 天符	少陽	相火	火	太徵	火	厥陰	風木	木
己卯	己酉	陽明	燥金	金	少宮	土	少陰	君火	火
庚辰	庚戌	太陽	寒水	水	太商	金	太陰	濕土	土
辛巳	辛亥	厥陰	風木	木	少羽	水	少陽	相火	火
壬午	壬子	少陰	君火	火	太角	木	陽明	燥金	金
癸未	癸丑	太陰	濕土	土	少徵	火	太陽	寒水	水
甲申	甲寅	少陽	相火	火	太宮	土	厥陰	風木	木
乙酉 太乙天符	乙卯 天符	陽明	燥金	金	少商	金	少陰	君火	火
丙戌 天符	丙辰 天符	太陽	寒水	水	太羽	水	太陰	濕土	土
丁亥 天符	丁巳 天符	厥陰	風木	木	少角	木	少陽	相火	火
戊子 天符	戊午 太天乙符	少陰	君火	火	太徵	火	陽明	燥金	金
己丑 太乙天符	己未 太乙天符	太陰	濕土	土	少宮	土	太陽	寒水	水
庚寅	庚申	少陽	相火	火	太商	金	厥陰	風木	木
辛卯	辛酉	陽明	燥金	金	少羽	水	少陰	君火	火
壬辰	壬戌	太陽	寒水	水	太角	木	太陰	濕土	土
癸巳 同歲會	癸亥 同歲會	厥陰	風木	木	少徵	火	少陽	相火	火

아래는 명리학에서 필요한 변수들을 정리한 도표들이다.

< 육기(六氣) >

천체(天體)	목성	태양	토성	화성	금성	수성
육기(六氣)	풍(風)	열(熱:君火)	습(濕)	열(熱:相火)	조(燥)	한(寒)

< 오운(五運)과 오행(五行)의 에너지(氣) >

오성(五星)	목성(木星)	화성(火星)	토성(土星)	금성(金星)	수성(水星)
오행(五行)	목(木)	화(火)	토(土)	금(金)	수(水)
오기(五氣)	풍(風)	열(熱:暑)	습(濕)	조(燥)	한(寒)

< 10 천간과 2가지 오행 >

10천간	갑을	병정	무기	경신	임계
오행(五行)	**목(木)**	**화(火)**	**토(土)**	**금(金)**	**수(水)**
10천간 합	정임	무계	갑기	을경	병신

< 십이지지와 오행 >

십이지지	인묘	사오	축진미술	신유	해자
오행(五行)	목(木)	화(火)	토(土)	금(金)	수(水)

부족하지만, 이를 기반으로 다음 문장들을 해석해보자. 더 자세한 내용은 본 연

구소가 발행한 전자생리학이나 황제내경 소문 하편을 참고하면 된다. 그래서 앞에서 본, 오행이라고 하는 것은(五行者), 본래 하늘과 땅 사이에서 끊이지(窮) 않는 것을 말하며(本乎天地之間而不窮者也), 이를 운행이라고 말한다(故謂之行). 즉, 오성이 만든 오행이라는 에너지는 인간이 사는 대기 안에 있는 에너지가 끊임없이 순환(行)하도록 한다는 뜻이다. 물론 이 오행 에너지는 우주 공간(天)에서도 끊임없이 순환(行)한다. 이제 오행을 설명하는 나머지 본문을 풀어보자. 겨울이 되면, 북쪽(北方)에 자리한 차가운 수성은 차가운 에너지를 지구로 발산하면서, 지구에서 지독(極)하게 추운 음기(陰)가 만들어지도록 작용하고, 이는 자동으로 지구에서 한기(寒)가 만들어지도록(生) 한다(北方陰極而生寒). 그리고 이 한기(寒)는 오행에서 수(水)를 만들게(生) 된다(寒生水). 그리고 여름이 되면, 남쪽(南方)에 자리한 무더운 화성은 무더운 에너지를 지구로 발산하면서, 지구에 지독(極)하게 무더운 양기(陽)를 만들게 되고, 이는 자동으로 지구에서 열기(熱)를 만들어(生) 내게 된다(南方陽極而生熱). 그리고 이 열기(熱)는 오행에서 화(火)를 만들게(生) 된다(熱生火). 그리고 봄이 되면, 동쪽(東方)에 자리한 따뜻한 목성은 따뜻한 양(陽)의 에너지를 지구로 퍼뜨려서(洩:퍼질 예) 발산(散)하면서, 이는 자동으로 지구에서 따뜻한 봄바람(風)을 만들어(生) 내게 된다(東方陽散以洩而生風). 그리고 이 따뜻한 봄바람(風)은 오행에서 목(木)을 만들게(生) 된다(風生木). 그리고 가을이 되면, 서쪽(西方)에 자리한 금성이 건조하고 쌀쌀한 음기(陰)를 만들게 되고, 이 음기는 생물의 성장을 중지(止)시키고, 이어서 추수(收)하게 만들게 되고, 이는 또한 가을의 건조함(燥)을 만들어내게 된다(西方陰止以收而生燥). 그리고 이 가을의 건조함(燥)은 오행에서 금(金)을 만들게 된다(燥生金). 그리고 장마철인 장하가 되면, 하늘의 한가운데(中央)에 높이 떠서 차가운 기운을 지구로 보내는 토성은 무더운 여름에 하늘로 올라온 뜨거운 수증기라는 양기(陽)를 자기의 차가운 음기(陰)로 교차(交)시키면서 비를 만들어내게 되고, 이는 자동으로 여름의 무더운 열기를 상대적으로 시원한 온기(溫)로 바꿔주게 된다(中央陰陽交而生溫). 무더운 여름에 비가 오고 나면, 시원해진다는 사실을 상기해보자. 그리고 장하의 이 온기(溫)는 오행에서 토(土)를 만들게 된다(溫生土). 지금 이 문장들은 오행(五

行)이라는 에너지가 만들어지는 원리를 설명하고 있다. 그리고 여기(其)에는 에너지를 통해서 서로 연결(維)되는 상생과(其相生也所以相維), 여기(其)에는 에너지를 통해서 서로 견제(制)하는 상극이 존재한다(其相克也所以相制). 이 문제는 본 연구소가 발행한 황제내경이나 난경 또는 전자생리학을 참고하면 된다. 이를 이르러서 오행의 원리(倫)라고 말한다(此之謂有倫). 그리고 오행에서 화(火)는 아주 큰(太) 양(陽)을 만든다(火為太陽). 오행에서 화는 지독하게 무더운 여름의 열기를 만든다는 사실을 상기해보자. 그리고 오행에서 화의 성질(性)은 불꽃(炎)처럼 위(上)로 상승하는 경향이 있다(性炎上). 그리고 오행에서 수(水)는 아주 큰(太) 음(陰)을 만든다(水為太陰). 오행에서 수는 지독하게 추운 겨울의 한기를 만든다는 사실을 상기해보자. 그리고 오행에서 수의 성질(性)은 얼음에 맺힌 물방울(潤)처럼 아래(下)로 떨어지려는 경향이 있다(性潤下). 그리고 오행에서 목(木)은 따뜻한 적은(少) 양(陽)을 만든다(木為少陽). 이는 봄과 여름의 열기를 비교해보면 된다. 그리고 오행에서 목의 성질(性)은 봄에 따뜻한 열기를 제공해서 아지랑이가 비등(騰)해서 위로(上) 올라가게 하는 경향이 있고, 이때는 따뜻한 열기로 인해서 성장이 멈출(止) 이유가 없게 된다(性騰上而無所止). 이는 따뜻한 봄에 아지랑이가 끊임없이 위로 올라가는 현상과 새싹이 피어나는 현상을 상기해보면 된다. 그리고 오행에서 금(金)은 쌀쌀한 적은(少) 음(陰)을 만든다(金為少陰). 이는 가을과 겨울의 냉기를 비교해보면 된다. 그리고 오행에서 금의 성질(性)은 가을의 차가운 이슬이나 서리가 내리게(沉下) 하는 경향이 있고, 이는 당연히 생물의 성장이 멈출(止) 이유가 된다(性沉下而有所止). 그리고 오행 중에서 토(土)는 변하지 않는 성질인 상성(常性)이 없는(無) 경향이 있다(土無常性). 이 성질은 사계절(四時)을 보면(視) 알 수 있는데, 이는 사계절에 동승(乘)하는 이유(所)가 되게 한다(視四時所乘). 이는 오행에서 12 지지의 성질을 보면 된다. 즉, 십이지지도 오행으로 만들어서 쓴다. 그런데 십이지지는 항목이 12개라서 오행으로 만들기가 쉽지 않다. 이때는 토(土)를 이용한다. 오행에서 토(土)를 붙박이(乘)로 이용하는 것이다. 이때는 토(土)에 한 달에 6일씩 배정하는데, 그 이유는 음력에서 달(月)은 절기(節氣)의 한 표현이기도 하기 때문이다. 12 지지로 표현되는 육기는 절기(節期)를 기준으로 한다는 사실을 상기해보자. 그러면, 달의 끝 무렵은 환절기(換節期:乘)가 된다. 이때 환절기는 에너지의 변화를 동반한다는 사실이다. 그리고 이때 이와 더불어 인체의 에너지도 변화를 동반한다. 그리고 이때는 면역(免疫)의 역할이 필수가 된다. 그런데, 토(土)는 비장(脾)에 배정된다. 그리고 비장은 림프(Lymph)를 통해서 면역(免疫)을 통제한다. 결국에 토(土)의 붙박이(乘)는 환절기의 면역을 의미한다. 그리고 이는 절기에서 에너지의 변화를 의미하기도 한다. 이는 사계절에서도 토(土)인 장하(長夏)를 기준으로 보면, 장하는 여름의 열기에서 가을의 냉기로 바뀌는 에너지 전환점(轉換點)이 된다. 그래서 자축인묘진사오미신유술해라는 십이지지를 오행으로 바꿔보자면, 12 지지는 절기를 기준으로 하므로, 시작을 해(亥)에서 하게 되고, 그러면 12 지지는 해자축, 인묘진, 사오미, 신유술로 나눠지게 되고, 이는 차례대로 수토, 목토, 화토, 금토가 된다. 즉, 12 지지를 차례대로 3개씩 네 부분으로 나눈 것이다. 여기 각각에서 끝의 붙박이(乘) 토(土)를 제거하면, 해자(亥子), 인묘(寅卯), 사오(巳午), 신유(申酉)가 남고, 제거한 토를 모으면, 축진미술(丑辰未戌)이 된다. 그래서 토(土)를 사계(四季) 또는 승(乘)이라고 부른다. 여기서 계(季)는 매월의 끝(季)이라는 뜻이고, 승(乘)은 동승(同乘)이라는 뜻이다. 이때 일어나는 동승은 매월의 끝에서 일어나므로, 결국에 승(乘)과 계(季)는 같은 뜻이 된다. 그리고 이는 12개월의 월건으로도 똑같이 표시된다. 그러면, 여기서 계(季)는 계절의 끝(季)이라는 뜻이 된다. 그러면, 축진미술(丑辰未戌)이라는 토는 겨울의 끝(癸)인 12월이 축(丑)이 되고, 봄의 끝인 3월이 진(辰)이 되고, 여름의 끝인 6월이 미(未)가 되고, 가을의 끝인 9월이 술(戌)이 된다. 이는 이미 앞에서 정리한 도표를 참고하면 된다. 이제 앞에서 본 문장을 다시 보자. 즉, 오행 중에서 토(土)는 변하지 않는 성질인 상성(常性)이 없는(無) 경향이 있다(土無常性). 이 성질은 사계절(四時)을 보면(視) 알 수 있는데, 이는 사계절에 동승(乘)하는 이유(所)가 되게 한다(視四時所乘). 즉, 12 지지에서 토(土)라는 오행은 매월 겨우 6일이라는 붙박이(同乘) 신세이거나 계절에서 한 달을 맡는 붙박이 신세이므로, 이는 당연히 자기의 기후적 특성을 보유하지 못하고, 항상 변하는 해당 달이나 해당 계절의 특성에 묻어서 갈 수밖에 없어서 자기의 변하지 않는 성질인 상성(常性)은 없게(無)

된다. 이는 토(土)가 사계절이나 월에 동승(乘)하고 있기 때문(所)이다. 다시 본문을 보자. 오행은 서로 에너지를 건네면서(濟) 이익을 얻고자(得) 한다면(欲使相濟得所), 지나치게 과하거나(太過) 부족함(弗及)이 없도록 해야 한다(勿令太過弗及). 이때는 오행의 문제가 에너지 문제이며, 오행은 서로 에너지를 교환한다는 사실을 알아야만 한다. 이를 보통은 하늘의 에너지에서는 태과와 불급이라고 말하고, 인체의 에너지에서는 상극이라고 말하는데, 상극을 실행하는 오장은 태과하게 되고, 상극을 당하는 오장은 불급하게 된다. 이 문제는 본 연구소가 발행한 황제내경이나 전자생리학 또는 난경을 참고하면 된다. 이를 사주 명리로 풀어보게 되면, 60갑자의 네 쌍이 서로 상극하는 관계가 나오면 안 된다는 뜻이다. 그러면, 오행의 에너지를 받아서 반응하는 오장의 균형이 깨지게 되면서, 자동으로 인체의 생리는 엉망이 되고, 이어서 모든 일은 어그러지게 된다. 인간의 모든 일은 건강이 핵심이라는 사실을 상기해보자. 그리고 이런 건강의 핵심은 에너지의 균형이라는 사실을 상기해보자. 더불어 사주팔자는 인체의 에너지를 본다는 사실도 상기해보자. 일반적으로(夫) 오행의 원래 특성은(夫五行之性), 오행 각각(各)은 자기(其)의 원래 용도(用)에 맞게 행동한다는 사실이다(各致其用). 그래서 오행에서 수(水)의 특성은 지혜(智)가 되고(水者其性智), 화(火)의 특성은 예의(禮)가 되고(火者其性禮), 목(木)의 특성은 인자함(仁)이 되고(木其性仁), 금(金)의 특성은 정의(義)가 되고(金其性義), 오직 토(土)만이 신뢰(信)를 주관해서(惟土主信), 큰 너그러움이 두텁게 되고(重寬厚博), 모두를 받아들이게 된다(無所不容). 지금 이 문장은 오행을 사주명리의 입장에서 바라본 것이다. 이는 체액 생리를 도입해서 풀어야 이해가 쉽다. 그래서 이를 체액 생리로 풀어보게 되면, 오행에서 목(木)의 영향을 받는 간(木)은 담즙을 통해서 신경을 통제하므로, 이는 자동으로 분노(怒)와 연결된다. 신경을 건드리게 되면 분노가 폭발하기 때문이다. 이때 분노는 자동으로 인자함(仁)의 기준이 된다. 버럭버럭 화를 잘 내면서 분노를 표출하는 사람이 인자(仁)할 리가 없기 때문이다. 그래서 생리적으로 분노(怒)가 사주 명리에서는 인자함(仁)과 짝하게 된다. 즉, 사주 명리에서 목(木)은 인(仁)으로 표시된다. 똑같은 원리에 따라서 설명하자면, 오행에서 화(火)의 영향을 받는 심장(火)은 웃음 호르몬인 세로토닌(Serotonin)이나 엔도르핀(Endorphin)을 통해서 기쁨과 웃음을 통제하므로, 이는 자동으로 즐거움이나 기쁨(喜)과 연결된다. 이때 즐거움은 자동으로 예의(禮)의 기준이 된다. 항상 즐겁고 행복하게 행동하는 일이 좋은 일이기는 하지만, 초상집에서도 즐겁게 웃으면, 이는 예의가 아니지 않는가! 즉, 이런 사람은 분위기에 맞춰서 예의에 맞게 행동하라는 뜻이다. 그래서 생리적으로 즐거움(喜)은 사주 명리에서는 예의(禮)와 짝하게 된다. 즉, 사주 명리에서 화(火)는 예의(禮)로 표시된다. 똑같은 원리에 따라서, 오행에서 금(金)의 영향을 받는 폐(金)는 행복 호르몬인 도파민(Dopamine)을 통해서 행복을 통제하므로, 이는 자동으로 행복이나 근심(憂)과 연결된다. 이때 근심(憂)은 자동으로 정의(義)의 기준이 된다. 즉, 정의롭게 살면, 근심이 없어진다는 뜻이다. 정의를 어겨서 죄를 지은 사람이 근심 없이 행복할 리가 만무하기 때문이다. 이때는 당연히 근심만 따라올 것이다. 그래서 생리적으로 근심(憂)은 사주 명리에서는 정의(義)와 짝하게 된다. 즉, 사주 명리에서 금(金)은 정의(義)로 표시된다. 똑같은 원리에 따라서, 오행에서 수(水)의 영향을 받는 신장(腎)은 공포 호르몬인 아드레날린(Adrenaline)을 통해서 공포(恐)를 통제하므로, 이는 자동으로 지혜(智)로 연결된다. 세상일을 처리하면서 만들어지는 공포(恐) 문제는 지혜(智)를 통해서 극복이 가능해지기 때문이다. 거꾸로 지혜(智)가 부족해도 공포(恐)를 자주 경험하게 되기 때문이다. 그래서 생리적으로 공포(恐)는 사주 명리에서는 지혜(智)와 짝하게 된다. 즉, 사주 명리에서 수(水)는 지혜(智)로 표시된다. 이번에는 특이한 성질을 보유한 토(土)를 보자. 오행에서 토(土)는, 12 지지를 나누는 과정에서 보았듯이, 붙박이 신세이다. 그래서 토(土)는 나머지 12 지지와 신뢰(信)를 형성하지 못하게 되면, 붙박이로서 공존하지 못하게 된다. 이를 다른 말로 하자면, 붙박이로서 토(土)는 항상 너그럽고 관대해야만 한다(重寬厚博)는 조건이 붙게 되고, 더불어 자동으로 나머지 12 지지의 모든 것을 받아들여서 수용해야만 한다(無所不容)는 조건도 붙게 된다. 아니면 토(土)는 붙박이로서 공존할 수가 없게 된다. 이를 인체 생리로 설명해보자. 토(土)는 비장(脾)을 대표한다. 그리고 비장은 림프를 통제해서 간질을 통제한다. 즉, 비장은 간질에서 만들어지는 산성 호르몬 등등 각종 대분자(大分子) 물질들을 받아들여서 처리한다. 이때 이 대분자 물질들을 비장이 림프를 통해서 처리하지 못하게 되면, 간질은 그대로 막혀버린다. 이는 자동으로 인체 스트레스(stress)로 다가온다. 그래서 비장은 간질에서 만들어지는 다양한 대분자 물질들을(重寬厚博), 모두 받아들여서 수용하게 된다(無所不容). 이 문제를 인체 입장으로 본다면, 이는 자동으로 스트레스(思)로 다가온다. 이를 사주 명리에서는 배려(思)로 표시하기도 한다. 배려(配慮)는 자동으로 스트레스를 동반하기 때문이다. 그리고 과잉 산을 중화하는 오장은 이를 처리하다가 과부하에 걸리게 되면, 이들을 산성 림프액으로 만들어서 비장이 처리해줄 것이라고 믿고서(信) 림프를 통해서 비장으로 보내버린다. 이때 비장은 신뢰(信)라는 책임을 진다. 또한 토(土)로서 비장은 12 지지 오행에서 6일씩이나 한 달씩 붙박이를 하면서 환절기의 면역(免疫)을 책임진다. 면역의 보고인 림프를 통제하는 비장은 면역(免疫)을 책임진다는 사실을 상기해보자. 이는 자동으로 고유 면역(免疫)을 보유한 오장이 면역(免疫)을 책임지는 비장을 믿는(信) 근거가 된다. 그래서 이런저런 이유로 사주 명리에서는 비장에 신(信)을 배정하게 만든다. 그래서 생리적으로 스트레스나 배려(思)는 사주 명리에서는 신뢰(信)와 짝하게 된다. 즉, 사주 명리에서 토(土)는 신뢰(信)로 표시된다. 이 부분을 자세히 기술하려면 엄청난 분량이 필요하다. 그래서 이 부분은 본 연구소가 발행한 황제내경이나 전자생리학을 필수로 요구하고 있다. 다시 본문을 보자. 이다음 문장부터는 앞에서 설명한 토(土)로서 비장의 기능을 정확히 알아야만 풀리게 된다. 즉, 다음에 나오는 문장은 비장(脾)과 오장(五臟)의 관계를 설명한 것이다. 그래서 수(水)로 표시되는 신장(水)이 자기 기능을 제대로 발휘해서 쓰이려면(以之水), 수(水)인 신장은 비장의 도움(附)을 받아서 자기 임무를 수행(行)해야만 한다(即水附之而行). 이는 신장과 비장이 똑같이 산성 림프액을 처리한다는 사실에서 그 근거를 찾을 수 있다. 신장은 뇌척수액을 처리하게 되는데, 이 뇌척수액이 림프액이다. 그리고 이 림프액을 비장이 총괄(總括)한다. 그러면 자동으로 신장은 산성 뇌척수액인 산성 림프액을 처리할 때 비장의 도움(附)을 받을 수밖에 없게 된다. 다시 본문을 보자. 목(木)으로 표시되는 간(木)이 자기 기능을 제대로 발휘해서 쓰이려면(以之木), 목(木)으로서 간은 비장에 의탁(托)해야만 살아(生)

남을 수가 있게 된다(則木托之而生). 이는 체액 생리학의 정수(精髓)를 말하고 있다. 간은 인체의 최대 해독 기관으로서 질량적 크기도 인체에서 최대를 자랑한다. 이런 간은 과잉 산의 해독을 수행하다가 과부하에 걸리게 되면, 이 과잉 산을 산성 림프액으로 만들어서 림프를 통해서 비장으로 보내서 위기를 모면하게 된다. 이런 이유로 간에는 산성 림프액을 처리하는 통로가 3개나 존재하게 된다. 이는 다른 오장에는 없는 간에만 존재하는 특이한 구조이다. 그래서 간은 평소에도 엄청난 양의 산성 림프액을 만들어내게 된다. 여기서 문제가 되면, 간경화(肝硬化)와 지방간(脂肪肝)으로 발전하게 된다. 이는 곧바로 간의 사망(死)을 말하게 된다. 그래서 간은 엄청난 양의 산성 림프액을 어떻게 처리하느냐의 문제가 생사(生死)의 문제가 된다. 이는 자동으로 산성 림프액을 총괄하는 비장의 문제로 다가가게 된다. 그래서 목(木)으로서 간(木)은 비장에 의탁(托)해야만 살아(生)남을 수가 있게 된다(則木托之而生). 이는 체액 생리학의 정수(精髓)를 말하고 있다. 이는 또한 우리가 왜 사주 명리를 배우는지도 말해주고 있다. 즉, 사주 명리를 배우는 이유는 사주 명리를 통해서 인체의 타고난 에너지를 파악하고, 이어서 인체의 약한 에너지를 조절하자는 뜻이 배어있기 때문이다. 참으로 대단하다. 어떻게 몇천 년 전에 이런 사실을 정확히 꿰뚫고 있었을까? 이는 소름이 돋게 하는 대목이다. 다시 본문을 보자. 금(金)으로서 폐는 토(土)로서 비장의 도움을 얻지 못하게 되면(金不得土), 스스로 배출하지 못하게 된다(則無自出). 폐는 인체에서 올라오는 모든 산성 체액을 최종 중화 처리하게 된다. 그리고 이를 통해서 좌 심장으로 가는 동맥혈을 만들게 되고, 이어서 이 동맥혈은 전신으로 배출(出)된다. 그런데 폐로 들어가는 산성 체액 중에는 산성 림프액도 포함된다. 그리고 이 산성 림프액은 높은 점성(粘性)을 자랑한다. 그리고 혈액에 이런 높은 점성(粘性)의 산성 림프액이 많게 되면, 혈액의 배출(出)은 막대한 장애를 겪게 된다. 그래서 금(金)으로서 폐는 점성이 높은 산성 림프액을 처리하는 토(土)로서 비장의 도움을 얻지 못하게 되면(金不得土), 자동(自)으로 동맥혈의 배출(出)을 제대로 하지 못하게 된다(則無自出). 이 또한 체액 생리학의 정수(精髓)를 말하고 있다. 참으로 대단하다. 다시 본문을 보자. 화(火)로서 심장은 토(土)로서 비장의 도움을 받지 못하게 되면

(火不得土), 스스로 회귀시킬 수가 없게 된다(則無自歸). 이 또한 체액 생리학의 정수(精髓)를 요구하고 있다. 심장은 맥박이라는 박동을 이용해서 동맥 혈액을 간질로 뿜어낸다. 그리고 이 과정에서 정맥혈(靜脈血)이 만들어진다. 이때 간질이 막히게 되면, 정맥혈(靜脈血)은 자동으로 간질에 정체하고 만다. 그러면 자동으로 혈액의 순환은 막히고 만다. 그리고 이런 간질을 책임지는 존재가 토(土)로서 비장이다. 그래서 이때 비장이 혈액 순환의 핵심인 간질을 림프를 통해서 제대로 통제하지 못하게 되면, 자동으로 혈액 순환은 막히게 되고, 이는 자동으로 정맥혈(靜脈血)의 우 심장으로 회귀(歸)를 막게 된다. 그래서 한의학에서 보면, 심장은 자기 오수혈 중에서 비장을 통제하는 오수혈을 아주 잘 이용하게 된다. 다시 본문을 보자. 그래서 가득(實) 차면 덜어(損)내야만 통(通)하게 된다(必損實以為通). 즉, 간질에 분자 크기가 큰 산성 체액이 가득(實) 차게 되면, 이때는 비장의 도움을 받아서 이들을 덜어(損)내서 청소해야만 혈액 순환이 통(通)하게 된다. 그래서 혈액 순환의 핵심인 간질이 비워져서(致虛) 깨끗해지면, 이때는 혈액 순환이 명료(明)하게 된다(致虛以為明). 그래서 앞에서 설명한 부분을 모두 보게 되면, 오행(五行)으로 표시되는 오장은 모두(皆) 토(土)로서 비장을 믿고서(信賴) 행동하게 된다(故五行皆賴土也). 이뿐만이 아니라 면역을 통제하는 비장은 면역을 통해서도 신뢰(信賴)로서 오장의 고유 면역을 돕게 된다. 그리고 오행으로 표시되는 상태는 형색이나 안색을 통해서도 추정(推)이 가능해진다(推其形色). 여기서 형색은 오행을 만들어내는 오성의 색깔을 말하고, 안색은 오행을 통해서 영향을 받는 오장이 취급하는 물질의 색깔을 말한다. 그래서 오행에서 수(水)를 만들어내는 수성(水)은 흑색(黑)을 띠며 빛나는데(則水黑). 이는 자동으로 신장(水)이 취급하는 검은(黑) 색소를 보유한 유로빌린을 통해서 공명(共鳴)을 만들고, 이어서 신장에 영향을 미치게 된다. 그리고 오행에서 화(火)를 만들어내는 화성(火)은 적색(赤)을 띠며 빛나는데(火赤), 이는 자동으로 심장(火)이 취급하는 붉은(赤) 색소를 보유한 혈색소를 통해서 공명(共鳴)을 만들고, 이어서 심장에 영향을 미치게 된다. 그리고 오행에서 목(木)을 만들어내는 목성(木)은 청색(靑)을 띠며 빛나는데(木青), 이는 자동으로 간(木)이 취급하는 푸른(靑) 색소를 보유한 담즙이나 정맥혈을 통해서

공명(共鳴)을 만들고, 이어서 간에 영향을 미치게 된다. 그리고 오행에서 토(土)를 만들어내는 토성(土)은 황색(黃)을 띠며 빛나는데(土黃), 이는 자동으로 비장(土)이 취급하는 노란(黃) 색소를 보유한 빌리루빈을 통해서 공명(共鳴)을 만들고, 이어서 비장에 영향을 미치게 된다. 그리고 여기에는 언급이 없지만, 오행에서 금성이 주도하는 폐도 원리는 이와 똑같게 된다. 즉, 오행에서 금(金)을 만들어내는 금성(金)은 백색(白)을 띠며 빛나는데, 이는 자동으로 폐(金)가 취급하면서 백색(白)으로 보이는 물질인 중조(Bicarbonate:중탄산염)를 통해서 공명(共鳴)을 만들고, 이어서 폐에 영향을 미치게 된다. 여기서 중탄산염은 폐가 취급하는 이산화탄소(CO_2)에서 만들어진다. 그러면, 여기서 왜 금성에 대한 언급이 없을까? 그 이유는 백색은 모든 색에 조금씩 포함되기 때문이다. 지금까지 기술한 이(此) 색깔들이 오행(五)을 표시하는 오성(五)의 정상(正)적인 색깔(色)들이다(此正色也). 그래서 이런(其) 정상적인 색깔들이 변화(變)해서 바뀌게(易) 되면(及其變易), 이는 자동으로 부자연스러운 일이 된다(則不然). 그래서 오행을 만들어내는 오성의 색깔과 공명하면서 활동하는 인체의 오장이 취급하는 물질이 항상(常) 정상(正)적인 색깔(色)을 왕성(旺)하게 유지(從)하게 되면, 이때 생명도 정상적으로 살아가게(生) 된다(常以生旺從正色). 그러나 오장이 취급하는 물질이 오행의 원래(母) 색깔과 공명하지 못하고(絶) 다른 색깔을 유지(從)하게 되면, 이때 생명은 정상적으로 유지되지 못하게 되고, 이어서 죽게(死) 된다(死絶從母色). 이는 만병의 근원인 과잉산을 중화 처리하는 오장에 문제가 있다는 뜻이므로 너무나 당연한 일이다. 이는 안색으로 표현되고, 이는 망진(望診)을 통해서 확인된다. 그래서 인체(形)의 상태가 정상적으로 작동하면서 왕성(成)하게 되면, 인체의 행색(冠帶)은 자동으로 오행의 색깔(色)과 똑같이 짝(妻)을 이루어서 유지(從)하게 된다(成形冠帶從妻色). 즉, 이때는 인체의 오장 안색과 오행의 색깔이 서로 공명(妻)하면서 똑같은 색깔이 되고, 이어서 건강은 정상적으로 유지된다. 그러나 인체의 상태가 비정상으로 작동하면서, 병(病)들고 무너지게(敗) 되면, 이때 인체의 안색은 자동으로 원래의 안색(色)과 멀어지게(鬼) 된다(病敗從鬼色). 그리고 인체가 병들어 죽어서 묘지(墓)에 안장할 정도가 되면, 이때 안색은 원래(母) 색깔과 전혀 다른(子) 색깔(色)

을 띠게 된다(旺墓從子色). 이 문장은 인체의 생리와 오행의 에너지를 교묘히 섞어서 기술하고 있다. 이는 자동으로 미신(迷信)을 불러오기에 알맞은 조건을 제공하고 있기도 하다. 즉, 이 부분은 정확한 해석이 상당히 어렵다는 뜻이다. 게다가 은유법(隱喩法)까지 구사하고 있다. 이 덕분에 이 부분의 해석은 중구난방(衆口難防)이 되고 만다. 그래서, 이 부분을 정확히 이해하지 못하면, 궁통보감의 정확한 해석은 물 건너가고 만다. 그리고, 양자역학을 모르게 되면, 설마 사주 명리학책에 인체의 생리가 나올 것이라는 사실은 꿈에도 생각하지 못하게 된다. 그러나 사주 명리에는 눈에 보이지 않는 에너지인 음양오행이 나오므로, 눈에 보이지 않는 에너지를 연구하는 양자역학은 자동으로 사주 명리학의 핵심 중에서도 핵심이 된다. 그리고 눈에 보이지 않는 에너지는 인체도 다스리므로, 사주 명리에 인체의 생리가 등장하는 일은 너무나도 당연한 일이 된다. 이 문제는 자동으로 인체와 우주가 눈에 보이지 않는 에너지로 대화한다는 결론으로 간다. 즉, 눈에 보지지 않는 에너지가 인체와 우주를 잇는 가교라는 뜻이다. 그러면, 이 에너지에 변동이 생기면, 인체는 자동으로 변화한다. 그리고 눈에 보이지 않는 에너지의 표현이 바로 사계절이다. 그러면, 궁통보감에는 자동으로 사계절 문제가 등장하게 된다. 그리고 이 사계절 문제는 인체의 에너지 문제와 직결된다. 이는 아주 재미있는 여담을 만들어낸다. 2020년부터 토성과 화성이 서로 가까워지면서, 지구로 근접하고 있다는 신문 기사가 나오기 시작한다. 이때 일부에서 이는 인간들에게 재앙이 될 것이라고 예언하고 있었다. 그리고 이는 네이버의 지식 인터넷에서 질문으로 나오게 된다. 물론 이때 과학자 나부랭이들은 이를 한 치의 망설임도 없이 미신으로 치부하고 말았다. 그러면, 이들은 왜 이런 대답을 자신 있게 했을까? 답은 과학자 나부랭이들이 배운 과학이 고전물리학(古典物理學)이기 때문이다. 이들은 자기들이 배운 고전물리학이 과학의 전부라고 착각하고 있다. 그러나 토성과 화성의 문제를 양자역학으로 살펴보게 되면, 말은 바뀌게 된다. 즉, 토성은 자기가 공급한 차가운 에너지를 통해서 장마를 만들고, 화성은 자기가 공급한 뜨거운 에너지를 통해서 수증기를 만든다. 즉, 화성이 만든 수증기에 토성이 차가운 에너지를 공급하게 되면, 이 수증기가 응결되면서 비가 되는 것이다. 이는 전 세계에서 기록적인 폭우와 기록적인 폭염으로 나타나고 있다. 즉, 토성은 기록적인 폭우를 만들어내고, 화성은 기록적인 폭염을 만들어내고 있다는 뜻이다. 그리고 이는 인간에게 재앙으로 다가오고 있다. 그러면, 2020년부터 제기한 예언가들의 예언이 거짓도 아니고 미신도 아니라는 사실이 금방 드러나게 된다. 대신에 과학자 나부랭이들의 무식함은 민낯을 드러내고 있다. 그래서 지금 전 세계가 겪고 있는 기후 문제는 양자역학으로 풀면, 아주 간단하다. 그러나 여전히 과학자 나부랭이들은 엘니뇨나 찾고 있고, 탄소 배출 문제나 찾고 있다. 물론 이들도 지구 기후 문제에 개입한다. 그러나 이들은 기후 문제에서 주요 문제는 아니다. 이것이 눈에 보이지 않는 에너지를 다루는 양자역학을 기반으로 한 음양오행의 힘이다. 더 무서운 이야기는 이런 음양오행 이론이 적어도 약 5,000년 전에 이미 완벽하게 확립되어있었다는 사실이다. 이 문제는 너무나 긴 이야기라서, 본 연구소가 발행한 전자생리학이나 황제내경 소문을 참고하라고 말하는 수밖에 없다. 이 문제는 그만큼 분량이 많다는 뜻이다. 이런 기후 문제를 만들어내는 에너지는 또한 생명체의 에너지이기도 해서 코로나라는 팬데믹으로 이어졌다. 결과적으로 눈에 보이지 않는 에너지 과잉이 기록적인 홍수, 기록적인 폭염, 기록적인 팬데믹을 만들어냈다. 그리고 최근에는 눈에 보이지 않는 에너지의 과잉으로 인해서 오로라(aurora)가 너무나 많이 등장하고 있다. 이 오로라(aurora)를 극광(極光)이라고 부른다. 여기서 극(極)은 전자(Electron)를 말한다. 전자는 눈에 보이지 않는 에너지라는 사실을 상기해보자. 그래서 이런 오로라의 반복적인 출현은 고대 조상들에게는 불운(不運)의 증거라고 해서 걱정을 많이 했다. 그러나 지금의 문명인(文明人)들은 이를 거꾸로 즐기고 있다. 그 대신에 폭염과 폭우가 왜 나타나는지를 모르고 있다. 기껏해야 엘니뇨나 탄소 배출을 문제로 삼고 있으나, 이는 이미 설명의 한계를 보여주고 있다. 당연히, 이 현상이 설명될 리가 없다. 엘니뇨(el Niño)는 대기(大氣)의 문제인데, 이 대기를 오성이 만들어내는 오행이 간섭하기 때문이다. 즉, 문명이 발전해가면서 인류는 점점 더 멍청해지고 있다는 뜻이다. 물론 AI의 시대가 오면, 인간은 더욱더 멍청해질 것이다. 아니, 이때 인간은 바보천치가 될 것이다.

其數則水一, 火二, 木三, 金四, 土五. 生旺加倍, 死絕減半. 以義推之, 夫萬物負陰而抱陽, 衝氣以和. 過與不及, 皆為乖道. 故高者抑之使平, 下者舉之使崇, 或益其不及, 或損其太過. 所以貴在折衷 歸於中道, 使無有餘不足之累, 即才官印食貴人驛馬之微意也. 行運亦如之, 識其微意, 則於命理之說, 思過半矣.

각각의 오행에는 해당하는 숫자가 있다. 여기에도 음양(陰陽)이 있어서, 1에서 5까지는 양에 해당하는 숫자가 되고, 이는 빛(陽)의 크기 순서가 된다. 그리고 6에서 10까지는 중력(陰)의 크기 순서가 된다. 그래서 수(數)도 음과 양으로 구분된다. 이는 12 지지와 10 천간이 음양으로 구성되는 원리와 똑같다. 그래서 오행에서 해당하는 양의 숫자를 보자면(其數), 수는 1로 표시되고(則水一), 화는 2로 표시되고(火二), 목은 3으로 표시되고(木三), 금은 4로 표시되고(金四), 토는 중앙에 자리하므로, 5로 표시된다(土五). 이는 전에 기술했던 "오행과 오성의 공명을 중심으로 본 여러 현상"이라는 표를 참고하면 된다. 그래서 10과 5는 토(土)를 상징하게 되는데. 오행에서 토(土)를 만들어내는 토성(土)은 자기가 보유한 차가운 에너지를 이용해서 여름의 장마를 만들어낸다. 그리고 이 장마로 만들어진 물은 생물의 성장을 돕게 된다. 그래서 오행에서 토성은 비를 만들어서 수분을 공급하므로, 이는 자동으로 생물의 성장(生)을 왕성(旺)하게 하고, 자동으로 성장(生)을 배가(加倍)시키게 된다(生旺加倍). 반대로 오행을 만들어내는 토성의 기운이 반감(減半)되어서 비가 반감(減半)되어서 줄어들게 되면, 생물은 물의 부족으로 인해서 자동으로 생명이 끊어져서(絕) 죽게(死) 된다(死絕減半). 이 부분은 토성의 기운으로 해석하지 않아도 된다. 즉, 다른 오성의 기운인 오행으로 해석해도 된다. 즉, 어떤 오행의 에너지이건 간에 과하게 되면, 자동으로 성장(生)을 배가(加倍)시키게 되고(生旺加倍), 반대로 어떤 오행이 만들어내는 에너지가 반감(減半)되어서 줄어들게 되면, 생물은 해당 에너지의 부족으로 인해서 자동으로 생명이 끊어져서(絕) 죽게(死) 된다(死絕減半). 이를 기반으로 이들의 정의(義)를 미루어(推) 짐작해보게 되면(以義推之), 일반적(夫)으로 만물은 형체를 만들어주는 음(陰)에 신세(負)를 지고, 이 음은 자유전자(陽)라는 성장인자를 품(抱)어서 만물을 만들게 된다(夫萬物負陰而抱陽). 이 문제는 상당히 복잡하므로, 본 연구소가 발행한 전자생리학을 참고하면 된다. 이 말을 다시 풀어서 하자면, 만물도 음과 양으로 구성된다는 뜻이다. 즉, 이는 음기(氣)와 양기(氣)가 서로 뒤얽혀서(衝:뒤얽힐 종) 화합(和)한 결과물이 만물이라는 뜻이다(衝氣以和). 이 화합은 당연히 정확한 균형을 맞추기가 어렵다. 그래서 만물이 만들어질 때 음과 양의 균형이 서로 어긋나기도 하므로, 음과 양의 과부족이 생기게 된다(過與不及). 물론 이때 과부족은 모두(皆) 당연히 자연의 이치에 어긋나는(乖) 도리이다(皆為乖道). 그래서 이런 경우가 생기게 되면, 태과해서 너무 높게(高) 솟은 결과물은 억제(抑)해서 균형을 맞춰(平)줘야만 하고(故高者抑之使平), 불급해서 너무 낮게(下) 처진 결과물은 들어(擧) 올려줘서 부양(崇)시켜줘야만 한다(下者擧之使崇). 이를 사주 명리로 보게 되면, 에너지가 부족한 오행은 에너지를 북돋아 주고, 에너지가 과한 오행의 에너지를 억제해줘서 에너지의 균형을 찾으라는 뜻이다. 이를 인체 생리학으로 풀어보게 되면, 기능이 처진 오장의 기운은 북돋아 주고, 기능이 과한 오장의 기운은 억제해줘서 건강의 균형을 찾으라는 뜻이다. 오행과 오장은 공명해서 서로 대화한다는 사실을 상기해보자. 즉, 기능이 너무 떨어지면, 그(其) 기능은 북돋아(益) 주고(或益其不及), 즉, 기능이 너무 과하게 되면, 그(其) 기능은 덜어내(損) 주라는 뜻이다(或損其太過). 이렇게 하는 이유는(所以) 모든 사물을 구성하는 음과 양이 모두 존귀(貴)해지도록 절충점(折衷)을 찾기 위함 때문이다(所以貴在折衷). 그러면 자동으로 음과 양은 모두 치우침이 없는 중도(中道)로 돌아오게(歸) 된다(歸於中道). 즉, 이는 태과나 부족이 누적(累)되지 않게(無) 하기 위함이다(使無有餘不足之累). 태과나 부족의 누적은 음양의 균형을 깨뜨리게 되고, 이는 자동으로 모든 사물의 파괴를 말하기 때문이다. 이를(卽) 다른 말로 풀어보자면, 역참에 근무하는 능력이 있는 관리(才官)가 역의 통과를 허락하는 인장(印)과 식량(食)을 공급해서 귀인이 타고 있는 역마의 느림과 빠름을 조절하는 숨(微)은 뜻(意)과 같게 된다(卽才官印食貴人驛馬之微意也). 이렇게 해주게 되면 귀인을 태운 역마는 속도의 과부족(有餘不足)이 없이 효율적인 속도로 달리게 된다. 즉, 능력이 있는 재관이 역마의 속도를 효율적인 속도로 조절해준 것이다. 이때 재관이 이용하는 도구가 인장(印)과 식량(食)이다. 이 원리는 역시(亦) 사주 명리(運)를 이행(行)할 때도 그대로 적용된다(行運亦如之). 그래서 사주 명리에서 숨(微)은 뜻(意)을 이해하는 일은 엄청나게 중요하게 된다. 즉, 이는 사주 명리의 정확한 해석이 엄청나게 중요하다는 뜻이다. 그래서 사주 명리에서 그(其) 숨(微)은 뜻(意)을 정확히 인식(識)할 수만 있다면(識其微意), 이는 명리학의 이론을(則於命理之說), 이미(思:어조사) 과반(過半)은 이해한 것이 된다(思過半矣). 이 구절은 너무나 어려워서 지금까지 푼 사람이 없었다. 이 구절은 음양오행의 원리를 정확히 이해하지 못하면 풀 수가 없기 때문이다. 이는 사실 사주 명리의 용신을 쓸 때 억부법(抑扶法)을 말하고 있다. 물론 용신을 쓸 때는 보통 억부법(抑扶法), 조후법(調候法), 통관법(通關法), 병약법(病藥法), 전왕법(專旺法)이 있으나, 이들을 음양오행의 원리로 뜯어보게 되면, 결국에 이들 모두는 억부법의 변형에 불과하기 때문이다. 에너지를 조절할 때는 억제나 부양이라는 두 가지만이 존재하기 때문이다. 물론 에너지의 중화도 있지만, 중화는 에너지를 제거해버리므로, 이는 생체 에너지의 단절을 말하게 되고, 이어서 이때 생체는 에너지 고갈로 죽어버리므로, 거론할 가치가 없다. 그리고 이때 재관(才官)이 이용하는 도구가 인장(印)과 식량(食)이다. 이는 사주 명리에서 운(運)의 의미를 은유법(隱喩法)으로 설명하고 있다. 즉, 이 문장은 재격(才), 관격(官), 식신격(食), 인수격(印) 등등의 육친(六親)을 말하고 있다. 이 오행총론은 사주 명리에서 엄청나게 중요한 의미를 은유법을 써서 설명하고 있다. 그래서 이 부분을 완벽하게 이해하지 못하게 되면, 사주 명리의 해석은 수박 겉핥기가 되고 만다. 추가로 사주의 깊이 있는 해석도 되지 않게 된다. 결국에 일간과 월지 사이에서 나타나는 에너지의 과부족(有餘不足)이 없이 중도(中道)로 돌아오게(歸) 하는(歸於中道) 것이다.

궁통보감에서 가져온 오행 각론

목론(論木)

木性騰上而無所止, 氣重則欲金任使, 有金則有惟高惟斂之德. 仍愛土重, 則根蟠深固, 土少則有枝茂根危之患. 木賴水生, 少則滋潤, 多則漂流. 甲戌、乙亥、木之源. 甲寅、乙卯、木之鄕. 甲辰、乙巳、木之生. 皆活木也. 甲申、乙酉、木受克. 甲午、乙未、木自死. 甲子、乙丑、金克木. 皆死木也. 生木得火而秀, 丙丁相同. 死木得金而造, 庚辛必利. 生木見金自傷, 死木得火自焚, 無風自止, 其勢亂也. 遇水返化其源, 其勢盡也. 金木相等, 格謂斫輪. 若向秋生, 反為傷斧, 是秋生忌金重也.

오행에서 따뜻한 에너지를 보유한 목성의 에너지가 만들어내는 목(木)의 성질(性)은 목성이 공급해주는 따뜻한 에너지 덕분에 아지랑이가 비등(騰)해서 위(上)로 올라가고, 만물은 성장을 멈추지(止) 않게 된다(木性騰上而無所止). 이는 사주명리에서 목(木)의 성질을 말하고 있다. 그리고 이는 오행에서 목성이 만들어내는 목(木)의 성질을 말하고 있는데, 이는 또한 인체에서 목성과 공명(共鳴)하는 간(木)의 성질과도 똑같게 된다. 횡격막에 매달린 간(木)은 하복부의 소화관에서 흡수되어서 위쪽(上)으로 올라온(騰) 영양분을 산성 정맥혈 형식으로 받아서 전신으로 공급하게 되고, 인체는 이를 받아서 성장하게 된다. 그리고 이때 간은 자기가 만들어내는 산성 정맥혈, 산성 림프액, 암모니아의 처리 문제도 고려하게 만든다. 이 세 가지는 모두 간이 처리하는 담즙에서 파생된다는 사실을 상기해보자. 그러나 지금은 이를 사주 명리와 연결해야 하므로, 이를 상황에 따라서 은유법으로 적용하면 된다. 그래서 간의 기운(氣)이 너무나 강(重)해서 즉, 간이 과부하(重)에 걸려서 문제가 되면, 간은 이를 산성 정맥혈로 만들고, 이어서 기정맥이라는 우회로를 통해서 폐로 보내고, 이어서 간은 과부하를 벗어나게 된다. 이를 사주 명리학으로 풀게 되면, 산성 정맥혈을 처리하는 간의 기운(氣)이 너무 강(重)하게 되면, 간은 금(金)으로서 폐(金)가 산성 정맥혈을 받아서 처리해주는 임무(任)를 실행(使)해주기를 바라게(欲) 된다(氣重則欲金任使). 그러면 자동으로 오행에서 목(木)은 균형이 잡히면서 활력을 찾게 된다. 세상 모든 문제는 과유불급(過猶不及)

이라는 사실을 상기해보자. 여기서 중요한 사실은 간의 기운이 너무 세다(重)는 사실이다. 이때는 폐가 간을 도와주는 형식이 된다. 이를 사주 명리로 풀게 되면, 폐는 간을 상극(克)하는 기능도 보유하고 있으므로, 너무 강(重)한 목을 금이 견제(克)해서 목의 균형을 잡아준다는 논리로 다가간다. 그래서 사주 명리에서 하나(一)의 목이 있을 때, 하나(一)의 금이 있게 되면, 이는 금이 목을 죽(克)이는 결과로 나타나게 되지만, 목이 쌍(重)으로 존재하면서 목이 엄청나게 강(重)할 때, 금이 하나(一)만 존재하게 되면, 이때는 목의 광분을 금이 막아줘서 목의 균형 잡아주므로, 이때 금은 아주 좋은 금이 된다. 여기서 중요한 사실은 사주 명리는 건강을 위한 지침서라는 사실을 명심하는 일이다. 물론 사주 명리에는 명예도 있고, 재복도 있고, 여러 가지가 있긴 하지만, 이들 모두는 건강이 따른 상태에서 부수적으로 얻어지는 것들일 뿐이다. 그래서 목으로서 간이 간의 소원을 들어주는 금(金)으로서 폐를 보유(有)하고 있다면(有金則), 간은 아주 높은(高) 활력을 가질 수가 있게 되고, 그만큼 수확(斂)도 많이 할 수 있게 되는 덕(德)을 보유(有)하게 된다(有惟高惟斂之德). 여기서 핵심은 목의 기운이 너무 강(重)하게 되면, 이를 금이 제어(制)해준다는 사실이다. 이 경우는 목이 토를 상극(克)할 때 아주 중요하다. 예를 들면, 어떤 사주의 주인공이 토인데 즉, 일간이 토인데, 이때 목이 토를 상극하게 되면, 이때, 이 사주는 죽고 만다. 이때는 당연히 이를 구해줄 용신(用神)이 필요하게 된다. 여기서 신(神)은 에너지이므로, 용신은 토와 목 사이에서 에너지 중재자가 된다. 그래서 이때 금이라는 에너지 중재자인 용신이 나타나게 되면, 이 사주의 주인공인 토는 살아나게 된다. 이는 자동으로 금, 목, 토라는 좋은 조합을 만들어낸다. 그래서 사주는 에너지 중재자인 용신을 찾는 일이 된다. 즉, 사주는 금, 목, 토라는 좋은 조합을 찾는 일이 된다. 그러면, 목이 토를 상극하지만, 목은 금에 상극 당해서 힘이 빠진 상태이므로, 이때 토는 중재자인 금 덕분에 살아나게 된다. 이때는 약해진 목이 강한 토를 상극한다는 사실을 상기해보자 이는 상생의 관계에서도 그대로 나타나게 된다. 즉, 토는 화에서 에너지를 받게 되면, 토는 과부하에 걸려서 약해지게 된다. 그러나 이때 토가 자기가 받은 에너지를 다른 오행으로 보낼 수 있다면, 문제는 달라진다. 그러면, 이때는 용신으로 금을 쓰면 된다. 그러면, 이때는 화, 토, 금이 된다. 그러면, 과부하에 걸린 토의 에너지는 완충되면서, 토는 살아나게 된다. 여기서 핵심은 토의 에너지가 상처를 입지 않고 그대로 보존되게 하는 일이다. 결국에 사주에서 용신을 찾는다는 말은 이런 좋은 조합을 찾는 일이 된다. 그러면, 이때는 용신이라는 용어보다는 그냥 에너지 완충이라고 하면, 아주 편하게 된다. 사주 명리에서는 용어가 너무 많다. 그러나 이를 에너지로 바꾸게 되면, 이런 용어를 쓸 필요가 없다. 사주 명리의 핵심인 음양오행은 눈에 보이지 않는 에너지라는 사실을 상기해보자. 이를 모르니까 용어를 만들어서 사주 명리를 해석하게 되고, 이어서 대혼란이 유도되면서 사주 명리도 대혼란 속에 빠지고 만다. 그리고 이 용신은 사주 명리를 배우게 하는 원동력이 된다. 이는 또한 사주 명리가 인체의 생리와 연결된다는 사실로 나타나게 된다. 그래서 이때 용신이 없다면, 용신을 만들어주면 된다. 즉, 화, 토, 금에서 금이라는 용신이 없다면, 이는 인체 생리에서 폐(金)가 약해서 토를 돕지 못하고 있다는 뜻이 된다. 그래서 이때는 폐를 돕는 치료를 하게 되면, 이 사람의 운명은 건강이 회복되면서 바뀌게 된다. 이것이 사주 명리의 존재 가치이고, 존재 이유가 된다. 그래서 사주 명리는 원래 숙명론(宿命論)이 아니라 개명론(改命論)이다. 그래서 우리는 사주팔자를 고친다(改)고 말한다. 아니면 팔자를 고쳤다(改)고 말한다. 그러나 사주 명리를 인체의 생리와 연결하지 못하게 되면서, 어느 사이에 사주 명리는 숙명론으로 바뀌고 말았다. 이는 다시 서양의 우생학(優生學)으로 변질된다. 이는 자동으로 인간 평등의 문제로 가고 만다. 그러나 사주 명리를 정확히 이해하고 활용할 수만 있다면, 사주 명리는 인간의 약점을 보완해서 모두 우월(優)한 존재가 되게 한다. 다시 한번 말하지만, 사주 명리는 건강을 위한 지침서이므로, 이의 해석도 오행과 공명하는 오장으로 푸는 것이 합리적이다. 그러면, 이번에는 자동으로 간이 만들어내는 산성 림프액으로 향하게 되고, 이는 또한 자동으로 비장의 문제로 다가가게 된다. 그래서 목으로서 간이 토(土)로서 강(重)한 비장을 의지(仍)해서 사랑(愛)하게 되면(仍愛土重) 즉, 비장(土)이 강(重)해서 간(木)이 주는 산성 림프액을 제대로 처리해주게 되면, 이때는 당연히 간의 뿌리가 깊고 견고하게 고정된다(則根蟠深固). 즉, 이때는 간이 건강하게 된다. 그러나 이런 비장(土)의 기능이 허약(少)하게 되면, 간은 마치 식물이 잎사귀만 무성하고 뿌리는 위태로운 형국과 같아지면서 우환을 안게 된다(土少則有枝茂根危之患). 즉, 이때 간(木)은 과도한 산성 림프액을 처리하지 못해서 건강하지 못하게 된다. 이는 사주 명리에서 간을 도와주는 비장이 강한 상태로 간과 짝하기를 바라는 욕구이다. 즉, 토(土)는 목(木)을 도와주는 인자이다. 이는 목이 토를 상극하는 상황을 말한다. 즉, 간은 과부하에 걸리면, 산성 림프액을 만들어서 비장으로 보내서 위기를 모면한다. 이번에는 간이 만들어내고 신장이 처리하는 암모니아 문제와 신장이 만들어내고 간이 처리하는 산성 정맥혈 문제로 가보자. 이를 명리학과 생리학으로 풀어보자면, 암모니아를 만들어내는 간인 목(木)은 암모니아를 처리하는 신장인 수(水)를 신뢰((賴))할 수 있게 되면, 암모니아로 인한 해악이 제거되면서 간은 살아(生)남게 된다(木賴水生). 아니면, 간인 목은 산성 정맥혈을 만들어내서 간으로 보내는 신장인 수를 신뢰할 수 있게 되면, 과도한 산성 정맥혈로 인한 해악이 제거되면서, 살아남게 된다. 이는 결국에 목(木)과 수(水)의 상생(生) 관계를 말하고 있다. 이 문제는 음과 양의 문제로 다가간다. 즉, 수에서 목으로 가는 상생의 에너지는 양(陽)의 방향이 되고, 목에서 수로 가는 에너지는 음(陰)의 방향이 된다. 이 문제는 에너지가 있으면, 양이 되고, 없으면, 음이 되는 원리와 별개의 개념이다. 그러면, 간이 신장으로 보내는 암모니아는 음(陰)의 에너지가 되고, 신장이 간으로 보내는 산성 정맥혈은 양(陽)의 에너지가 된다. 그러면, 자동으로 에너지를 많이 머금은 양인 목은 거꾸로 가는 음으로서 수를 만나게 되면, 좋은 상태를 유지할 수 있게 된다. 이를 보통은 목에 좋은 정인(正印)이라고 부른다. 여기서 목은 본래 수에서 에너지를 공급받게 된다. 이 원리는 모든 오행의 상생과 상극 관계에서 적용된다. 그리고 간은 담즙에 붙은 단백질에서 질소를 암모니아 형태로 처리한다는 사실을 상기해보자. 그래서 간이 만들어주는 암모니아를 신장이 제대로 처리해주게 되면, 간은 자동으로 살아남게 된다. 그러나 상생 관계에서 보통은 양으로 흐르는 에너지를 기준으로 삼는다. 그래서 신장이 간으로 보내주는 산성 정맥혈의 양이 적게(少) 되면, 이를 처리하는 간이 잘 작동할 수 있게 간을 촉촉이 적셔주게 된다(少則滋潤). 이 경우는 신장의 에너지가 음인 경우이다. 이를 보통은 목에 좋은 정인(正印)이라고 부른다. 앞에서 말한 정인의 개념과 다비시켜서 보아도 된다. 산성 정맥혈은 자유전자를 보유하게 되는데, 이 자유전자는 간이 산성 물질을 분해할 때 이용되므로, 적당한 산성 정맥혈은 간을 돕게 된다. 소화관에서 간으로 올라오는 영양소가 산성 정맥혈이라는 사실을 상기해보자. 그러나 거꾸로 신장이 간으로 보내주는 산성 정맥혈의 양이 너무 과다(多)하게 되면, 간은 이를 처리하면서 과부하에 걸리게 되고, 이때 간의 기능은 자동으로 표류(漂流)하게 된다(多則漂流). 이 경우는 에너지가 양(陽)인 수가 에너지가 많은 양(陽)인 목으로 에너지를 보내는 경우를 말한다. 이 경우를 편인(偏印)이라고 부른다. 즉, 이때는 에너지가 목으로 너무나 치우친(偏) 상태를 말한다. 인체에서 에너지의 과잉은 반드시 불행을 자초하기 때문이다. 이를 사주 명리의 에너지로 다시 표현해보게 되면, 목은 수에서 에너지를 받게 되는데, 수가 목으로 에너지를 적당히 보내게 되면, 목은 잘 살 수 있지만(少則滋潤), 에너지를 과다하게 보내게 되면, 목의 기능은 표류하게 된다(多則漂流). 즉, 신장은 인체의 혈액에 쌓인 노폐물을 두세 시간 간격으로 걸러내면서 산성 정맥혈을 많이 만들어낸다. 그리고 이 산성 정맥혈은 간이 통제하므로, 이는 간의 문제가 된다. 그래서 이때 신장이 간으로 산성 정맥혈을 너무 많이 보내게 되면, 간인 목은 표류(漂流)하게 된다. 이는 오행의 음양 차이를 말해주고 있다. 이다음 문장들은 뒤에 있는 10 천간과 12 지지의 오행 도표와 우합 도표를 참고하면 된다. 갑술과 을해는 목의 근원이 된다(甲戌, 乙亥, 木之源). 이는 우합을 말하고 있다. 우합(隅合)은 모서리(隅)가 모인 합(合)이다. 대개는 이 우합을 이용할 줄을 모른다.

우합(隅合)				
오행합	축인(丑寅)	진사(辰巳)	미신(未申)	술해(戌亥)
이명	간방합(艮方合)	손방합(巽方合)	곤방합(坤方合)	건방합(乾方合)

여기서 지지의 술해(戌亥)를 보게 되면, 술은 금(金)에 속하고, 해는 수(水)에 속하게 된다. 이는 결국에 사계절 에너지의 흐름(Flow)을 말하고 있다. 그러면, 금과 수에서 다음에 올 오행은 자동으로 목(木)이 된다. 이를 에너지로 보게 되면,

금의 에너지와 수의 에너지는 자동으로 목의 에너지가 되면서, 금과 수는 목(木) 에너지의 근원(源)이 된다. 이는 지장간의 중기 개념과 연결된다. 해수의 지장간이 갑목인데, 이 해수에서 이미 봄(木)의 에너지가 시작(源)된다는 뜻이다. 즉, 해수는 봄 에너지의 근원(源)이 된다. 이는 지장간이 말하는 지구의 대기 문제를 말하고 있다. 즉, 따뜻한 봄이 정월달에 갑자기 시작되는 것이 아니라, 이미 겨울의 끝자락(亥)에서부터 시작된다는 뜻이다. 다른 계절도 마찬가지이다. 즉, 계절의 에너지를 품고 있는 대기(大氣)는 어느 날 갑자기 뜨거워지지도 않고, 어느 날 갑자기 추워지지도 않는다는 뜻이다. 즉, 지구의 대기는 어느 날 갑자기 식지도 않고, 어느 날 갑자기 달궈지지도 않는다는 뜻이다. 다시 본문을 보자. 갑인과 을묘는 목이 태어난 고향이다(甲寅, 乙卯, 木之鄉). 아래 도표에서 보면, 갑을은 10 천간에서 목에 해당하고, 인묘는 12 지지에서 목에 해당하므로, 이들은 당연히 목이 태어난 고향(鄉)이 된다. 그러나 여기서 향(鄉)은 고향이라는 뜻이 아니라 치우침(鄉)이라는 뜻이다. 즉, 목이 너무 많이 모여서 목의 에너지가 한쪽으로 치우쳤다(鄉)는 뜻이다. 이는 목의 에너지가 과부하에 걸렸다는 뜻이다. 그리고 이는 사주 명리에서 절대로 좋은 상태가 아니다. 사주 명리는 에너지의 치우침을 보는 것이 아니라 에너지의 균형을 보기 때문이다. 그런데, 여기에는 또 다른 숨은 뜻도 있다. 즉, 갑인과 을묘라는 조합의 특성 말이다. 여기서 만일에 갑묘가 만나게 되면, 갑은 양(陽)이고, 묘는 음(陰)이라서, 이 둘은 자동으로 중화되어서 제거된다. 이 사실은 사주 명리를 분석할 때 엄청나게 중요하게 된다. 그래서 갑인(甲寅)은 양(⊕)과 양(⊕)이 짝이 되면서, 양(⊕)의 힘이 엄청나게 커지게 된다. 거꾸로 을묘(乙卯)는 음(⊖)과 음(⊖)이 만나게 되면서, 이때는 음(⊖)의 힘이 엄청나게 커지게 된다. 다시 본문을 보자. 갑진과 을사는 목이 생(生)해준다(甲辰, 乙巳, 木之生). 여기서도 앞의 경우처럼 에너지의 흐름을 말한다. 여기서 진사(辰巳)는 우합을 말하는데, 진은 목(木)의 끝자락 에너지를 말하고, 사는 화(火)의 초반 에너지를 말한다. 이 우합을 목의 기준으로 보게 되면, 이는 목(木)이 화를 생(生)해주게 된다. 다시 본문을 보자. 그래서 이들 모두는 당연히 목(木)으로 표시되는 간의 사활(活)을 결정하게 된다(皆活木也). 앞의 설명을 보게 되면, 간인 목이 에너지를 받는 근원(甲戌, 乙亥, 木之源), 간인 목으로 에너지가 모이는 근원(甲寅, 乙卯, 木之鄕), 간인 목이 에너지를 보내는 근원(甲辰, 乙巳, 木之生)을 말하고 있다. 이들은 당연히 에너지로 살아가는 간의 사활(活)을 말하게 된다. 즉, 이들은 모두 목을 살려(活)주게 된다. 즉, 원(源), 향(鄕), 생(生)은 모두 목을 살려(活)준다는 뜻이다. 다시 본문을 보자. 갑신과 을유는 목이 상극(克)을 받는다(甲申, 乙酉, 木受克). 여기서 갑을은 목(木)이고, 신유는 폐로 표현되는 금(金)이다. 그래서 지금은 목금(甲申)과 목금(乙酉)이므로, 목도 하나(一)이고, 금도 하나(一)이다. 이때는 당연히 금이 목을 상극(克)해버린다. 즉, 이때는 목이 금의 상극(克)을 받게(受) 된다(木受克). 그리고 갑오와 을미에서 목은 자동으로 죽는다(甲午, 乙未, 木自死). 여기서 오미(午未)는 육합을 말하는데, 이 둘은 모두 화(火)이다. 그리고 화는 목의 에너지를 설기해서 에너지를 뺏어가므로, 그러면, 에너지로 살아가는 갑을은 자동으로 죽게 될 수밖에(木自死) 없다. 이를 다른 말로 목은 화의 불쏘시개가 된다고 한다. 다시 본문을 보자. 갑자와 을축으로 짝이 되면, 금이 목을 상극(克)하게 만든다(甲子, 乙丑, 金克木). 여기서 보면, 월주는 갑자(甲子)이고, 일주는 을축(乙丑)이다. 이 상태에서 지지를 보게 되면, 지지는 자축(子丑)으로서 육합(六合)이 된다. 그러면, 이는 자동으로 토(土)로 변하게 된다. 그러면, 갑을은 토와 관계하게 되고, 이어서 갑을은 토를 상극(克)하게 된다. 그러면, 이는 사주의 균형에 어긋나게 된다. 그러면, 이때는 상극하는 갑을의 기운을 제어해줘야만 한다. 그러면, 목(木)을 제어해서 상극(克)하는 기운은 금(金)이 된다. 즉, 지금 에너지 상태로는 금으로 목을 상극(金克木)해줘만, 이 사주는 균형이 잡힌다. 그러면, 자동으로 금, 목, 토라는 조합이 나오게 되면서 에너지는 상호 견제(牽制) 하에 균형(均衡)이 잡힌다. 이는 천간에 금이 존재해야만 된다는 뜻이다. 즉, 이 금이 에너지를 조절해주는 용신(用神)이 된다는 뜻이다. 이를 인체의 생리로 풀어보자. 여기서 갑을(甲乙)은 간을 말하는 목(木)이고, 자(子)는 신장으로 표시되는 수(水)이고, 축(丑)은 비장으로 표시되는 토(土)이다. 그리고 금(金)으로 표시되는 폐는 산성 담즙을 만들어서, 이를 처리하는 목(木)으로 표시되는 간을 상극(克)한다. 그리고 간과 신장은 암모니아를 통해서 서로 짝(甲子)하고, 간과 비장은 산성 림프액을 통해서 서로 짝(乙丑)한다. 그러면, 이때 간은 신장과 비장을 자동으로 과부하로 몰고 간다. 그러면, 간은 자동으로 빈다. 그런데 폐는 산성 림프액을 최종 중화 처리하면서 자동으로 산성 림프액을 처리하는 비장의 도움을 받게 되고, 또한 이산화탄소를 처리하는 폐는 과부하에 걸리게 되면, 이산화탄소를 중조로 만들어서 신장으로 보내게 된다. 이를 종합해보게 되면, 간과 폐는 모두 체액을 통해서 신장과 비장에 연결된다. 그런데 이때 간이 먼저 신장(甲子)과 비장(乙丑)을 점유해버리게 되면, 자동으로 폐는 중조를 신장으로 버리지 못하게 되고, 비장으로부터는 중화가 안 된 산성 림프액을 받게 된다. 이는 자동으로 폐의 과부하를 유도한다. 그러면, 폐는 자동으로 이산화탄소를 처리하지 못하게 되고, 이 이산화탄소는 중조로 변하게 되고, 이 중조는 자동으로 삼투압 기질이 되어서 적혈구를 파괴해서 산성 담즙을 만들어내게 되고, 이 산성 담즙은 자동으로 담즙을 전문으로 처리하는 간으로 보내지게 되고, 이는 결과적으로 폐(金)가 간(木)을 상극(克)하는 결과(金克木)로 나타나게 된다. 그러면, 과잉 에너지는 조절된다. 이때 간은 비어있다는 사실을 상기해보자. 이는 결국에 에너지를 조절하는 용신(用神)의 억부법(抑扶法)을 말하고 있다. 즉, 이 문장(甲子, 乙丑, 金克木)은 용신법(用神法)을 말해주고 있다. 다시 본문을 보자. 결과적으로 이들 모두(皆)는 간(木)을 죽이는(死) 결과로 나타나게 된다(皆死木也). 즉, 이 문장(甲申, 乙酉, 木受克)은 목이 상극 당하는 경우이고, 이 문장(甲午, 乙未, 木自死)은 목이 자동으로 죽는 경우이고, 이 문장(甲子, 乙丑, 金克木)은 금이 목을 상극하는 경우이기 때문이다. 이는 명리학에서 오장끼리 서로 체액을 교환하는 관계의 중요성을 말하고 있다. 이 관계를 모르게 되면, 사주 명리에서 숨은 뜻(微意)을 정확히 파악하지 못하게 된다. 사주 명리에서 말하는 오행의 문제는 결국에는 공명(共鳴)을 통해서 오장의 문제로 표현되기 때문이다. 이는 또한 사주 명리를 정확히 푼다는 사실이 얼마나 어려운지도 말하고 있다. 그러나 이는 체액 생리만 정확히 꿰뚫고 있게 되면, 차곡차곡 풀리게 된다. 그래서 산성 정맥혈을 통제하는 목(木)으로서 간이 산성 정맥혈을 통제하는 우 심장(火)의 도움을 얻게(得) 되면, 살아(生)남아서 번영(秀)하게 된다(生木得火而秀). 이를 다른 측면에서 바라볼 수도 있다. 즉, 간은 인체의 최대 해독 기관이므로, 좌 심장(火)이 보내준 알칼리 동맥혈을 제일 많이 소비한다. 그래서 목인 간은 화인 좌 심장의 도움을 얻게 되면, 자동으로 살아남아서 번영할 수 있게 된다. 이는 또한 심장을 말하는 병정(丙丁:火)의 관계에서도 서로 똑같이 나오게 된다(丙丁相同). 그리고 과부하에 걸린 폐가 산성 담즙을 간으로 보내게 되면, 이때 이를 받은(得) 간은 이들을 처리(造)하면서 자동으로 죽게(死) 된다(死木得金而造). 그러면 이때 오행에서 폐를 표시하는 금(金)인 경신(庚辛)은 반드시(必) 이익(利)을 얻게 된다(庚辛必利). 그리고 간을 표시하는 목(木)은 폐를 표시하는 금(金)이 간이 보내준 산성 정맥혈로 인해서 자동으로(自) 상처(傷)를 입는 모습을 보게(見) 되면, 간은 살아(生)남게 된다(生木見金自傷). 간은 골치 아픈 산성 정맥혈을 폐로 보냈으니까 간이 살아남는 일은 당연하게 된다. 즉, 금은 목을 상극하지만, 목이 양이고, 금이 음이 되면, 이때 목과 금의 관계는 정관(正官)이 되면서, 목은 살아남게 된다는 뜻이다. 그리고 간을 표시하는 목(木)은 우 심장을 표시하는 화(火)가 간이 보내준 산성 정맥혈로 인해서 자동으로(自) 불타버리는(焚) 모습을 보게(得) 되면, 간은 더는 산성 정맥혈을 보낼 곳이 없어서 죽고(死) 만다(死木得火自焚). 이는 좌 심장이 공급하는 동맥혈로도 설명이 가능해진다. 이는 상관(傷官)을 말하고 있다. 그래서 이때는 에너지인 풍(風)으로 표시되는 간이 스스로(自) 멈추지(止) 않게(無) 되면(無風自止), 간의 이 형세는 결국에 폐와 우 심장을 죽을 만큼 과부하로 몰아서 인체를 대혼란(亂)으로 유도하고 만다(其勢亂也). 이때 수(水)를 만나서 그(其) 원천(源)을 되돌리게(返化) 되면(遇水返化其源), 간이 만든 이(其) 기세(勢)는 끝나게(盡) 된다(其勢盡也). 즉, 간이 과도한 산성 체액으로 인해서 과부하에 걸려있을 때, 이 산성 체액을 암모니아로 만들어서 신장(水)으로 보내게 되면, 이 기세(勢)는 깨끗이 끝난다(盡)는 뜻이다. 이를 사주 명리로 풀게 되면, 이때는 수, 목, 화라는 조합이 나오게 된다. 이때 수는 목을 억제해서(抑) 화를 돕게(扶) 된다. 용신에서 억부법을 말하고 있다. 그리고 폐(金)와 간(木)은 서로(相) 같은(等) 종류라고 말할 수 있다(金木相等). 이는 마치 서로 공격(斫)하는 바퀴(輪)와 같은 격이다(格謂斫輪). 이의 의미를 풀어보자면, 폐(金)는 산성 담즙을 만들어서 간(木)을 상극해서 공격(斫)하고, 간(木)은 산성 정맥혈을 만들어서 폐(金)를 상극해서 공격(斫)하기 때문이다. 이를 궁통보감의 사주 명리로 풀게 되면, 봄(木)과 가을(金)은 기후가 서로 거의 비슷하다는 뜻이다. 그리고 간과 폐가 서로 상극하는 상등(等)의 관계를 보유하고 있을지라도, 만약(若)에 오행에서 금성의 영향을 받아서 폐의 기운이 왕성해지는 가을(秋)이 시작(生)되는 시점에 걸리게 되면(若向秋生), 이때는 폐의 기운이 가을의 기운을 만드는 금성의 기운과 서로 공명(共鳴)하게 되고, 이때 폐의 기운은 엄청나게 강해지게 되고, 이는 자동으로 간을 강하게 상극하게 되고, 이어서 이 둘의 균형은 깨지게 되고, 그러면 이때는 반대(反)로 폐의 도끼(斧)에 간이 상하게 된다(反為傷斧). 이런(是) 이유로 가을(秋)이 시작(生)되면, 금(金)인 폐가 강(重)해지므로, 가을은 간에게는 금기시되는 계절이 된다(是秋生忌金重也). 이를 체액으로 풀지 않고, 사주 명리로 풀게 되면, 이는 금이 이중(重)으로 있고, 목이 하나라는 뜻이다. 그러면, 이때는 자동으로 목은 금에 상극 당해서 사라지므로, 자동으로 목은 이런 상황을 꺼리게 된다. 이렇게 해서 목에 관한 개론이 끝나게 된다. 이 부분은 자평진전을 본 사람들을 많이 당황하게 만든다. 이는 자평진전과 궁통보감이 서로 다른 시각에서 음양오행을 바라보기 때문이다. 그러나 어차피 원리는 같다. 그 이유는 이 둘의 기반이 모두 음양오행(陰陽五行)이기 때문이다. 그리고 음양오행이라는 보이지 않는 에너지의 상호 관계는 상극, 상생, 동등이라는 3가지 외에는 없다. 여기서 동등(同等)이란 같은 오행이 겹치는 경우이다.

< 10 천간과 오행 >

10천간	갑을	병정	무기	경신	임계
오행(五行)	**목(木)**	**화(火)**	**토(土)**	**금(金)**	**수(水)**

< 십이지지와 오행 >

십이지지	인묘	사오	축진미술	신유	해자
오행(五行)	**목(木)**	**화(火)**	**토(土)**	**금(金)**	**수(水)**

< 10 천간과 음양 >

10천간	갑	을	병	정	경	신	무	기	임	계
음양	양	음	양	음	양	음	양	음	양	음

< 12 지지와 음양 >

십이지지	자	축	인	묘	진	사	오	미	신	유	술	해
음양	양	음	양	음	양	음	양	음	양	음	양	음

< 상생과 상극 >

상생	목:화	화:토	토:금	금:수	수:목
상극	**목:토**	**화:금**	**토:수**	**금:목**	**수:화**

< 용신의 상생과 상극의 조합 >

상생조합	목화토	화토금	토금수	금수목	수목화
상극조합	**목토수**	**화금목**	**토수화**	**금목토**	**수화금**

木生於春, 餘寒猶存. 喜火溫暖, 則無盤屈之患. 藉水資扶, 而有舒暢之美. 春初不宜水盛, 陰濃則根損枝枯. 春木陽氣煩燥, 無水則葉槁根枯. 是以水火二物, 既濟方佳. 土多而損力, 土薄則財豊. 忌逢金重傷殘克伐, 一生不閒. 設使木旺, 得金則良, 終生獲福.

목(木)이 오행에서 목성의 따뜻한 에너지를 받은 따뜻한 봄(春)에 태어나게(生) 되면(木生於春), 봄은 여전히 한기가 남아있으므로(餘寒猶存), 여름(火)이 주는 온난함(溫暖)을 좋아(喜)하게 된다(喜火溫暖). 그리고 목이 겨울의 추위에 굴복(屈)하면서 만들어지는(盤) 우환(患)이 없게 하려면(則無盤屈之患), 겨울(水)을 업신여기고(藉:짓밟을 적), 여름의 도움(資扶)에 의지할 수밖에 없게 되고(藉水資扶), 이때 여름의 도움을 받아서 추위가 빨리 물러가게 되면, 성장인자를 머금고 있던 봉우리들이 활짝 피어나는(舒暢) 아름다움을 봄을 만들어내게 된다(而有舒暢之美). 이 문장들은 사주 명리의 오행에서 목(木)과 화(火) 그리고 수(水)의 관계를 은유법을 써서 잘 묘사해주고 있다. 그래서 새싹이 돋아나는 초봄에는 마땅히 겨울(水)의 기운인 한기가 왕성해서는 안 되며(春初不宜水盛), 이때 만일에 겨울의 기운인 음기(陰)의 농도(濃)가 너무 짙게 되면, 만물의 뿌리는 추위에 상하게 되고, 그러면, 이제 막 피어나는 줄기도 말라서 죽게 된다(陰濃則根損枝枯). 거꾸로 봄에 목(木)이 화의 양기(陽氣)가 너무 과해서 번조(煩燥)하게 되면(春木陽氣煩燥), 이때는 겨울(水)이 화의 양기를 견제하는 능력의 부족(無)을 유발해서 막 싹이 튼 가지는 말라서 죽게 되고, 뿌리도 역시 말라서 죽게 된다(無水則葉槁根枯). 계속해서 사주 명리의 해석에 필요한 은유법을 쓰고 있다. 그래서(是以) 목이 주도하는 봄에는 추운(水) 기운과 따뜻한(火) 기운이라는 두 가지가(是以水火二物), 이렇게 하는 동안에(旣), 봄과 에너지를 나누어서 건네게(濟) 되면, 비로소(方) 봄은 아름다워지게 된다(旣濟方佳). 계속해서 사주 명리의 해석에 필요한 은유법을 쓰고 있다. 그리고 따뜻한 에너지를 공급하는 목성(木)이 주도하는 봄에 차가운 에너지를 보유한 토성(土)의 기운이 너무 과다(多)하게 되면, 이때는 당연히 따뜻한 목성의 기운은 손실된다(土多而損力). 이 문장은 사주 명리의 해석이 얼마나 어려운지를 말하고 있다. 즉, 목의 사주를 보유한 사람은 토성이 태과할 때를 잘 알아야만 한다는 사실을 말하고 있기 때문이다. 그러나 봄에 차가운 에너지를 공급하는 토성(土)의 기운이 적게(薄) 되면, 봄에 뿌린 씨앗은 풍성하게 잘 자라서 당연히 재물을 풍부하게 해준다(土薄則財豐). 목과 토의 재성(財) 관계를 말하고 있다. 그래서 목의 사주를 가진 사람은 목을 상극하는 금(金)이 너무나 강(重)한 상태를 싫어(忌)하게 되는데, 이는 금이 목을 상극해서 해치거나 벌을 주기 때문이다(忌逢金重傷殘克伐). 이런 사주는 폐로 인해서 간이 상하게 되고, 이어서 이로 인한 질병으로 인해서 일생 동안 편할 날이 없을 것이다(一生不閒). 그러나 거꾸로 간으로 표시되는 목(木)의 기운이 너무나 왕성(旺)한 상태에서(設使

木旺), 간이 과부하에 걸려서 산성 정맥혈을 폐(金)로 보낼 때, 폐(金)가 이를 받아줄(得) 수 있다면, 이때는 목의 사주를 가진 사람의 건강은 양호(良)할 것이며(得金則良), 그러면, 이 사람은 수명이 다하는(終) 그날(生)까지 건강이라는 복(福)을 확보(獲)하게 될 것이다(終生獲福). 너무나 당연한 일이다. 이를 다르게 해석할 수도 있다. 금은 목을 상극(克)하므로, 너무 과한 목을 금이 상극(克)으로 견제(克)해주게 되면, 이때 너무 강한 목(木)의 기운은 균형을 잡게 되고, 이는 자동으로 너무 강한 목(木)이 사고를 치는 경우를 막게 되고, 그러면 목의 사주를 가진 당사자는 평생에 걸쳐서 건강하게 된다.

夏月之木, 根乾葉燥, 盤而且直, 屈而能伸. 欲得水盛而成滋潤之力, 誠不可少. 切忌火旺而招焚化之憂, 故以為凶. 土宜在薄, 不可厚重, 厚則反為災咎. 惡金在多, 不可欠缺, 缺則不能琢削. 重重見木, 徒以成林, 疊疊逢華, 終無結果.

목(木)이 무더운 여름(夏)에 태어나면(夏月之木), 이때는 자동으로 봄의 초목은 수분 부족으로 인해서 뿌리는 건조해지게 되고, 잎은 말라버린다(根乾葉燥). 이는 화가 목의 에너지를 설기(洩)하고 있다. 막 뿌리내리면서 굽어진 뿌리가 정상적으로 곧게 자라게 하고(盤而且直), 막 싹을 틔우면서 굽어진 새싹이 정상적으로 펼쳐지게 하려면(屈而能伸), 이때는 목을 달구는 여름의 기운을 막아낼 겨울(水) 기운의 왕성함을 바라며, 이 기운이 수분(滋潤)을 공급하는 힘을 발휘(成)하기를 바란다(欲得水盛而成滋潤之力). 그러려면, 이때는 여름의 기운을 막아낼 겨울의 기운이 적어서(少)는 안 된다(誠不可少). 이처럼 봄에 여름(火)의 기운이 왕성한 사건을 진짜로 꺼리는 이유는 이 여름의 기운이 모든 사물을 불태워서(焚) 근심을 만들어내기 때문이다(切忌火旺而招焚化之憂). 이는 화가 목의 에너지를 설기(洩)하는 상황을 말하고 있다. 그래서 이런 여름을 낀 봄은 결국에 재앙(凶)을 만들고 만다(故以為凶). 계속해서 사주 명리의 해석에 필요한 은유법을 쓰고 있다. 이때는 차가운 에너지를 공급하는 토성(土)의 기운도 약(薄)해야 마땅하지(土宜在

薄), 과도(厚重)해서는 안 된다(不可厚重). 이때 만일에 차가운 에너지를 공급하는 토성의 기운이 과도(厚)하게 되면, 이 차가운 기운은 봄에 목성이 공급한 따뜻한 기운을 제거하게 되고, 이는 자동으로 재앙(災咎)을 만들고 만다(厚則反為災咎). 또한 이때는 금성(金)이 보내주는 건조하고 쌀쌀한 기운도 과다(多)하게 되면 나쁘게(惡) 작용하게 되나(惡金在多), 이 기운이 너무 적은 상태도 좋은 것이 아니며(不可欠缺), 이런 기운이 너무 적게 되면 봄에 자라나는 만물의 성장 조절(琢削)을 할 수 없게 된다(缺則不能琢削). 봄과 가을의 계절적 특성은 서로 많이 닮아있다는 사실을 상기해보자. 그리고 금은 강한 목의 균형을 잡아준다는 사실도 상기해보자. 그리고 따뜻한 에너지를 공급하는 목성 자체가 태과(重重)해서 만물을 웃자라게 하면(重重見木), 만물이 너무 일찍 무성하게 자라게 되어서(徒以成林), 겉만 화려하게 될 뿐(疊疊逢華), 결과적으로 그 열매는 없게 된다(終無結果). 이는 사주 명리에서 과유불급과 상극 관계를 말하고 있다.

秋月之木, 氣漸淒涼, 形漸凋敗. 初秋之時, 火氣未除, 尤喜水土以相滋. 中秋之令, 果以成實, 欲得剛金而修削. 霜降後不宜水盛, 水盛則木漂. 寒露節又喜火炎, 火炎則木實. 木多有多材之美, 土厚無自任之能.

쌀쌀한 가을을 낀 목은(秋月之木), 이런 가을 기운으로 인해서 따뜻한 봄의 기운은 점점 식어서 차갑게 되고(氣漸淒涼), 이 결과로 만물은 점점 시들어서 죽게 된다(形漸凋敗). 계속해서 사주 명리의 해석에 필요한 은유법을 쓰고 있다. 초가을에는(初秋之時), 지독하게 무더운 여름(火)의 기운이 아직 완전하게 제거되지는 않은 상태이므로(火氣未除), 이때 아주(尤) 좋은(喜) 상태는 차가운 겨울(水) 기운과 장하의 차가운 토(土)의 기운이 서로 증가(滋)해서 가을을 도와주는 상태이다(尤喜水土以相滋). 그러면 가을은 만물의 생장을 서서히 마무리 지으면서 좋은 가을의 결실을 만들게 된다. 가을의 중반이 되면(中秋之令), 이때 만물은 서서히 결실을 맺는다(果以成實). 그래서 이때는 가을을 지배하는 금성(金)의 기운이 세기(剛)를 바라게 되며, 그러면 만물의 결실을 잘 조절(削)하게 된다(欲得剛金而修削). 그리고 만물의 결실이 마지막으로 완성되는 가을의 마지막 절기(節氣)인 상강(霜降) 전후에는 마땅히 겨울(水)의 차가운 기운이 왕성(盛)해서는 안 된다(霜降後不宜水盛). 이때 만일에 겨울의 차가운 기운이 왕성하게 되면, 가을에 결실을 맺는 산천의 초목은 결실을 맺지 못하고 만다. 그리고 봄에도 차가운 겨울(水)의 기운이 왕성하게 되면, 따뜻한 봄의 기운은 자동으로 제거되고, 이어서 봄(木)의 기운은 정착하지 못하고 표류(漂)하고 만다(水盛則木漂). 이 문장은 다르게 해석할 수도 있다. 즉, 결실을 맺는 마지막 시기인 상강 때 차가운 겨울(水)의 기운이 왕성하게 되면, 산천초목(木)은 결실을 맺지 못하고 표류(漂)하고 만다(水盛則木漂). 그리고 추분(秋分)과 상강(霜降)의 사이에 들어있는 한로(寒露) 때도 만물은 결실을 맺기 위해서 열기가 필요하므로, 이때도 여름(火)의 열기를 기뻐하게 된다(寒露節又喜火炎). 그 이유는 이때 여름(火)의 열기는 산천초목(木)이 결실을 잘 맺도록 유도하기 때문이다(火炎則木實). 그래서 봄에 만물을 싹 틔우는 목성(木)의 따뜻한 기운이 많게(多) 되면, 이는 자동으로 많은(多) 산천의 재목(材)을 길러내는 아름다움을 연출하게 된다(木多有多材之美). 그러나 따뜻한 봄에 차가운 기운을 공급하는 토성(土)의 기운이 강(厚)하게 작용하게 되면, 봄은 스스로(自) 자기 임무(任)인 만물을 싹 틔우는 능력(能)을 발휘하지 못하게 된다(土厚無自任之能). 이는 상극 관계를 말하고 있다. 물론 그 결과는 재앙으로 다가온다.

冬月之木, 盤屈在地, 欲土多而培養. 惡水盛而忘形. 金總多不能克伐. 火重見溫暖有功. 歸根複命之時. 木病安能輔助, 須忌死絕之地, 只宜生旺之方.

추운 겨울을 낀 목을 보면(冬月之木), 봄에 새싹을 틔우려고 땅에 구부려져서 존재하고 있던 뿌리는(盤屈在地), 수분이 필요하므로, 비를 만들어내서 토양을 기름지게 하고 북돋아 주는 많은 토성(土)의 기운을 바라며(欲土多而培養), 봄에 추운 겨울(水)의 기운이 왕성하면, 만물의 성장을 망쳐버리게 되므로, 봄은 이런 상황을 싫어하며(惡水盛而忘形), 이때 설사 봄과 비슷한 계절의 기운인 가을(金)의 기운이 많다(多)고 할지라도, 차가운 겨울의 매서운 처벌을 피하기는 불가능하게 된다(金總多不能克伐). 이때는 무조건 만물의 싹을 틔우기 위해서 여름(火)의 많은(重) 따뜻한 기운이 공(功)을 세울 수 있을 뿐이다(火重見溫暖有功). 이때 이 열기는 뿌리의 능력을 되돌려서 생명을 복원하게 하는 때를 만든다(歸根複命之時). 그래서 이를 보게 되면, 사주 명리에서 목(木)이 병들어있을 때 어떻게(安) 도울 수 있는지 답이 나오게 된다(木病安能輔助). 이때 만물을 키우는 인자는 땅이므로, 봄은 땅의 기운이 끊어지는 것을 꺼리게 되고(須忌死絶之地), 이때는 단지 땅을 살려서 생명이 왕성하게 싹을 틔우게 하는 방법을 찾아야만 한다(只宜生旺之方). 이는 목(木)과 토(土)의 관계를 말하고 있다.

화론(論火)

炎炎眞火, 位鎭南方, 故火無不明之理, 輝光不久, 全要伏藏, 故明無不滅之象. 火以木爲體, 無木, 則火不長焰, 火以水爲用, 無水, 則火太酷烈, 故火多則不實. 火烈則傷物, 木能藏火, 到寅卯方而生火, 不利於西, 遇申酉而必死, 生居離位. 木斷有爲, 若居坎宮, 謹畏守禮.

뜨겁게 타는 듯한 열기를 내뿜어서 지구를 뜨겁게 달구는 진짜 화성은(炎炎眞火), 남쪽에서 정방위의 자리를 지키고 있다(位鎭南方). 설명을 추가하자면, 지구의 여름을 무덥게 하는 화성은 여름이 되면, 남쪽 하늘에 높이 떠서 지구에 무더운 에너지를 보낸다는 뜻이다. 더 정확히 말하자면, 화성은 태양에서 받은 에너지를 그대로 지구로 반사시키는 것이다. 화성은 대기가 없어서 태양에서 받은 에너지를 보관할 수가 없기 때문이다. 그래서 붉게 빛나는 화성은 지구를 밝게 하지 않을 이유가 없다(故火無不明之理). 즉, 이것이 화성이 지구를 뜨겁게 달구는 이유가 된다는 뜻이다. 그리고 화성의 광채가 여름이 지나면 끝나므로, 오래 머무르지는 않더라도(輝光不久), 이 광채는 다음 여름을 위해서 온전히 숨어있게 된다(全要伏藏). 그래서 화성의 밝음은 여름이 지나면 사라지는(滅) 형상으로 나타난다(故明無不滅之象). 그리고 화는 목을 자기를 드러내는 주체(體)로 삼는다(火以木爲體). 즉, 화는 목을 태우면서 자기의 실체를 드러낸다. 즉, 화는 목이 없다면(無木), 화의 불꽃을 퍼져나가지 못하게 된다(則火不長焰). 이는 목으로 표시되는 봄에 열기로서 화가 만물을 싹 틔우는 근원임을 말하고 있다. 이를 다른 각도로 해석할 수도 있다. 즉, 화의 에너지 근원은 목이 된다. 즉, 봄에 여름의 열기가 처음으로 시작된다는 뜻이다. 이는 또한 지장간을 말하고 있기도 하다. 그래서 봄에 열기가 시작되지 않는다면, 열기는 여름까지 퍼져나가지 못하고 말 것이다(則火不長焰). 어느 쪽으로 해석해도 문제는 없다. 그러나 에너지의 흐름 측면에서는 후자가 더 선호된다. 다시 본문을 보자. 그리고 화는 수를 용신(用)으로 삼는다(火以水爲用). 즉, 화와 수는 서로 상극해서 제어된다는 뜻이다. 용신은 에너지를 조절하는 도구라는 사실을 상기해보자. 즉, 여기서 용신(用神)이라는 개념은 화의 에너지(神)를 조절할 때 수를 이용(用)한다는 뜻이다. 그래서 용신(用神)이기도 하다. 그래서 화는 화의 에너지를 조절해주는 수가 없다면(無水), 화는 무한정 뜨거워질 것이다(則火太酷烈). 그래서 화가 너무 많게 되면, 화의 실용성은 떨어진다(故火多則不實). 그 이유는 화가 무한정 뜨거워지면, 만물(物)을 상(傷)하게 만들기 때문이다(火烈則傷物). 그리고 목은 화를 잘 품고(藏) 있으므로(木能藏火), 인묘(寅卯)인 목 방향(方)에 도착하게 되면, 드디어 화가 나타나게(生) 된다(到寅卯方而生火). 이는 지장간(藏)을 말하고 있다. 즉, 여름의 열기는 이미 봄에 시작된다는 뜻이다. 그래서 봄이 시작되는 인(寅)의 지장간에 병화(丙)가 나타나게 된다. 즉, 병화(丙)라는 여름의 열기는 이미 봄에 시작된다는 뜻이다. 이는 지지라는 에너지의 특성 때문이다. 이는 지구의 대기가 여름에는 엄청나게 뜨겁게 되는데, 이 여름의 열기가 여름에 갑자기 더워져서 생긴 열기가 아니라, 봄부터 서서히 더워져서 여름에 무더위로 변한 것이라는 뜻이다. 이 부분은 지장간의 진정한 의미를 모르게 되면, 해석이 불가하게 된다. 그리고 이는 지금도 여전히 진행 중이다. 이런 화는 서쪽에는 불리하게 작용한다(不利於西). 즉, 화는 서쪽을 대표하는 금을 상극(不利)한다는 뜻이다. 그래서 화가 신유(申酉)인 금과 만나게 되면, 이때 금은 화에 상극 당해서 반드시 죽게 된다(遇申酉而必死). 물론 이때 화도 동시에 죽게 된다. 이는 은유법이므로, 이를 직설적으로 표현하자면, 금과 화가 서로 만나게 되면, 에너지가 서로 중화되어서 없어진다(死)는 뜻이다. 이를 계절로 표현하자면, 여름을 만든 화는 가을이 되어서 금이 나타나게 되면, 화가 만든 여름은 사라진다는 뜻이다. 그래서 금과 화는 서로 살아서(生) 거주(居)하려면, 서로 자리(位)를 떠나서(離) 살아야만 한다(生居離位). 이는 화와 금 사이에 에너지 중재자가 있어야만 한다는 뜻이다. 즉, 이때는 화, 토, 금이라는 조합을 요구한다는 뜻이다. 즉, 이때는 에너지 중재자인 토라는 용신이 필요하다는 뜻이다. 그리고 화는 자기의 정체성을 만들어주는 목을 떠나서 목(木)과 단절(斷)되는 일이 있게(有) 되었을 때(木斷有爲), 만약에 감궁(坎宮)이라는 북쪽에 거주하게 되면(若居坎宮), 이는 화를 상극해서 죽이는 수와 동반을 말하므로, 이때 화는 삼가(謹) 두려움(畏)을 가지고, 이때는 화가 수를 철저히 공경(禮)해야만 할 것이다(謹畏守禮). 아니면 상극 당해서 죽을 테니까! 이는 수, 목, 화의 조합을 말하고 있다. 그래서 이때는 화의 입장에서 목은 화의 에너지 근원도 되지만, 추가로 화의 용신도 된다.

金得火和, 而能鎔鑄, 水得火和, 則成既濟, 遇土不明, 多主蹇塞, 逢木旺處. 決定爲榮, 木死火虛, 難得永久, 縱有功名, 必不久長, 春忌見木, 惡其焚也. 夏忌見土, 惡其暗也. 秋忌見金., 金難剋制, 冬忌見水, 水旺則滅, 故春火欲明. 不欲炎, 炎則不實, 秋火欲藏, 不欲明, 明則太燥, 冬火欲生, 不欲殺, 殺則歇滅.

만약에 금이 화를 만나서 상극 당해서 중화(和)되게 되면(金得火和), 이때는 금이라는 주물이 화에 아주 잘 녹게 된다(而能鎔鑄). 만약에 화가 수를 만나서 상극당해서 중화(和)되게 되면(水得火和), 이때는 (수화) 기제를 만든다(則成既濟). 수화기제(水火既濟)는 아주 유명한 말인데, 이를 제대로 해석하는 사람이 단 한 명도 없다. 그 이유는 천문학의 원리나 인체 생리학의 원리를 오행과 연결시키지 못하기 때문이다. 수성은 모든 에너지를 흡수해버린다. 그리고 화성은 모든 에너지를 발산해버린다. 그래서 수성은 자동으로 화성의 에너지를 흡수할 수 있게 된다. 이를 다른 말로 하면, 수성(水)과 화성(火)은 이미(既) 에너지를 주고받는(濟) 관계라는 뜻이다. 이것이 수화기제(水火既濟)의 정확한 뜻이다. 이는 생리적으로도 풀 수 있다. 화인 심장은 전기 즉, 자유전자로 작동하는 기관이다. 전기란 자유전자의 흐름이라는 사실을 상기해보자. 그리고 수인 신장은 자유전자를 염에 격리해서 체외로 버리는 인체 기관이다. 그래서 심장과 신장은 자유전자를 통해서 서로 상극하게 된다. 즉, 심장이 자유전자를 처리하다가 힘에 부치게 되면, 심장은 이 자유전자를 신장으로 보내버린다. 그러면 신장은 이 자유전자를 받아서 염에 격리하고, 이어서 이를 체외로 배출한다. 거꾸로 신장이 자유전자를 염으로 처리하다가 힘에 부치게 되면, 신장은 이 자유전자를 심장으로 보내버린다. 그러면 심장은 이 자유전자를 산소를 이용해서 물로 중화해버린다. 이를 종합해보면, 심장과 신장은 자유전자를 마치 탁구를 하듯이 서로 주고받는 형태를 만든다. 그래서 이를 수화기제(水火既濟)라고 말한다. 그래서 수화기제(水火既濟)라는 문구는 자동으로 인체 생리를 다루는 한의학에서도 나오게 된다. 다시 본문을 보자. 그리고 화는 토를 만나게 되면, 밝아지지 않게 되고(遇土不明), 많은 일이 막혀버린다(多主蹇塞). 즉, 화가 만든 여름은 토가 만든 장하를 만나게 되면, 차가운 비가 내리면서 화가 만든 여름의 무더위를 토가 식혀준다는 뜻이다. 그리고 화가 목을 만나게 되면, 화는 목을 태우면서 왕성해진다(逢木旺處). 즉, 목은 화가 영화(榮)를 만들 때 결정(決定)인자가 된다(決定爲榮). 그래서 이때 목이 죽고 없게 되면, 화는 허무해지고 만다(木死火虛). 즉, 화와 목은 환상의 짝꿍이라는 뜻이다. 이는 지장간을 말하고 있다. 즉, 따뜻한 봄에 이미 여름의 열기가 시작된다는 뜻이다. 이를 생리적으로 살펴보게 되면, 목인 간은 화인 우 심장으로 산성 정맥혈을 보낸다. 그래서 간의 상태가 안 좋아서 간이 산성 정맥혈을 많이 만들어서 우 심장으로 보내게 되면, 우 심장은 힘들어하고, 거꾸로 우 심장의 상태가 안 좋아서 간이 보내는 산성 정맥혈을 우 심장이 받지 못하게 되면, 간은 힘들어한다. 그래서 이 둘은 서로 짝꿍이 될 수밖에 없다. 다시 본문을 보자. 물론 이 둘의 관계는 인체 생리에 따라서 수시로 변하게 되므로, 환상적인 짝꿍의 관계를 영구(永久)히 유지(得)하기는 어렵더라도(難得永久), 이런 짝꿍의 관계를 따르게(縱) 되면, 간인 목과 심장인 화는 인체 생리의 안정이라는 공명을 얻게 된다(縱有功名). 물론 이런 상태는 인체 생리의 수시 변동으로 인해서 반드시 오래도록(久長) 지속되지는 않는다(必不久長). 이는 봄과 여름의 관계에서도 유효하게 된다. 그리고 봄에 목이 화를 보는 일을 싫어(忌)하는 이유는(春忌見木), 목이 화에 타버리는 일을 싫어하기 때문이다(惡其焚也). 이는 극단적인 은유법을 쓰고 있다. 이를 계절의 에너지로 바꿔서 설명해보자. 봄은 새싹이 싹을 틔울 정도로만 따뜻하다, 그런데, 이때 이상 기후가 만들어져서 여름처럼 날씨가 더워지게 되면, 이 새싹은 너무 더워서(焚) 말라 죽고 만다. 이는 천간에서 에너지 관계를 말하고 있다. 앞의 지장간과 비교해서 보기 바란다. 지장간은 지구의 대기(大氣) 에너지를 말한다는 사실을 상기해보자. 그래서 지장간은 지지(地支)의 문제가 된다. 다시 본문을 보자. 여름이 토를 보기 싫어하는 이유는(夏忌見土), 토가 여름을 은폐(暗)해버리기 때문에 싫어한다(惡其暗也). 즉, 토인 장하는 시원한 비를 내려서 무더운 여름을 없애(暗)버린다. 그러면 무더운 여름은 자동으로 죽어버린다. 다시 본문을 보자. 가을에 화가 보이는 것을 금이 보기 싫어(忌)하는 이유는(秋忌見金)., 화가 금을 상극(尅)해서 제어(制)하게 되면, 금이 곤란(難)해지기 때문이다(金難尅制). 즉, 가을에 여름 날씨는 가을을 망친다는 뜻이다. 이는 금과 화의 상극(尅) 관계를 말하고 있다. 그리고 겨울에 화가 수를 보는 일을 싫어하는 이유는(冬忌見水), 수가 왕성해지게 되면, 화가 멸망해버리기 때문이다(水旺則滅). 즉, 수는 화를 상극해서 죽인다는 뜻이다. 그래서 봄에 화가 밝게 빛나려고 하지만(故春火欲明). 정작 봄은 여름의 무더위(炎)를 원하지 않는다(不欲炎). 그 이유는 이 무더위가 봄에 막 피어나는 만물을 고사시켜서 부실(不實)하게 만들기 때문이다(炎則不實). 똑같은 원리로, 가을에 화는 자기의 밝게 빛나는 열기를 가을에도 지키려고(藏) 하지만(秋火欲藏), 정작 가을은 밝게 빛나는 열기를 원치 않으며(不欲明), 만약에 이렇게 밝게 빛나는 열기가 가을에 존재하게 되면, 건조(燥)한 가을은 지독(太)하게 건조(燥)해지게 되기 때문이다(明則太燥). 그러면 가을에 곡식은 여물지도 못하고 말라서 죽게 된다. 그리고 겨울에 화는 자기의 열기를 공급해서 만물을 소생(生)시키려고 하지만(冬火欲生), 정작 겨울은 이때 겨우 소생한 만물을 죽이고 싶지 않게 되고(不欲殺), 이때 소생한 만물을 죽이게 되면, 성장인자는 고갈되어서 없어져 버리기 때문이다(殺則歇滅). 이 부분의 한자(殺則歇滅) 해석은 아주 심오하다. 여기에는 심오한 양자역학(量子力學)이 숨어있기 때문이다. 태양계 아래에서 성장인자는 무조건 자유전자이다. 예외는 없다. 그리고 이 자유전자는 만물이 쉬는(歇) 겨울에 생체 안에 축적된다. 그리고 겨울에 축적된 성장인자인 자유전자는 봄과 여름에 만물이 성장하는 에너지가 된다. 이 문제는 본 연구소가 발행한 전자생리학을 참고하면 된다. 그래서 봄에 새싹을 틔울 때 사용할 성장인자를 화(火)로 인해서 겨울에 써버리게 되면, 봄에 쓸 성장인자는 자동으로 고갈(竭)되어서 없어지고(滅) 만다. 여름에 성장인자인 자유전자가 활발히 활동해서 만물을 우거지게 만드는 이유는 이 자유전자가 여름의 열기를 받게 되면, 활동이 왕성해지기 때문이다. 전자는 열에너지를 받게 되면, 활동성이 강해진다는 사실을 상기해보자. 그러나 이 세 문장은 다른 측면에서 다시 해석할 수도 있다. 즉, 겨울에 화는 살아나려고 애쓰면서(冬火欲生), 죽지 않으려고 하지만(不欲殺), 결국에는 죽게 되면서 모두 전멸(歇滅)하고 만다(殺則歇滅). 이는 수가 화를 상극해서 제거한다는 사실을 말하고 있다.

生於春月, 母旺子相, 勢力並行, 喜木生扶, 不宜過旺, 旺則火炎, 欲水既濟. 不愁興盛, 盛則沾恩, 土多則蹇塞埋光, 火盛則傷多烈燥, 見金可以施功. 縱重見用財尤遂.

화가 봄에 활동(生)하게 될 때(生於春月), 봄인 목이 어머니(母)가 되어서 주도하고, 열기를 공급하는 화가 자식(子)으로서 따라준다면(母旺子相), 이 두 세력은 서로 힘을 합쳐서 생동감이 있는 싱그러운 봄을 만들게 된다(勢力並行). 그러면 당연히 목은 쌀쌀한 봄에 화의 도움(扶)을 받게 되면서 좋아한다(喜木生扶). 물론 이때 화의 기운이 과도하게 왕성해서는 안 된다(不宜過旺). 만약에 이때 화의 기운이 너무 왕성(旺)해서 뜨거운 불꽃(炎)처럼 타오르게 되면(旺則火炎), 이때는 자동으로 강한 화를 제어하기 위해서 화를 상극해서 제어하는 수를 불러서 화의 이미(既) 과한 에너지를 수(水)에 전달(濟)하고자 하는 욕구가 생긴다(欲水既濟). 그래야만 봄이 너무 덥지 않게 된다. 이때 봄이 화의 열기를 받아서 근심이 없이 흥성하게 되면(不愁興盛), 이 흥성은 봄에게 은혜(沾恩)로 다가온다(盛則沾恩). 이때 차가운 에너지를 공급하는 토가 많게 되면, 뜨거운 화는 자동으로 부상을 입게 되고, 이어서 절름발이(蹇)가 되면서 화의 뜨거운 광명은 묻혀서 매몰(埋)되고 만다(土多則蹇塞埋光). 그리고 봄에 화가 너무 왕성(盛)하게 되면, 봄을 너무 덥게(烈燥) 해서 많은(多) 사물에 피해(傷)를 준다(火盛則傷多烈燥). 이때는 화가 상극해서 제어하는 금을 이용해서 화의 에너지를 중화(中和)하면 된다. 그래서 이때는 사주에서 금(金)이 보이게(見) 되면, 너무 왕성한 화를 제어하는 일이 시공(施功) 가능하게 되는데(見金可以施功), 지금은 화가 너무 많아서 왕성한 상태이므로, 금을 아주 많이(縱重) 보이게(見) 해서 사용(用)하면, 이때 목은 자동으로 정상적으로 작동하게 되고, 그러면 자동으로 봄인 목이 만드는 재물은 더욱더(尤) 많은 수확(財)을 만들어낸다(縱重見用財尤遂). 따뜻하지만 쌀쌀한 봄에 열기를 제공하는 화는 분명히 봄에 도움이 되지만, 화가 너무 과해서는 안 되고, 적당해야만 한다는 사실을 말하고 있다. 이는 목이 주도하는 사주에서 화가 두 개 이상 있어서는 안 된다는 뜻이다. 이 문제는 이미 앞에서도 논의했던 문제이다.

夏月之火, 秉令乘權, 逢水制則免自焚之咎, 見木助必招夭折之患, 遇金必作良工, 得土遂成稼穡, 金土雖爲美利, 無水則金燥土焦, 再加木助, 太過傾危.

무더운 여름이 무더운 화를 만나게 되면(夏月之火), 자동으로 화가 여름의 기운을 완벽하게 장악(秉)하게 되고, 그러면 여름의 무더운 기운에 무더운 화가 편승(乘)해서 화가 여름의 권력(權)을 장악하게 된다(秉令乘權). 이때 화를 상극해서 제어(制)하는 수를 하나 정도 만나게 되면, 여름은 너무나 더워서 스스로(自) 타(焚) 죽는 재앙(咎)은 면(免)할 수 있게 된다(逢水制則免自焚之咎). 이때 많은 화가 자기가 태워버리는 목을 만나게 되면, 이때는 반드시 요절(夭折)이라는 우환(患)을 초대(招)하는 일을 조장(助)하게 된다(見木助必招夭折之患). 이는 생리적으로 설명하면, 더 쉽게 이해가 갈 것이다. 목인 간은 과부하에 걸리면, 산성 정맥혈을 만들어서 체액의 흐름도에 따라서 우 심장으로 대정맥을 통해서 보낸다. 그런데, 이때 우 심장이 과부하(多)에 걸린 상태가 되면, 우 심장은 더는 간이 보내는 산성 정맥혈을 받지 못하게 된다. 그러면 간은 이를 자기 스스로 해결해야만 하게 되고, 그러면 자동으로 간은 상하게 된다. 그런데 간은 인체의 최대 해독 기관이다. 이런 해독 기관이 과부하로 인해서 죽게 되면, 이런 간을 보유한 사람도 자동으로 요절할 수밖에 없게 된다. 그러면, 우리는 이런 운명을 그대로 숙명으로 받아들이고 요절(夭折)해야만 할까? 아니다. 그러려면, 사주 명리를 배울 필요가 없을 것이다. 이때는 1차로 심장을 치료하고 항상 심장 건강에 신경을 쓰면서, 2차로 간을 치료하고 항상 챙기는 것이다. 그러면 사주 명리의 끝은 자동으로 약식동원으로 가게 되면서, 자동으로 식료본초를 찾게 된다. 즉, 사주 명리의 끝마무리는 식료본초로 해야만 한다는 뜻이다. 그래야 사주 명리가 명실상부하게 된다. 다시 본문을 보자. 그래서 이때는 화를 중화(中和)하는 금을 만나게 되면, 화는 반드시(必) 좋은 공을 세우게 된다(遇金必作良工). 이도 인체 생리로 설명해보자. 화인 우 심장은 대정맥을 통해서 받은 산성 정맥혈을 체액의 흐름도에 따라서 폐인 금으로 보낸다. 그러면, 폐는 이를 자기가 받은 산소를 통해서 중화(中和)해준다. 다시 본문을 보자. 화가 적당히 토를 얻게 되면, 토인 장하 때부터 여물기 시작하는 곡식(稼穡)의 수확량이 늘게 되고(得土遂成稼穡), 이렇게 가을로 이어지게 되면, 가을의 금은 토의 도움을 받아서 곡식의 수확을 잘 할 수 있게 되므로, 금과 토는 비록 서로 아름다운 이익의 관계를 유지하지만(金土雖爲美利), 건조한 가을에 또한 수분이 필요하므로, 이때 수분을 공급하는 수가 없게 되면, 자동으로 가을의 건조한 금은 건조함으로 인해서 토를 태워버린다(無水則金燥土焦). 이때 다시 추가로 목이 돕겠다(助)고 나서게 되면(再加木助), 목은 화를 태우면서 더욱더 화의 기세를 강하게 만들게 되고, 이어서 화의 기운은 태과(太過)하게 되고, 이는 자동으로 모두를 위험(危)에 빠뜨리고 만다(太過傾危). 사주의 조합에서 유불리를 말하고 있다. 이 모두는 생리적으로 연결시킬 수 있어야만 한다.

秋月之火, 性息體和, 得木生則有復明之慶, 遇水剋難免隕滅之災, 土重而掩息其光, 金多而損傷其勢, 火見火以光輝, 縱疊見而必利.

건조하고 쌀쌀한 가을(金)이 무더운 화(火)를 만나게 되면(秋月之火), 금의 성질(性)은 화를 통해서 상극 당해서 쉬게(息) 되고, 금의 몸체(體)는 화로 중화(和)되게 된다(性息體和). 화가 금을 상극해서 중화(和)되는 상황을 은유법을 써서 표현하고 있다. 이때 화는 자기를 태우는 목(木)을 얻게 되면, 당연히 활활 타서 살아나게(生) 되고, 다시 밝은 불꽃의 경사를 회복하게 된다(得木生則有復明之慶). 그러나 이때 화를 상극(剋)하는 수를 만나게 되면, 곤란한 상황을 만나게 되는데,

그러면 화는 손상되어서 없어지는 재앙을 면하기 어렵게 된다(遇水剋難免隕滅之災). 수가 화를 상극하는 상황을 은유법을 써서 표현하고 있다. 이때 차가운 토가 중복(重)해서 나오게 되면, 차가운 토는 화(其)의 뜨거운 광명(光)을 막아서(掩) 쉬게(息) 만들어버린다(土重而掩息其光). 계속해서 은유법을 써서 표현하고 있다. 이때 금이 많게 되면, 화는 금과 중화되므로, 화(其)의 기세는 당연히 손상을 입는다(金多而損傷其勢). 물론 이때 금의 기운도 손상을 입기는 마찬가지이다. 그리고 화가 화를 보았을 때 광채가 나게 되면(火見火以光輝), 이때는 비록 화가 중첩된다고 해도 이때는 반드시 이익을 가져온다(縱疊見而必利). 이때는 더운 화가 쌀쌀한 봄을 도와줄 때이다. 이때는 말 그대로 화가 광채(光輝)가 나게 된다.

冬月之火, 體絶形亡, 喜木生而有救, 遇水剋以爲殃, 欲土制爲榮, 愛火比爲利, 見金爲難任財, 無金而不遭害, 天地雖傾, 火水難成.

무더운 화가 추운 겨울을 만나게 되면(冬月之火), 수는 화를 상극해서 중화해버리므로, 화의 형체는 절단되고, 형상은 사라지게(亡) 된다(體絶形亡). 그러나 이때 화를 불타게 만들어주는 목을 만나게 되면, 목이 화를 구해(救)주므로, 화는 좋아서(喜) 죽는다(喜木生而有救). 그러나 이때조차도 화는 수를 만나게 되면, 상극당하게 되고, 이어서 이는 화에게 재앙이 되고 만다(遇水剋以爲殃). 그러면, 이때 화는 토가 수를 상극해서 제어해줘서, 화가 다시 과거의 영화(榮)를 되찾게 해주기를 바란다(欲土制爲榮). 계속해서 은유법을 써서 오행 사이의 관계를 설명하고 있다. 이때는 화(火)를 사랑(愛)해서 토를 상극해서 화의 비견(比)이 되는 목을 만나면, 화는 이익을 취할 수 있다(愛火比爲利). 그러나 이때 화가 금을 만나게 되면, 이때는 화의 에너지가 중화되어버리므로, 화가 재물을 축적하는 임무(任) 수행을 어렵게(難) 만들고 만다(見金爲難任財). 그래서 이때 화는 금이 없게 되면, 해를 입지 않게 된다(無金而不遭害). 비록(雖) 화를 가진 하늘과 수를 가진 땅이 서로 머리를 맞대고 마음을 기울(傾)일지라도(天地雖傾), 화와 수는 서로 상극해서 중화되므로, 이 둘은 근본적으로 서로 만나서 성공(成)을 이루기는 어렵다(火水難成). 계속해서 은유법을 써서 오행 사이의 관계를 설명하고 있다.

토론(論土)

五行之土, 散在四維, 故金木水火, 依而成象, 是四時皆有用有忌者, 火死酉也. 水旺子也. 蓋土賴火運, 火死則土囚, 土喜水才, 水旺則土虛, 土得金火, 方成大器, 土高無貴, 空惹灰塵, 土聚則滯, 土散則輕.

12 지지의 오행에서 토는(五行之土), 한 계절에 한 달씩 4개(四)의 계절에 연계(維)되어서 산재한다(散在四維). 즉, 12 지지를 오행으로 바꿀 때 보면, 앞에서 일단 3개씩 나눈 다음에, 여기에서 맨 뒤에 있는 하나씩을 떼어내게 되면, 축진미술이라는 토가 만들어진다는 뜻이다. 그래서 금목수화라는 4계절은(故金木水火), 토에 의지해서 자기의 상을 만든다(依而成象). 그리고 토(是)는 사계절 모두에 유용(有用)하게 되는 때도 있고, 꺼리게(忌) 되는 때도 있다(是四時皆有用有忌者). 그래서 화는 유금을 죽인다(火, 死酉也). 이 문장(火, 死酉也)을 풀려면, 이 문장(依而成象)의 선행적 이해를 요구하고 있다. 즉, 사계절에서 토는 한 계절의 마무리를 짓게(成) 된다. 그러면, 해당 계절에 속한 토는 해당 계절의 특성을 보유하게 된다. 즉, 여름에 속한 미토(未)의 특성은 여름의 더위를 머금고 있다는 뜻이다. 그리고 겨울에 속한 축토(丑)는 겨울의 차가움을 머금고 있다는 뜻이다. 그러면, 이 문장(火, 死酉也)의 해석은 자동으로 나오게 된다. 즉, 화(火)에 붙은 미토는 자기가 머금고 있는 화의 열기를 이용해서 쌀쌀한 가을의 유금(酉)을 죽이게(死) 된다(火, 死酉也). 이를 계절의 에너지 특성으로 풀자면, 여름인 화(火)가 가을인 금(金)을 상극(克)해서 죽이는 원리와 똑같게 된다. 토는 해당 계절의 에너지 특성을 보유한다는 사실을 상기해보자. 그러면, 자동으로 수(水)에 붙은 축토는 겨울의 차가운 에너지를 머금고 있으므로, 자수(子)라는 차가운 겨울의 에너지를 더욱더 왕성(旺)하게 만들 수밖에 없게 된다(水, 旺子也). 이를 계절의 에너지 특성으로 풀자면, 겨울의 수(水)가 겨울의 수(水)를 왕성(旺)하게 해준 것이다. 그래서 토는 언제 어떻게 쓰느냐에 따라서 유용하기도 하고, 꺼리게 되기도 한다. 이 부분은 오행의 에너지의 흐름을 이해하지 못하게 되면, 해석이 상당히 어려운 곳이

다. 그래서 대부분 해석자는 이 부분을 대충 얼버무리고 넘어간다. 그러나 대개(蓋)는 차가운 토(土)가 뜨거운 화(火)라는 오행(運)을 만나서 의지(賴)하게 된다(蓋土賴火運). 이는 토가 책임지는 장하를 말하고 있다. 장하는 잘 알다시피 여름의 끝자락에 붙어있다. 그래서 장하는 여름에 붙어서 사는 붙박이 신세이다. 즉, 토는 화에 붙어서 사는 붙박이 신세이다. 그러면, 토는 자동으로 화에 의지할 수밖에 없게 된다(蓋土賴火運). 그러면, 자동으로 이런 화(火)가 죽게(死) 되면, 토(土)는 자기의 기능을 뺏기고(囚) 만다(火死則土囚). 이를 계절의 에너지로 설명하자면, 화성이 만들어내는 여름의 무더위가 엄청나게 많은 수증기를 만들어서 하늘로 올려보내게 되면, 이 수증기에 차가운 토성이 자기가 보유한 차가운 에너지를 공급하게 되면서, 더운 수증기는 응결되어서 비가 되고, 이어서 장하가 만들어진다. 그래서 대개(蓋)는 차가운 토(土)가 뜨거운 화(火)라는 오행(運)을 만나서 의지(賴)하게 된다(蓋土賴火運)는 말이 나오게 된다. 이는 12 지지에서 설명하는 토와 10 천간에서 설명하는 토를 구분해주고 있다. 즉, 앞에서 12 지지로 표현된 한 계절의 에너지를 머금고 있는 토는 10 천간으로 표현된 장하로서 토와 다르다는 사실을 말하고 있다. 지지는 땅을 지지하고 있는 에너지이고, 천간은 하늘에 존재하는 에너지의 근간이라는 사실을 상기해보자. 추가로 지지의 에너지는 단순한 에너지가 아니라는 사실도 상기해보자. 그러면, 지지에 있는 토와 천간에 있는 토는 자동으로 구별된다. 즉, 지지의 토는 한 계절의 에너지를 머금고 있는 토가 되고, 천간에 있는 토는 장하의 기운을 머금고 있는 토가 된다. 이는 굉장히 중요한 의미를 머금고 있다. 이는 인체 생리로도 풀 수 있다. 천간은 오장을 말하고, 지지는 오장이 이용하는 체액을 말한다. 그래서 지지의 개념으로 체액을 보게 되면, 모든 오장은 과잉 산으로 인해서 과부하에 걸리게 되면, 자동으로 산성 림프액을 만들어서 처리한다. 그러면, 이를 토인 비장이 처리하게 된다. 즉, 오장은 과부하에 걸리게 되면, 모두 토를 이용한다는 뜻이다. 이는 인체의 에너지 흐름과 우주의 에너지 흐름이 똑같다는 사실을 말해주고 있다. 천간도 지지를 이용한다는 사실을 상기해보자. 여기서 인체는 소우주라는 개념이 나오게 된다. 다시 본문을 보자. 차가운 토는 수(水)라는 차가운 재능(才)을 만나면, 서로 차가우므로, 좋아하지만(土喜水才), 이때 수의 차가운 기운이 너무 왕성(旺)하게 되면, 수의 너무 차가운 기운이 토의 덜 차가운 기운을 망치게 되면서, 토의 에너지는 텅 비고 만다(水旺則土虛). 이를 인체 생리로 풀게 되면, 수인 신장과 토인 비장은 모두 림프액을 처리한다. 그래서 이 둘은 급할 때는 서로 림프액을 교환해서 위기를 모면할 수 있다. 그러나 이때 신장이 과부하에 걸려서 에너지가 너무 왕성(旺)하게 되면, 이때 신장은 산성 림프액을 비장으로 보내서 비장의 알칼리를 고갈시켜서 텅 비게(虛) 만들어버린다. 이를 또한 상극으로 풀면, 토는 수를 상극해서 자기의 과잉 에너지를 수로 떠넘길 수 있으므로, 수의 재능을 좋아하게 된다. 그러나 이때 수가 에너지 과부하 상태가 되면, 토는 수로 과잉 에너지를 보낼 수가 없어서, 과잉 에너지를 자기 스스로 처리하면서 토의 알칼리는 고갈되고 만다. 이 문제는 전자생리학의 문제이다. 다시 본문을 보자. 토가 금과 화를 만나게(得) 되면(土得金火), 토가 중재자가 되면서, 비로소(方) 금과 화는 서로 상극해서 중화되지 않고, 금, 화, 토라는 큰 그릇이 만들어지면서(方成大器), 사주는 최상의 사주가 된다. 이때 토(土)가 천간(高)에 또 존재하게 되면, 이 사주의 구도는 자동으로 깨지게 되고, 이어서 이때는 이 사주의 귀함은 없어지고 만다(土高無貴). 그러면, 이 사주의 모든 역량은 자동으로 재나 티끌처럼 허공으로 흩어지고(惹) 만다(空惹灰塵). 그래서 이때 토가 너무 많이 모이게 되면, 토는 이 사주의 흐름을 막히게 만들고(土聚則滯), 거꾸로 토가 분산되어서 흩어져있게 되면, 이 사주의 부담은 가벼워진다(土散則輕). 이 부분은 토의 총론을 말하는 부분이어서 상당히 어렵고 중요한 부분이다. 한마디로 이 부분을 모르게 되면, 토의 속성을 모르게 된다. 여기서 주의할 점은 이 부분은 천간에서 토를 말하고 있다는 사실이다. 천간에서 토의 개념과 지지에서 토의 개념이 다르다는 사실을 상기해보자.

辰戌丑未, 土之正也, 分陰分陽, 主則不同, 辰有伏水, 未有匿木, 滋養萬物, 春夏為功, 戌有藏火, 丑有隱金, 秋火冬金, 肅殺萬物, 土聚辰未為貴, 聚丑戌不為貴, 是土愛辰未, 而不愛丑戌也明矣. 若更五行有氣, 人命逢之, 田產無比, 晚年富貴悠悠, 若土太實無水,燥則不和, 無木則不疏通, 土見火則焦, 女命多不生長, 土旺四季, 惟土困弱, 戌多為人好鬥, 多瞌睡, 辰未人好食, 丑人清省, 丑為艮土, 有癸水能潤而膏, 人命遇此, 主能卓立.

12 지지에서 나온 진술축미가(辰戌丑未), 토를 다스리게(正) 된다(土之正也). 이 진술축미는 진술이라는 양(陽)과 축미라는 음(陰)으로 분리(分)가 된다(分陰分陽). 그래서 이 음과 양이 다스리는(主) 영역이 같을 수는 없다(主則不同). 이는 자동으로 지지의 복잡한 에너지 문제를 말하게 된다. 이를 지장간(支藏干)이라고 말한다. 즉, 지지(支)가 천간(干)의 기운을 품고(藏) 있는 상태가 지장간이다. 지지의 에너지는 지구의 에너지를 말하는데, 지구의 에너지는 대기의 에너지와 땅의 중력 에너지로 구성된다. 그리고 대기의 에너지는 오행의 에너지가 가지고 놀게 된다. 그래서 지구의 에너지는 아주 복잡하게 변한다. 이를 지장간(支藏干)이라고 말한다. 그러면, 자동으로 대기의 에너지는 오행의 에너지가 달구기도 하고 식히기도 하면서, 그 여파(餘)도 남아있게 된다. 이때 지장간의 여기(餘氣), 중기(中氣), 정기(正氣)라는 개념이 나오게 된다. 이런 개념이 나오는 이유는 지구의 대기가 쉽게 달구어지지도 않고 쉽게 식지도 않기 때문이다. 추가로 그 여파(餘)까지 남게 된다. 그러면, 자동으로 전 계절의 영향력으로 인해서 여기(餘氣)의 개념이 나오게 된다. 중기(中氣)의 개념도 마찬가지이다. 즉, 여름의 무더위는 어느 날 갑자기 더워지는 문제가 아니라, 이미 봄에 시작되는 열기로 인해서 여름의 무더위가 봄부터 서서히 생긴다는 뜻이다. 가을에 이미 시작되는 겨울의 한기도 마찬가지이다. 그리고 겨울의 한기도 어느 날 갑자기 사라지는 문제가 아니라 봄의 말기가 되어서야 완전히 사라진다는 것이다. 마찬가지로 여름의 열기도 가을의 마지막이 되어서야 완전히 사라진다는 것이다. 그리고 정기(正氣)는 원래 오행이 주는 정상적인 기운이다. 그러나 정기도 오행의 에너지를 그대로 적용하지는 않는다. 그 이유는 지지는 24절기를 기준으로 에너지를 측정하기 때문이다. 그래서 양인 자수는 양인 임수가 되어야 하지만, 11월인 자수에는 양기(陽氣)를 머금기 시작하는 동지(冬至)가 들어있어서 양인 임수의 에너지는 약화되어서 음인 계수로 변한다. 똑같은 원리로 하지(夏至)가 들어있는 음력 5월은 양인 오화라서 양인 병화가 되어야

만 옳지만, 음력 오월에는 음기(陰氣)가 시작되는 하지(夏至)가 들어있어서 양인 오화가 약화되고, 이어서 양인 오화는 음으로 변화고, 이는 자동으로 음인 정화가 된다. 이 두 에너지의 변화는 일조량의 차이에서 시작된다. 즉, 하지는 일조량이 제일 많고, 동지는 일조량이 제일 적다. 그러나 하지 다음날부터는 일조량이 줄기 시작하고, 역시 동지 다음날부터는 일조량이 늘기 시작한다. 이 과정으로 인해서 동지를 품고 있는 자수는 계수로 변하고, 하지를 품고 있는 오화는 정화로 변한다. 또한 입동(立冬)과 입하(立夏)라는 문제도 이와 똑같이 작동한다. 입동을 품고 있는 음인 해수는 냉기가 더해지면서 양인 임수로 변하고, 입하를 품고 있는 음인 사화는 양기가 더해지면서 양인 병화로 변하게 된다. 그래서 지지의 에너지 개념을 모르게 되면, 지장간의 의미도 자동으로 모르게 된다. 한마디로 지구의 에너지는 변화무쌍하게 된다는 뜻이다. 이는 또한 음양오행(陰陽五行)의 이론은 에너지를 다루는 완벽(完璧)한 과학(科學)이라는 뜻도 품고 있다. 물론 이때 에너지는 눈에 보이지 않고 흐르는 전자(Electron) 에너지를 말한다. 우리는 이를 보통 전기(電氣)라고 말한다. 그리고 인체도 경락(經絡)을 통해서 일분일초도 쉬지 않고 전기를 온몸으로 순환시키고 있다. 그리고 음양오행이라는 에너지는 이런 인체 에너지를 자동으로 간섭한다. 그리고 사주 명리는 인체 에너지 지문(指紋)을 분석하는 일이다. 이도 역시 전자생리학의 영역이다. 다시 본문을 보자. 여기서 토로서 진(辰)은 비록 봄의 붙박이지만, 이때는 겨울의 차가움이 마지막으로 사라지는 시점이므로, 겨울인 수(水)의 기운 일부를 안고(伏) 있게 된다(辰有伏水). 앞에서 설명한 지장간의 개념을 상기해보면 된다. 이때 토가 보유한 에너지의 비중을 보게 되면, 음력을 30일로 보았을 때, 여기는 9일 정도이고, 겨울의 한기를 안고(伏) 있는 중기는 3일 정도이고, 정기는 18일 정도가 된다고 한다. 이는 다른 지지의 토에도 그대로 적용된다. 다시 본문을 보자. 토로서 미(未)는 비록 화의 붙박이이지만, 이때는 봄의 쌀쌀함이 마지막으로 사라지는 시점이므로, 봄인 목(木)의 쌀쌀한 기운 일부를 안고(匿) 있게 된다(未有匿木). 그래서 이들은 봄과 여름에 자라나는 만물에 너무나 따뜻한 기후를 조절(調節)하는 중재자가 되어서 만물을 자양하게 되고(滋養萬物), 이어서 이때 토는 봄과 여름에 만물이 정상적으로 자라는데, 공을 세우게(爲) 된다(春夏為功). 그리고 토로서 술(戌)은 비록 가을인 금의 붙박이이지만, 이때는 여름의 무더위가 마지막으로 사라지는 시점이므로, 여름(火) 열기 일부를 안고(藏) 있게 된다(戌有藏火). 그리고 토로서 축(丑)은 비록 수의 붙박이이지만, 이때는 가을의 쌀쌀함이 마지막으로 사라지는 시점이므로, 가을인 금(金)의 쌀쌀한 기운 일부를 안고(隱) 있게 된다(丑有隱金). 여기서 토(土)는 차가운 에너지를 공급하는 토성(土)의 개념을 말하는 것이 아니고, 12 지지에서 붙박이로서 토를 말하고 있다는 사실을 상기해보자. 즉, 지금은 목화토금수라는 오행을 논하고 있는 것이 아니고, 지지의 에너지를 논하고 있다는 사실을 상기해보자. 다시 본문을 보자. 그래서 지지의 토는 쌀쌀한 가을(秋)에 여름(火)의 무더움을 공급하고, 추운 겨울(冬)에 가을(金)의 쌀쌀함을 공급해서(秋火冬金), 쌀쌀한 가을과 추운 겨울에 만물이 잠시 잠(肅)을 자면서 성장을 멈추게(殺) 도와준다(肅殺萬物). 이때는 만물이 다음 해에 꽃을 피우고 열매를 맺기 위해서 잠시 쉬는 시간이라는 사실을 상기해보자. 즉, 이때는 다음 해에 성장을 위한 에너지 축적 시기이다. 에너지는 성장인자라는 사실을 상기해보자. 그래서 숙살(肅殺)은 죽이는 일이 아니다. 그래서 숙살(肅殺)은 단지 성장을 잠시 보류하는 일에 불과하다. 즉, 봄과 여름에 만물을 성장시킬 에너지를 축적하는 일이 숙살(肅殺)이라는 뜻이다. 그러면, 가을과 겨울에 저장된 에너지는 봄과 여름에 만물이 꽃을 피우고, 열매를 맺게 하는 에너지로 작용하게 된다. 이를 에너지의 순환이라고 부른다. 즉, 가을과 겨울에는 에너지를 축적하고, 봄과 여름에는 가을과 겨울에 모아둔 에너지를 이용한다. 이는 사계절의 중간에서 장하라는 토가 엄청나게 중요한 역할을 하게 된다. 장하는 무더운 여름에 하늘로 올라간 에너지를 비를 통해서 땅으로 내려보내기 때문이다. 지금 기술하고 있는 토에 관한 설명 부분은 오운육기에 대한 상당한 내공을 요구하고 있다. 아니면, 이 부분의 해석은 엉망진창이 되고 만다. 그리고 이 현상은 아직도 진행 중이다. 이는 자동으로 사주 명리를 미신(迷信)으로 몰고 간다. 다시 본문을 보자. 그래서 토가 모일(聚) 때 봄과 여름의 붙박이인, 진미(辰未)가 모이면, 이때 진미는 사물의 성장을 돕게 되므로, 사물은 진미라는 토를 귀하게 여기지만(土聚辰未為貴), 가을과 겨울의 붙박이로서 토인 축술은 가을과 겨울에 차가움을 더해서 사물의 성장을 막으므로, 이때 축술은 성장하는 사물이 귀하게 여기지 않게 된다(聚丑戌不為貴). 그래서 이때 성장하는 사물(是)은 성장을 도와주는 봄과 여름의 붙박이인 토로서 진미라는 토는 사랑하지만(是土愛辰未), 사물의 성장을 막는 가을과 겨울의 붙박이인 토로서 축술은 그다지 좋아하지 않게 되며, 이는 이런 이유로 사물이 토를 애증(愛憎)하는 명확한(明) 사유가 된다(而不愛丑戌也明矣). 이때 만약에 오행이 번갈아(更) 가면서 자기의 에너지를 지켜준다면(若更五行有氣) 즉, 사계절이 만들어내는 날씨라는 에너지가 정상적으로 유지된다면, 토의 에너지도 정상적으로 기능하게 될 것이고, 이어서 사람의 생명도 에너지를 정상적으로 만나게 될 것이며(人命逢之), 그러면, 사계절의 에너지를 이용하는 전답도 비할 바 없이(無比) 좋은 산출을 기대할 수 있게 되고(田產無比), 그러면, 이 둘을 이용하면서 살아가는 사람은 만년에 가서도 건강과 더불어 부귀를 느긋하게 즐길 수 있을 것이다(晚年富貴悠悠). 그리고 만약에 천간의 토(土) 에너지가 너무 태과(太實)해서 장하를 제대로 만들지 못하면서 비가 많이 내리는 우기를 만들지 못하게 되고, 이어서 물(水)을 제대로 공급하지 못하게(無) 되면(若土太實無水), 만물이 사는 대지는 건조(燥)해지게 되고, 이어서 만물은 제대로 자라지 못하게 되고, 이어서 만물의 조화(和)는 오지 않게 된다(燥則不和). 지금은 천간의 토를 논하고 있다는 사실을 상기해보자. 이는 토와 수의 상극 관계를 말하고 있다. 그래서 이때는 이런 과도한 토를 상극하는 목(木)이 없게 되면(無) 날씨 에너지가 제대로 소통하지 못하게 된다(無木則不疏通). 이는 목이 토를 상극한다는 사실을 말하고 있다. 그리고 토가 화를 만나게 되면, 토는 뜨거운 화로 인해서 타(焦)버리게 된다(土見火則焦). 이는 목, 화, 토라는 최고의 상생 조합을 말하고 있다. 이런 사주를 여성이 타고 나면, 이 사주에 속한 여성은 모두 성장하지 못하게 된다(女命多不生長). 성장의 조건은 에너지와 성장인자 문제이다. 그런데, 토는 물을 공급해서 에너지를 공급하고, 화는 성장인자를 공급한다. 그래서 토가 화에 타서 죽게 되면, 에너지와 성장인자가 모두 없어지게 되고, 이어서 성장은 물 건너가게 된다. 그리고 토가 사계절(四) 절기의 끝(季)에서 왕성하게 활동하게 되면(土旺四季), 이때는 오직 토만 곤란해져서 약해진다(惟土困弱). 그리고 사주에 성장을 막아버리는 숙살의 계절인 가을에 붙박이로서 활동하는 술토(戌)가 많게(多) 되면, 이 사주를 가진 사람은 숙살의 특성으로 인해서 싸우기(鬥)를 좋아하게 된다(戌多為人好鬥). 또한 이런 술토가 많게(多) 되면, 숙살의 활동을 하는 술토는 성장을 막아서 만물이 자게 만들므로, 역시 이 사주를 가진 사람은 잠을 많이 자게 된다(多瞌睡). 그리고 만물이 영양분을 많이 먹어서(食) 성장하는 봄과 여름의 붙박이인 진미라는 토를 사주로 가진 사람은 밥 먹기(食)를 좋아한다(辰未人好食). 이는 생리적으로도 설명이 가능하다. 토는 비장을 말하는데, 비장은 위산을 만들어서 위장으로 분비시킨다. 그러면, 인체는 이 위산을 중화하기 위해서 자동으로 밥을 많이 먹게 만든다. 다시 본문을 보자. 추운 겨울인 수에 붙박이인 차가운 축토를 사주로 보유한 사람은 당연히 세상을 차갑게(淸) 성찰(省)할 줄 안다(丑人淸省). 그리고 겨울인 수의 붙박이인 축토는 만물의 성장이 끝난 간괘(艮)의 겨울의 토인데(丑為艮土), 이때 차가운 축토는 음으로서 덜 추운 겨울의 계수라는 수에 차가움을 보태서 수가 강해져서 정상적인 겨울의 추위를 만들게 하고, 이어서 계수의 수는 더욱더 윤택해지게 되면서, 기름지게 된다(有癸水能潤而膏). 사람의 사주 명리에서 이런(此) 경우의 수를 만나게 되면(人命遇此), 약한 계수를 차가운 축토가 차가움을 더해주게 되고, 겨울의 차가움은 정상으로 돌아오게 되면서, 자동으로 축토는 이 사주를 홀로 우뚝 서게 만든다(主能卓立). 축토가 약한 계수를 돕는다는 사실을 말하고 있다. 해석이 상당히 어려운 곳이다.

生於春月, 其勢虛浮, 喜火生扶, 惡木太過, 忌水泛濫, 喜土比助, 得金而制木為祥, 金太多仍盜土氣. 夏月之土, 其勢燥烈, 得盛水滋潤成功, 忌旺火煆煉焦坼, 木助火炎, 水克無礙, 金生水泛, 妻才有益, 見比肩蹇滯不通, 如太過又宜木克. 秋月之土, 子旺母衰, 金多而耗盜其氣, 木盛須制伏純良, 火重重而不厭, 水泛泛而不祥, 得比肩則能助力, 至霜降不比無妨. 冬月之土, 外寒內溫, 水旺才豐, 金多子秀, 火盛有榮, 木無咎, 再加比肩扶助為佳, 更喜身主康強足壽.

토가 봄(木)에 걸려서 태어나면(生於春月), 토(其)의 기세는 봄인 목(木)이 상극해서 중화하므로, 자동으로 허무한 물거품이 되고 만다(其勢虛浮). 그래서 이때는 목과 토의 가운데서 앞뒤로 상생(生)의 역할을 하는 화(火)의 도움(扶)을 기뻐한다(喜火生扶). 이때 목은 화의 불쏘시개가 되어주고, 그러면, 너무 강한 화를 차가운 토가 조금은 제어해준다. 그러면, 이 셋은 조화를 이룬다. 물론 토는 자기를 상극하는 목의 태과(太過)는 자동으로 싫어한다(惡木太過). 그리고 토가 상극하는 수도 너무 많아서 범람(泛濫)하게 되면, 토와 수가 서로 상극해서 중화되어서 없어지므로, 이 또한 싫어할 수밖에 없다(忌水泛濫). 이때 토는 자기를 도와주는 비견이 있으면 당연히 좋아한다(喜土比助). 그리고 토를 상극하는 목을 금이 나서서 상극해서 제어해주면, 토에게는 또한 좋은 일이다(得金而制木為祥). 그러나 토는 또한 금을 도와주므로, 금이 너무 많아도 금은 토의 기운을 빼앗아 가고 만다(金太多仍盜土氣). 토가 여름(火)에 걸려서 태어나면(夏月之土), 토(其)의 기세는 여름의 뜨거움에 말라버린다(其勢燥烈). 이때 화를 상극하는 왕성한 수를 얻게 되면, 토는 수분을 얻어서 성공하게 된다(得盛水滋潤成功). 이때 화가 너무나 왕성해서 모든 것을 태워버리는 것을 당연히 싫어한다(忌旺火煆煉焦坼). 그리고 목이 화의 불쏘시개가 되어서 화를 너무 뜨겁게 만들면(木助火炎), 이때는 수를 통해서 화를 상극해주는 일은 의심한 바가 없게 된다(水克無礙). 즉, 이때는 너무 더운 화를 수로 상극해줘야만 한다는 뜻이다. 이때 금은 수와 상생해서 수가 토를 뒤집는(泛) 일을 막아주니까(金生水泛), 일주(妻)에 있는 토의 재능에는 이익이 된다(妻才有益). 사주는 일주가 핵심인데, 지금 일주는 토이다. 그리고 처(妻)는 토가 주도하는 일주의 동반자(妻)이다. 그래서 여기서 처(妻)는 일주(妻)를 말한다. 이때도 금은 수와 토 사이에서 양쪽으로 상생 관계가 되면서 토를 돕게 된다. 이때 토를 도와주는 비견을 보게 되면 즉, 토를 상극하는 목을 상극하는 금이 있게 되면, 토의 기운이 너무 세져서 이 사주는 정체하고 불통하게 된다(見比肩蹇滯不通). 이때는 태과한 토를 또(又)다시 목을 동원해서 토를 상극해주는 것이 마땅하다(如太過又宜木克). 그리고 토(土)가 가을(金)에 걸려서 태어나면(秋月之土), 토는 금을 도와주므로, 금인 자식(子)의 기운은 왕성(旺)해지지만, 어머니(母)인 토는 금을 도와주면서 쇠약해진다(子旺母衰). 지금은 토를 논하고 있으므로, 토는 일주의 일간이 된다. 그래서 이때는 토가 어머니가 된다. 그래서 이때는 금(金)이 많게(多) 되면, 당연히 토의 기운을 금이 강탈(盜)해가게 되고, 토의 기운은 소모(耗)되고 만다(金多而耗盜其氣). 그리고 토를 상극하는 목(木)이 왕성(旺)하게 되면, 모름지기 이를 상극해서 제어(制)하고 굴복(伏)시켜야만, 토가 순수한 자기 기량을 펼칠 수 있게 된다(木盛須制伏純良). 토와 상생 관계에 있는 화가 많은 일은 싫어하지 않지만(火重重而不厭), 토가 상극해서 중화하는 수가 넘쳐나게 되면(泛泛), 이때 토도 수를 상극해서 중화되고, 이어서 토도 제거되므로, 이 상황도 토에게는 좋은 일이 아니다(水泛泛而不祥). 이때 수와 상극 관계를 맺고 있는 화라는 비견이 나타나서 수를 제거해주는 은덕을 베풀게 되면, 토에게는 큰 힘이 된다(得比肩則能助力). 그래서 앞에서 토는 화가 많아도 싫어하지 않는다(不厭)고 한 것이다. 그러면, 가을의 마지막 절기인 상강(霜降)까지는 추가 비견(比)이 없어도 무방하다(至霜降不比無妨). 그리고 토가 겨울에 걸려서 태어나면(冬月之土), 이때는 외한 내온이 된다(外寒內溫). 즉, 밖(外)으로 나타나는 날씨는 겨울이라서 춥지만(寒), 토는 여름 장하의 기운을 어느 정도 안고 있으므로, 안(內)으로는 따뜻하게(溫) 된다는 뜻이다. 그리고 화가 많은 상태에서 이를 상극해서 중화하는 수(水)가 왕성(旺)하게 되면, 토는 자기 재능(才)을 풍성(豊)하게 만들 수가 있다(水旺才豊). 그리고 화가 많이 있는 상태에서 금이 많게 되면, 화와 금이 서로 상극해서 중화되면서, 화의 입장으로 보면, 아들(子)인 토는 무성(秀)하게 성장한다(金多子秀). 화가 너무 많아도 토를 태워버린다는 사실을 상기해보자. 그래서 이때는 화(火)가 왕성(盛)할지라도, 금이 이를 막아주므로, 토는 영화롭게 된다(火盛有榮). 그러면, 불쏘시개가 되어서 화를 도와주는 목(木)이 있더라도, 금이 화를 적절히 제어해주므로, 목(木)은 문제(咎)가 되지 않게(無) 된다(木無咎). 그러면, 이때는 다시(再) 토를 도와주는(扶助) 비견이 나타나도 문제가 되지 않고 아름답게 된다(再加比肩扶助為佳). 그러면, 이어서(更) 지금 이 사주를 주도하고 있는 토(身)는 강하게 되고, 그러면, 이 사주를 가진 사람은 장수하게 된다(更喜身主康強足壽). 이 부분의 해석은 상당한 내공을 요구하고 있다.

辰戌丑未, 四土之神, 惟未土為極旺, 何也. 辰土帶木氣克之, 戌丑之土, 帶金氣洩之, 此三土雖旺而不旺, 故土臨此三位, 金多作稼穡格, 不失中和, 若未月土, 則帶火氣也, 帶火以生之, 所以為極旺也, 若土臨此旺未月, 見四柱土重, 多作火炎土燥, 不可作稼穡看, 但臨此月之土, 見金結局者, 不貴即富也. 書曰. 土逢季月見金多, 終為貴論, 而在未月尤甚.

사계의 붙박이인 진술축미는(辰戌丑未), 사계절에 붙은 토의 에너지(神)이다(四土之神). 여기서 신(神)은 자유전자(神)로서 에너지(神)라는 사실을 상기해보자. 그리고 우리가 지금 논하고 있는 오행도, 오행이 주도하고 있는 사주도, 결국에는 에너지(神) 문제라는 사실도 더불어 상기해보자. 이때 미(未)는 뜨거운 화의 붙박이므로, 화의 영향을 받아서 유일(惟)하게 극도로 왕성하게 된다(惟未土為極旺). 그 이유는 다음과 같다(何也). 목의 붙박이(帶)인 진토는 목의 기운이 상극(克)해서 중화되고, 이어서 제거되게 되고(辰土帶木氣克之), 금의 붙박이인 술토와 수의 붙박이인 축를 보면(戌丑之土), 축토는 수를 상극해서 중화되고, 이어서 제거되고, 술토는 금을 도와주는 토이므로, 이때는 토의 기운이 금을 통해서 누설(洩)되고 만다(帶金氣洩之). 이를 생리적으로 보게 되면, 이 셋의 가운데에는 산성 림프액이 자리하고 있다. 즉, 산성 림프액을 최종 중화 처리하는 금인 폐는 토인 비장이 산성 림프액을 깨끗이 처리해주게 되면, 금인 폐는 토인 비장의 도움을 받게 된다. 그러나 이때 토인 비장은 그만큼 자기의 기운이 누설(洩)된다. 그리고 수인 신장과 토인 비장은 모두 산성 림프액을 서로 교환한다. 다시 본문을 보자. 그래서 바로 앞에서 본, 진술축의 3가지 토는 모름지기 왕성하려고 노력하지만, 사계절의 견제로 인해서 왕성하지 못하고 만다(此三土雖旺而不旺). 그래서 사계절에 붙박이로 존재하는 토가 이(此)처럼 3가지 자리(位)에 임(臨)하게 될 때(故土臨此三位), 금(金)이 많게(多) 되면, 금은 토의 기운을 강탈해서 누설하므로, 토는 자기가 만든 수확(稼)을 금에게 강탈당하지 않을까 하고 노심초사(穡)하게 되는 사주의 격(格)이 된다(金多作稼穡格). 이를 사주 명리에서는 가색격(稼穡格)이라고 부르는데, 이를 이런 식으로 용어를 만들어서 부르게 되면 너무나 헷갈리게 된다. 이는 그냥 문자 그대로 해석해주면 된다. 용어를 많이 만들면 만들수록 헷갈리게 된다. 그리고 음양오행의 에너지 흐름을 정확히 알게 되면, 용어를 만들어낼 필요가 없게 된다. 다시 본문을 보자. 그래서 앞에서 본 경우처럼, 진술축이라는 3가지 토는 누설되거나 중화(中和)되어서 제거되는 일을 피할 수가 없게 된다(不失中和). 만약에 늦여름인 6월(未)의 토가(若未月土), 여름의 무더운 화기를 안고 있게 되면(則帶火氣也), 토는 이 화를 이용해서 화기와 공생(生)하게 되므로(帶火以生之), 이런 이유로 이때 미(未)라는 토는 극도로 왕성하게 된다(所以為極旺也). 여기서 미(未)가 음(陰)이라는 사실도 상당히 중요하다. 그래서 이때는 동시에 여름인 화도 왕성하게 된다. 그래서 만약에 이(此)처럼 토가 자기가 왕성한 6월(未)에 임(臨)하게 되었을 때(若土臨此旺未月), 다시 사주에 이런 토가 중복(重)해서 나타나게 된다면(見四柱土重), 이런 기능을 하는 많은(多) 토는 화를 더욱더 불타게 만들고, 동시에 토도 자동으로 건조(燥)해지게 되고(多作火炎土燥), 그러면, 이 강한 화는 토의 기운을 강탈해가는 금을 상극해서 중화해버리므로, 이때는 금이 토의 기운을 강탈해가서 염려하는 조건이 없어지게 되고, 그러면, 이때는 가색을 걱정하고 헤아릴(看) 이유가 없어지게 만든다(不可作稼穡看). 그러나 이런 6월(此)의 토(土)를 임하게 되면서(但臨此月之土), 동시에 지지가 결합해서 만든 국국(局)에서 지긋지긋한 금이 보이게 되면(見金結局者), 이때는 많은 토가 지지의 금국인 금을 상대하면서 토의 일부가 상(傷)하게 되므로, 이때는 귀는 없고 부만 얻게 된다(不貴即富也). 그래서 옛 문헌에는 다음과 같은 말이 있다(書曰). 붙박이인 토가 계절의 끝인 계월(季月)에서 금이 많은 경우를 만나게 되면(土逢季月見金多), 이미 앞에서 본 것처럼, 귀(貴)에 대한 논의는(論) 끝나게(終) 된다(終為貴論). 금이 토의 기운을 강탈해가므로, 이는 별수가 없게 된다. 이는 늦여름인 6월(未)에 더욱더 심해진다(而在未月尤甚). 그 이유는 지금 늦여름인 화(火)가 금(金)을 상극해서 중화해버리기 때문이다. 그러면, 이때 화도 동시에 제거된다. 그러면, 이런 화에 붙어서 음(陰)으로서 공생하던 미토(未)도 동시에 몰락하게 된다. 이 부분은 해석이 어려워서 해석의 오류가 나오는 전형적인 곳이다. 그러나 오행의 에너지 원리를 제대로 알면 아주 쉽기도 하다.

금론(論金)

金以至陰為體, 中含至陽之精, 乃能堅剛, 獨異眾物, 若獨陰而不堅, 冰雪是也. 遇火則消矣. 故金無火鍊, 不能成器, 金重火輕, 執事繁難, 金輕火重, 煆煉消亡, 金極火盛, 為格最精, 金火全, 名曰鑄印, 犯丑字, 即為損饃, 金火多名為乘軒, 遇死衰, 反為不利, 木火煉金, 成名銳而退速, 純金遇水, 逢富顯以贏餘, 金能生水, 火旺則金沉, 土能生金, 金多則土賤, 金無水乾枯, 水重, 則沉淪無用, 金無土死絕, 土重, 則埋沒不顯, 兩金兩火, 最上, 兩金兩木, 才足, 一金生三, 氻弱難勝, 一金得三木, 頑鈍自損, 金成則火滅, 故金未成器, 欲得見火, 金已成器, 不欲見火, 金到申酉巳丑, 亦可謂之成也, 運喜西北, 不利南方.

금은 음에 이르게 하여 몸체를 만들지만(金以至陰為體), 이 와중에 양에 이르게 해서 정을 함유하고 있다(中含至陽之精). 약간의 설명이 필요하다. 금(金)인 가을에는 음(陰)인 쌀쌀함이 가을을 지배하면서, 만물은 성장을 멈추고 결실이라는 열매의 몸체(體)를 만들어낸다. 그리고 이 열매의 몸체는 씨앗이라는 정(精)을 머금고(含) 있게 되고, 이는 나중에 양(陽)을 받아들이게(至) 된다. 즉, 나중에 씨앗에서 싹이 틀 때 양이라는 전자(Electron)를 음인 정(精)이 받아들여서 새싹이 나오게 한다는 뜻이다. 여기서 전자는 성장인자가 된다. 이 문제는 상당히 긴 이야기라서, 본 연구소가 발행한 전자생리학을 참고하면 된다. 다시 본문을 보자. 이 씨앗은 쉽게 깨지지 않게 아주 강한 상태로 유지되며(乃能堅剛), 이 씨앗들은 홀로 많은(眾:무리 중) 다양한(異) 생물들을 만들어내게 된다(獨異眾物). 이때 만약에 가을에 만들어진 씨앗이 홀로 겨울인 음(陰)을 만나서 약해지게 되면(若獨陰而不堅), 이(是) 씨앗은 바로 다가오는 겨울의 눈에 얼고 말 것이다(冰雪是也). 또한, 이 씨앗은 뜨거운 화기를 만나도 타버리게 된다(遇火則消矣). 그래서 금인 가을에 만들어진 씨앗은 화기에 달궈서는 안 되면(故金無火鍊), 만약에 씨앗을 불에 달구게 되면, 씨앗은 싹을 틔우지 못하게 되고, 결국에는 성체라는 큰 그릇으로 성장하지 못하고 만다(不能成器). 이는 화가 금을 상극해서 제거하는 경우를 말하고 있다. 그러나 사주에서 금이 너무나 많을(重) 때, 이를 제거할 수 있는 화가 상대적으로 적게(輕) 되면(金重火輕), 사주인 집사(執事)는 번거롭고 복잡하게 된다(執事繁難). 오행의 균형을 중시하는 사주에서 오행의 중복(重)은 반기지 않는다는 사실을 상기해보자. 그러나 거꾸로 금이 적고 화가 많게 되면(金輕火重), 이때는 화가 금을 상극하고 태워서 없애버리게 된다(煆煉消亡). 이때는 금이 화의 왕성함을 극제(極)할 수 있게 되면(金極火盛), 이때는 최고(最精)의 격(格)을 만들게 된다(為格最精). 그러나 이때 서로 상극인 금과 화가 온전히 보전되면(金火全), 이를 최고의 주인(鑄印)이라고 부른다(名曰鑄印). 여기서 주인은 왕의 인장을 만드는 곳이다. 즉, 서로 상극인 금과 화가 온전히 보전되면(金火全), 수, 화, 금이라는 최고의 조합이 만들어지면서, 이 사주는 최고의 사주가 된다는 뜻이다. 즉, 이 조합이 나오지 않게 되면, 화는 자동으로 금을 상극해서 중화하고, 이어서 제거해버리게 된다는 뜻이다. 이때 지지에서 지장간을 통해서 천간으로 신금을 올려보내는 축토에 들어있는 축(丑)이라는 글자(字)를 금이 범하게 되면(犯丑字) 즉, 천간의 금과 지지의 축토가 만든 신금이 서로 만나게 되면, 이때는 마치 소가 든 만두(饃)처럼 서로 합쳐지게 되고, 이어서 금의 기운은 손해(損)를 보게 된다(即為損饃). 이때 천간의 금은 양이 되고, 지장간의 금은 신금이라는 음이 된다. 즉, 이때는 겁재(劫財)가 만들어지면서, 금의 기운이 중화되고 만다. 그리고 서로 상극하는 금과 화가 서로 많게 되면, 이때는 더욱더 높이 타오르게 되고(金火多名為乘軒), 결국에 사주에서 이런 경우를 만나게 되면, 서로 상극해서 죽고 없어져 버린다(遇死衰). 반대로 이때 이런 불리함을 만드는 조합이(反為不利), 목화가 금을 제련하게 되면(木火煉金) 즉, 화, 금, 목이라는 상극하는 아주 좋은 조합이 만들어지면, 이때는 명성이 예리하게 튀어 오르게 되고, 화가 금을 상극해서 죽이는 기운은 빠른 속도로 퇴진해버린다(成名銳而退速). 그리고 원래 에너지를 그대로 보유한 순수한 금이 서로 상생하는 수를 만나게 되면(純金遇水), 이때는 자동으로 금의 에너지가 수로 전가되고, 이는 금의 부가 수로 전달되어서 남아돈다는 뜻이 되고(逢富顯以贏餘), 이는 금이 능히 수를 생한다는 뜻이 된다(金能生水). 그러나 금과 서로 상극하는 화가 너무 왕성하게 되면, 화는 금을 상극해서 제거하므로,

이때 금은 자동으로 자기 에너지를 잃고(沉) 만다(火旺則金沉). 그리고 토는 금을 능히 생하는 관계를 만들므로(土能生金), 토는 금에게 에너지를 보내주는 관계이지만, 이때 금이 많게 되면, 토가 보내는 에너지는 금이 나누어서 받게 되면서, 그 양이 아주 적게(賤) 된다(金多則土賤). 즉, 이때 금이 많게 되면, 금은 토의 에너지를 너무 많이 뺏어가면서 토는 약해지고 만다. 이 부분은 은유법을 아주 잘 읽어내야만 한다. 이때 금은 수가 없게 되면, 금은 건조해져서 말라 죽고 만다(金無水乾枯). 이도 행간을 아주 잘 읽어내야만 한다. 이는 많은 금이 과도한 에너지를 수로 보낸다는 뜻이다. 그래서 이때는 수가 금에 물을 공급해서 금을 살려낸다는 은유법으로 표현된다. 그러나 이때도 수가 너무 많게 되면(水重), 자동으로 이 사주 조합은 망쳐지게 되고, 이어서 금의 몰락(沉淪)을 유도하면서, 금을 무용지물로 만들어버린다(則沉淪無用). 이때 이런 포악한 수를 상극해서 제거해주는 토가 없게 되면, 금의 기운은 죽어서 끊기게 된다(金無土死絕). 그러나 이때 또한 토가 너무 많게 되면(土重), 토는 금과 상생하는 관계여서 자기 에너지를 금으로 너무 과하게 보내서 금을 과부하로 몰게 되고, 이어서 금을 매몰(埋沒)시키게 되므로, 이도 또한 금이 원치 않는 경우가 된다(則埋沒不顯). 이때는 토가 금과 짝(兩)하고, 화와 짝(兩)하게 되면(兩金兩火), 이때는 조합이 화, 토, 금이 되면서, 화금의 상극의 관계가 상생의 관계로 변하게 되고, 이때 사주는 자동으로 최상이 된다(最上). 그리고 이때 토가 금과 짝(兩)하고, 목과 짝(兩)하게 되면(兩金兩木), 이때는 금, 목, 토라는 최고의 조합이 만들어지게 되면서, 이는 서로 상극하는 조합이지만, 금, 목, 토의 오행은 자기 재능을 충분히 발휘할 수 있게 된다(才足). 그리고 금이 서로 상생하는 수로 에너지를 보내서 수를 과부하로 몰고, 이어서 수를 약하게 할 수 있는데, 이때 하나의 금이 상생하는 3개의 수로 에너지를 보내게 되면(一金生三), 이때 금이 보낸 에너지를 3개의 수가 나누어서 받게 되므로, 이때 수(泐:륵)는 조금은 약해지겠지만, 그러나 이때 금이 수를 과부하로 몰아서 이기기(勝)는 어렵게 된다(泐弱難勝). 그리고, 목을 상극하는 하나의 금이 3개의 목을 만나게 되었을 때는(一金得三木), 하나의 목밖에는 처리가 불가하므로, 이때는 목의 기운을 둔하게 할 수는 있지만, 금은 목과 상극해서 제거되므로, 자동으로(自) 손상을 입게 된다(頑鈍自損). 이때 금이 왕성(成)한 상태에서 화를 만나게 되면, 금은 자동으로 화를 상극해서 중화하게 되고, 이어서 화를 멸망시켜버린다(金成則火滅). 그러나 이때 금과 미토(未)가 만나서 그릇을 만들게 될 때는(故金未成器), 금은 그릇을 만들기 위해서 화가 나타나서 얻어지기를 간절히 바라게 된다(欲得見火). 이때 금은 천간에 있는 양인 금이고, 미토는 지지의 토이므로, 미토는 지장간을 통해서 음인 정화(丁)라는 화를 제공해준다. 이때 미의 지장간은 정을기(丁乙己)라는 사실을 상기해보자. 여기서는 그릇을 만들기 위해서 오직 정화만 원하게 된다. 그러면, 양인 금과 음인 정화가 만나서 정관(正官)이 되면서 좋은 그릇이 완성된다. 그러면, 이때는 당연히 금은 정화가 얻어지기를 바라게 된다. 그러면, 이때 금은 이미(已) 좋은 사주라는 그릇을 완성(成)했으므로(金已成器). 이때는 자동으로 금은 천간에서 더는 화를 바라지 않게 된다(不欲見火). 그리고 금이 신유사축에 도달할 때이다(金到申酉巳丑). 이때 사신(巳申)은 육합(六合)으로서 수(水)가 된다. 그러면, 신유사축(申酉巳丑)은 유금, 수, 축토가 된다. 또 다른 경우의 수에서 신유사축(申酉巳丑)은 사유축(巳酉丑)이 삼합(三合)으로서 금(金)이 되고, 그러면, 이는 신금, 금이 된다. 이제 이 두 경우의 수를 정리해보게 되면, 앞에서는 축토, 유금, 수가 나오게 되고, 이는 상생 관계로서 좋은 조합이 된다. 그리고, 뒤의 경우는 신금과 금이 합쳐지면서 비겁(比劫)이 되고, 이는 그리 좋은 경우의 수는 아니다. 그래서 이 경우의 수는 자동으로 버리고, 앞에 나온 축토, 유금, 수를 이용하면 된다. 그래서 이때도 역시(亦) 금은 최고의 그릇을 완성(成)할 수 있게 된다(亦可謂之成也). 즉, 천간에 이미 화가 있다면, 축토, 유금, 수는 금이라는 삼합이 되면서, 금의 역할을 하게 되므로, 이때도 역시 그릇을 완성할 수 있게 된다는 뜻이다. 물론 보통 말하는 삼합으로서 금은 사유축(巳酉丑)이나, 축토, 유금, 수라는 이 경우도 삼합으로서 금이 된다. 이 부분은 해석이 상당히 어려워서 아예 문장을 빼먹어버리는 곳이다. 그리고 이때 세운(運)이 화국(火局:西北)으로 나오게 되면 즉, 세운이 지지에서 화가 나오게 되면, 이는 천간의 금과 짝해서 그릇을 만들 수 있으므로, 이 사주는 좋게(喜) 되나(運喜西北), 천간에서 다시 화(南方)가 나오게 되면(不利南方), 이 화는 화국과 부딪히게 되므로, 불리(不利)한 상황이 오게 된다. 이때 남방(南方)은 천간의 오행을 말하고, 화국(火局)은 지지의 오행을 말한다. 이 부분은 사주에서 금이 어떻게 작동하는가를 말해주고 있으므로, 엄청나게 중요하다. 그래서 이 부분에서 표현된 은유법을 정확히 읽어내지 못하게 되면, 자동으로 사주팔자의 해석은 엉망진창이 되고 만다. 그리고 이는 지금 진행형이다. 이는 자동으로 사주 명리라는 과학을 미신(迷信)으로 둔갑시키고 만다.

生於春月, 餘寒未盡, 貴乎火氣為榮, 性柔體弱, 欲得厚土輔助, 水盛增寒, 難施鋒銳之勢, 木旺損力, 有銼鈍之厄, 金來比助, 扶持最妙, 比而無火, 失類非良.

봄에 끼여서 태어남 금은(生於春月), 겨울의 잔여(餘) 한기가 아직(未)은 모두 없어지지 않은 시기와 접하게 된다(餘寒未盡). 이때는 당연히 따뜻한 화기를 귀하게 대접하게 되며, 그러면, 쌀쌀한 봄은 영화롭게 된다(貴乎火氣為榮). 이런 봄에 싹을 틔우고 자라나는 만물은 봄의 특성(性)으로 인해서 너무 유약(柔)하고 몸체(體)도 이제 겨우 싹을 틔워서 약하다(性柔體弱). 이때는 땅이 영양분을 후하게 공급해서 도와주기를 바란다(欲得厚土輔助). 지금은 은유법으로 표현하고 있는데, 이를 직설법으로 바꿔서 표현해보게 되면, 목, 화, 토의 조합을 말하고 있다. 이때 토의 뒤에 금이 뒤따른다는 사실도 상기해보자. 이때 차가운 수가 너무 왕성(盛)하게 되면, 자동으로 봄의 쌀쌀함에 한기를 더 증가(增)시키고 만다(水盛增寒). 그러면, 이때는 자동으로 봄의 세력이 힘을 발휘해서 베풀기가 곤란해진다(難施鋒銳之勢). 그러면, 이때는 자동으로 목의 왕성함이 손상을 입고 만다(木旺損力). 그러면, 이때는 자동으로 봄의 힘이 무뎌지면서 위험하게 된다(有銼鈍之厄). 이때 금이 비견으로 와서 도와주게 되면(金來比助), 이 도움으로 목은 유지되고, 이때 사주는 최고의 묘안이 나오게 된다(扶持最妙). 이 은유법을 직설법으로 바꾸게 되면, 금, 수, 목이라는 최고의 조합을 말하고 있다. 이 조합을 보면, 목을 도와주는 금이라는 비견이 들어가면서, 이 조합은 최고의 조합이 되었다. 또한 목을 망치는 수라는 비겁만 있고, 화라는 비견이 없어도(比而無火), 이 사주 조합은 좋지 못하게 된다(失類非良). 이도 역시 은유법을 직설법으로 바꿔보게 되면, 이 조합은 수, 목, 화라는 최고의 조합이 된다. 이때도 수 앞에 금이 있다는 사실을 상기해보자.

夏月之金, 尤為柔弱, 形質未具, 尤嫌死絕, 火多而却為不厭, 水盛而滋潤呈祥, 見木而助懨傷身, 遇金而扶持精壯, 土薄而最為有用, 土厚而埋沒無光.

여름(火)에 낀 금은(夏月之金), 화가 금을 상극해서 제거해버리므로, 더욱더 유약해진다(尤為柔弱). 이때 화에 상극 당한 금은 자동으로 형체도 질량도 보전이 불가(未)하게 된다(形質未具). 그래서 이때는 금이 자기의 목숨이 죽어서 끊길까봐서 노심초사(嫌)하게 된다(尤嫌死絕). 그러나 화가 많다고 해도, 이들이 제거(却)만 된다면, 금은 화를 싫어할 이유가 없게 된다(火多而却為不厭). 이때 화를 상극하는 수가 왕성해서 수분(潤)을 공급(滋)해서 도와주게 되면, 이는 금에게는 참으로 상서로운 일이 된다(水盛而滋潤呈祥). 이때 금이 상극하는 목을 보게 되면, 목은 금을 돕기(助)보다는 도리어(懨) 금이라는 몸(身)을 상하게 만들고 만다(見木而助懨傷身). 즉, 목과 금이 서로 상극해서 서로 제거되는 경우를 말하고 있다. 이때 물론 추가로 금을 만나게 되면, 이 금이 목을 대신 제거해주므로, 기존의 금은 이 도움을 통해서 자기의 에너지를 유지할 수 있게 되면서, 힘이 강해지게 된다(遇金而扶持精壯). 이때 또한 토는 목을 상극 관계를 통해서 속박(薄)하므로, 이때 토는 금에게 최고로 유용하게 된다(土薄而最為有用). 그러나 이런 토도 너무 많게(厚) 되면, 토는 금과 상생 관계라서, 금으로 너무나 많은 에너지를 보내서 금을 과부하로 몰아서 금의 빛나는 광채를 매몰시켜버린다(土厚而埋沒無光).

秋月之金, 當權得令, 火來煆煉, 遂成鐘鼎之材, 土多培養, 反惹頑濁之氣, 見水則精神越秀, 逢木則琢削施威, 金助愈剛, 剛過則決, 氣重愈旺, 旺極則衰.

가을(金)에 낀 금은(秋月之金), 금이 2개나 되니까 당연히 이때는 금이 전권을 휘두르게 된다(當權得令). 이때 금을 상극하는 화가 와서 금을 녹이게 되면(火來煆煉), 이때는 금이 종을 만드는 재료가 되면서 종이 완성된다(遂成鐘鼎之材). 이때 토가 많게 되면, 이 효과는 배양된다(土多培養). 이는 화, 토, 금의 조합을 말하고 있다. 그러면, 이때는 자동으로 더 강한 기운이 만들어진다(反惹頑濁之氣). 즉, 화, 토, 금이라는 강한 조합이 만들어진다. 이때 수가 보이게 되면, 금은 수와 상생 관계를 맺고 있으므로, 금의 에너지(精神)는 금을 넘어서(越) 수로 가게 되고, 그러면 당연히 이 에너지는 수의 에너지를 무성(秀)하게 해준다(見水則精神越秀). 그러나 이때 금이 목을 만나게(逢) 되면, 금은 목을 상극하므로, 금은 목을 조각내서 무서운 위엄(威)을 발휘(施)하게 된다(逢木則琢削施威). 이때 또 다른 금이 나타나서 금을 돕게 되면, 이때는 금이 당연히 더 강해진다(金助愈剛). 그러나 이때 금의 강함이 너무 과도하게 되면, 금은 유연성을 잃고서 끊어지고(決) 만다(剛過則決). 즉, 금의 기운이 너무 과중하게 되면서 너무 왕성하게 되면(氣重愈旺), 이는 당연히 극단으로 치닫게 되면서, 결국에는 금의 기운은 끊어지고 만다(旺極則衰). 즉, 사주팔자를 구성하고 있는 오행에서 한 가지 오행의 중복은 좋은 사주를 만들지 못한다는 뜻이다. 좋은 사주는 언제나 오행의 균형이다.

冬月之金, 形寒性冷, 木多則難施琢削之功, 水盛而未免沉潛之患, 土能制水, 金體不寒, 火來助土, 子母成功, 喜比肩聚氣相扶, 欲官印溫養為利.

추운 겨울(水)에 낀 금은(冬月之金), 추운 겨울의 에너지에 영향을 받으면서, 형태도 한기를 머금게 되고, 성질도 냉하게 된다(形寒性冷). 이때 목이 많게 되면, 금은 목을 하나만 상극할 수 있으므로, 금이 목을 모두 조각내는 일은 하기가 어려워진다(木多則難施琢削之功). 그리고 이때 수가 왕성하게 되면, 이 수는 자동으로 금의 기운을 이어받아서 뺏어가므로, 이때는 금이 자기의 기운을 뺏기는 우환을 면하지 못하게 된다(水盛而未免沉潛之患). 이때 수를 상극하는 토가 나타나서,

수를 능히 상극해서 제어해준다면(土能制水), 금의 몸체는 수의 영향을 받지 않게 되면서, 금은 수가 주는 한기의 영향을 받지 않게 된다(金體不寒). 그리고 이때 화가 나타나서 토에게 에너지를 건네주면서, 토를 돕게 되면(火來助土), 모자는 성공하게 된다(子母成功). 즉, 이때는 화, 토, 금이라는 좋은 조합이 만들어진다. 이때 토는 금에게 에너지를 주는 입장이므로, 모(母)가 되고, 금은 토에게서 에너지를 받는 입장이므로, 자(子)가 된다. 그래서 이때는 화가 나와서 돕게 되면, 화, 토, 금이라는 좋은 조합이 만들어지면서, 토금이라는 모자가 성공(成功)하게 된다. 그래서 모자(子母)의 이런 성공을 보게 되면 즉, 화, 토, 금이라는 성공한 좋은 조합을 보게 되면, 화, 토, 금은 상생 관계라서 서로 비견이 되어주게 되고, 이런 비견들은 자동으로 서로 에너지(氣)를 주고받게(聚) 되고, 이어서 상부상조(相扶)하는 관계를 좋아하게 된다(喜比肩聚氣相扶). 그리고 이는 오행(官)의 인수(印)인 화가 토와 금에게 온기(溫)를 공급해서 보살피는(養) 바람에, 이 조합을 좋게(利) 만들고 있다(欲官印溫養為利). 이 부분은 은유법이 거의 모든 표현을 대체하고 있다.

수론(論水)

天傾西北, 亥為出水之方, 地陷東南, 辰為納水之府, 逆流到申而作聲. 故水不西流, 水性潤下, 順則有容, 順行十二神, 順也. 主有度量, 有吉神扶助, 乃貴格, 逆則有聲, 逆行十二神, 逆也. 入格者, 主清貴, 有聲譽, 忌刑衝, 則橫流, 愛自死自絕, 則吉.

계절의 천기가 가을인 서쪽(西)에서 겨울인 북쪽(北)으로 기울어(傾)지면서 만들어지는(天傾西北), 입동(立冬)인 해수(亥)는 겨울의 첫 출발점이다(亥為出水之方). 즉, 지지에서 해수(亥)는 입동을 말하게 되는데, 이는 겨울의 시작인 출발점이다. 그리고 지지가 목인 동쪽에서 화인 남쪽으로 기울어질 때(地陷東南), 목에 붙은 토인 진(辰)은 수(水)를 받아(納)들이는 토부(府)가 된다(辰為納水之府). 진(辰)이 인묘진이라는 목에 붙은 토(土)라는 사실을 상기해보자. 그리고 이때 진(辰)은 지장간을 통해서 중기(中氣)에서 계수(癸)를 품고(藏) 있게 된다. 이때 지장간에서 계수의 의미는 겨울의 마지막 흔적까지 지운다는 뜻이다. 이를 납(納)으로 표현하고 있다. 이는 앞에서 지장간을 설명할 때 이미 설명한 내용이다. 이때 계절의 천기가 지금 논하고 있는 계절인 겨울(水)에서 봄(東)으로 순리에 따라서 움직이지 않고, 역류(逆流)해서 겨울(水)에서 가을(金)의 시작인 입추(立秋)로서 신(申)으로 가버리게 되면, 이때는 자동으로 소란(聲)을 만들게(作) 된다(逆流到申而作聲). 그래서 수(水)로서 겨울은 목(木)으로서 봄으로 가는 것이지, 역행해서 금으로서 서쪽(西)인 가을로 흘러(流)가지는 않게 된다(故水不西流). 즉, 겨울 다음에 봄이 오는 것이지, 가을이 올 수는 없다는 뜻이다. 그래서 물인 수(水)의 본래의 성질(性)은 역류해서 위로 올라가지 않고, 아래(下)로 떨어지는(潤) 것이다(水性潤下). 그래서 계절은 순리(順)라는 원리를 따를 때만 허용된다(順則有容). 즉, 계절은 어떤 경우에도 순리에 따라서 흐르게 된다는 뜻이다. 그래서 일 년 12개월의 월건을 담당하는 12 지지의 에너지(神)가 순행하면서(順行十二神), 월건을 만들어내면, 이는 순리가 된다(順也). 그래서 12 지지의 에너지가 도량형(度量衡)이 되어서 매월을 주도하게 되면(主有度量), 12 지지의 좋은(吉) 에너지(神)는 천간의 에너지와 서로 상부상조하게 된다(有吉神扶助). 그러면, 이때는 사주가 귀격이 된다(乃貴格). 물론 이때 이런 순리가 역리로 바뀌게 되면, 잡음(聲)이 생기게 된다(逆則有聲). 즉, 12 지지의 에너지(神)가 천간의 에너지와 서로 역행(逆行)하게 되면(逆行十二神), 이때 사주도 역효과를 만들게 된다(逆也). 이렇게 해서 좋은 격으로 진입하게 되면(入格者), 이 사주는 깨끗한 귀를 주도하게 된다(主清貴). 그러나 이때 순리를 역행해서 잡음이 생기게 되면(有聲譽), 이는 형충을 의미하게 되므로, 당연히 꺼리게 된다(忌刑衝). 그러면, 이때 사주는 제멋대로(橫) 흘러가고 만다(則橫流). 그러나. 이때 이런 나쁜 요인들이 스스로 죽어서 스스로 절멸하게 되면(愛自死自絕), 이 사주는 자동으로 길하게 된다(則吉).

水不絕源, 仗金生而流遠, 水流泛濫, 賴土克以堤防, 水火均, 則合既濟之美, 水土混, 則有濁源之凶, 四時皆忌火多, 則水受渴, 忌見土重, 則水不流, 忌見金死, 金死則水困, 忌見木旺, 木旺則水死, 沈芝云, 水命動搖, 多主濁濫, 女人尤忌之, 口訣雲, 陽水身弱, 窮, 陰水身弱, 主貴.

그래서 수는 금이라는 자기 에너지의 발원지(源)와 끊어짐이 없어야만(水不絕源), 금에 의지(仗)해서 살아(生)남을 수가 있게 되고, 이어서 수라는 물은 멀리(遠)까지 흘러갈(流) 수 있게 된다(仗金生而流遠). 그리고 이때 수의 에너지가 너무 많아서 범람하게 되면(水流泛濫), 이때는 수를 상극해서 제어할 수 있는 토에 기대어서(賴), 토를 제방(堤防)으로 이용(以)해서 이를 극복(克)해야만 한다(賴土克以堤防). 이는 토가 수를 상극하는 경우를 말하고 있다. 그러나 지금은 수가 주인공이므로, 이때는 수를 살려줘야만 한다. 그래서 이때 수를 화로 균형을 맞춰서(水火均), 상극하고 합쳐지게 하면, 자기들이 이미(既) 가진 에너지를 주고받는(濟) 아름다움이 생긴다(則合既濟之美). 수와 화가 서로 에너지를 주고받아서 상극하는 사실인 수화기제(水火既濟)를 말하고 있다. 그러면, 이때는 토, 수, 화라는 아주 좋은 조합이 만들어진다. 그러면, 이때는 수의 에너지가 균형을 잡게 된다.

이어서 사주는 정상으로 돌아온다. 그리고 이때 수와 토가 혼합되면(水土混), 이 둘은 서로 혼탁(濁)의 근원(源)이 되면서 흉하게 된다(則有濁源之凶). 여기서는 흙인 토를 혼탁의 주범으로 몰고 있다. 또한 이는 토와 수의 상극 관계를 말하고 있다. 상극은 당연히 흉(凶)한 일이다. 그리고 사계절은 모두 화가 많은 것을 꺼리게 되는데(四時皆忌火多), 그 이유는 화가 만물이 필요로 하는 물(水)을 고갈(渴)시켜버리기 때문이다(則水受渴). 이는 수가 화를 상극하는 경우를 말하고 있다. 이때 토를 많이 보아도 꺼리게 되는데(忌見土重), 이때는 수가 흙에 막혀서 흐르지 못하기 때문이다(則水不流). 즉, 이때는 토가 수를 상극해서 제거해버리기 때문이다. 상극을 은유법으로 설명하고 있다. 이때 수는 금이 죽는 것도 꺼리게 되는데(忌見金死), 그 이유는 금은 수의 에너지 발원지이므로, 금이 죽으면, 수는 에너지가 부족해져서 곤란(困)해지기 때문이다(金死則水困). 이 경우는 또한 토, 금, 수라는 좋은 조합을 말하기도 한다. 그래서 이때는 금이 죽게 되면, 수는 토에 상극 당해서 곤란(困)해지게 된다. 이때 금은, 이 좋은 조합의 에너지 중재자가 되기 때문이다. 그리고 이때 수는 목의 에너지가 너무 왕성한 것도 꺼리게 되는데(忌見木旺), 그 이유는 목의 에너지가 너무 왕성하게 되면, 목은 에너지 과잉이 되면서 수가 보낸 에너지를 받지 못하게 되고, 그러면 수는 에너지를 순환시키지 못해서 죽고 말기 때문이다(木旺則水死). 그리고 수를 보고 심지는 다음과 같이 말한다(沈芝云). 수의 생명이 동요하게 되면(水命動搖), 모든 것은 씻을 수가 없어서 혼탁(濁)으로 넘쳐나고 만다(多主濁濫). 그러면, 본래 정갈한 것을 좋아하는 여성들은 이를 더욱더(尤) 싫어하게 된다(女人尤忌之). 즉, 수와 토가 만나서 서로 상극하는 경우는 첫 번째 부인과 두 번째 부인의 상극을 말하고 있다. 그리고 구결에서도 다음과 같이 말하고 있다(口訣雲). 그래서 깨끗이 씻어내는 능력이 강한 양(陽)으로서 수가 약하게 되면(陽水身弱), 이때 사주(身)는 궁벽하게 되고(窮), 깨끗이 씻어낼 수 있는 능력이 떨어지는 음(陰)으로서 수가 약하게 되면(陰水身弱), 이는 나쁜 점을 덜어내게 되므로, 이 사주는 귀를 주도하게 된다(主貴).

生於春月, 性濫滔淫, 再逢水助, 必有崩堤之勢, 若加土盛, 則無泛漲之憂, 喜金生扶, 不宜金盛, 欲火既濟, 不要火多, 見木而可施功, 無土仍愁散漫.

쌀쌀한 봄과 공생하는 수는(生於春月), 쌀쌀한 봄의 성질과 합해지면서 아주 강해서 범람하게 되는데(性濫滔淫), 이때 다시 수의 도움을 만나게 되면(再逢水助), 이때는 수의 세력이 엄청나게 커지게 되면서, 반드시 토가 만든 제방을 붕괴시키는 세력이 된다(必有崩堤之勢). 즉, 토가 수를 상극할 수 있다고 해도, 수가 많게 되면, 거꾸로 수가 토를 죽인다는 뜻이다. 이때 만약에 토가 왕성해져서 가세하게 되면(若加土盛), 이 토는 자동으로 강한 세력의 수를 상극해서 제거하게 되면서, 수가 만든 우환이 없게 된다(則無泛漲之憂). 이때 수는 금과 상생하면서 서로 도우면 좋다고 하나(喜金生扶), 이때도 금이 너무 왕성하게 되면, 이 왕성한 금의 에너지를 수가 받아야만 하므로, 이때는 금이 마땅한 존재가 아니게 된다(不宜金盛). 이때 수화기제의 욕구가 있게 되면(欲火既濟), 이때는 화가 많이 필요하지 않다(不要火多). 이때 화와 수는 일대일로 대적하기 때문이다. 이때 목이 보이게 되면, 수는 과잉 에너지를 상생하는 목으로 보낼 수 있으므로, 수는 공을 세우는 일이 가능해진다(見木而可施功). 그러나 수는 이때 토를 만나게 되면, 토는 수를 상극하므로, 근심(愁)이 없어지지(散漫) 않게 된다(無土仍愁散漫).

夏月之水, 執性歸源, 時當涸際, 欲得比肩, 喜金生而助體, 忌火旺而福乾, 木盛則盜其氣, 土旺則制其流.

여름과 공생하는 수는(夏月之水), 여름의 화와 수는 상극으로 만나서 중화되고, 이어서 없어지게 되므로, 이때 수는 살아남기 위해서 자기 근원으로 돌아가려는 성질에 집착하게 된다(執性歸源). 이 여름이라는 시절은 당연히 바싹 마르는 즈음이다(時當涸際). 이때 수는 당연히 자기를 돕는 비견을 얻고자 하게 되는데(欲得比肩), 그래서 이때는 금과 상생하게 되면, 완전하게 도움을 받게 된다(喜金生而

助體). 즉, 이때는 수, 화, 금이라는 조합이 얻어진다는 뜻이다. 이때도 역시 화가 너무 왕성해서 천간(乾)에서 에너지를 과잉 축적(福)하게 되면, 꺼리게 된다(忌火旺而福乾). 그러면, 이때는 수, 화, 금이라는 조합이 깨지기 때문이다. 그리고 이때 목이 왕성하게 되면, 이는 목이 수(其)의 기운을 도적질한 것이다(木盛則盜其氣). 목은 수에서 에너지를 받는다는 사실을 상극해보자. 이때 토가 왕성하게 되면, 토는 수를 상극하는 존재이므로, 수(其)의 흐름을 제약(制)하게 된다(土旺則制其流).

秋月之水, 母旺子相, 表裏晶瑩, 得金助則清澄, 逢土旺而混濁, 火多而財盛, 木重而子榮, 重重見水, 增其泛濫之憂, 疊疊逢土, 始得清平之意.

가을과 공생하는 수를 보게 되면(秋月之水), 에너지를 수로 보내는 어머니로서 가을인 금이 왕성하게 되면, 이 에너지를 받는 아들인 수도 역시 에너지가 왕성하게 된다(母旺子相). 그래서 쌀쌀한 가을과 공생하는 차가운 수는 표리가 수정처럼 영롱하게 빛나는 가을의 이슬을 만들게 되는데(表裏晶瑩), 이는 수가 가을의 금을 얻어서 깨끗하게 빛난 것이다(得金助則清澄). 즉, 수라는 물방울이 쌀쌀한 가을의 이슬이 되면서 영롱하게 빛나는 것이다. 그러나 이때 수는 자기를 상극하는 토가 왕성하게 되면, 수는 상극 당해서 혼탁하게 된다(逢土旺而混濁). 이때 화가 많게 되면, 화는 토의 왕성함(旺)을 재단(財)할 수 있게 된다(火多而財盛). 이때는 많은 화가 왕성한 토로 에너지를 보내서 토를 제어하고 재단(財)하기 때문이다. 이때 목이 중복되면, 목에서 에너지를 받는 아들(子)인 화는 에너지가 흘러넘치게(榮) 된다(木重而子榮). 이때 수가 이중으로 중복되게 되면(重重見水), 당연히 물(其)이 범람하는 우환이 증가하게 된다(增其泛濫之憂). 이때 층층이 쌓인 토를 만나게 되면(疊疊逢土), 토는 수를 상극하므로, 이때는 수의 차가움(淸)을 평정(平)하는 기운(意)을 얻기 시작한다(始得清平之意).

冬月之水, 司令當權, 遇火, 則增暖除寒, 見土, 則形藏歸化, 金多, 反曰無義, 木盛, 是謂有情, 土太過, 勢成涸轍, 水泛濫, 喜土堤防.

겨울과 공존하는 수는(冬月之水), 이때는 수가 2개가 되면서, 당연히 수라는 사령이 전권을 휘두르게 된다(司令當權). 그리고 이때 수와 서로 상극하는 화를 만나게 되면(遇火), 화가 온기를 증가시켜서 한기를 제거하게 된다(則增暖除寒). 즉, 수는 화를 상극하게 된다. 그리고 이때 토가 보이게 되면(見土), 토는 수를 상극해서 묻어버리게 되므로, 이때 수의 형태는 묻혀버리게 된다(則形藏歸化). 그리고 이때 금이 많게 되면(金多), 이때는 반대로 금이 수로 너무나 많은 에너지를 보내면서, 이 둘 사이에서 의리는 없어져 버린다(反曰無義). 그리고 이때 목이 너무 왕성하게 되면(木盛), 이때는 수가 목으로 에너지를 너무 많이 보내서 목의 에너지가 왕성해졌으므로, 이를 이르러 수와 목이 서로 정(情)을 통했다고 말한다(是謂有情). 그리고 이때 토가 너무 많게 되면(土太過), 토는 수를 완벽하게 상극해서 제거하게 되므로, 이때 수의 세력은 고갈되어서 아주 조금만 남게 된다(勢成涸轍). 그리고 이때 수가 범람하게 되면(水泛濫), 이 범람을 막아주는 토가 만든 제방을 보고 기뻐하게 된다(喜土堤防). 이는 모두 은유법이다.

다른 출처에서 가져온 사주 명리 자료

위키백과에서 가져온 사주 명리 자료

사주명리(四柱命理, Four Pillars of Destiny) 또는 사주팔자(四柱八字) 혹은 팔자명리(八字命理)는 사람이 태어난 시점에 연월일시에 나타나게 되는 간지(干支, Sexagenary cycle)를 탐구하여 타고난 운명(運命)을 살피거나, 또는 이에 근거하여 자연의 이치를 알아보는 학문을 말한다. 무속인들이 초자연적인 힘을 빌려 운과 명을 논하는 것과는 달리 학문적 연구와 분석을 통해 인생의 선천적 운명을 논할 때 사용하는 여러 운명학(運命學) 중에 가장 많이 쓰이고 있는 학문인 명리학(命理學)에서 사용하는 기초적인 명식(命式)이다. 학문적으로 볼 때 감명(鑑命)에 있어서 가장 기초적인 틀이라 할 수 있다.

개요

사주팔자(四柱八字)의 뜻을 문자 그대로 직역하여 사전적 의미로 살펴보면, 4개의 기둥과 여덟 개의 글자라는 뜻을 보유하고 있다. 의역하면, 통상 사람이 선천적으로 타고난 운(運)과 명(命)을 말하기도 한다. 태어난 시점에 각각 년월일시(年月日時)가 존재하는데, 이때 천간(天干)과 지지(地支)가 조합을 이루어 하늘과 땅에 하나의 기둥을 이루게 되며, 이를 각각 년주(年柱), 월주(月柱), 일주(日柱), 시주(時柱)라 하고, 운명을 지탱하는 4개의 기둥이라 하여 사주(四柱)라 부른다. 또한 사주(四柱)가 구성하고 있는 글자의 수가 모두 8개이기에 팔자(八字)라 부르게 되었다. 이 두 개를 조합하여 사주팔자(四柱八字)라 부르고, 인간의 타고난 운명(運命)을 살피는 기초로 삼고 있다. 사주팔자(四柱八字)란 용어는 같은 뜻을 가진 사주(四柱)와 팔자(八字)라는 단어가 의미 중첩되어 구성된 말이다. 사주팔자(四柱八字)의 기본 틀을 기초로 하여 대운(大運)의 흐름을 살펴서 타고난 선천적 운명과 후천적 운을 알기 위해 탐구하는 학문을 명리학(命理學) 또는 추명학(推命學) 등으로 부르며, 타고난 사주팔자(四柱八字)의 기본 구조는 만세력(萬歲曆)을 통하여 알 수 있다. 요즘은 인터넷에 디지털화되어있는 무료 만세력이 있으므로 쉽게 알 수 있다. 사주 네 기둥의 명식을 뽑을 때, 년과 월의 변화는 24절기가 기본적인 기준으로 하는데, 학문마다 그 기준에 차이가 있으며, 일과 시의 경우에는 하루를 24시간이 아니라 12시간으로 나누고, 이것에 다시 야자시(夜子時)와 조자시(朝子時) 등의 개념을 도입하기도 하므로 다소 복잡성이 있다. 쌍둥이의 사주에 경우에 만세력을 기초로 하여 뽑은 사주를 기준으로 하여, 동생의 사주는 별도로 산출하는 방법이 존재한다. 사주팔자 원국의 시간만 다르게 하여, 첫 번째로 태어난 아이는 태어난 시간을 그대로 쓰고, 그 동생의 경우 태어난 시간의 다음 시간을 쓰는 방법이 가장 보편적이다.

운명 분석

사주팔자(四柱八字)와 이에 따른 대운(大運)을 살펴서 운명을 논한다. 사주 원국으로는 사람 됨됨이, 직업, 부귀빈천(富貴貧賤)의 고저, 인품과 그릇의 크기 등을 살피고, 대운(大運)으로는 길흉성패(吉凶成敗)와 화복(禍福)의 정도를 논한다. 월지(月支)를 기준으로 하여 격국(格局)을 찾아, 그 구성됨의 훌륭함을 따져 사주의 격(格)의 우수함을 보고, 부귀빈천(富貴貧賤)의 고저 등의 기초적인 사항을 파악한다. 또한 사주팔자(四柱八字)를 구성하고 있는 각 오행간 세력의 강약은 월지(月支)를 기초로 상생상극(相生相克)의 법칙을 기반으로 해서 살핀 후, 전체 오행(五行) 대 일간(日干) 사이에 힘의 균형을 보고, 사주의 강약(强弱)에 따라 용신(用神)과 기신(忌神) 등을 찾는다. 이것을 대운(大運)과 대조하여 인생사에서 추구하는 일들의 길흉성패(吉凶成敗)의 기초적인 것들을 살피면 된다. 이 밖에도 육친(六親, 십성)과 신살(神殺), 형충회합을 살펴서 종합적으로 감명(鑑命)을 실행한다. 방대한 양을 이해하고 암기하여, 이를 숙달 시킨 후 종합적이고 복합적인 판단을 실행해야 운명 감정 때 오류를 줄일 수 있다.

조선시대

조선시대 경국대전에 나타난 과거 시험 분류를 보면, 중인계급이 응시하는 잡과(雜科)가 있다. 요즘 식으로 말하면 전문 기술직이다. 그 잡과 가운데 음양과가 있다. 천(天) · 지(地) · 인(人), 삼재(三才) 전문가를 선발하는 과거가 음양과다. 세분하면 천문학, 지리학, 명과학(命課學)으로 나누고, 초시와 복시 2차에 걸쳐 시험을 보았다. 3년마다 초시에서 천문학 10명, 지리학과 명과학은 각각 4명을 뽑고, 최종 단계인 복시에서 5명, 2명, 2명으로 뽑았다. 지리학은 풍수지리, 명과학은 사주팔자에 능통한 자였다. 명과학 시험과목을 보면 원천강(袁天綱), 서자평(徐子平), 응천가(應天歌), 범위수(範圍數), 극택통서(剋擇通書), 경국대전 등이다. 가장 대표적인 과목은 〈서자평의 연해자평〉으로 서자평은 900년대 사람인데, 서자평의 명리학은 왕실과 소수 귀족 사이 유통되는 비밀스런 학문이었다. 그로 인해서 외국으로 쉽게 반출되지 않고 고려 말에 들어온 듯하다. 명과학 교수는 왕자 사주팔자를 모두 알고 있어 대권의 향방에 관한 일급 정보를 갖춘 셈이다. 따라서 어의(御醫)와 더불어서 역모에 관련되는 일이 많았던 매우 위험한 직책이기도 했다. 민간에서 결혼할 때 신랑의 사성(四星-사주팔자)을 한지에 적어서 신부 집에 보내는 풍습이 있다.

간지

천간은 갑(甲)·을(乙)·병(丙)·정(丁)·무(戊)·기(己)·경(庚)·신(辛)·임(壬)·계(癸)의 10가지이고, 지지는 자(子)·축(丑)·인(寅)·묘(卯)·진(辰)·사(巳)·오(午)·미(未)·신(申)·유(酉)·술(戌)·해(亥)의 12가지이다. 사주는 간지로 나타내는데, '간(干)'은 10가지이므로 '십간'이라 하고, 사주의 윗 글자에 쓰이므로 '천간(天干)'이라고도 한다. '지(支)'는 12가지이므로 '십이지'라 하고, 사주의 아랫 글자에 쓰이므로 '지지(地支)'라고도 한다. 간지를 교합하면 '갑자(甲子)'부터 '계해(癸亥)'까지 60개의 조합이 나오기 때문에 이를 육십갑자(六十甲子)라 한다. 예를 들어, 1911년 양력 8월 26일 오후 6시에 태어난 사람의 사주는 신해(辛亥: 연주)·병신(丙申: 월주)·무진(戊辰: 일주)·신유(辛酉: 시주)와 같이 된다. 1915년이 을묘년이고 60년 후에 1975년 다시 을묘년이 된다. 60년마다 같은 사주팔자가 나올 수 있다.

지장간

지장간(支藏干)은 2~3가지의 천간이 각 지지의 음양오행을 결정하는 것을 말한다. 지장간은 앞 달로부터 남아있는 기운인 여기(餘氣), 지지 간의 합 등으로 인해 중화되는 기운인 중기(中氣), 지지의 본 오행에 알맞게 넣은 기운인 정기(正氣)가 있다. 지지 별 지장간은 아래 표와 같다.

십이지	지장간		
	여기	중기	정기
寅	戊	丙	甲
卯	甲		乙
辰	乙	癸	戊
巳	戊	庚	丙
午	丙	己	丁
未	丁	乙	己
申	戊	壬	庚
酉	庚		辛
戌	辛	丁	戊
亥	戊	甲	壬
子	壬		癸
丑	癸	辛	己

십이운성

십이운성(十二運星) 또는 포태법(胞胎法)은 우주 삼라만상의 생성, 쇠퇴, 소멸의 이치와 같이 인간 또한 태어나서 죽음을 맞을 때까지 겪게 되는 생로병사 과정을 12단계로 나누어서 인간의 인생을 설명하려는 이론이다. 십이운성은 마치 출생과 더불어 생로병사가 있듯이 오행에도 계절의 작용에 따라 왕쇠 강약이 있는 것으로 본다. 십이운성은 태(胎), 양(養), 장생(長生), 목욕(沐浴), 관대(冠帶), 건록(建祿), 제왕(帝旺), 쇠(衰), 병(病), 사(死), 묘(墓), 절(絶)이다.

일간별 십이운성

아래 표는 일간별 십이운성이다.

간지	子	丑	寅	卯	辰	巳	午	未	申	酉	戌	亥
甲	목욕	관대	건록	제왕	쇠	병	사	묘	절	태	양	장생
乙	병	쇠	제왕	건록	관대	목욕	장생	양	태	절	묘	사
丙	태	양	장생	목욕	관대	건록	제왕	쇠	병	사	묘	절
丁	절	묘	사	병	쇠	제왕	건록	관대	목욕	장생	양	태
戊	태	양	장생	목욕	관대	건록	제왕	쇠	병	사	묘	절
己	절	묘	사	병	쇠	제왕	건록	관대	목욕	장생	양	태
庚	사	묘	절	태	양	장생	목욕	관대	건록	제왕	쇠	병
辛	장생	양	태	절	묘	사	병	쇠	제왕	건록	관대	목욕
壬	제왕	쇠	병	사	묘	절	태	양	장생	목욕	관대	건록
癸	건록	관대	목욕	장생	양	태	절	묘	사	병	쇠	제왕

십성(육친)

십성(十星)이란 명리학의 용어로 열 종류의 별(星), 또는 열 종류의 신(神)을 의미하며, 사주팔자에서 일간(日干) 오행을 기준으로 다른 곳의 간지와의 상생(相生) 상극(相剋)관계를 음양오행에 따라 10가지로 분류한 것이 십성(十星)이다. 십성은 비견(比肩), 겁재(劫財), 식신(食神), 상관(傷官), 편재(偏財), 정재(正財), 편관(偏官), 정관(正官), 편인(偏印), 정인(正印)이다. 비견과 겁재를 묶어서 비겁(比劫), 식신과 상관을 묶어서 식상(食傷), 편재와 정재를 묶어서 재성(財星), 편관과 정관을 묶어서 관성(官星), 편인과 정인을 묶어서 인성(印星)이라고 한다. 비겁(比劫)은 형제자매, 식상(食傷)은 여명으로 자식, 재성(財星)은 부친, 남명으로 아내, 관성(官星)은 여명으로 남편, 인성(印星)은 모친을 나타낸다. 연주 궁은 부모, 월주 궁은 형제 선배, 일주 궁은 동료 배우자, 시주 궁은 자식 후배 부하 사돈(외가, 형제 동료 자식의 장인 장모) 의미하며, 시주 성이 월주 궁에 있으면 명주보다 나이 많은 부하로 볼 수 있다.

십성의 분류

십성의 분류를 정리하면 아래 표와 같다.

십성	오행 관계	음양의 일치 여부
비견	동일	일치
겁재	동일	불일치
식신	가생	일치
상관	가생	불일치
편재	가극	일치
정재	가극	불일치
편관	피극	일치
정관	피극	불일치
편인	피생	일치
정인	피생	불일치

지지와 십성

각 지지와의 십성 관계는 아래 표와 같다.

일간	子	丑	寅	卯	辰	巳	午	未	申	酉	戌	亥
甲	정인	정재	비견	겁재	편재	식신	상관	정재	편관	정관	편재	편인
乙	편인	편재	겁재	비견	정재	상관	식신	편재	정관	편관	정재	정인
丙	정관	상관	편인	정인	식신	비견	겁재	상관	편재	정재	식신	편관
丁	편관	식신	정인	편인	상관	겁재	비견	식신	정재	편재	상관	정관
戊	정재	겁재	편관	정관	비견	편인	정인	겁재	식신	상관	비견	편재
己	편재	비견	정관	편관	겁재	정인	편인	비견	상관	식신	겁재	정재
庚	상관	정인	편재	정재	편인	편관	정관	정인	비견	겁재	편인	식신
辛	식신	편인	정재	편재	정인	정관	편관	편인	겁재	비견	정인	상관
壬	겁재	정관	식신	상관	편관	편재	정재	정관	편인	정인	편관	비견
癸	비견	편관	상관	식신	정관	정재	편재	편관	정인	편인	정관	겁재

천간과 십성

각 천간과의 십성 관계는 아래 표와 같다.

일간	甲	乙	丙	丁	戊	己	庚	辛	壬	癸
甲	비견	겁재	식신	상관	편재	정재	편관	정관	편인	정인
乙	겁재	비견	상관	식신	정재	편재	정관	편관	정인	편인
丙	편인	정인	비견	겁재	식신	상관	편재	정재	편관	정관
丁	정인	편인	겁재	비견	상관	식신	정재	편재	정관	편관
戊	편관	정관	편인	정인	비견	겁재	식신	상관	편재	정재
己	정관	편관	정인	편인	겁재	비견	상관	식신	정재	편재
庚	편재	정재	편관	정관	편인	정인	비견	겁재	식신	상관
辛	정재	편재	정관	편관	정인	편인	겁재	비견	상관	식신
壬	식신	상관	편재	정재	편관	정관	편인	정인	비견	겁재
癸	상관	식신	정재	편재	정관	편관	정인	편인	겁재	비견

십이신살

십이신살이란 십간과 십이지지를 기준으로 각각의 사주팔자에 미치는 영향을 추론할 때 이용되는 강력한 명리학 도구이다. 겁, 재, 천, 지, 년, 월, 망, 장, 반, 역, 육, 화로 구성되며, 겁살은 빼앗김, 재살은 재앙, 천살은 기이한 사건, 지살은 평안함, 년살은 도화살과 유사함, 월살은 고초살, 망신살은 망신을 당함, 장성살은 리더십, 반안살은 벼슬에 오름, 역마살은 떠돌이 인생, 육해살은 해코지, 화개살은 화려함을 의미한다. 구체적인 예를 들면, 갑목은 해수에서부터 지살로 시작되어 인목은 망신살이 되는데 갑목이 사주팔자의 천간에 있는 경우 지지에 있는 인목은 망신을 당하는 사건이 발생하기 쉽다고 본다.

아래 표는 삼합의 오행에 따른 십이신살 표이다.

삼합의 오행	子	丑	寅	卯	辰	巳	午	未	申	酉	戌	亥
木	연살	월살	망신살	장성살	반안살	역마살	육해살	화개살	겁살	재살	천살	지살
火	재살	천살	지살	연살	월살	망신살	장성살	반안살	역마살	육해살	화개살	겁살
金	육해살	화개살	겁살	재살	천살	지살	연살	월살	망신살	장성살	반안살	역마살
水	장성살	반안살	역마살	육해살	화개살	겁살	재살	천살	지살	연살	월살	망신살

용신

개인에게 있어 생명이 가장 중요하고 보호되어야 하듯이, 자신의 안위를 위해 일간이 적당히 강한 사주가 좋다. 이런 일반론적 관점으로 보면, 용신은 사주팔자들 사이의 상호작용을 감안하여, 일간의 안위가 지켜질 때 결정적인 역할을 하고 있는 십간 또는 지지가 된다. 그다음으로 삶에 있어 재물과 명예 등 다른 가치가 중요하다고 본다면 균형을 해치는 기신이더라도 다른 오행을 쓸 수도 있으며, 이때의 용신은 쓸 용의 개념으로 볼 수 있다.

대운 세운

사주팔자에 따르면, 월주의 역량이 가장 크며, 이로부터 도출되어 10년 단위로 영향을 미치는 대운이 가장 중요한 유운이다. 또한, 육친(특히 년간 부친과 년지 모친)들의 심리상태를 추론하는데, 유용한 1년 단위의 유년(세운)이 있다.

사주 쟁점

같은 사주이나 상반된 삶을 사는 경우가 있다. 이것은 시대 배경, 환경, 집안 내력, 부모가 어떠한지에 따라서 달라질 수 있다고 보며, 부모를 어떤 공간의 개념으로 볼 수 있다. 같은 사주가 똑같은 삶의 살아간다는 것에는 무리가 있으며, 내륙, 물가, 더운 지방, 추운 지방, 유복한 가정, 가난한 가정이라는 환경적인 조건의 차이가 삶에 변화를 준다. 부모, 형제 가족 환경의 차이와 배우자의 영향력이 크게 작용한다. 삶에 영향을 미치는 요소는 5가지로 성장하고 생활하는 환경, (풍수)지리적 환경, 사주, 생김새(용모, 관상), 자기 수양 즉 문택명용수(門宅命容修)라 할 수 있다. 쌍둥이 사주와 자시(子時)의 적용, 썸머 타임(summer time), 남반구 태생, 한반도와 정 반대편에서 태어난 외국인 등에 대한 감명의 기준 등도 논란이 있다.

나무위키에서 가져온 사주 명리 자료

1. 개요

흔히 '사주팔자(四柱八字)'라고 말하지만, 좀 더 정확히는 '사주명리(四柱命理)'라고 할 수 있다. 사주는 우리가 태어나는 순간, 우주로부터 부여받은 운명의 암호다. 사주의 여덟 글자는 한 사람의 생애를 담고 있는 코드이자 지문으로 생년월일시에 따른 개개인의 특징을 상징한다고도 볼 수 있다. 모든 사람은 자신만의 고유한 사주를 보유하며, 명리학을 통해 자신의 성격과 기질에서부터 인간관계, 진로 등의 생의 전반적인 운명까지 점칠 수 있다. 심효첨(沈孝瞻)의 『자평진전(子平眞詮)』 서문은 사주명리에 대해 다음과 같이 말하고 있다. 命之不可不信 而知命之君子 當有以順受其正. 명(命)은 불신할 수 없는 것이어서. 명을 아는 군자라면, 마땅히 순리로써 그 바른 명을 받아들임이 있어야 한다. 모든 점복의 근본은 개인의 기복을 위함이 아닌, 신의를 통찰함으로써 자신의 명을 찾아갈 때 도움을 받는 것에 있다. 人能知命 則營競之可以息 非分之想可以屏 凡一切富貴窮通壽夭之遭皆聽之於天而循循焉 各安於義命 以共勉於聖賢之路 豈非士君子厚幸哉. 사람이 명을 알 수 있다면 꾀하고 다툼을 그칠 수 있고, 분수가 아닌 생각을 물리칠 수 있다. 무릇 일체의 부귀(富貴), 궁통(窮通), 장수·요절(壽夭)과의 조우를 모두 하늘의 뜻에 따라서 그대로 좇을 것이다. 각자 의로운 운명에 편안히 거하면서 한가지로 성현의 길에 힘쓸 것이니 어찌 사군자(士君子)의 두터운 행복이 아니겠는가! 명리술은 한 인생의 서사를 구성하는, 곧 명을 찾아가는 길에서 내 명에 불필요한 엉뚱한 잡음을 피하고, 내 서사에서 허용될 수 없는 불용한 요소를 배제함으로써, 자신의 의지와 상관없이 주어진 명을 최대한 정의롭게 마무리 짓는다는 사상 하에 만들어졌다. 점복술 문서들 공통 틀에 있는 표에서 보듯 명리술은 수정구슬이나 현몽과 궤를 같이하며, 특히 수정구슬로 무언가를 비춰보고 새로운 것을 통찰하는 것과 비슷한 형식으로 풀이를 활용한다. 먼저 자신의 인생에 대한 통찰을 거친 후, 그를 통해 내 의지와 무관하게 주어진 나의 "배역"과 맞으면서 동시에 내가 최대한 만족스럽게, 정의롭게 살아갈 길을 통찰한 후에야 세세한 길흉을 논할 수 있을 것이다.

2. 역사

2.1. 수, 당

당대에는 이허중이 연주(年柱)를 중심으로 운명을 파악하는 당사주(唐四柱)가 만들어졌다. 이허중은 중당시기 감찰어사를 지냈으며, 어사대의 전중시 어사를 마지막으로 813년 6월에 등창으로 사망했다. 이허중은 삼명식 간법을 창안하고 주도한 사람으로 지금도 중국에서는 여전히 사용되고 있다. 이 당사주는 이후 송대의 사주학의 변화로 크게 위축되었지만, 당사주는 사주학의 한 분파로 점(占)을 치는 용도로 정착했고, 민간에서는 여전히 생명력을 유지하고 있다. 다만 현대에 쓰이는 당사주는 그림 형식으로 그려놓은, 맞거나 말거나 식의 간편식 방법으로, 토정비결과 흡사한 면이 있다. 이허중이 확립한 방법론과 완전히 같은 형태는 아닐 가능성이 크다.

2.2. 송

보통 중국 역사에서 송은 외적의 침입으로 인해 환난을 자주 겪은 시기로 대표되지만, 사주를 비롯한 음양학에서는 장족의 발전이 있었던 시기였다. 오행성 과태양과달을 중심으로 하는 기존의 별자리점이 바탕으로 하고 있는 점성술과는 달리 북두칠성을 위주로 하는 중국 특유의 점성술인 자미두수가 형성되었으며 마의상법으로 대표되는 관상학이 체계화가 된 시기이기도 했다. 이외에도 수많은 점술이 등장했고, 당시 지식인들도 점술에 해박한 경우가 많았다. 보충 설명을 하자면, 자미두수는 현대 중국에서도 자평 명리를 능가하는 학문으로 자리하고 있다. 또한 자미두수는 한국인이 만든 최초의 자미두수 통변 서적인 <심곡비결>이 선조-광해군-인조 대에 활동했던 대제학 심곡 김치의 저작물로 나와 있으며, 이는 작자 미상(진희이가 썼다고는 하나 이는 가차한 것으로 보임)의 <자미두수전집>과 이 책에 내용을 덧붙여 넣은 <자미두수전서>를 제외하고는 중국 이외의 지역에서 발간된 유일한 책이다. 이러한 역사적 흐름은 사주에도 마찬가지였다. 당대 이전에는 상담자의 태어난 해를 중심으로 사주를 해석했지만, 송대부터 태어난 일을 중심으로 사주를 해석하게 되었다. 이 당시 중국에서는점성술과 사주가 점술계를 양분했으나, 이 이후로는 점유율에서 사주가 점성술을 압도했고, 이후로 동양 문화권에서 점성술은 현대까지 자취를 감추게 되었다.

2.3. 명, 청

송대에 일주를 중심으로 사주를 보는 관점이 형성되었다면, 이 시대에는 송대의 업적을 계승하여 본인의 태어난 일을 중심으로 보는 사주학을 완성한 시기라고 볼 수 있다. 송대에는 단순히 일부 요소만을 보고 사주를 파악했지만, 이때부터는 일부 요소와 통틀어 사주에 나와 있는 전체적인 모든 요소를 고려하며 보게 되었다. 이러한 사주의 흐름은 현대에도 이어지고 있으므로, 현대의 사주가들이 사주를 공부하기 위해 필수적으로 읽는 서적 대부분이 이 시대의 서적을 바탕으로 하고 있다. 보충 설명을 하자면, 여기서도 명리학의 3대고서라 칭하는 자평진전, 적천수, 궁통보감(난강망)에 연해자평을 넣어야 한다. 송대에 편찬된 "연해자평"에서 명대 명리학과 청대 명리학의 기본과 기초가 만들어졌으며, 오늘날에서 쓰이는 명리학의 생극제화와 신살, 격국용신의 대한 개념이 들어가 있기 때문이다. "연해자평"이 없었다면, 명대에 간행되었던 장신봉의 "신봉통고명리진종", 유백온의 "삼명기담적천수", 서창 노인의 "난대묘선", 만민영의 "삼명통회", 김산인의 "성평회해", 작자 미상의 "난강망"(청말기에 여춘태가 "궁통보감"으로 재편집함)이 나오기 힘들었다고 보아야 될 것이다. 이는 훗날 청대에 들어와 진소암의 "명리약언", 심효첨의 "자평진전", 여춘태의 "궁통보감", 임철초의 "적천수천미"라는 명저들이 나오기 힘들었기 때문이다. 따라서 명리학의 4대 보전으로 불리워야 마땅하며, 3대 고서는 옳지 못한 판별법이다.

2.4. 근대, 현대

근현대의 유명한 역술인으로는 서락오, 위천리, 원수산이 있다. 서락오는 명리학을 대표하는 서적이라고 일컬어지는 적천수에다가 주를 단 적천수보주(滴天髓補註)라는 책을 내었다. 위천리는 팔자제요라는 책을 저술했고, 원수산은 명리탐원이라는 책을 저술했다. 그렇다고 해서 이들 서적이 근세와 차별되는 어떤 학설을 제기한 책은 아니다. 다만 주목할 만한 학설이 있다면 하건충이라는 명리학자가 팔자심리추명학이라는 책을 내며 사주를 통해 심리를 파악하는 방법론을 제시했다는 것이다.

3. 사주의 구성

사주를 해석하는 일은 수많은 공부가 필요하지만, 요즘은 기술의 발전으로 자신의 사주 자체를 산출하는 것은 어렵지 않다. 물론 이 산출 과정 자체는 공부가 필요하지만, 이런 검증은 생략하고, 자신의 사주를 쉽게 보고 싶다면, 인터넷을 통해서 자신의 생년월일시(태어난 시간), 성별을 기입하여 구할 수도 있다. 사주팔자에서 사주(四柱)는 말 그대로 네 개의 기둥을 의미하고, 팔자(八字)는 여덟 글자를 의미한다. 이 여덟 글자가 모여서 네 개의 기둥을 이룬다고 해서 '사주팔자'라고 하는 것이다. 예를 들어, 2000년 1월 1일 0시에 태어난 밀레니엄 베이비의 사주는 다음과 같다. 음력으로는 1999년 11월 25일이다. 요즘에는 각 글자에 해당하는 색을 입혀서 보여주는 경우가 많다.

壬	戊	丙	己
子	午	子	卯

세로 쓰기를 하므로, 오른쪽에서 왼쪽으로 읽어야만 한다. 그러니까 밀레니엄 베이비의 사주는 기묘(己卯)년 병자(丙子)월 무오(戊午)일 임자(壬子)시이다.

3.1. 년주(年柱)

자신이 태어난 해를 정확하게 세우려면, 만세력을 봐야 하나 대략적으로 자신이 태어난 해를 육십갑자로 바꾸면 된다. 예를 들어 2000년 2월 5일~2001년 1월 23일에 태어났다면 해당하는 연도가 육십갑자로는 경진(庚辰)년이므로, 경진(庚辰)을 년주로 사용한다. 자신이 태어난 달이 양력 1~2월 경인 사람이라면 년주를 세울 때 주의해야 하는데, 명리학에서 해가 바뀌는 기준은 설날이 아니라 입춘이다. 설날이 지났더라도 아직 입춘이 되기 전에 태어났다면, 금년도가 아닌 전년도의 간지를 적용한다. 더군다나 입춘이라 하더라도 해당 야도의 간지가 시작되는 절입(節入) 시각까지 따지는데, 절입 시각이 되기 전에 태어났다면, 마찬가지로 금년도가 아닌 전년도의 간지가 적용된다. 연주는 한평생의 운명을 나타내며, 보통 초년운으로 삼는다. 조상이나 부모 및 웃 사람과의 대인관계를 상징한다.

3.2. 월주(月柱)

자신이 태어난 달. 정확하게 세우려면 만세력을 봐야 하지만, 월건기법(月建起法)이 있어서 연주의 천간(년간)을 기준으로 쉽게 세우는 방법이 있다. 월주를 세울 때 주의해야 할 점은, 해당 달이 시작되는 기준은 그달의 1일이 아니라 아래 언급한 절기이다. 예를 들어 음력 2월생이라도 경칩 이전에 태어났다면, 전 달인 1월생으로 취급한다. 물론 경칩이 시작되는 절입 시각까지 따져서, 그 시각 이전에 태어났어도 전달의 월주를 사용한다. 연주에서도 설명하다시피 입춘이 한 해의 시작으로 취급하는 이유도 이 때문이다. 절입 시각은 해당 절기의 태양의 황경(黃經)을 측정한 날짜와 시각이다. 절입 시각은 매해 다르므로, 제대로 살피려면 만세력을 봐야 한다. 월주는 성년 이후의 운수를 나타내며, 부모 형제 자매 및 동료간의 관계를 상징한다.

월건기법(月建起法)

월	1월 (입춘)	2월 (경칩)	3월 (청명)	4월 (입하)	5월 (망종)	6월 (소서)	7월 (입추)	8월 (백로)	9월 (한로)	10월 (입동)	11월 (대설)	12월 (소한)
甲己	丙寅	丁卯	戊辰	己巳	庚午	辛未	壬申	癸酉	甲戌	乙亥	丙子	丁丑
乙庚	戊寅	己卯	庚辰	辛巳	壬午	癸未	甲申	乙酉	丙戌	丁亥	戊子	己丑
丙辛	庚寅	辛卯	壬辰	癸巳	甲午	乙未	丙申	丁酉	戊戌	己亥	庚子	辛丑
丁壬	壬寅	癸卯	甲辰	乙巳	丙午	丁未	戊申	己酉	庚戌	辛亥	壬子	癸丑
戊癸	甲寅	乙卯	丙辰	丁巳	戊午	己未	庚申	辛酉	壬戌	癸亥	甲子	乙丑

3.3. 일주(日柱)

자신이 태어난 날을 일률적으로 아는 방법은 없으므로, 별수 없이 만세력을 봐야 한다. 일주는 청년 시기의 운수를 나타내며, 결혼과 배우자, 가정, 정신세계 등 일신상의 운명을 상징한다. 또한 자기 자신(특히 성격)을 대부분 반영하는 것으로 해석된다.

3.4. 시주(時柱)

자신이 태어난 시각을 정확하게 세우려면, 만세력을 봐야 하지만, 월건기법과 마찬가지로 시기법(時期法)이라고 해서 일주의 천간(일간)을 기준으로 쉽게 세우는 방법이 있다. 시주를 세울 때 주의해야 할 것이 있다. 위의 시각에서 30분씩 뒤로 당겨서 시주을 정한다. 예를 들면 원래 묘시는 오전 5시에서 오전 7시인데, 시주를 세울 때는 묘시를 오전 5시 30분에서 오전 7시 30분으로 정한다. 그러니 만약 자신이 오전 5시 10분에 태어났다면, 시주를 묘시로 사용하지 않고, 인시를 사용한다. 오전 7시 20분에 태어났다면, 진시를 사용하지 않고 묘시를 사용한다.

시기법(時期法)

時	23~ 01	01~ 03	03~ 05	05~ 07	07~ 09	09~ 11	11~ 13	13~ 15	15~ 17	17~ 19	19~ 21	21~ 23
甲 己	甲 子	乙 丑	丙 寅	丁 卯	戊 辰	己 巳	庚 午	辛 未	壬 申	癸 酉	甲 戌	乙 亥
乙 庚	丙 子	丁 丑	戊 寅	己 卯	庚 辰	辛 巳	壬 午	癸 未	甲 申	乙 酉	丙 戌	丁 亥
丙 辛	戊 子	己 丑	庚 寅	辛 卯	壬 辰	癸 巳	甲 午	乙 未	丙 申	丁 酉	戊 戌	己 亥
丁 壬	庚 子	辛 丑	壬 寅	癸 卯	甲 辰	乙 巳	丙 午	丁 未	戊 申	己 酉	庚 戌	辛 亥
戊 癸	壬 子	癸 丑	甲 寅	乙 卯	丙 辰	丁 巳	戊 午	己 未	庚 申	辛 酉	壬 戌	癸 亥

그 이유는 한국은 동경 135도 선을 기준으로 하여 표준시각을 정했는데(UTC+9), 이 자오선은 한반도를 지나지 않고 일본을 관통하여 한반도보다 훨씬 오른쪽에 있기 때문이다. 대신 동경 127도 30분(동경 127.5도)이 한반도를 관통하므로, 한국 표준시는 태양시보다 대략 30분 빠르다. 사주에서 시주는 태양시를 기준으로 정하므로, 동경 127.5도 선을 기준으로 시주를 세우는 것이 좀 더 정확하다. 그러하므로, 혹시 사주를 보러 가려는 사람들이 있다면, 십이지지를 사용하여 시간을 말하지 말고, 자기가 원래 태어난 시간을 말하도록 하자. 예를 들어 오전 1시 15분에 태어난 사람이 있다고 치자. 이 사람이 위의 시간표를 보고 사주가에게 본인의 생일이 축시라고 말하게 되면, 사주 상의 시간인 자시와 틀리게 된다. 또 태어난 시각이 자시(子時)인 경우에도 주의가 필요한데, 일반적인 상식대로 00시 30분을 기준으로 그 이전과 이후의 날짜를 정확하게 구분하는 야자시(夜子時)와 23시 30분부터 익일 일주를 적용하는 정자시(正子時)가 있다. 둘 중에서 어느 쪽을 적용하느냐에 대해서는 사주가들 사이에서 첨예한 떡밥이 되고 있다. 만일 위에 예시로 든 밀레니엄 베이비의 시주는 야자시를 적용하면 정사(丁巳)일 임자(壬子)시, 정자시를 적용하면, 무오(戊午)일 임자(壬子)시가 된다. 서울 올림

픽 무렵인 1987년~1988년 여름에 태어났다면, 이때 실시된 써머 타임(일광 절약 시간제)을 고려하여 시각을 보정해주어야 한다. 이때뿐만 아니라 40년대와 50년에도 일시적으로 실시된 적이 있다. 시주는 유년과 노년의 운수를 나타내며, 재물, 건강, 자손, 아랫사람과의 관계를 상징한다. 여기까지 했으면, 자신의 사주가 다 세워졌으며, 이를 바탕으로 해석하는 단계에 들어간다.

3.5. 대운(大運)

자신의 사주가 세워졌으면, 대운(大運)이라는 것을 작성하게 되는데, 10년 주기로 찾아오는 운의 흐름을 나타내며, 사주와 마찬가지로 두 글자의 간지로 구성된다. 대운은 10년 단위로 바뀌는 자신의 운수를 가리킨다. 대운을 작성하는 방법은 다음과 같다. 년주의 천간을 봐서 양(甲, 丙, 戊, 庚, 壬)인지 음(乙, 丁, 己, 辛, 癸)인지를 먼저 파악한다. 자신의 생일과 해당 달이 시작되거나 끝나는 절기가 언제이고, 몇 시(절입 시각)인지 파악한다. (1) 연간이 양인 남자와 음인 여자의 경우, 출생일시부터 다음 달이 시작되는 절기의 절입 시각까지 순행하여, 총 며칠 몇 시 몇 분인지 센다. (2) 연간이 음인 남자와 양인 여자의 경우, 출생일시부터 출생월이 시작되는 절기의 절입 시각까지 역행하여 총 며칠 몇 시 몇 분인지 센다. 날짜 수를 3으로 나눠서 몫을 구하여 대운수를 구한다. 왜 3으로 나누냐면, 3일을 1년으로 보기 때문이다. 한 절기에서 다음 절기까지의 기간은 30일인데, 이를 10년(1대운)으로 보기 때문이다. 위의 밀레니엄 베이비를 예로 들어 설명하면, 연간이 기(己)이므로, 생일로부터 출생월의 절기와 절입 시각까지 거슬러서 날짜를 센다. 자(子, 11)월의 절기는 대설이므로, 해당 절기의 날짜와 절입 시각은 양력 1999년 12월 7일, 음력 1999년 10월 30일 22시 48분 33초이다. 따라서 3으로 나누는데, 산출되는 피제수는 24일 1시간 11분 27초가 된다. 그러므로 계산하면 다음과 같다. 24÷3=8 즉, 밀레니엄 베이비는 나이의 끝자리가 8살이 되는 해에 대운이 바뀐다. 이를 바탕으로 대운을 작성하면 다음과 같다. 주의할 점이 있다면, 대운의 순행과 역행을 판별하는 기준은 년간이지만, 대운의 작성은 월주가 기준이다. 그러니까 밀레니엄 베이비의 경우 대운이 월주인 丙子로부터 시작된다.

88	78	68	58	48	38	28	18	8	
丁卯	戊辰	己巳	庚午	辛未	壬申	癸酉	甲戌	乙亥	丙子

명리학자에 따라 절입 시각까지 정확히 산출하지 않으면 실제 대운이 바뀌는 시각과 1년 가까이 차이가 난다고 하는 경우도 있다. 다만 대운은 한 날 한 시에 한꺼번에 들어오는 게 아니라 대운이 바뀌는 해의 1년 전후로 서서히 해당 대운의 기운이 들어오다가 대운이 바뀌고 난 뒤에 본격적으로 운수가 바뀌는 점진적인 변화를 거친다고 해석하는 명리학자도 있다. 이 때문에 사이트에 따라서는 이런 계산오차를 최소화하기 위해 첫 대운에 한해 소수점 첫째 자리까지 산출하기도 한다. 사실 위 밀레니엄 베이비의 정확한 대운수는 8.01653935185...이다. 이를 바탕으로 경계 일시를 구하면 8년 6일 59분 31초가 된다.

3.6. 세운(歲運)

1년 단위로 바뀌는 운세는 올해의 년주에 따라 운수가 바뀐다.

4. 주의사항

만세력에서 자신의 사주를 넣어보면 알겠지만, 글자의 위아래로 조그만 작은 글자들이 써져 있는 것을 볼 수 있다. 예를 들었던 남자 양력 2000년 1월 1일생을 보면 甲의 위에는 편관(偏官) 子의 아래에는 정재(正財)와 같이 빼곡히 쓰여 있는데, 이는 육친으로 모두 일간인 무(戊)을 기준으로 부여된 것들이다. 일간이 변하면 같은 글자라도 음양오행의 차이로 전혀 다른 육친이 부여되게 된다. 일간의 경우는 '아신(我身)' 자기 자신이기 때문에 별도로 육친이 부여되지는 않는다. 일주가 그 사주의 주인을 완벽하게 반영하지 않는다. 왜냐하면 결국 사주는 모든 글자를 보고 이를 대운, 세운에 적용을 시키고 각 글자들의 합충형파에 따른 신살의 작용과 육친의 작용을 봐야 함은 물론이고, 12 운성에 용신까지 겹치면, 일주 하나만으로 사주를 해석하는 것은 말이 안 되는 행위이다. 지역에 따른 미세 시차를 고려하는 것이 옳다. 가끔 사주를 보면 무슨 살이 껴있다고 살풀이를 해야 한다며 굿을 요구하거나 부적을 사라고 권유하는데, 이는 말도 안 되는 행위이다. 왜냐면 자신이 가진 사주팔자는 그 어떤 방법으로도 고치는 것이 불가능하기 때문이다. 역술인 만나서 살풀이를 해야 한다고 하면, 그 자리를 박차고 나오는 것이 답이다. 역술인의 입장으로 생각하면, 답이 매우 쉽다. 돈을 뜯어야 하니까.

5. 개념

5.1. 음양오행

이는 사주팔자뿐만 아니라 거의 모든 동양철학의 가장 기본이 되는 이론이다. 음양오행에 대한 기초적인 상식이 갖춰져 있지 않다면, 사주 해석 자체가 불가하다.

5.1.1. 음양

성별	방향	온도	움직임	상태	공간	색감	밤낮	
남성	앞쪽	뜨거움	활동	드러남	바깥	밝음	낮	양(+)
여성	뒷쪽	차가움	정지	숨겨짐	안쪽	어두움	밤	음(-)

5.1.2. 오행

5.1.2.1. 오행 의미

	목(木)	화(火)	토(土)	금(金)	수(水)
오행	소양(+)	태양(++)	중립(±)	소음(-)	태음(--)
식물	잎	꽃	과도기	열매	씨앗
인간	어린이	청년	중년	장년	노인
성질	성장	확산	변화	완성	결속

일부 필수적인 의미만 함축적으로 정리하였다.

5.1.2.2. 오행 상성

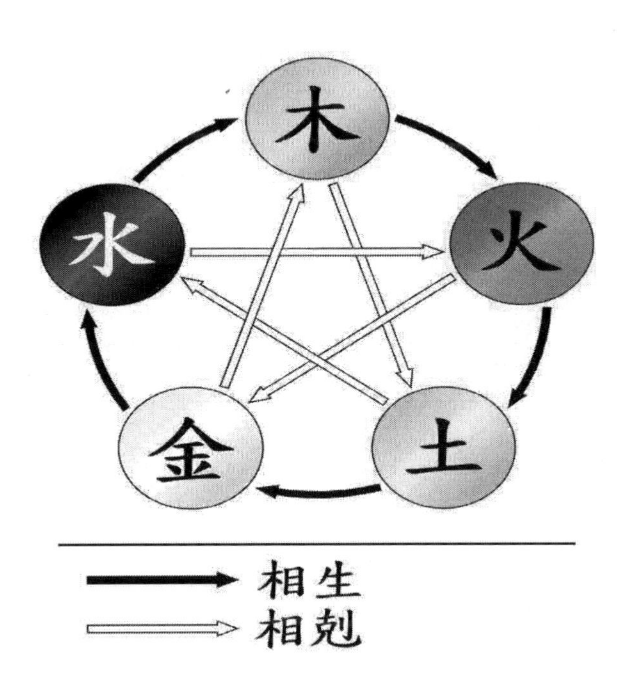

검은색은 상생 관계, 흰색은 상극 관계를 의미한다.

5.2. 십간과십이지

십간의 열 글자와 십이지의 열두 글자는 각자의 음양과 오행(목화토금수)의 성질을 가지고 있다. 다만 십이지의 경우 지장간(支藏干)이라는 개념이 있어서 각 글자 속에 있는 십간 중의 2~3글자가 해당 지지의 음양오행을 결정한다. 여기(餘氣), 중기(中氣), 정기(正氣)로 나눠지는데, 대개는 정기가 해당 십이지의 음양오행을 대표한다.

5.2.1. 십간

오행	목(木)		화(火)		토(土)		금(金)		수(水)	
십간	甲	乙	丙	丁	戊	己	庚	辛	壬	癸
물상	나무	풀	열	빛	광야	도시	무쇠	보석	바다	강
음양	양(+)	음(-)	양(+)	음(-)	양(+)	음(-)	양(+)	음(-)	양(+)	음(-)

십간은 주로 이상(理想)을 의미한다. 흔히 십간을 '천간'이라고 부른다.

5.2.2. 십이지

계절	십이지	동물	음양	오행	생왕고지	지장간		
						여기	중기	정기
봄(春)	寅(인)	호랑이	양(+)	목(木)	생지	戊	丙	甲
	卯(묘)	토끼	음(-)	목(木)	왕지	甲		乙
	辰(진)	용	양(+)	토(土)	고지	乙	癸	戊
여름(夏)	巳(사)	뱀	음(-)	화(火)	생지	戊	庚	丙
	午(오)	말	양(+)	화(火)	왕지	丙	己	丁
	未(미)	양	음(-)	토(土)	고지	丁	乙	己
가을(秋)	申(신)	원숭이	양(+)	금(金)	생지	戊	壬	庚
	酉(유)	닭	음(-)	금(金)	왕지	庚		辛
	戌(술)	개	양(+)	토(土)	고지	辛	丁	戊
겨울(冬)	亥(해)	돼지	음(-)	수(水)	생지	戊	甲	壬
	子(자)	쥐	양(+)	수(水)	왕지	壬		癸
	丑(축)	소	음(-)	토(土)	고지	癸	辛	己

십이지는 주로 현실(現實)을 의미한다. 흔히 십이지를 '지지' 라고 부른다.

5.2.3.십간과 십이지의 결합 원리

십간	丙	양(+)	乙	음(-)	甲	양(+)	辛	음(-)
십이지	申	양(+)	巳	음(-)	卯	음(-)	申	양(+)
아웃풋	병신(丙申)		을사(乙巳)		갑묘(甲卯)		신신(辛申)	
결과	성공				실패			

십간과 십이지는 음양이 동일한 경우에만 결합할 수 있다. 양(+) 십간은 양(+)

십이지 끼리, 음(-) 십간은 음(-) 십이지끼리만 결합할 수 있다. 사주에서는 십간이 10개, 십이지가 12개 존재한다. 만약 모든 십간과 십이지가 서로 결합할 수 있다면, 60갑자가 될 수가 없다! 10과 12를 곱하면 60이 아니라 120이 나오는 건 너무나 간단한 상식이기 때문이다. 반면, 음양은 단 2개가 존재한다. 양(+)의 성질을 띠는 십간은 5개이고, 음(-)의 성질을 띠는 천간도 5개이다. 마찬가지로 양(+)의 성질을 띠는 십이지는 6개, 음(-)의 성질을 띠는 것은 6개이다. 양 십간과 양 십이지끼리, 음 십간과 음 십이지끼리 결합했다고 가정하자. 자연스럽게 5*6+5*6=60이라는 식이 도출되게 된다.

5.3. 합충형파해

5.3.1. 합(合)

서로 다른 오행이 만나 하나의 다른 오행으로 변하는 것을 합이라고 한다. 천간 합과 지지 합이 있다. 지지 합은 육합, 삼합, 방합, 우합, 암합이 있다.

천간합(天干合)					
합하는 오행	갑기(甲己)	을경(乙庚)	병신(丙辛)	정임(丁壬)	무계(戊癸)
변하는 오행	토(土)	금(金)	수(水)	목(木)	화(火)

육합(六合)						
합하는 오행	자축(子丑)	인해(寅亥)	묘술(卯戌)	진유(辰酉)	사신(巳申)	오미(午未)
변하는 오행	토(土)	목(木)	화(火)	금(金)	수(水)	잘되지 않음.

삼합(三合)				
합하는 오행	인오술 (寅午戌)	신자진 (申子辰)	사유축 (巳酉丑)	해묘미 (亥卯未)
변하는 오행	화(火)	수(水)	금(金)	목(木)

방합(方合)				
합하는 오행	인묘진 (寅卯辰)	사오미 (巳午未)	신유술 (申酉戌)	해자축 (亥子丑)
변하는 오행	목(木)	화(火)	금(金)	수(水)

우합(隅合)				
합하는 오행	축인(丑寅)	진사(辰巳)	미신(未申)	술해(戌亥)
이명	간방합 (艮方合)	손방합 (巽方合)	곤방합 (坤方合)	건방합 (乾方合)

위의 표를 쉽게 설명하자면, 천간 갑(甲)은 또 다른 천간인 기(己)를 만나면 본래의 목(木)이라는 성질을 잃어버리고, 토(土)라는 오행으로 변한다는 것이다. 다른 합과 달리 삼합과 방합은 합의 방식이 조금 다르다. 합을 하기 위해서 3개의 지지가 전부 있어야 할 것 같지만, 저 3가지의 지지 중에서 중간 번째의 지지와 나머지 하나의 지지만 있어도 합이 된다. 예를 들어, 해묘미(亥卯未)가 합을 하여 목(木)으로 변하기 위해서는 위의 표대로라면 3가지 지지가 모두 있어야 하겠지만, 묘미(卯未), 해묘(亥卯)만 있어도 목(木)으로 변한다는 것이다. 하지만 묘가 없이 해미(亥未)만으로 목으로 화할 수는 없다. 다른 합도 마찬가지이다. 합이 되었음에도 다른 오행으로 변화하지 못하는 경우에는 합거라고도 한다. 특히, 천간의 합은 본질적으론 합거되는 것으로 본다. 계파에 따라 해석이 갈리며, 천간의 합이

어디까지 합화에 도달하는지에 대한 해석에서 차이가 있을 뿐, 본질적으로는 합거에 준하는 것으로 보는 게 대부분이다. 해석에 따라서는 천간이 합거될 시, 합거된 글자가 모두 무력화되는 것으로 보기도 한다. 합거가 되든 합화가 되든 해당 글자가 변성되는 것이기에, 글자의 본래 작용이 약화되는 것은 비슷하다.

5.3.2. 충(冲)

만약 사주에 충이 있다면, 좋지 않게 작용할 가능성이 있으나 꼭 그런 것은 아니다. 충은 기본적으로 에너지 사이의 충돌과 그에 따른 변화다. 과거 농경사회의 기준에서 나쁘던 성질이 현대 사회에서는 성공하기 위한 기틀로 작용할 수 있다는 걸 생각하자. 나쁜 살을 충으로 부수면 충이 길하게 작용하는 경우까지 생각하면 합 충을 길흉에 일대일 대응하려 하는 것은 무리이다. 팔자에 충이 있으면, 가장 표면적으로는 건강이나 성격에서 문제점이 발생하기 쉽다. 더불어 충의 위치와 구성에 따라 가족, 대인, 연애, 취업, 재물 등에 별의별 애로를 만들어 내기도 한다. 하지만 충은 사회에서 성공하기 위해서는 필요한 강한 에너지를 가지고 있다.

지지충	자오충	묘유충	인신충	사해충	진술충	축미충
지지1	자(子)	묘(卯)	인(寅)	사(巳)	진(辰)	축(丑)
	↔	↔	↔	↔	↔	↔
지지2	오(午)	유(酉)	신(申)	해(亥)	술(戌)	미(未)
음양	양(+)	음(-)	양(+)	음(-)	양(+)	음(-)
위력	2力	3力	2力	2力	1力	1力

천간충	천간1		천간2	음양
갑경충	갑(甲)	↔	경(庚)	양(+)
을신충	을(乙)	↔	신(辛)	음(-)
병임충	병(丙)	↔	임(壬)	양(+)
정계충	정(丁)	↔	계(癸)	음(-)

천간에서 토(무, 기)의 방위는 중앙이기 때문에 충을 받지 않는다. 즉 충만큼 데미지가 세지는 않다는 것이다. 천간충은 충을 당하는 글자가 일방적으로 피해를 당하는 경향이 크지만, 지지충은 지지가 포함하는 지장간의 작용에 의해 서로 피해를 입는 경향이 있다. 합과 충 모두 글자의 작용을 무력화하는 효과를 낼 수 있다. 합의 경우 글자가 변질되므로 합화해도 본래의 작용이 변질되는데, 다른 오행으로 화하지 못하는 경우, 합거라고 하여 글자가 없어진 취급을 하기도 한다. 반면 충의 경우 한 글자가 다른 글자를 계속 제극하다 보니 본래의 작용은 뒷전이 되어 무력화되는 충거가 있다. 충이라 하더라도 충으로 인해 흉한 작용을 하던 글자가 제압된다면 길한 것이며, 또한 묻혀 있는 것이 튀어나오게 하여 강제로 끄집어내는 작용이기도 하다. 따라서, 길한 작용을 할 것이 묻혀서 무력화된 경우 충이 있으면 오히려 묻힌 것이 튀어나오니 길하다. 아울러 충은 기존에 하던 일을 완전히 청산하고 새로운 일을 시작하기 위해 떠나는 모습을 뜻하기도 한다.

5.3.3. 형(刑)

형태상으로는 방합(方合)에 삼합(三合)이 더해진 것으로, 방합 자체로도 하나의 오행이 충분히 강한데 그것을 생해주는 삼합을 만나면, 그 하나의 오행이 극단으로 치닫게 되어 중화를 잃게 되는 현상을 가리킨다. 이름 그대로 형벌, 살상, 제재를 뜻하기 때문에 사주 중에 형이 있으면, 사고, 소송, 질병, 수술, 급작스런 중단 등의 의미가 되어 굉장히 피곤한 인생을 강요받는 것으로 보며, 형살이라고 부를 만큼 굉장히 흉하다. 칠살이라고 불리는 편관과 함께 가장 노골적으로 인생을 피곤하게 만드는 흉살이다. 나의 의지와 상관없이, 심지어 내가 잘못하거나 말거나 일방적으로 나에게 칼이 날아오는 꼴이므로, 천살 지살 월살 같이 불시 재난을 일으키는 흉살처럼 불시에 괴상한 일이 생겨 일을 그르치게 되거나, 갑작스럽게 다치고 피를 보거나 하는 등 굉장히 악랄한 사고 수가 된다. 그러나 칼을 내가 맞는 대신 휘두를 수도 있는 것이므로, 형이 있는 경우 그와 관련된 직업을 함으로써 업상 대체가 되는 팔자라고 보기도 한다. 물리적으로든 논리적으로든 불과 칼을 쓰는 직업들, 곧, 법조인(판사, 검사, 변호사), 의료인(의사, 간호사, 약사), 경찰관, 소방관, 군인, 교도관, 육류 가공업자, 어류 가공업자 등을 하기 좋다. 이렇게 긍정적으로 풀리지 않는 경우 조직범죄에 가담하거나 살인자가 되는 등, 흉악한 범죄의 길로 들어서서 결국 법의 형벌을 받는 흉살이 되어버리기도 한다. 형살은 편관 마냥 나를 융통성 없이 쉬지 않고 괴롭히는 힘이기 때문에, 역으로 남을 괴롭게 하도록 다가오는 방향을 틀어버려 대응하기도 한다. 활인업도 불과 칼을 쓰니 업상 대체가 되지만, 진짜로 누군가를 극하는 것이 일인 직업으로도 업상 대체가 되어 유리하게 대응할 수 있다고 본다. 각종 권력과의 유착, 혹은 그 권력 기관의 일원으로 종사하는 것이 유리하다. 누군가를 극하는 것이 필연적으로 따라오는 정의의 특성상 정의와 그의 집행과 관련된 직업도 유리하다. 특히 이런 직업은 필연적으로 권력의 행사를 동반하므로 더욱 좋다. 공안이나 치안 계통이 대표적이다. 이런 점에서 편관보다 더 악랄하게 체감되는 흉살이 되기도 한다. 형살은 칼에 베이고 찔려서 피를 흘리는 것이기 때문에 단순히 논리적으로 칼을 다루는 것으로는 불충분하고, 그 칼이 피를 흘리게 하는 것, 곧, 칼로 생명을 다뤄야 하는 것이라 개운도 어렵다.

삼형: 무은지형(無恩之刑), 지세지형(持勢之刑)

삼형살을 두고 무은지형이나 지세지형이라고 한다. 무은지형이라고 할 때는 문자 그대로 은혜를 받는 게 없고, 내가 은혜를 받더라도 고마운 줄을 모르게 된다고 보며, 지세지형이라 할 때는 세력을 믿고 날뛰다 벌을 받거나 날뛰는 세력에게 피해를 입는 식으로, 지세의 불안으로 인하여 불시에 억울한 재난이 닥치는 것으로 본다. 축술미 삼형과 인사신 삼형 중 무엇이 무은지형이고 지세지형인지는 고서마다 술사마다 해석이 다르다. 다만, 요즘은 축술미 삼형은 지세, 곧 세력의 과잉에 의존하여 만들어지는 형으로, 인사신 삼형은 특유의 무한 루프 역마성이 가진 기세의 과잉에 의존하여 만들어지는 것으로 보는 경향이 있다. 대체로, 원인은 축술미가 지세지형, 인사신이 무은지형이고 체감되는 결과는 그 반대로 보는 경우가 많은 듯한데, 어쨌든 자세한 해석은 술사마다 엄연히 다르므로, 자신의 실제 상황을 보고 판단하는 것이 합리적이다.

지세지형	지지1		지지2	추가
술미형	술(戌)	↔	미(未)	파
축술형	축(丑)	↔	술(戌)	x
미축형	미(未)	↔	축(丑)	충

겉으로는 유순하지만, 실상은 성질이 아주 더러운 가축인 소, 양, 개가 얌전한 가축의 모습을 내던지고 폭주하여 서로 싸우는 꼴이므로 평안하지 못하고 마치 개싸움 나듯 스트레스를 유발하는 괴변들이 생기는, 불시에 닥치는 뜬금없는 다툼과 배신, 그리고 형벌에 해당하는 흉살이다. 불시에 미친 소와 양에 들이받히고 광견에게 물어 뜯기듯 정말 개떡 같은 방식으로 괴롭게 되는 경우가 많다. 특히 술미형은 양을 지키던 개가 들개로 돌변해 양을 역으로 물어뜯는 모습이라 더욱 대흉하다. 개에 해당하는 술토를 통제하는 글자가 없다면 편하게 살긴 참 힘들게 된다. 한술 더 떠 축술미가 전부 모이면 삼형이 되어 칼이 3배! 아무리 영향력을 줄여도 정말 더럽고 서럽다. 무은지형으로써 운에서 만난다면 귀찮고 지루한 작업을 한자리에서 오랫동안 처리하는 강제 노역의 형벌로 보기도 한다. 오행의 극단적인 변화이므로 드물게 나쁜 작용을 대체해버리는 식으로 길하게 작용하기도 한다. 이 경우에는 합거나 충거된 것에 비해 매우 피곤하고 괴로운 방식으로 문제가 해결되는 셈이다, 간혹 정말 길하게 작용할 경우 부동산에서 대박이 터지는 횡재수가 되기도 한다.

무은지형	지지1		지지2	추가
인사형	인(寅)	↔	사(巳)	해
신사형	신(申)	↔	사(巳)	파+육합
인신형	인(寅)	↔	신(申)	충

인사신(寅巳申)이 모이면 삼형이 되어 매우 흉하다. 이는 서로서로 합과 충, 생과 극을 끝없이 반복하며 변화가 무한 루프에 빠지는 것으로, 기세의 과잉으로써, 매우 나쁜 역마의 작용을 한다. 기반을 다진다 싶으면 강제로 그 위치에서 이동하게 되어 삶이 피곤해지는 흉살이다. 그러나 변화 때문에 길할 때도 있다. 때문에, 뭔가 자주 변하는 게 썩 달갑지 않은 분야들, 특히 공직이나 권력 계통에서 지세지형은 길흉이 극단적으로 갈리게 하는 것으로 본다. 개인의 특성에 따라서는 축술미 삼형보다 더욱 두려운 것으로 보기도 하는데, 축술미 삼형은 정의롭게 살았다면 억울하게 엿을 먹고, 정의롭지 않았다면 업보에 대한 형벌을 3배로 쳐서 받는 꼴이지만 어쨌든 일단 형벌이 오고 나면 해당 국면에선 그것으로 끝나는 모습인 반면, 인사신 삼형은 구조부터가 무한 루프이므로 잠재적으로 무한정 흉한 작용이 온다는 의미로도 볼 수 있다. 삼형을 겪는 명주들이나 술사들이나 공통적으로 "벌을 받는" 것이나 "재난"을 당하는 것으론 인사신 삼형을 더욱 두렵게 보는 경우가 많기도 하다.

무례지형(無禮之刑)

무례지형	지지1		지지2	추가
자묘형	자(子)	↔	묘(卯)	x

문자 그대로 무례함에 대한 형벌을 받는 의미다. 즉, 선을 넘었다는 것이다. 자수로 인해 묘목이 훼손되었다. 묘목과 자수 모두 번식과 관련이 깊은, 성적 특성이 강한 글자이기도 하다 보니, 대표적으로 성 추문을 의미하는 구설수로 본다.

만약 당장 추문이 되지 않더라도, 추문 거리를 만들어놓고 이후 그게 드러나면서 크게 벌 받는 꼴이다. 선을 넘는 것, 곧 무례한 것에 작용하니, 비단 육체적인 것 말고도, 논리를 비롯하여 무엇이든 섞는 것에 대한 물상이라면 적용해볼 수 있다. 즉, 색욕의 확장된 의미, 곧 논리적인 색욕에도 전부 적용이 가능하다. 따라서, 뭔가 뇌절을 쳐서 그 대가로 된통 당하는 구설수가 되기도 한다. 물론, 보통 이런 색욕에 관하여 무례함이 드러나 벌을 받는 것으로 최악은 당연히 성적 무례다. 평소에 성 관련으로 업을 쌓은 사람이 강한 자묘형을 받으면 ...

자형(自刑)

자형	지지1		지지2	추가
진진형	진(辰)	↔	진(辰)	x
오오형	오(午)	↔	오(午)	x
유유형	유(酉)	↔	유(酉)	x
해해형	해(亥)	↔	해(亥)	x

배신을 당하거나 형벌을 받거나 구설에 오르는 매우 흉한 형살이다. 특히 원래 자형이 아니던 것이 운에서 중복 글자가 들어와 자형이 된 경우, 지연된 형벌이 뒤늦게 발동되는 극히 위험한 징벌의 의미를 가지게 되기도 한다. 요컨데 온갖 잡다한 범죄를 벌여서 전과 쌓일 일이 많았지만 실제로 법원에 간 적은 없거나 형벌을 직접 받지는 않았던 사람이 그동안 눈감아줬거나 못 발견한 것까지 싸그리 다 데려와 괘씸죄까지 얹어서 중형을 받는 것이다. 사소한 잘못도 그것으로 구설에 올라서 망신을 당한다. 내가 딱히 잘못한 것이 없는 경우, 대신 내가 아닌 남이 나에게 잘못을 하게 되며, 곧 배신을 당해 뒷통수가 아프게 된다는 것이다. 정당하지 않게 모함을 당하거나 해서 억지 구설에 올라 억까를 당하는 흉운이 되기도 한다. 사주에 원래 자형이 있는 경우도 더럽지만, 자형이 운으로 인해 갑자기 생기는 경우도 더럽다. 후자의 경우 내가 생각지도 못한 것에서 형벌을 받거나,

내가 생각지도 못한 곳에서 배신과 억까를 당하는데 그에 적응도 안 되어있으니...

5.3.4. 파(破)

형태상으로는 양의 지지는 순서대로, 음의 지지는 역순으로 열 번째 지지를 만나는 것으로, 깨뜨리거나 없어진다는 뜻을 가지고 있다. 서로 합이 되는 글자를 공유하기 때문에 서로 합하기 위해 상대 글자와 다투는 모양새로, 충, 원진과 비할 힘은 아니지만, 일진에서 만나면 진행 중이던 일이 귀찮게 되거나 차질이 생기는 등의 존재감을 당당하게 과시한다. 파 자체가 유의미하게 작용하지는 않으나, 무언가 변하지 않고 정체된 것, 특히 곪거나 오래된 적폐를 마주할 때 급변을 일으키는 꼴이므로 굉장한 그 파급력을 가진다고 해석한다. 파의 특성이 합이 되는 글자를 차지하기 위해 싸우는 것임으로 삼합이나 방합, 합이 된 특정 글자를 파하는 운이 나타났을 때는 몹시 큰 변화가 발생할 가능성이 있다.

육파	지지1		지지2	추가
자유파	자(子)	↔	유(酉)	귀문
묘오파	묘(卯)	↔	오(午)	x
인해파	인(寅)	↔	해(亥)	육합
사신파	사(巳)	↔	신(申)	육합+형
진축파	진(辰)	↔	축(丑)	x
술미파	술(戌)	↔	미(未)	x

5.3.5. 해(害)

형태상으로는 육합(六合)을 방해하는 지지가 개입되는 것으로, 그것이 충을 일으켜 합을 방해한다면 해가 된다. 주로 육친관계를 볼 때 쓰이며 해에 해당하는 육친끼리 서로 싫어하고 미워하지만, 인연이 끊어지지 않는 관계가 된다.

육파	지지1		지지2	추가
자미해	자(子)	↔	미(未)	원진
축오해	축(丑)	↔	오(午)	귀문+원진
인사해	인(寅)	↔	사(巳)	x
묘진해	묘(卯)	↔	진(辰)	방합
신해해	신(申)	↔	해(亥)	x
유술해	유(酉)	↔	술(未)	방합

5.4. 육친

육친이라고도 하고 육신이라고도 한다. 육친은 한 가족을 부모, 자식, 형제, 처, 남편 등으로 분류하여 육친이라 하는데 팔자의 각각 글자들을 일간과 비교해서 산출된다. 육친은 오행의 종류에 따라서 크게 5 분류로 나누어 비겁, 인성, 재성, 식상, 관성 이 되고 이를 일간과 음양이 동일한 지 아닌지를 따져서 다시 분류되어 10성으로 표시된다. 이 십성의 관계를 가족이나 친구 등에 대입하는 것은 육친이라 하고, 재물운이나 직업운 등으로 나눠서 보는 것을 육신이라 한다. 육친을 제대로 이해하고 적용하려면 오행의 상생과 상극 관계를 정확히 외워서 각 오행이 일간의 위치에 왔을 때 어떻게 관계가 바뀌는지를 알아야 한다. 예를 들어 나무가 극하는 흙은 나무의 재성이지만, 흙에게 나무는 자신을 극하는 것이기 때문에 관성이 된다. 이런 관계의 상대성을 보자마자 깨닫지 못하면 사주를 제대로 볼 수 없다. 최종적으로 육친의 목록과 작용은 다음과 같다. 아래의 십성 배치법은 연해자평에 나온 순서대로 배치했다.

5.4.1. 일간별 육친

표로 정리하면 다음과 같다.

	甲	乙	丙	丁	戊	己	庚	辛	壬	癸
甲 일간	비견	겁재	식신	상관	편재	정재	편관	정관	편인	정인
乙 일간	겁재	비견	상관	식신	정재	편재	정관	편관	정인	편인
丙 일간	편인	정인	비견	겁재	식신	상관	편재	정재	편관	정관
丁 일간	정인	편인	겁재	비견	상관	식신	정재	편재	정관	편관
戊 일간	편관	정관	편인	정인	비견	겁재	식신	상관	편재	정재
己 일간	정관	편관	정인	편인	겁재	비견	상관	식신	정재	편재
庚 일간	편재	정재	편관	정관	편인	정인	비견	겁재	식신	상관
辛 일간	정재	편재	정관	편관	정인	편인	겁재	비견	상관	식신
壬 일간	식신	상관	편재	정재	편관	정관	편인	정인	비견	겁재
癸 일간	상관	식신	정재	편재	정관	편관	정인	편인	겁재	비견

팔자에 어떤 육친이 없다고 해서 평생을 해당 육친이 없이 살지는 않는다. 대운과 세운에서 없는 육친이 오면 그 시기에는 얻을 수 있기 때문이다. 이때 유의미한 경험을 했다면 해당 운으로부터 내 원국에 없는 글자를 수집해 챙겨가는 것이 된다. 물론 그 대운과 세운을 별 성과 없이 보내버리면 말짱 꽝. 이렇게 한번 지

나간 글자를 후에 다시 얻기는 쉽지 않다. 또한 팔자에 어떤 육친이 있다고 해서 무조건 해당 운이 오는 것은 결코 아니다. 예를 들어 '편재'가 있어서 나는 사업을 해야겠다라고 생각했는데, 이 편재에 해당하는 글자가 충을 당하거나 오행으로 볼 때 주변 글자들에게 극을 당하고 있고, 12 운성에서 편재가 좋지 않은 운에 임하면 그것은 사업을 절대 해서는 안 되는 팔자가 되기 때문이다. 게다가 지장간의 개념까지 도입하면 더더욱 경우의 수가 많아지기 때문에 절대로 단순하게 해석하면 안 된다. 12 운성에 의해 육친이 무력화되거나 활성화 되기도 하고, 지장간이 투출한 경우에는 유효한 육친이자 글자로 작용하고, 아니더라도 충 따위를 받아서 지장간이 튀어나오기도 한다. 얼핏 대충 재, 관, 인, 식신에 따까리 비겁이 하나 있으면 좋을 것 같지만, 사주는 오행과 음양의 구성을 비롯한 조후, 그리고 계속 변화하는 운에 의해 새롭게 등장하는 글자가 부르는 변동 등 변수가 한둘이 아니기 때문에 단순히 생각할 수 없다. 물론, 대체로 안정적이고 내가 상할 일이 없는 것을 편한 팔자라고 본다.

5.4.2. 간편화 개념

<table>
<tr><th>격</th><th>관련</th><th>십성</th><th>의미</th><th>길/흉</th><th>가족(남자)</th><th>가족(여자)</th></tr>
<tr><td rowspan="2">비겁</td><td rowspan="2">능력관련</td><td>비견</td><td>인간관계</td><td>길</td><td colspan="2" rowspan="2">형제자매</td></tr>
<tr><td>겁재</td><td>경쟁력</td><td>흉</td></tr>
<tr><td rowspan="2">식상</td><td rowspan="2">표현관련</td><td>식신</td><td>재능</td><td>길</td><td rowspan="2">친할머니</td><td rowspan="2">자식</td></tr>
<tr><td>상관</td><td>반항</td><td>흉</td></tr>
<tr><td rowspan="2">재성</td><td rowspan="2">재물관련</td><td>편재</td><td>투기적</td><td>흉</td><td rowspan="2">아내, 아빠</td><td rowspan="2">아빠</td></tr>
<tr><td>정재</td><td>소득적</td><td>길</td></tr>
<tr><td rowspan="2">관성</td><td rowspan="2">직업관련</td><td>편관</td><td>명예적</td><td>흉</td><td rowspan="2">자식</td><td rowspan="2">남편</td></tr>
<tr><td>정관</td><td>관료적</td><td>길</td></tr>
<tr><td rowspan="2">인성</td><td rowspan="2">문서관련</td><td>편인</td><td>종교적</td><td>흉</td><td colspan="2" rowspan="2">엄마</td></tr>
<tr><td>정인</td><td>학술적</td><td>길</td></tr>
</table>

5.4.3. 세부적 개념

비겁은 나(일간)와 오행이 같은 것. 비겁은 관성에게 극을 당하며, 재성을 극하고, 식상을 생한다. 비견(比肩)은 일간과 오행, 음양이 모두 동일한 것. 남녀에게 형제, 친구가 된다. 나와 가장 같은 성분이기 때문에 어깨를 견준다는 의미인 비견(比肩)이라는 이름이 붙었다. 나와 비슷한 존재이므로 일간이 약화될 때 같이 버텨주는 요긴한 육친이지만, 나와 비슷한 존재가 있다는 것은 내가 여러 명인 꼴이니 뭔가 나에게 이익이 올 때 그걸 나눠 가져가게 되는 것이 되기도 한다. 그래도 겁재 마냥 날강도로 다 뜯어가진 않고, 비견이 이익을 가져가는 건 배당금을 타가는 것과 비슷하다. 겁재(劫財)는 일간과 오행은 동일하지만 음양이 다른 것. 남녀에게 형제가 되며, 잠재적인 라이벌, 혹은 편리한 공생적인 관계의 인연을 의미하기도 한다. 정재(正財)를 극하기 때문에 겁재(劫財)라는 이름이 붙은 것에서 보듯, 꽤나 난감한 육친. 하지만, 나와 반대되는 면을 제공하기 때문에 요긴한 경우도 있고, 일간이 너무 약해져 있을 때 힘을 빌려주는 손길이 되기도 한다. 그러나, 만약 하는 일이 없다면 재물을 꿀꺽하는 날강도가 된다. 비겁이 통제되는 사주라 하더라도 운에서 겁재가 들어오면 도움만큼 피해도 입기 마련. 사주의 해석이 늘상 그렇듯, 반대로 내 재물이 아니라 남의 재물을 꿀꺽하는 수가 되기도 한다. 겁재는 나와 비슷한 존재이지만 음양이 다르므로, 내가 그 존재를 인지하기는 하는데 대체 무엇인지 이해할 수 없는 존재이다. 이에 대해 가장 대표적인 비유로, 겁재를 나를 따라다니는 수호천사와 소악마에 빗대 설명하기도 한다. 나와 뭔가 닮긴 했는데 나랑 음양이 다르므로 겁재가 하는 일은 도통 종잡을 수 없다. 나에게 나쁜 일이 생겼을 때 수호천사로써 도움의 손길을 내주기도 하지만, 좋은 일이 생겼을 때 소악마로써 냅다 그걸 꿀꺽해버리기도 하며, 난관에 처했을 때 정론을 끄집어내 도움을 주기도 하지만 편법으로 도움을 주기도 한다. 때로는 뭔가 나에게서 일방적으로 뜯어간 후, 어느 날 뜬금없이 보상을 뱉어주거나, 아니면 그대로 먹튀(...) 하는 등 도통 종잡을 수 없다. 나를 따라다니는 소악마와 수호천사라는 것은, 요컨대, 누군가는 나에게 모질게 굴었을 때 그것을 담아뒀다가 뜬금없이 복수를 다짐하기도 한다는 것이다. 비견은 이런 상황에서 즉시 반발하여 맞서는 형태로 작용하는 반면, 겁재는 일단 속에 담아두고 장기간 복수를 준비하는 식이다. 그래서 겁재가 있는 사람을 화나게 하면 은밀한 중에 보복을 받게 되기도 한다. 물론, 겁재는 직접 인지할 수 있는 것이 아니므로, 나도 모르는 사이에 겁재가 복수를 실행하여, 나에게 잘못한 사람이 뜬금없이 벌을 받아있는 것을 알게 되는 식으로 복수가 성사되기도 한다. 수호천사와 소악마이므로 그 복수의 내용 또한 천차만별로 종잡을 수 없다. 식상은 내(일간)가 생(生)해주는 것. 식상은 인성에게 극을 당하며, 관성을 극하고, 재성을 생한다. 예술적 재능을 의미하기도 하며, 예술가나 연예인들은 식상이 발달한 사람들이 많다고 한다. 식신(食神)은 일간이 생(生)하는 오행으로 음양이 동일한 것. 먹을 복을 뜻한다. 더하여 여성에겐 자식이 된다. 요컨대 내가 생해주는 것에 먹을 것으로 보답해주는 육친이다. 옛날에는 기근과 가난으로 굶어 죽는 사람들이 차고 넘쳤기 때문에, 굶어 죽지 않는다는 것 하나만으로 길신 중의 길신 취급받았다. 그러나, 현대에 와서는 기아 문제가 과거에 비해서 완화되었고, 나라에 따라서는 과식이 문제가 되는지라 해석이 뭔가 어긋나지 않나 싶은 식성이고, 과거와 달리 원국을 꼬아놓는 식신이 있을 때 그걸 마냥 길하게 평가하지는 않게 되었다. 먹을 것을 긁어모으는 복인고로 먹을 것을 날려먹는 갖가지 골칫덩이를 차단하고, 먹을 것을 늘려줄 것들은 강화하는 등 여러모로 반가운 일을 많이 하지만, 식신이 문제를 해결해주는 방식이란 그 이름 그대로 대충 일단 뭘 퍼먹이는 방식이다. 진짜로 너무 많이 먹는 문제가 발생할 수 있다는 맹점이 존재하고, 식신으로 인해 사주 원국의 균형이 깨지는 경우도 있으니 마냥 길하다고 보지는 않는다. 그리고, 식신의 가장 치명적인 약점이 있으니 편인과는 그야말로 최악의 조합이라는 것이다. 편인 식산에게 칠살인데, 후덕하고 느긋한 식산에게 난데 없이 칼빵을 놓는 꼴이다. 편인이 있더라도 거리가 멀거나 하면 좀 영향이 줄기도 하지만, 어쨌든 식신을 보호할 수 없게 되면 식신의 길한 작용이 무력화되며, 이것을 편인 도식이라고 한다. 곧, 식신이 안 굶어 죽게 해주는 게 아니라 너무 처먹어서 죽게 만드는 육친으로 변질되는 것이다. 편인이 원국에 없더라도 운세에서 편인이 들어오는 족족 얄짤없이 흉한 작용을 받아야만 한다는 반대의 급부가 있는 것이다. 좋은 작용을 하는 경우에는, 굶어 죽지 않게 하는 먹을 복이라는 점 때문에, 거의 탱커 취급된다. 살을 제한다는 엄청난 역할을 한다.준비성을 강화해 굶어서 살 당하지 않게 막는 작용을 한다. 특히, 나를 무자비하게 극하는 편관에게 식신이 칠살이기 때문에, 식신은 편관을 매우 극하여 아주 후드려 패놓아 제압하여 나를 보호한다. 또한, 고난을 극복하는 것으로 "나"는 더 발전하게 되므로, 식왕살왕은 성공에 기여한다. 또한, 먹을 것을 긁어모으는 복이란 점 때문에 비겁과 상성이 잘 맞는다. 나와 비슷한 존재들인 비겁들에게도 먹을 걸 퍼주는 것이다. 곧, 비겁에서 나오는 골칫거리를 몰빵해준다는 것. 비겁이 나한테 뜯어갈 것을 식신이 대신 비겁을 퍼먹여서 해결한다. 당연하지만 나와 나 비슷한 무언가에게 이것저것 퍼주니 기운을 보충해주는 것이고, 따라서 식신이 왕하면 정력적이게 된다고 본다. 상관(傷官)은 일간이 생生하는 오행으로 음양이 다른 것. 정관(正官)을 극하는 오행이기 때문에 관(官)을 상(傷)하게 한다는 의미로 위의 이름이 붙었다. 위의 식신과 마찬가지로 여성에게는 자식의 의미를 가진다. 본격 관이란 이름이 붙었는데 관이 아닌 황당한 존재로 선동가와 같은 존재를 의미한다. 관이 아닌데다가 정관에게 상관이 칠살이라, 상관이 제압되지 않은 상태에서 정관 주변에 있으면 상관 견관이라 하여 정관이 개박살이 난다. 편인 도식과 함께 가장 두려운 조합 중 하나로, 출세 길이라고는 관직을 얻는 것이 전부였던 전근대 사회에서는 극대로 흉했으나 요즘은 인플루엔서등 '사파'적으로 먹고 살 길이 많아져서 이전 보단 조금 낫다. 특성상 프리랜서가 되는 팔자가 되기도 한다. 내가 생 해주는 족족 이것저것 퍼줘서 보답하는 식신과 달리 상관은 내가 생해준 거로 뭘 할지 알 수가 없다. 요컨데 게을러 빠진 창작자에게 후원 구독을 하고 있는 것과 비슷해서, 제대로 뭘 해줄 때도 있지만 그냥 먹튀를 하기도 하고, 뜬금 없이 선동을 벌여 난장판을 만들기도 하고, 내가 관의 일을 하고 있는데 갑툭튀해서 일을 엎어 버리는 피곤한 놈이다. 놀고먹고 즐기는 니트이자 이것저것 선동하고 다니는 골칫거리로, 썩 반갑지 않지만 풍류적, 예술적인 의미가 있으므로 재미는 있는 존재라서, 인생의 즐거움과 풍류 등등에 좋게 작용하므로 명주를 활동적이고 활기차게 하는 이로운 작용도 있다. 엄연히 식상이므로 식신처럼 명주를 정력적이게 하는 효과도 있다. 관성이 일터/배우자를 의미하는 고로, 관을 극하는 상관이 팔자에 강하게 있으면 직장 생활하기 참 힘들다. 덧붙여 여성의 사주에 이 상관이 있으면 나쁘게 본다. 왜냐하면 남편을 뜻하는 오행인 관성(官星)을 극하는 십성이 바로 식신과 상관이기 때문이다. 식신은 날 퍼먹이는데 관심을 기울이느라 바쁜 것과 달리, 니트 상관은 내가 펴준 걸 가져다가 뜬금 없이 내 관을 두들겨 패는 미친놈이다. 식신과 달리 남편 복에 아주 해롭다. 여하튼 원체 어디로 튈지 모르는 육친인데다가, 정관은 아주 박살을 내놓는데 편관은 제대로 팬다는 보장이 없어 여러모로 달갑지 않은 육친이다. 사람이 재미있어지면 뭐하나 온갖 괴상한 일이 생기면 말짱 꽝인데... 사주에 관성이 너무 강해서 꿩 대신 닭으로 상관이라도 데려와 억제하는 경우나, 망가진 조후를 상관이 잡고 있는 것 같은 특수한 경우가 아니고서야 대부분 흉하다. 따라서, 일반적으로 상관을 용신으로 쓰는 사주는 드물다. 그런데, 일간이 무조건 상관을 쓰는 경우가 있으니 바로 계수. 재성(材星)은 내(일간)가 극하는 존재. 재물을 의미한다. 돈이 들어오는 것과 연관된 육친으로, 재물이 들어오는 것에 관여한다. 남명에게는 여자에 해당된다. 내가 극하는 대상이란 것에서 보듯 재성은 무의식적으로 가진 "쟁취의 대상"이기 때문에 이에 관련된 부분에 영향을 끼친다. 예를 들어, 사교성은 "습관"인데 그 습관에 해당하는 것이 바로 재성이므로 재성이 없는 사주는 남을 "습관적"으로 케어하는 역량이 부족한 것으로 본다. 또 쟁취의 대상, 곧 "재물"이라는 것은 달리 말하면 그 재물을 "소모"하는 것도 의미하는데, 이 때문에 재성은 돈을 버는 금전 감각과 함께 돈을 쓰는 금전 감각에도 관련이 있다. 재성이 없는 경우 돈을 쓰더라도 이상하게 쓰거나 썼는데 효용이 시원찮게 되기도 한다. 반대로 재성이 과다한 경우에는 사람이 좀 삐뚤어지게 되어, 타인이 보기에 좀 여러 의미로 짜증나는 사람이 되기도 한다. 재성이 과다한대 신약한 재다 신약 사주가 특히 그렇다. 이런 경우 재성 때문인지 재주는 많은데 사람 속을 몹시 화나게 만드는 얄미운 사람이 되기도 한다. 재성은 사주 육친 중 서로 간의 상호 작용에서 제일 균형이 안 맞는 육친이다. 재성은 인성을 극하는 데 (재극인), 이는 인성과 관성이라는 중요한 육친의 균형을 망가뜨려 굉장히 흉하게 될 위험을 가지고 있다. 그런데, 재성을 극하는 글자라곤

바로 나쁜이니 재성을 통제한다는 것은 어불성설이다. 내가 아니지만 나와 비슷한 존재인 비견과 겁재는 아주 당연히도 경쟁자이기 때문에 이것들이 재성을 노리게 되면 쟁재라 하여 매우 흉하게 보며 재성의 과잉을 누르는 데 거의 도움이 안 된다. 재성을 설기시키려 해도, 재성이 생하는 것은 관인데, 관은 나를 극하므로 통관은 되지 않는다. 때문에, 여러 서적과 과거로부터 지금까지의 수많은 술사가 입을 모아 사주 원국 중 제일 나쁜 원국의 대표로 재성이 엉망으로 박혀 있는 원국을 꼽는다. 무재가 쟁재보다 낫다. 편재(偏財)는 일간이 극(剋)하는 오행으로 음양이 동일한 것. 나랑 음양이 같아 강력히 극하고 있으니, 편재는 사업/투자/공돈 등으로 들어오는 고정되지 않은 돈을 의미한다. 쉬운 재물이 들어오는 순기능도 있지만, 날로 먹으려다 망하는(예: 투기) 역작용도 있다. 편재가 있는 사람은 돈을 대할 때 '돈은 돌고 도는 것'이라는 마음가짐이 있기 때문에, 돈을 쓰는데 있어서 인색하지 않는 경우가 많다. 남성에게 편재는 부인이 되기도 하고 첩, 애인을 의미하기도 한다. 그리고 남녀 구분 없이 아버지를 편재로 본다. 여러모로 불안정성이 커서 불안한 육친이나 횡재수를 의미하므로 편재가 없으면 대박나서 부자되는 팔자는 아니라고 보기도 한다. 정재(正財)는 일간이 극(剋)하는 오행으로 음양이 다른 것. 정재는 바를 정자가 붙은 것에서 알 수 있듯이, 주로 꾸준하게 들어오는 돈(월급)을 의미한다. 따라서 이 글자가 있으면 월급을 받고 살 확률이 크다. 정재가 있는 사람은 돈을 대할 때 티끌 모아 태산이라는 마음가짐으로 최대한 절약하며 저축을 하는 경우가 많다. 남명에게는 재성이므로 사주 상 존재하는 이성 인연인데, "정재"니까 특히 배우자를 의미한다고 보기도 한다. 편재에 비해 매우 안정적이지만 정관 정인에 비해 영 좋지 않은 작용을 할 변수가 많아 꽤 까다롭다. 또한 꾸준한 수입인 만큼 횡재수는 아니라고 보는 경우가 많다. 관성(官星)은 나(일간)를 극하는 존재. 곧 나에게 명령하는 존재로써 권세를 쥔 조직이다. 국가 기관, 기업, 혹은 나의 삶에 개입하는 여러 존재들을 의미한다. 남성에게 官은 직장을, 여성에게 官은 직장과 함께 남자를 의미한다. 또한 규율을 의미하기도 하여 명예추구/정의 추구에도 영향을 끼친다. 편관(偏官)은 일간을 극(剋)하는 오행으로 음양이 동일한 것. 나를 대상으로 하는 칠살이므로 존재 자체가 대흉하다. 활용할 수 없거나 억제되지 않는 편관은 편관이라고 부르지 않고 칠살이라 부른다. 정관도 나를 극하긴 하지만 음양이 다르므로 융통성있게 적당히 극하는 신분 높은 후원자 같은 느낌인데, 편관은 다짜고짜 칼과 몽둥이를 들고 무자비하게 두들겨 팬다. 어떻게든 억제한다 해도 고래고래 소리지르는 훈련 교관이라 피곤하기 짝이 없다. 훈련 교관이면 차라리 양반이지, 실상 나를 강제로 징집하는프레스 갱인 셈이라 삶을 고통스럽게 만든다. 그러나 칼을 다루는 존재이므로 억압에 걸맞는 강력한 규율과 통제, 교정의 의미를 가지고 있어 정의와도 직결된다. 따라서 편관은 치우친 것을 바로잡는 역할을 한다. 불균형을 바로잡기 위해 강력한 통제를 하는 관이다. 편관운이 오면 그동안 두루뭉실하게 넘어간 나쁜 짓에 대한 벌을 몇 배로 처서 받는다고도 한다. 따라서, 경찰관/소방관/군인 등의 자신의 목숨을 걸고 사회를 수호하는 직업이나, 판사/의사/외교관과 같이 사회에 기여하는 직업, 그리고 강한 규율과 자기 통제를 동반하는 직업들이 편관에 해당된다. 앞의 설명 그대로, 자신을 희생해야 하는 직업으로 전문직/기술직들과 같이 과로의 위협이 있는 직업과 진짜 목숨을 내걸어서 사회를 지키는 직업들까지 포괄하는, 나를 해하는 존재라는 게 제일 큰 역작용이다. 각 글자를 극하는 글자는 보통 십성을 정렬할 때 이 십성이 7번째 숫자에 오기에, 해당 글자에 대하여 칠살이라고 부르는데, 편관은 나를 극하는 글자이므로 극히 대흉해 칠살이라고 하면 바로 편관을 지칭하는 말이 되었다. 편관을 역용하는 방법으로는 식신제살, 살인상생, 상관합살, 상관대살 등이 있다. 식신제살의 경우 나를 보호하는 글자인 식신이, 편관에게 있어서 칠살이기 때문에 편관이 나를 괴롭힐 엄두도 못 내게 초장에 제압해버리는 양상으로 매우 쏠쏠하며 칠살을 누르는 방법으로는 대체로 최선이다. 살인상생은 인성이 편관의 생을 받아 편관의 기운을 빼내어 설기시키고, 그 기운을 나를 생하는 것으로 넘겨 통관시키는 것으로 무자비하고 폭력적인 편관을 인덕으로 다스려 그 무력을 쓸 수 있게 하는 것이 된다. 하지만 편관 자체가 억눌려진 것은 아니므로 부작용이 따른다. 상관합살/대살의 경우, 전자는 일간이 음간인 경우, 후자는 양간인 경우 해당하며, 전자의 경우 상관이 편관을 구슬러 야합하는 것, 후자의 경우 상관이 편관과 맞붙어 협상하는 것이 되는데 이 또한 편관의 무력을 빌려 쓰게 하는 것이다. 식신제살에 비해 너무 불안정하고, 살인상생에 비해서도 상관이란 글자가 원체 종잡을 수 없는 탓에 안정적이지 못하지만, 이마저도 되지 않은 편관은 역용조차 못하는 그냥 칠살이므로 없는 것 보다야 훨씬 낫다. 정관(正官)은 일간을 극剋하는 오행으로 음양이 다른 것. 편관이 무관의 이미지라면 정관은 문관에 해당한다. 즉, 공무원이나 정치인 등. 편관에 비해 훨씬 약하게 극하지만, 엄연히 나를 극하는 관이므로 내가 폭주하지 않게 통제하는 규율을 가르치는 존재가 되기도 한다. 관성의 존재는 월급쟁이로 살 수 있다는 의미를 내포하므로 대체로 길하지만, 관성만 덜렁 강하면 관이 그 권력을 가지고 깽판을 치는 꼴이니 아무리 정관이라 해도 좋지 않게 되기도 한다. 관은 권위로써 나를 규율하는 존재이기에, 관이 너무 많으면 사람이 오만해지기도 한다. 인성(印星)은 나(일간)를 생 하는 것. 문자 그대로 사람의 성품으로, 배움에서 얻어지므로 배움의 영향을 받는 도덕/학식에 영향을 준다. 관성으로 부터 일간을 보호하고 관성과 재성의 흐름을 조율하는 존재이기도 하여, 곧 이름처럼 인덕과 관련이 있다. 또한, 상관은 자칭 관이지만, 꼴에 관이라고(?) 인성에게 간접적으로 통제 받으니, 인성이 상관을 조율해 편관을 억누르게 만들기도 한다. 재, 관, 인이 적절히 있어야 살기 편한데, 안타깝게도 재성이 인성을 극하여 무력화시키는 재극인이 있기 때문에, 아차하면 균형이 깨져서 무용지물이 되어버리는 게 문제. 그리고 관성이 너무 약한 상황이라면 인덕은커녕 되려 고삐 풀려서 무례해지게 되기도 한다. 편인(偏印)은 일간을 생(生)하는 오행 면에서 음양이 동일한 것. 남녀에게 계모나 명확하지 않은 이유로 자신을 후원하는 나이 지긋한 여자가 된다. 어쨌든 나를 생하는 존재라 날 도와주기는 하는데, 정인과 달리 편인은 도와주다 그만둔다. 즉, 뭔가 제대로 도와주는 게 없는 "살려만 드릴게" 수준이라 정말 얄미운 육친이다. 정인과 달리 내게 부족한 것을 채워주는 것이 아니라 당최 종잡을 수 없이 엉뚱한 것을 얹어주는 것이 편인의 속성이다. 요컨대 풀만 있고 고기가 없는 상황에서 정인은 고기 몇 점을 가져다주는 반면, 편인은 "건강에 더 좋으니까 풀을 더 줄게!"하고 풀을 한 트럭 쯤 끼얹어주는 것이다. 또한, 소크라테스가 스스로 뜬금없이 영감을 받는 것을 두고 '다이몬'이 속삭였다고 하는 것도 대표적인 편인의 속성인데, 편인의 영향이 강한 사주의 명주는 하루하루 뜬금없는 생각을 하게 되는 경우가 흔하고, 편인이 약하거나 없는 사람에 비해 예상치 못한 통찰이 잦다. 따라서, 전혀 알고 싶지 않았던 것을 잔뜩 알게 되는 경우가 많다. 편인이 일지에 있으면 성격이 우울하고 비관적일 확률이 높으며 배우자 선택 시 부모와 다툼이 있을 확률이 높다. 어쨌든 학식과 연관되어있다는 것에서는 정인과 동일하나, 일간과 동일한 오행/음양을 가진 특성 때문에 관심이 자신에게 집중되어있다는 것이 큰 차이다. 밑에 서술하는 정인이 모성애를 상징한다면 편인은 비뚤어진 사랑 등을 상징한다. 또한 먹을 복을 나타내는 식신(食神)을 극하는 십성이기 때문에 밥그릇을 뒤엎는다는 의미의 도식(倒食)이라는 별명을 가지고 있으며 식신을 무력화 시키는 극악한 상성을 자랑한다. 하지만, 일간, 즉 "나"를 같은 음양으로 생하기 때문에 적절히 배치된 편인은 신강사주를 만드는 순기능을 하기도 하고, 정인과 달리 자기 통찰의 의미가 있으므로 정인이 제공하지 못하는 편인 만의 강점 또한 존재한다. 그리고, 사주에 편인이 없고 편인이 기신인데 편인 운이 오는 경우 재앙이나 다름 없는데, 편인이 이미 있으면 이미 겪어온 것이라 덜 아프다. 정인과 달리 상관을 다스리지 못한다. 대신 정인과 같이 편관 칠살을 설기하고, 그 기운을 "나"에게 넘겨주는 통관이 가능하며 이를 살인상생이라고 한다. 아예 편관이 나를 극하지 못하게 초장에 묵사발 내주는 식신제살에 비하면 훨씬 힘들지만, 편관의 무력을 빌려 쓸 수 있다는 것은 유용한 점. 또, 실용성은 별로 없지만, 상관에 극을 가해 억누르기는 하는데, 이 경우에는 상관의 비판을 관으로 돌리는 것이 아닌 나 자신의 내면을 조사하는 것으로 돌리는 모습이 된다. 정인(正印)은 일간을 생(生)하는 오행으로 음양이 다른 것. 남녀에게 어머니가 된다. 정인이라는 표현 대신 인수(印綬)라고 부르기도 한다. 편인과 달리 헌신적으로 생해주기 때문에 일반적으로 훨씬 좋다. 적어도 이쪽은 나쁘게 작용하더라도 일단 편하니까... 편인은 종잡을 수 없는 방법으로 딱히 나에게 필요하지 않은 것, 혹은 오히려 있어서 좋을 것 없는 것을 냅다 던져주는 반면 정인은 나에게 부족한 것을 찾아 채워주므로 훨씬 길하게 쓰인다. 특히, 흉신 중 하나인 상관과 정인이 조합되면 정인이 상관을 대상으로 칠살이기 때문에 정인이 상관을 극하여 통제하게 된다. 이것을 상관이 인성을 장신구처럼 찼다고 하여 상관패인이라 하며, 인덕으로 선동가인 상관을 다스려 그 관심을 관을 감시하고 조사하는 것으로 돌리는 모습이 된다. 정인 또한 편관을 설기하고 그 기운을 "나"에게 통관시키는 역할을 하기 때문에 편관과 조합되어 살인상생을 성립시킬 수 있다. 편인과는 방식이 꽤 다르며, 정인과 편인 중 어느 쪽이 더 살인상생에 유리한지는 해석마다 꽤 차이가 나는 편이다.

5.5. 용신(用神)

위에서 봤다시피 만세력을 이용하여 본인의 사주 명식을 뽑고, 일간에 맞혀 십성과 십이운성, 신살도 정한 이후에 대운과 세운도 정했다면 도대체 본격적으로 사주를 어떻게 볼까? 이럴 때 도입된 개념이 용신이다. 예를 들어, 앞으로 들어올 운이 재성운이라면 단순히 재운이 있다고 봐야 할까? 관운이 들어온다면 학생은 성적이 올라가고 직장인들은 승진을 거듭할까? 오히려 위의 예상과는 정반대의 현상이 일어날 수도 있고 심지어는 목숨을 잃을 수도 있다. 이러한 현상을 설명해주는 것이 바로 용신이다. 용신을 설명하기에 앞서 먼저 사주학에서 자주 등장하는 용어인 신강(身强), 신약(身弱)이라는 개념을 이해할 필요가 있다. 신강과 신약을 설명하기에 앞서 비겁, 식상, 재성, 관성, 인성에 대해 알아야 한다.

비겁(比劫) : 일간 자체의 오행
식상(食傷) : 일간이 생하게 하는 오행
재성(財性) : 일간이 극하는 오행
관성(官性) : 일간을 극하는 오행
인성(印性) : 일간을 생하게 하는 오행

자, 그렇다면 이제 신강과 신약은 다음처럼 구분한다. 신강은 비겁, 인성의 개수가 식상, 재성, 관성의 개수보다 많을 때이고, 신약은 식상, 재성, 관성의 개수가 비겁, 인성의 개수보다 더 많을 때이다. 신강(身强)은 일간의 오행의 힘이 강한 경우이고, 신약(身弱)은 힘이 약한 경우이다. 보통 사주는 너무 신강하지도 않고 너무 신약한 경우를 좋지 않게 보고, 일간이 강하지도 않고 약하지도 않은 경우를 가장 이상적으로 본다. 여기서 일간과 그 일간의 토대가 되는 오행의 조화를 이뤄주는 사주 성분을 용신(用神)이라고 부른다. 흔히 용신이 정해지면 용신을 생하는 오행을 희신(喜神)이라고 부른다. 반면, 용신을 극하는 오행을 기신(忌神)이라고 부르고, 기신을 생하는 오행을 구신(仇神)이라고 부르며, 이 4가지 경우에 속하지 않는 오행을 한신(閑神)이라고 부른다. 이를 통칭하여 용희기구한이라고 부른다. 보통 용신이나 희신에 속하는 오행(십성/대운/세운/오행이 상징하는 모든 것)은 본인에게 유리하게 작용하나, 기신이나 구신에 속하는 것들은 본인에게 불리하게 작용하고, 한신은 상황에 따라 불리하게도, 유리하게도 작용할 수 있다. 기신을 극하거나 용/희신을 설기하기 때문이다. 즉, 용신은 사주를 해석하는 데에 하나의 기준점으로 작용한다. 이러한 용신을 정하는 방식은 흔히 다섯 가지가 있다.

5.5.1. 억부법(抑扶法)

위에서도 설명했다시피 사주는 지나치게 강하거나 약한 경우를 좋지 않게 보는데, 이렇게 사주의 강약을 조절해주는 오행을 용신으로 삼는 법이다. 예를 들어, 관살이 강하여 사주가 신약한 경우, 관살을 극하는 식상, 관살이 생하는 오행이라 관살의 힘을 자연스럽게 약하게 하는 인성, 혹은 관살과 어찌됐든 상극을 이루는 비겁 중에서 용신을 정하는 것이 억부법이다. 그렇다면 이 3개 중에서 무엇이 용신이 될까? 사주마다 다르다.

5.5.2. 조후법(調候法)

흔히 사주집에 가면 넌 남편이 둘이다, 돈을 손에 쥐고 태어났다 등의 소리를 들을 수가 있다. 이는 남편을 뜻하는 관성, 돈을 뜻하는 재성이 많다는 것을 쉽게 말한 것인데, 이러한 관성, 재성, 비겁 등을 통틀어 십성이라고 부른다. 하지만 십성은 일간이 무엇이냐에 따라 상대적으로 정해졌을 뿐이고, 결국 십성은 오행이 전제된 개념이다. 조후법은 일간의 강약의 중화보다는 오행의 중화를 목표로 삼아 용신을 정하는 방식이다. 예를 들어, 사주에 금수(金水)기운이 너무 많아 차가울 경우, 반대로 따뜻한 오행인 목화(木火) 중 하나를 용신으로 삼는다는 것이다. 흔히 목과 화는 따뜻한 기운이며, 금과 수는 차가운 기운, 토는 그 중간의 기운이다. 보통 억부법과 같이 활용되어, 이 둘을 조합해서 대부분 사주의 용신을 결정하는 데에 쓰인다. 만약 식상, 관성, 재성 중에서 용신을 정해야 할 때, 이들 셋 중에서 사주의 조후도 도와주는 오행이 일반적으로 용신이 된다.

5.5.3. 통관법(通關法)

만약에 한 사주가 서로 상극하는 2가지 오행만으로 이루어져 있으면서 이 둘의 힘이 비슷할 때, 이 둘의 오행을 이어주는 오행을 용신으로 삼는 방식을 통관법이라고 부른다. 예를 들어, 목과 토의 힘이 비슷한 사주가 있을 때, 목이 생하면서 토를 생하는 오행인 화를 용신으로 삼는 것을 통관법이라고 부른다는 것이다. 하지만 이런 사주는 정말로 드물기 때문에, 통관법을 이용하는 경우는 많지 않다.

5.5.4. 병약법(病藥法)

이 방식은 조금 특이한데, 사주의 전체적인 중화를 깨트리는 오행을 병으로 보고 이러한 오행의 힘을 약화시키는 오행을 사주에서 약으로 작용한다고 간주하는 관법이다. 언뜻 보면 무슨 소리겠냐 싶겠지만 사실상 위의 방법과 마찬가지로 오행의 중화를 삼는다는 기준이 있기 때문에 그냥 이런 것이 있구나 정도만 알아도 무방하다. 무언가 "태과" 하거나 "태약"하거나 "막혀버렸거나" 해서 부정적으로 통변되는, 본래의 역할을 정상적으로 수행하지 못하는 글자를 짚고, 그 글자의 역할이 중요한데 그 역할에 방해 요소가 있다면 그 방해 원인을 통찰해 해당 글자를 병약으로 볼지 따지며, 이렇게 문제가 생긴 글자들은 역할이 있음에도 불구하고 되려 사주를 해치는 방해 요소가 되어있거나 무언가 하자가 발생하여 제 역할을 못하고 있는 글자들이다. 이런 문제가 생기는 이유는 대체로 중화가 깨짐으로써 사주가 불안정한 형상이 된 탓이기에, 중화를 해치는 오행을 중점으로 병약의 원인을 추정하는 경우가 많으나, 병약이란, 문자 그대로 병 걸려서 맛탱이 간 글자, 그것도 심지어 명주 자신에게 해악을 발생시키는 부작용까지 내는 글자란 것이다. 즉, 맛이 간 글자는 역할 불문 일단 암덩이이므로 오히려 제해서 억눌러야 한다는 논지로 존재하는 관법이다. 격국에 아무리 중요해도 사람이 건강해야 일이든 뭐든 하지 아프면 아무것도 할 수 없다는 것. 그러니 닥치고 병부터 잡아서 명주부터 회복시킨 후에 격국이든 뭐든 논할 수 있다는 논리가 성립한다.

5.5.5. 전왕법(專旺法)

한 가지 오행이 너무나 강하여 이 오행이나 십성을 극하거나 설기(洩氣)하는 것이 불가능한 경우, 그냥 이 오행이나 십성을 용신으로 삼는 경우이다. 비겁이 너무 강한 사주를 종왕격(從旺格)이라고 부르며, 인성, 식상, 재성, 관성이 강한 사주를 각각 종강격(從强格), 종아격(從兒格), 종재격(從財格), 종살격(從煞格)이라고 부른다. 또한 오행을 기준으로 목기가 너무 강한 사주를 곡직격(曲直格), 화 기운이 너무 강한 사주를 염상격(炎上格), 토 기운이 너무 강한 사주를 가색격(稼穡格), 금 기운이 너무 강한 사주를 종혁격(從革格), 수 기운이 너무 강한 사주를 윤하격(潤下格)이라 부른다. 본래 사주 글자들의 역할 부여와 특히 핵심적으로 길을 터주는 역할인 용신을 잡는 관법은 사회적으로 나에게 주어지는 역할을 나타내며 자연스럽게 내가 취득해 수용한 나의 "포지션"인 격국을 주로 월지에서 잡은 후, 이 격국에 필요한 생극제화를 보고, 격국의 성패를 따져, 그 주어진 격국을 어떻게 보완할지 확인, 최종적으로 사주의 중화(中和)를 목표로 삼아 용신을 결정짓는 것이 관법이다. 그런데, 한가지 오행이 압도적으로 강하다면, 그 오행이 모든 이미지를 다 잡아먹고 있으므로 격국이고 뭐고 논할 여지가 없단 논지로 나온 게 전왕법이다. 격국이고 뭐고 수수수수 화화화화 목목목목 금금금금 토토토토 이런 식으로 도배되어있으면 그게 대세인 걸 부정할 근거를 도통 찾을 수가 없는 게 당연하고, 실제로 이런 명식에서 전왕법을 통하지 않고 격국 잡고 용신 잡았을 때 임상과 모순되는 경우가 많기 때문에 전왕법이 존재한다.

5.6. 격국

사주의 통변에 있어 거의 대부분 상황에서 활용되는 관법이 격국을 잡고, 그 격국에 따라 사주의 8글자가 암시하는 서사를 통찰하여 통변을 도출하는 것이다. 보통 월지의 글자를 기준으로 격국을 잡게 되지만, 예외는 존재하며 관법 차이도 있으나, 어쨌든 월지가 아닌 다른 글자가 격국으로 잡힌다 해도, 일단 월지를 기준점으로 보아 찾는 건 거의 같다. 월지를 격국의 기준점으로 보는 것은 고서들을 비롯해 현대 서적에 이르기까지 아주 많은 이유들이 설명되어 있지만, 단순 무식하게 설명하자면 월주가 사회의 기둥이자 내가 직접적으로 만나는 환경의 물상을 암시하는 기둥이기 때문이다. 내 의지와 무관하게 주어진 나의 사주란 명에서, 내 의지와 무관하게 주어지는 나의 환경이자, 아이러니하게도 나 스스로가 선택한 나의 "배역"을 암시하는 것으로 풀이되며, 아예 대운 자체가 월지에서 발산해 나가는 것이므로 더더욱 그렇다. 따라서 나의 삶의 상황이 과도하게 불만족스럽고 괴롭다면, 나의 격국에 기반해 내 사주를 통찰해봄으로써 왜 불만과 고통이 발생하는지 상당 부분을 찾을 수 있다. (물론 그게 해결 방안이 나온다는 의미는 아니다). 길격은 사회적으로 쉬이 용인되는 "편리한" 역할을 부여받고 또 그런 역할이라고 스스로 인식하게 되기 때문에 길격이라 부른다. 이 격국들은 사회와 직접적으로 "결투"하는 역할이 아니기 때문에, 아무래도 살기 편한 걸 모두 좋아하니까 길하다 보는 것이다. 물론 중화권의 유교 체제 아래에서, 특히 유교 교파 중에서 유독 억압적인 성리학 계파가 반동분자를 너무나 싫어해서 길격을 과대평가한 것은 감안해야 한다. 길격은 정관격, 정재격, 편재격, 정인격, 편인격인데, 편인격은 의외로 길격이다. 명주 본인 입장선 이딴 게 길격이냐는 소리가 나오는데 말이다. 흉격은 길격과 반대로 매우 전투적인 역할을 부여받고 또 그렇게 스스로 인식하게 되므로 흉격이라 부른다. 관, 곧 국가의 입장에서는 매우 불편한 인물이 되기 마련이며, 역할 자체도 굉장히 극적이기 때문에 안정성과는 거리가 멀어 흉격이라

한다. 실제로도 대부분 괴로운 명인 경우가 많다. 양인격은 겁재가 격국으로 잡히는 경우, 건록격은 비견이 격국으로 잡히는 경우, 상관격은 상관이 격국으로 잡히는 경우, 편관격은 편관이 격국으로 잡히는 경우이다. 격국의 성패를 따지는 방법은 여러 가지 차이가 있지만, 기본적으로 격국이 성립되기 위해 반드시 필요한 육친의 존재 여부로 성격 가능성을 본다. 이 육친의 경우 "항상 반드시 필요"하기 때문에 "상신"으로 부르기도 한다. 만약 상신이 없는 경우에는 무조건적으로 파격으로 보며, 그에 맞춰 "적응"할 방안을 찾는 게 좋다. 일단 상신 유무로 성격 가능성을 보고, 제대로 동작할 수 있는 상신이 있다면 생극제화를 따져 격국의 성패를 보는데, 실질적으로 격국이 완벽히 성격될 가능성은 0에 가깝고, 성격이 된다 해도 그게 대박스런 삶을 산다는 의미는 절대 아니다. 단지 격국이 암시하는 역할 수행에 매우 유리한 원국이 주어진다는 것일 뿐이다. 생극제화를 기본으로 삼아 그 관계를 어떻게 통변하냐에 따라 관법이 꽤 극적으로 다른 편이다. 흉격의 경우 길격과 달리 파격된 상황에서 아예 격국이 암시하는 길을 피해가는 경우가 존재하며, 이를 이도라고 한다. 보통, 상신이 아예 없는 경우만을 따지는데, 이때 격국이라는 포지션 자체는 따르지만, 가는 길은 다르게 가게 하는 글자가 있고, 그 글자가 제대로 기능 가능하다면 이도했다고 한다. 여기서 더 나아가 조건이 더 맞아떨어지면, 최종적으로 이도 후 공명했다고 한다. 이도라는 이름에서 보듯 "삐큐 날리고 내 갈 길 가는" 모습이라 할만하다.

5.7. 신살

신살이란, 신+살인데 신은 기본 바탕이 되는 운을 말하며(대체로 좋은 운이 많다) 살이란 흉운을 뜻한다(경우에 따라서 길이 되기도 한다. 예를 들어 연예인에게 도화살이 있는 경우). 이러한 신살들은 사주팔자에 가지고 있다고 해서 무조건적으로 작용하는 것은 아니고 흉한 살도 길하게 작용하면 인생에 도움이 되고 길한 것도 흉하게 작용하면 전혀 그 힘을 쓰지 못한다. 예를 들어 앞에서 언급했듯 도화살이나 홍염살은 주변에 쓸데없이 이성이 꼬여 문제가 생기는 살이지만 연예인에게는 인기와 직결되기 때문에 연예인에겐 길하게 작용할 것이요, 길하다고 하는 각종 귀인들도 해당 글자가 충, 형, 파 되면 작용하지 않는다. 역마살 역시 일반적으로는 일정한 거처 없이 돌아다닌다는 점에선 흉하다고 볼 수 있지만, 돌아다녀야 하는 직장을 가진 사람에게는 길하게 작용하는 대운, 세운에 작용하면 길하게 적용된다. 아래에서 말할 신살을 찾는 방법은 다음과 같다. 예를 들어, 본인의 사주가 다음과 같다고 하자.

	시주(時柱)	일주(日柱)	월주(月柱)	년주(年柱)
천간(天干)	庚	辛	庚	癸
지지(地支)	寅	未	申	酉

위의 간지를 부르는 방식은 다음과 같다.

	시주(時柱)	일주(日柱)	월주(月柱)	년주(年柱)
천간(天干)	시간(詩干)	일간(日干)	월간(月干)	년간(年干)
지지(地支)	시지(詩支)	일지(日支)	월지(月支)	년지(年支)

위 표를 이용하여 위 사주를 표현하자면, '위 사주의 시간은 경금(庚金)이고, 년지는 유금(酉金)이다'라는 식으로 이용한다. 혹은 목화토금수라는 말을 지워서 그냥 경(庚), 유(酉)라는 식으로 불러도 상관없다. 이제 예로 든 사주에 신살 중의 하나인 천을귀인이 있는지를 확인해 보자. 밑에도 적혀 있지만, 설명을 위해 천을귀인을 찾는 표를 나타내자면, 다음과 같이 된다.

일간	갑(甲), 무(戊), 경(庚)	을(乙) 기(己)	병(丙) 정(丁)	신(辛)	임(壬) 계(癸)
천을 귀인	축(丑), 미(未)	자(子) 신(申)	해(亥) 유(酉)	오(午) 인(寅)	사(巳) 묘(卯)

윗줄에 일간이 적혀 있으니, 사주의 일간을 확인해 보자. 일간은 신금(辛金)이다. 그러므로 다음 사주에서는 오화(午火)와 인목(寅木)이 천을귀인이 된다. 다시 사주를 보면, 시지에 인목(寅木)이 있다. 이를 다시 설명하면, 시지에 천을귀인이 있게 된다. 다른 신살도 이와 같이 찾으면 된다. 이런 귀인 및 살의 경우 그 자체만으로 판단하기보다는 전체적인 사주와의 융합을 보고 판단하는 것이 맞는다. 또한 이러한 신살은 사주 해석에 있어서 주축이 되지 못한다. '도화살이 있어서 이 사람은 이성이 많이 꼬이겠네' 가 아니라 '어떤 시기에 무엇이 오겠네'로 해석을 하는데, 신살은 육친, 합충형파, 12 운성보다 해석 우선순위가 낮다.

위키백과에서 가져온 용신

용신(用神)은 사주팔자에 있어서 단점, 약점, 부족한 점을 보완할 수 있는 기운을 말한다. 용신으로는 억부용신(抑扶用神), 조후용신(調候用神), 통관용신(通關用神), 병약용신(病藥用神), 격국용신(格局用神) 등이 있다.

신강과 신약

신강(身强)은 자기 세력(보통 일간(日干)에 있는 천간의 오행을 말한다)과 일치하거나, 길한 영향을 주는 오행이 많은 상태를 말하고, 신약(身弱)은 자기 세력에 흉한 영향을 주는 오행이 많은 상태를 말한다. 사주명리에 있어서는 보통 비겁(比劫)과 인성(印星)이 네 개 이상이면 신강 사주, 두 개 이하이면 신약 사주로 본다. 또한, 비겁과 인성이 세 개이어서 자기 세력과 상대 세력이 4:4로 똑같은 경우도 있는데, 이를 중화(中和)라고 한다. 이때, 중화도 월지(月支)가 일간하고 어떤 십성 관계를 갖느냐에 따라 신강과 신약을 판정하기도 한다.

신(神)의 종류

사주팔자의 구성으로는 사주 원국이 있고, 운이 있다. 사주 원국은 당사자의 생년월일시를 따져서 네 개의 주(柱), 여덟 개의 글자로 나타낸 결과물을 말하며, 이는 곧 명(命)을 말한다. 운으로는 10년마다 오는 대운(大運), 1년마다 오는 세운(歲運), 한 달마다 오는 월운(月運), 하루마다 오는 일운(日運)이 있다. 대운의 경우에는 대운수를 구해 정하며, 세운과 월운, 일운 등은 해당 해와 달, 날의 간지로 운의 간지를 정한다. 이때 어느 운이 오느냐에 따라 사주 원국에 대한 영향이 다르다. 길한 운이 올 수도 있고, 흉한 운이 올 수도 있다. 이를 신(神)이라고 한다. 신에는 크게 다섯 가지가 있다. 사주 원국에 있어서 부족한 점, 약점, 단점 등을 보완해서 좋은 운을 가질 수 있는 신이 있다. 이를 용신(用神)이라고 한다. 또한,

용신을 방해하는 신도 존재하는 데, 이를 기신(忌神)이라고 한다. 용신과 기신을 각각 도와주는 신도 존재하는데 이들이 각각 희신(喜神)과 구신(仇神)이다. 그리고 용신과 기신, 희신, 구신 어느 것도 해당하지 않는 신이 하나 있는데 그것이 바로 한신(閑神)이다. 이때, 다섯 가지의 신도 오행처럼 상생상극(相生相剋)한다. 다섯 가지 신의 상생상극은 다음과 같다.

용생한(用生閑) : 용신은 한가하게, 평화롭게 해준다.

한생구(閑生仇) : 한신은 오래가다가 위기를 처하게 한다.

구생기(仇生忌) : 구신은 방해하는데 한 몫을 한다.

기생희(忌生喜) : 기신은 절호의 기회로 만들기도 한다.

희생용(喜生用) : 희신은 이롭게 하는데 한 몫을 한다.

용신은 희신이 도와주고, 기신은 구신이 도와주기 때문에 희신은 용신을 생하고, 구신은 기신을 생하게 된다.

용극구(用剋仇) : 용신은 방해의 주동자를 처리하려고 한다.

구극희(仇剋喜) : 구신은 용신을 돕는 것을 제거하려고 한다.

희극한(喜剋閑) : 희신은 평범한 것을 넘어 환상적인 것으로 만들려고 한다.

한극기(閑剋忌) : 한신은 평화의 위협을 막으려고 한다.

기극용(忌剋用) : 기신은 용신을 방해하려고 한다.

기신은 용신을 방해하기 때문에 기신은 용신을 극하게 된다.

용신의 종류

용신은 사주 원국의 상황에 따라 각기 다른 용신이 있다. 용신으로는 억부용신, 조후용신, 통관용신, 병약용신, 격국용신 등이 있다. 가장 많이 쓰는 용신이 억부용신과 조후용신이다.

위키백과에서 가져온 용신

억부용신

억부용신(抑扶用神)은 억강부약(抑强扶弱)의 말처럼 강한 것은 억제하고, 약한 것은 돕는 용신이다. 한 오행이 너무 과다하거나, 부족하는 경우도 있는데 이를 각각 태왕(太旺), 고립(孤立)이라고 한다. 태왕은 억제하고, 고립은 돕는 용신이 억부용신이다. 한 가지의 오행이 너무 많거나, 너무 부족하면 오행의 상호 관계에 있어서 깨질 수도 있는데, 이는 다음과 같다.

목(木)이 너무 많을 때

목다화식(木多火熄)이면 나무가 많으면 불은 꺼진다. 나무는 불을 키우지만, 너무 많이 넣으면 산소가 차단되어서 오히려 불이 꺼진다. 목다토경(木多土傾)이면 나무가 많으면 토양은 기울어지고 무너진다. 나무는 흙 안에 뿌리를 두지만, 너무 많은 그루 수의 나무가 있으면 뿌리를 둘 곳이 부족해 무너진다. 목다금결(木多金缺)이면 나무가 많으면 금속은 금이 간다. 금속은 나무를 베지만, 나무줄기가 매우 굵으면 금속은 나무를 쉽게 못 베고 오히려 금이 가거나 녹슨다. 목다수축(木多水縮)이면 나무가 많으면 물이 줄어들어 부족해진다. 물은 나무를 자라게 하는데, 너무 많은 그루 수의 나무가 있으면 물이 없어지고 부족해 나무가 말라죽을 수 있다. 화(火)가 너무 많을 때, 화다목분(火多木焚)이면 불이 많으면 나무는 불에 타서 없어진다. 불은 나무를 태우는데, 큰불이 오면 나무들은 모두 태워져 황폐화가 된다. 화다토조(火多土燥)이면 불이 많으면 토양은 말라진다. 불은 비옥한 토양을 만드는데, 불의 화력이 커지면 비옥한 토양도 모두 말라진다. 화다금용(火多金熔)이면 불이 많으면 금속은 녹아내린다. 불은 쇠를 비롯한 금속을 녹이기 때문에, 불의 화력이 커질수록 금속도 빨리 녹는다. 화다수비(火多水沸)이면 불이 많으면 물이 끓고 증발해 없어진다. 화(火)는 온도가 가장 높은 오행이기 때문에, 불의 화력이 커지면 이에 물도 끓고 증발해 수증기가 된다. 토(土)가 너무 많을 때, 토다목절(土多木折)이면 흙이 많으면 나무는 쉽게 뽑힌다. 나무는 흙 속에 뿌리를 내고 흙은 나무가 떳떳하게 자라나도록 하는데, 토양의 깊이가 너무 깊으면 나무가 쉽게 꺾여지면서 뽑힌다. 토다화회(土多火晦)이면 흙이 많으면 불은 결국 사라진다. 불은 나무를 태우고 금속을 녹이는 특징이 있지만, 흙을 태우지도 녹이지도 못해서 불의 화력은 작아져서 사라진다. 토다금매(土多金埋)이면 흙이 많으면 광물은 깊이 묻어진다. 광물은 땅속에 있기 때문에, 흙이 많이 쌓이면 그만큼 광물도 깊은 곳에 묻어지게 된다. 토다수갈(土多水渴)이면 흙이 많으면 물이 말라든다. 흙은 쌓아서 물을 덮기 때문에, 흙이 많으면 물의 양이 부족해지고 말라든다. 금(金)이 너무 많을 때, 금다목절(金多木切)이면 금속이 많으면 나무는 잘린다. 나무는 금속에 베기 때문에, 금속에 무게가 가면 갈수록, 나무는 잘리기가 쉽다. 금다화식(金多火熄)이면 금속이 많으면 불은 꺼진다. 불은 금속을 녹이지만, 금속이 너무 많으면 산소가 차단되어서 오히려 불이 꺼진다. 금다토변(金多土變)이면 금속이 많으면 흙에 변질이 생긴다. 실제로는 아무런 현상도 생기지 않지만, 금속이나 광물이 주위에 둘러싸여 있으면 흙은 마치 광물로 변질된 것처럼 보인다. 금다수탁(金多水濁)이면 금속이 많으면 물이 흐린다. 물속에 바위가 있으면, 바위는 매우 흐리기 때문에 물도 이에 따라 흐리게 보이며 더불어 물의 길이 막힌다. 수(水)가 너무 많을 때, 수다목부(水多木浮)이면 물이 많으면 나무가 둥둥 떠 있다. 물은 나무를 자라게 하지만, 물이 너무 많으면 나무가 둥둥 떠 있어 거름이 모자라 나무가 썩어 죽는다. 수다화식(水多火熄)이면 물이 많으면 불은 꺼진다. 물은 불을 끄기 때문에, 물이 많으면 불은 순식간에 꺼진다. 수다토붕(水多土崩)이면 물이 많으면 흙이 무너진다. 흙은 물의 흐름에 따라 내려가기 때문에, 물이 너무 많으면 흙이 순식간에 떨어져서 무너진다. 수다금침(水多金沈)이면 물이 많으면 금속은 잠긴다. 금속은 밀도가 물보다 높아 물에 가라앉기 쉽고, 물이 많으면 바위도 물에 잠긴다. 이렇듯이 한 오행이 너무 많으면 아무리 생해주는 관계이더라도 손해를 볼 수도 있고, 아무리 생을 받는 관계이더라도 잘못하면 썩게 만들 수도 있으며, 아무리 극을 받는 관계이더라도 꿋꿋하게 버틸 수도 있다. 반대로 한 오행이 너무 적으면 생해주는 관계이더라도 챙기기가 바쁠 수도 있고, 아무리 극해주는 관계이더라도 그 쓰임새를 잘 활용하기 어려울 수도 있다. 이렇듯이 과다한 것은 억제하고, 과소한 것은 부조하는 용신이 억부용신이다.

나무위키에서 가져온 신살

1. 주요 신살

이들 신살은 대부분 사주를 공부한 점술가들이 이용하는 신살들이다. 어느 정도 알려진 신살들이 있기 때문에, 무속인의 돈벌이의 수단으로 써먹는 경우도 상당히 자주 보인다. 살풀이굿을 하라는 권유를 받을 경우에는 즉시 거절하는 것이 좋다.

천을귀인(天乙貴人) : 옥황상제를 뜻하는 최고의 길신. 좋은 운수가 활짝 열리고 출세하여 부귀공명이 이루어진다. 배치법은 다음과 같다.

일간	갑(甲), 무(戊), 경(庚)	을(乙) 기(己)	병(丙) 정(丁)	신(辛)	임(壬) 계(癸)
천을 귀인	축(丑), 미(未)	자(子) 신(申)	해(亥) 유(酉)	오(午) 인(寅)	사(巳) 묘(卯)

문창귀인(文昌貴人) : 공부를 잘하며 특히 시험운이 좋다. 하지만 다른 글자와 합하면 그 글자를 따른다. 이성운과 합하면 동거를 한다든가 한다. 배치법은 다음과 같다.

일간	甲	乙	丙	丁	戊	己	庚	辛	壬	癸
문창 귀인	巳	午	申	酉	申	酉	亥	子	寅	卯

양인살(羊刃煞) : 날이 살아 숨 쉬는 칼을 뜻하는 신살이다. 기운이 강한 신살로 여기며 이 신살을 품은 글자가 충살이 걸리거나 상충살을 맞을 경우에는 수술수가 들거나 교통사고 수가 있다고 판단하며 최악의 경우에는 사망까지도 따진다.

성격이 강건하다고 보며 의료계, 법조계, 군인등 그야말로 생사를 가르는 직업을 가질 경우에는 이 신살의 기운이 상쇄돼서 좋은 역할을 한다고 본다. 반면에 조직 폭력배나 범죄자의 사주에서도 많이 등장하는 인생이 파란만장한 신살이다. 칼을 어떻게 쓰는지 다를 수 있다.

도화살(桃花煞) : 기본적으로색욕(色慾)을 뜻하는 살. 이성이 끊이지 않고, 또한 유혹에 약하여 쉽게 관계를 한다. 혹은 성관계를 하지 않으면 안 되는 살이라고도 한다. 하지만 도화살이 좋은 작용을 하는 경우에는 연예인이 돼서 이성들에게 많은 인기를 얻을 수도 있을 것이다. 모든 신살들에는 장점과 단점이 존재한다. 장점이 드물긴 하다. 배치법은 다음과 같다.

일지 혹은 연지	인오술 (寅午戌)	신자진 (申子辰)	사유축 (巳酉丑)	해묘미 (亥卯未)
도화살	묘(卯)	유(酉)	오(午)	자(子)

이를 쉽게 외우는 방법은 다음과 같다. 각 삼합의 첫 번째 글자 다음 글자가도화살이 되는 것. 이러한 고대의 배치법과는 달리 자오묘유(子午卯酉) 전체를 도화살로 보는 사람도 있다.

역마살(驛馬煞) : 한 곳에 정착하지 못하고 떠돌게 되는 살. 정착을 중요시하던 고대 농경사회에서는 매우 흉한 살로 여겨졌다. 교통, 통신수단의 발달로 이동이 빈번하고 또 이동 자체에 부담이 적어진 현대에는 여행이나 외국으로의 활동에 유리하다고 여겨지며, 갑자기 이직을 하는 등 예기치 못한 변화가 오는 대신 위험에서 탈출시키는 것으로도 본다. 물론 코로나19와 같은 전염병이 터지면 가장 피 본다

일지 혹은 연지	인오술 (寅午戌)	신자진 (申子辰)	사유축 (巳酉丑)	해묘미 (亥卯未)
역마살	신(申)	인(寅)	해(亥)	사(巳)

삼합의 첫 번째 글자를 충하는 글자가 해당 삼합 지지의 역마살이 된다. 도화살과 마찬가지로 인신사해(寅申巳亥)를 뭉뚱그려 역마살이라고 부르기도 한다.

화개살(華蓋煞) : 화개(華蓋)에는왕이나고관, 잘 나가는기생이 쓰던 화려한 일산(日傘)과 세속을 떠난 화려함을 덮는다는 두 가지의 극단적인 의미가 있다. 화개살 자체가 진술축미(辰戌丑未)의 흙이자 창고 있기 때문이다. 창고에 무엇을 담느냐, 혹은 무엇이 담겨 있느냐에 따라 운명의 변화가 크게 달라지기 마련이다. 이는 화개살의 개성이 기본적으로 예술과 예능에 뛰어난 재능을 가지나, 인생에서 어떤 인복을 만나느냐에 따라 길흉이 크게 달라짐을 특징으로 가지게 되는 것을 뜻한다. 위의 두 살과 마찬가지로 진술축미(辰戌丑未) 모두를 뭉뚱그려 화개살이라고 부르기도 한다.

일지 혹은 연지	인오술 (寅午戌)	신자진 (申子辰)	사유축 (巳酉丑)	해묘미 (亥卯未)
화개살	술(戌)	진(辰)	축(丑)	미(未)

공망살(空亡煞) : 뭘 해도 헛되게 돼버리는 살이다. 길흉 모두가 감소하여 무력화되는 것으로 본다. 도화와 화개처럼 대중적으로 잘 알려진 신살. 나쁘게 작용한다면 배우자도 돈도 있는 듯 없는 듯하게 되는 모습으로 여겨지며, 미련살이라고도 한다. 공망은 오히려 형충파해 될 경우 역으로 무력화되어 공망의 작용이 감소하고 원래의 작용이 복구되는 것으로 본다. 어디로 튈지 모르는 중의적인 살은 종종 공망되는 것이 더 길하다고 여겨진다.

원진살(元辰殺) : 서로 원망하고 화내게 되는 살이다. 서로의 궁합이 원진살이 있을 경우 상당히 좋지 않은 궁합으로 판단한다. 그런데 인연은 억세게도 끈질겨서 서로 떠나갔다가도 엮이게 된다는 살이다. 12 지지를 원형으로 배치했을 때 서로 마주보는 지지가 한 사주에 들어 있다면 원진이 들어있다고 해석한다.

귀문관살(鬼門關煞) : 귀문살(鬼門煞)이라고 부르기도 한다. 귀신이 문을 걸어 잠근다는 뜻으로 정신적으로 이상이 오거나 의심으로 인한 의처, 의부증 그리고 변태기질을 가지게 된다. 종류에 따라서는 두뇌가 비상하다라고 해석이 가능하다. 흔히 비상한 천재를 보고 영적인 능력이 있는 것처럼 묘사하는 것과 비슷하다고 볼 수 있다. 배치법은 다음과 같다. 공망 원진 귀문은 합(合)과 형충파해(刑沖破害)와 더불어 궁합을 볼 때 주로 쓰이는 살이다.

지지	자(子)	축(丑)	인(寅)	묘(卯)	진(辰)	사(巳)	오(午)	미(未)	신(申)	유(酉)	술(戌)	해(亥)
귀문살	유(酉)	오(午)	미(未)	신(申)	해(亥)	술(戌)	축(丑)	인(寅)	묘(卯)	자(子)	사(巳)	진(辰)

백호대살(白虎大殺) : 호랑이에게 물려가는 모습이기 때문에 매우 흉흉한 의미로 여겨져 굳이 대살이라는 이름까지 붙은 살이지만, 정작 과거로부터 지금까지 구체적인 의미는 불명확한 살이다. 그렇게 두루뭉실한 의미를 가지면서도 대살이라고 부를 만큼, 치명성과 무관하게 악랄한 작용을 하는 살로 여겨진다. 흉한 의미로써는 모종의 사고로 피를 흘리거나, 갑자기 악독한 병이 생기거나 하는 식으로 마치 "호랑이에게 물어뜯긴 듯한" 형태로 작용한다. 대살에 걸맞게 일진은 물론 시운까지 따진다. 성립 시 지장간에 없는 글자가 상징하는 것들 위주로 흉한 일이 생긴다고 보며, 예시로 몸에 문제가 생기는 경우 협심증이 생긴다거나, 혓바늘이 돋는 다거나, 구내염이 생긴다거나, 갑자기 머리가 띵하고 눈이 흐려져 버린

다거나 하는 식이다. 공통적으로 여러모로 매우 불쾌하고 악랄한 형태이다. 그래도 운으로 생긴 백호대살이든 사주 자체에 있는 백호대살이든 그 자체로는 크게 문제될 건 아니지만, 안타깝게도 백호대살이 있는 사람은 십중팔구 오만가지 형충, 심지어 삼형 같은 극악한 악운을 가지고 있기 마련이다. 가장 강한 맹수중 하나인 호랑이와 얽히는 모습이니, 동물을 다루거나 도살, 가공하는 직업에 종사하는 직업적 의미를 가지거나, 키우는 동물이 병약하거나 단명하는 식으로 흉살이 되기도 한다. 사고와 같이 매우 나쁜 경우로 볼 때는, 호환은 급작스럽고 폭발적인 사고이기 때문에, 현대로 치면교통사고나 산업재해 같은 급살을 당하는 살이라고도 본다. 사주에 이 살이 있을 경우 호랑이를 상대하고 있는 모습이니, 굉장히 억센 사람으로 보는 경우가 많다. 불난 데 기름 끼얹듯 악랄한 작용을 더해주는 흉살인만큼, 원국상으로 흉운을 잘 견뎌내는 맷집 좋은 원국이 아니면 진작에 비명횡사하는 모양이 될테니 어쩌면 당연한 것. 예전에는 진짜로 호랑이한테 죽는 일이 많았기에, 조합과 상관없이 존재 자체로 굉장한 흉살이었지만, 이제는 맹수가 출몰하는 지역에 사는 게 아니라면 요즘은 맹수에게 물려갈 일은 없다시피한다. 따라서, 대략 성격이 강하고 추진력이 좋은 것이라고 판단하는 경우가 많아졌다. 법조계나 의료계와 같이 논리적/물리적으로 칼을 써야 하는 험한 직업들이 적성에 맞을 수 있다. 갑진(甲辰), 을미(乙未), 병술(丙戌), 정축(丁丑), 무진(戊辰), 임술(壬戌), 계축(癸丑)이 백호살에 속한다.

괴강살(魁罡殺) : 남자에게는 좋은 작용을 하고 여자에게는 남편을 내치는 기운을 심어준다고 하지만 요즘 시대와는 맞지 않는 생각이다. 남녀 불문하고 괴강살을 좋게 쓰는 사주는 추진력과 결단력도 뛰어나다. 물론 성격은 다소 강할 수 있다. 법조계나 의료계와 같이 거친 직업을 가질 경우 적성에 맞을 수 있다. 하지만 범죄자에게도 많이 나타나는 살 중 하나이기도 한다 무술(戊戌), 경진(庚辰), 경술(庚戌), 임진(壬辰)이 괴강살에 속한다. 이 2개의 살이나를 뜻하는 일주(日柱)에 있을 경우, 백호살과 괴강살의 기질과 성격이 두드러진다고 추론한다.

2. 이외 신살

이들 신살은 위의 신살들과는 달리 운명을 추론하는 데 중요도가 떨어지는 신살들이다. 비록 이들 신살들을 애용하는 점술가들도 있겠으나, 위의 신살들처럼 대부분 점술가들이 이용해서 그 존재 가치가 보편적으로 인정된 살들은 아니고 오직 배치법만 알고 있는 점술가들이 적지 않다. 복성귀인(福星貴人)은 인복이 있어 복이 따른다. 금여(金與)는 배우자운이 좋아 좋은 남편, 아내를 맞이할 수 있다. 건록(乾祿)은 평생 굶어 죽을 일은 없고 의지가 굳고 건강함. 관직 또는 봉급 생활에 유리하다. 신살 중심이었던 구법에서는 상당히 중요한 신살이었다. 전근대에 출세라 함은 기본적으로관직에 진출해서 록을 얻는 것이기 때문이다. 하술된 암록을 비롯한 많은 신살들이 건록과의 관계를 바탕으로 성립되었다. 암록(暗祿)은 남들이 모르는 록으로(나라의 녹을 먹는다 할때 그 록) 관직이나 사업의 기반을 튼튼히 한다. 건록과 암합을 하는 지지를 의미한다. 위기에 처했을때 의외의 도움이 들어와 파국을 피하는 작용을 한다고 여겨진다. 경우에 따라서는 정경유착을 통한 미심쩍은 축재나, 부정부패를 통한 불법적 축재의 기회로 보기도 한다. 삼기(三奇)는 외모가 좋고 포부가 크다쯤으로 여겨지나 구체적으로 어떻게 길한지 두루뭉실하다. 매우 희귀한 것으로, 성립을 위해 시일월, 일월년에 순서대로 글자가 있어야 하므로 완전히 성립되는 원국은 굉장히 드물다. 임상 자체가 거의 없어 작용을 추측해보기 어렵고, 저명한 고서적들에도 이론적으로만 다뤄진 게 대부분이다. 육수(六秀)는 깜찍하다 쯤으로 여겨진다. 여명에게는 일종의 색욕 관련 작용으로 보기도 한다. 천의성(天醫星)은 병에 대한 저항성이 강하며 약사 의사 등의 직업이 좋다. 활인(活人)업을 암시한다. 의료계, 사회복지사 등등. 현침살(懸針煞)은 전통적으로 남의 집 삯바느질을 하며 살 운명으로 보았다. 신경과 정신이 예민하고 불면증 등에 쉽게 시달린다. 현대에는 뾰족한 물건, 주사나 칼, 가위, 펜 등을 사용하는 직업인 의료나 언론인. IT 등의 직업을 갖는다라는 해석을 한다. 홍염살(紅艶煞)은 주색에 관한 살 중 하나이다. 도화가 어그로를 끌어오는 작용을 한다면, 홍염은 자신의 주도로 서로를 함께 태워버리는 형태이다. 기본적으로 일주만 따지지만, 구체적인 기준은 책마다 편차가 조금 있는 편이다. 급각살(急脚煞)은 다리를 전다는 뜻. 절름발이가 되거나 다리를 다친다. 골절상을 입는 사고 수로 보는 경우가 많다. 논리적인 사고 수로 본다면, 똑바로 서기 위해 필요한 다리가 부러지니 무언가 물질/정신적 기반이 되는게 파괴되는 것으로도 볼 수 있다. 겁살(劫殺)은 남에게 무언가를 뺏기기 쉽다. 인간이 저항하기 힘든 외부의 강력한 힘에 의해서 결정된다는 의미이다. 겁살이 희(喜)신 또는 용(用)신인 사람은 오히려 겁살운에 외부의 권력으로 남의 몫을 빼앗아 올 수 있다. 다만 그렇다고 하더라도 송사라든지 공사판 같은 아수라장을 피하기 어렵다. 겁살 운에는 집을 짓거나 수리하게되기 쉽다. 그러나 (특히 기신일 경우) 건설 분쟁과 하자가 발생할 가능성이 크다. 겁살이 기신인 사람은 해당 운에는 집을 짓지 않는 것이 좋다. 수옥살(囚獄煞)은 감옥에 갇히거나, 무언가 상황이 꼬여 거기서 벗어나지 못하는 식으로 자유를 제한 당한다. 망신살(亡身煞)은 말 그대로 망신을 당한다. 망신살이 뻗치다 라고 할 때 그 망신살 맞다. 웹상으로도 망신을 당한다. 반안살(攀鞍煞)은 말 안장 위에 올라탄다는 뜻. 공을 세우거나 높은 지위에 오를 운으로 여겨진다. 길하다고 보는 몇 안 되는 살 중 하나. 그러나, 반안살은 미토가 진토를 보는 경우를 제외하고는 반드시 형파되므로, 낙마 같은 나쁜 의미도 잠재되어 있다. 과거로 치면 장교나 기병으로써 소집되는 모습이라고 보면 된다. 음양살(陰陽煞)은 남성이 병자 일주, 여성의 경우에는 무오 일주인 경우에 해당하는 신살입니다. 이성에게 인기가 많은 신살입니다.

위키백과에서 가져온 지장간

지장간(支藏干)은 지지 안에 숨겨져 있는 천간을 말하며, 이는 사주팔자를 볼 때, 4개의 지지를 볼 때 같이 본다. 지장간에는 정기(正氣), 여기(餘氣), 중기(中氣)가 있으며, 지지마다 발생 기운의 정도는 다르다.

지장간의 종류

정기(正氣)

정기는 오행적 위치에 따라 정해진 천간이며, 세 가지의 지장간 중에서는 가장 강한 지장간이다. 지지에는 현재 생지(生支), 왕지(旺支), 고지(庫支)가 있는데, 이는 네 가지의 계절에 각각 생지, 왕지, 고지가 각각 하나씩 있다. 인목(寅木)과 신금(申金), 사화(巳火)와 해수(亥水)는 생지, 자수(子水)와 오화(午火), 묘목(卯木)과 유금(酉金)은 왕지, 진토(辰土)와 술토(戌土), 축토(丑土)와 미토(未土)는 고지이다. 이때, 목은 봄의 기운, 화는 여름의 기운, 금은 가을의 기운, 수는 겨울의 기운을 가지고 있고, 토는 다음 계절로 전환하는 기운을 가지고 있으므로, 봄의 생지는 인목, 봄의 왕지는 묘목, 봄의 고지는 진토가 된다. 각각 지지는 하나의 달이 되기도 하는데, 생지의 기운을 가진 달을 맹월(孟月), 왕지의 기운을 가진 달을 중월(仲月), 고지의 기운을 가진 달을 계월(季月)이라고 한다. 이때 맹월은 각 계절이 새롭게 생하기 때문에 양의 기운을 가지고, 중월은 생을 마치고 쇠하기 때문에 음의 기운을 가진다. 각 지지의 정기는 다음과 같다.

지지	子	丑	寅	卯	辰	巳	午	未	申	酉	戌	亥
계절	겨울		봄			여름			가을			겨울
구분	왕지	고지	생지	왕지	고지	생지	왕지	고지	생지	왕지	고지	생지
정기	癸	己	甲	乙	戊	丙	丁	己	庚	辛	戊	壬

여기(餘氣)

여기는 앞 달(다시 말해 앞의 지지)의 정기로부터 남겨진 기운이다. 각 지지의 여기는 다음과 같다.

지지	子	丑	寅	卯	辰	巳	午	未	申	酉	戌	亥
전지 정기	壬	癸	己	甲	乙	戊	丙	丁	己	庚	辛	戊
여기	壬	癸	戊	甲	乙	戊	丙	丁	戊	庚	辛	戊

이때, 인목과 신금은 앞 지지인 축토와 미토의 정기는 기토(己土)이지만, 해당 지지의 여기는 무토(戊土)이다. 이는 습토(濕土)인 기토가 시간이 지나고 마르게 되어 건토(乾土)인 무토(戊土)의 기운으로 변질됐기 때문이다.

중기(仲氣)

중기는 한자 뜻풀이 그대로 정기와 여기에 버금가는 기운을 말한다. 역학에 의하면 봄의 기운은 앞 계절인 겨울 생지에 태어나 봄 왕지에 가장 왕성하고, 다음 계절인 여름 고지에 기운이 사라진다. 여름의 기운, 가을의 기운, 겨울의 기운도 마찬가지로 봄·여름·가을 생지에 태어나 여름·가을·겨울 왕지에 가장 왕성하고, 가을·겨울·봄 고지에 기운이 사라진다. 각각 지지 별 중기는 다음과 같다. 여기에서 생지인 인목(寅木)과 신금(申金), 사화(巳火)와 해수(亥水)는 다음 계절의 양간이 중기이고, 고지인 진토(辰土)와 술토(戌土), 축토(丑土)와 미토(未土)는 앞 계절의 음간이 중기이다. 그리고 왕지인 자수(子水)와 오화(午火), 묘목(卯木)과 유금(酉金)은 자기 계절의 절정이기 때문에 중기가 없다. 다만, 오화는 기토(己土)의 기운이 있는데, 이는 여름 중간에 비가 오지 않으면, 다음 계절 가을에 결실을 맺지 못하기 때문에 습토인 기토의 기운이 있다.

위키백과에서 가져온 지장간

지지	이전 계절	자기 계절	다음 계절	중기
子	가을	겨울	봄	없음
丑				辛
寅	겨울	봄	여름	丙
卯				없음
辰				癸
巳	봄	여름	가을	庚
午				己
未				乙
申	여름	가을	겨울	壬
酉				없음
戌				丁
亥	가을	겨울	봄	甲

이를 정리를 하면 아래와 같다.

지지	子	丑	寅	卯	辰	巳	午	未	申	酉	戌	亥
여기	壬	癸	戊	甲	乙	戊	丙	丁	戊	庚	辛	戊
중기	없음	辛	丙	없음	癸	庚	己	乙	壬	없음	丁	甲
정기	癸	己	甲	乙	戊	丙	丁	己	庚	辛	戊	壬

지장간의 기운 비(比)

세 가지의 지장간 중에서는 정기의 기운이 가장 강하다. 그다음으로는 여기의 기운이 가장 강하며, 중기의 기운은 약간만 작용한다. 전체를 30으로 보면, 세 지장간의 차지 비중은 다음과 같다.

지지	子	丑	寅	卯	辰	巳	午	未	申	酉	戌	亥
여기	壬	癸	戊	甲	乙	戊	丙	丁	戊	庚	辛	戊
	10	9	7	10	9	7	10	9	7	10	9	7
중기	없음	辛	丙	없음	癸	庚	己	乙	壬	없음	丁	甲
		3	7		3	7	9	3	7		3	7
정기	癸	己	甲	乙	戊	丙	丁	己	庚	辛	戊	壬
	20	18	16	20	18	16	11	18	16	20	18	16

생지인 인목(寅木)과 신금(申金), 사화(巳火)와 해수(亥水)는 여기와 중기는 각각 7일씩, 정기는 16일 동안 각각 지장간의 기운이 온다. 왕지인 자수(子水)와 오화(午火), 묘목(卯木)과 유금(酉金)은 여기는 10일, 정기는 20일 동안 각 지장간의 기운이 온다. 단, 오화의 경우 중기인 기토가 9일 동안, 정기인 정화가 11일 동안 해당 기운이 온다. 고지인 진토(辰土)와 술토(戌土), 축토(丑土)와 미토(未土)는 여기는 9일, 중기는 3일, 정기는 18일 동안 각 지장간의 기운이 온다.

위키백과에서 가져온 지장간

자평진전 본문 해설

서문(序)

予自束髮就傳, 即喜讀子史諸集, 暇則子平《淵海》,《大全》略為流覽. 亦頗曉其意. 然無師授, 而於五行生克之理. 終若有所未得者. 後複購得《三命通會》,《星學大成》諸書, 悉心參究, 晝夜思維, 乃恍然於命之不可不信, 而知命之君子當有以順受其正.

공부한답시고 스스로 머리를 질끈 동여매고(予自束髮就傳), 여러 책을 즐겁게 섭렵하던 중에(即喜讀子史諸集), 틈나는 대로 자평의 연해와 대전이라는 책을(暇則子平《淵海》,《大全》), 대략 살펴보았다(略為流覽). 이때 이 책들의 뜻을 꽤 많이 깨닫게 되었다(亦頗曉其意). 그러나 불행히도 스승의 가르침은 받지 못했다(然無師授). 이런 연유로 오행이 상생하고 상극하는 원리에 관해서는(而於五行生克之理), 끝내 터득하지 못하는 꼴이 되고 말았다(終若有所未得者). 이후에 다시(後複購得), 삼명통회와 성학대성 등의 여러 책을(《三命通會》,《星學大成》 諸書), 깊이 탐구하고(悉心參究), 이를 밤낮으로 사유해본 결과로(晝夜思維), 홀연히 운명을 믿지 않을 수가 없었고(乃恍然於命之不可不信), 이어서 사주 명리를 아는 군자는 당연히 사주 명리(其)의 정석을 순수하게 따라야 한다는 사실도 알게 되었다(而知命之君子當有以順受其正).

戊子歲予由副貢充補官學教習, 館舍在阜城門右, 得交同里章公君安, 歡若生平, 相得無間, 每值館課暇, 即詣君安寓談《三命》, 彼此辯難, 闡民無餘蘊. 已而三年期滿, 僦居宛平沈明府署, 得山陰沈孝瞻先生所著子平手錄三十九篇, 不覺爽然自失, 悔前次之揣摩未至. 遂攜其書示君安, 君安慨然嘆曰. 此談子平家真詮也！

무자년(1768년)에 내가 국자감 학생으로서 부공 자격으로 관학에서 공부하면서 이를 보충했다(戊子歲予由副貢充補官學教習). 이때 관사가 북경의 서쪽에 있는 부성문 우측에 있었고(館舍在阜城門右), 이때 나는 동리, 장공, 군안이라는 세 친구를 얻어서 사귀었고(得交同里章公君安), 이들과 평생토록 막역하고 좋은 사이로 지냈다(歡若生平, 相得無間). 그리고 매번 학과 공부하면서도 틈이 나는 대로(每值館課暇), 군안과 삼명에 관해서 이야기를 나누었고(即詣君安寓談《三命》), 이때는 이에 관해서 아예 끝장 토론을 했다(彼此辯難, 闡民無餘蘊). 이러는 사이에 3년이라는 학교 과정이 끝났고(已而三年期滿), 그리고는 완평 심명부 관아에서 기거하면서 살았다(僦居宛平沈明府署). 이때 나는 산음 심효 선생이 지은 자평수록 39편을 얻어서 읽게 되었고(得山陰沈孝瞻先生所著子平手錄三十九篇), 이어서 나는 너무나 많은 진리를 깨닫지 못하고 있다는 사실 때문에 망연자실하게 되었고(不覺爽然自失), 내 실력이 너무나 모자란다는 점을 여실히 깨달았다(悔前次之揣摩未至). 내가 이(其) 책을 군안에게 보여줬더니(遂攜其書示君安), 군안도 역시 탄식하면 다음과 같이 말했다(君安慨然嘆曰). 이 책이야말로 자평가의 진전이 아닌가 말이다(此談子平家真詮也)!

先生諱燡燔, 成乾隆己未進士, 天資穎悟, 學業淵邃, 其於造化精微, 固神而明之, 變化從心者矣. 觀其論用神之成敗得失, 又用神之因成得敗, 因敗得成, 用神之必兼看於忌神, 與用神先後生克之別, 並用神之透與全, 有情無情, 有力無力之辨, 疑似毫芒, 至詳且悉. 是先生一生心血, 生注於是, 是安可以淹沒哉!

산음 심효 선생의 본명은 역번이었고(先生諱燡燔), 건륭 기미년(1739)에 진사가 되었다(成乾隆己未進士). 선생은 타고난 자질이 우수했고(天資穎悟), 학업도 깊었고(學業淵邃), 이때 따라서 그 조화도 아주 날카로웠다(其於造化精微). 그리고 지식도 해박했고 명료했다(固神而明之). 그리고 세상의 변화에 진심을 따랐다(變化從心者矣). 그리고 선생(其)의 논리를 관찰하다 보면(觀其論), 용신을 사용할 때는 에너지(神) 득실의 성패를 고려했고(用神之成敗得失), 또한 용신은 성공으로 인해서 패를 얻기도 하고(又用神之因成得敗), 패로 인해서 성공을 얻기도 한다고 했다(因敗得成). 그리고 용신은 반드시 기신과 함께 고려해야 한다고도 했다(用神之必兼看於忌神). 더불어 용신의 선후에 따라서 상생과 상극이 달라진다고 했다(與用神先後生克之別). 용신이 투간하거나 더불어 온전하게 되면(並用神之透與全), 유정과 무정(有情無情), 유력과 무기력의 변에 따라서(有力無力之辨), 아주 작은 의심스러운 변수도(疑似毫芒), 상세하게 두루 살폈다(至詳且悉). 그래서 이(是) 책은 선생이 일생토록 심혈을 기울여서(是先生一生心血), 자기의 모든 것을 여기에 쏟아부은 역작이다(生注於是). 그래서 이런(是) 귀중한 책이 어찌 묻혀야만, 되겠는가 말이다(是安可以淹沒哉)!

君安爰謀付剞劂, 為天下談命者, 立至當不易之准, 而一切影響游移管窺蠡測之智, 俱可以不惑. 此亦談命家之幸也. 且不談命家之幸, 抑亦天下士君子之幸, 何則? 人能知命, 則營競之可以息, 非分之想可以屏. 凡一切富貴窮通壽夭之遭, 皆聽之於天, 而循循焉各安於義命, 以共勉於聖賢之路, 豈非士君子厚幸哉!

이때 군안은 이를 인쇄할 방법을 모색하였다(君安爰謀付剞劂). 그러나 천하에 하나밖에 없는 사주 명리를 논한 책을 발행하는 일은(為天下談命者), 당연히 쉬운 일은 아니었다(立至當不易之准). 그래서 좁은 소견에 따라서, 이 책이 영향을 받지 않게 하는 지혜(智)가 절대적으로 필요했다(而一切影響游移管窺蠡測之智). 그래야만 이 책에 관해서 한 점의 의혹도 없게 할 수 있었다(俱可以不惑). 그리고 이런 책을 발행하는 일은 어쩌면 사주 명리를 전공하는 사람들에게는 행운이기도 했다(此亦談命家之幸也). 또한, 이런 좋은 책을 발행하는 일은 사주 명리를 전공하지 않은 사람에게도 행운이다(且不談命家之幸). 이는 또한 천하의 사군자들에게도 행운이다(抑亦天下士君子之幸). 왜 그럴까(何則)? 그 이유는 사람이 능히 자기의 운명을 안다는 사실은(人能知命), 경쟁하면서 살아가는 세상에서 휴식을 가질 수 있고(則營競之可以息), 자기의 분수 이상의 욕심은 거둘 수도 있기 때문이다(非分之想可以屏). 일반적으로 부귀와 천수를 가로지르는 원리를 알고, 이를 만난다는 것은(凡一切富貴窮通壽夭之遭), 모두 다 하늘의 원리를 경청한다는 뜻이며(皆聽之於天), 이는 결과적으로 인간 각각이 자기의 정당한 사주 명리를 따라서 순리대로 편안하게 산다는 것을 말한다(而循循焉各安於義命). 그리고 사군자들이 이런 하늘의 뜻을 알게 되면, 공공의 선을 아는 성현의 길을 성실히 따르게 될 것이고(以共勉於聖賢之路), 그러면, 이는 사군자들에게 두터운 덕이 아니고 뭐겠는가(豈非士君子厚幸哉)!

觀於此而君安之不沒人善, 公諸同好, 其功不亦多乎哉? 愛樂序其緣起. 乾隆四十一年歲丙申初夏同後學胡焜倬空甫謹識.　　。

이 책을 발행하는 일을 이런(此) 관점(觀)에서 바라보게 되면, 군안은 타인의 선이 묻히지 않게 함으로써(觀於此而君安之不沒人善), 모두를 만족하게 만들었다(公諸同好). 그러면, 이 공이 어찌 적다고 하겠는가(其功不亦多乎哉)? 그래서 이에 대한 서문을 즐거운 마음으로 쓴다(愛樂序其緣起). 건륭 41년(1776) 병신년 초여름 동리 후학 호흔탁 운보가 삼가 아뢰니다(乾隆四十一年歲丙申初夏同後學胡焜倬空甫謹識).

제1장 10 천간과 12 지지를 논하다(論十干十二支)

제1장 10 천간과 12 지지를 논하다(論十干十二支)

天地之間, 一氣而已. 惟有動靜, 遂分陰陽. 有老少, 遂分四象. 老者極動靜之時. 是為太陽太陰. 少者初動初靜之際, 是為少陰少陽. 有是四象, 而五行具於其中矣. 水者, 太陰也. 火者, 太陽也. 木者, 少陽也. 金者, 少陰也. 土者, 陰陽老少. 木火金水衝氣所結也.

하늘과 땅 사이에 존재하는 모든 공간에는(天地之間), 오직 하나의 에너지만이 존재하고 있을 뿐이다(一氣而已). 이 에너지는 태양계 아래 존재하는 모든 공간을 에너지로 가득하게 만든다. 그리고 이 에너지의 보유 정도에 따라서 움직(動)이는 경우와 움직이지 않는(靜) 경우가 있는데(惟有動靜), 이를 음양이라고 구분(分)해서 따를 뿐이다(遂分陰陽). 즉, 자유전자라는 에너지를 보유하게 되면, 양(陽)이 되고, 보유하지 않게 되면, 음(陰)이 된다는 뜻이다. 그리고 에너지는 물체에 동력을 제공하므로, 에너지를 보유하게 되면, 물체는 동적(動的)인 상태가 되고, 아니면 정적(靜的)인 상태가 된다. 그리고 우리는 에너지의 상태를 이렇게까지만 유추할 뿐이다. 여기서 하나의 에너지(一氣)를 태극(太極)으로 해석하는데, 이도 역시 맞는 말이다. 보통은 태극에서 음양이 갈라져 나오게 되는데, 이때는 태극(太極)이라는 에너지로서 자유전자가 붙게 되면, 양(陽)이 되고, 아니면, 음(陰)이 된다. 그래서 태극이 음양을 결정하는 인자가 된다. 즉, 자유전자가 음양을 결정하는 인자가 된다. 이 문제는 본 연구소가 발행한 전자생리학을 참고하면 된다. 이를 최첨단 현대과학은 산(陽)과 알칼리(陰)로 표현한다. 측정 기술이 최첨단으로 발전했다고 자부하는 지금도 눈에 보이지 않는 에너지인 자유전자의 실체를 실제로 직접 볼 수도 없고, 손으로 잡을 수도 없다. 그래서 태극도 인간이 볼 수 없다. 우리는 이를 전기(電氣)라는 이름으로 잘 이용하고 있다. 그리고 이런 눈에 보이지 않는 에너지를 연구하는 학문이 바로 양자역학(量子力學)이다. 그래서 눈에 보이지 않는 에너지인 음양을 기반으로 한 사주 명리를 공부하려면, 눈에 보이지 않는 에너지를 연구하는 학문인 양자역학(量子力學)은 자동으로 필수가 된다. 그래서 양자역학으로 우리가 숨 쉬는 대기(大氣)를 살펴보게 되면, 우리는 마치 물고기가 물속에서 헤엄치며 살아가는 모습과 똑같게 된다. 즉, 인간은 에너지라는 물속에서 살고 있다는 뜻이다. 더불어 인간의 기능도 이런 에너지를 이용해서 작동하고 있다. 이는 인체를 가동하는 에너지가 ATP가 아니라는 사실을 말하고 있다. 이는 또한 태양계 아래 존재하는 모든 생명체는 눈에 보이지 않는 에너지로 작동한다는 뜻이기도 하다. 이는 또한 생명체란 에너지 덩어리라는 사실을 말하고 있기도 하다. 사실 양자역학으로 우리가 사는 태양계를 바라보게 되면, 태양계 아래 존재하는 모든 존재(存在)는 에너지 그 자체에 불과하다. 이는 아인슈타인이 한마디로 명쾌하게 정의해주었다. 즉, E(에너지)=mc^2(질량)이다. 즉, 질량은 곧 에너지 그 자체라는 뜻이다. 이는 인간이 대기(大氣)라는 에너지와 서로 에너지로 교감(交感)한다는 뜻으로 다가간다. 이는 또한 엄청나게 큰(大) 에너지(氣)인 대기(大氣)는 자동으로 인체라는 조그만 에너지 덩어리를 에너지로 간섭한다는 뜻으로 다가가기도 한다. 즉, 인간은 대기라는 에너지의 장(Field:場) 안에 갇혀 살고 있다는 사실을 말하고 있다. 최첨단 문명 안에서 살고 있다고 자부하는 우리는 너무나 문명인(文明人)이라서 이런 에너지의 바다를 모르고 살고 있다. 그러나 쥐와 같은 미물은 에너지의 변동으로 인해서 발생하는 지진이 발생하기도 전에 미리 대피한다. 그래서 지진 때 쥐는 살고 사람은 죽는다. 이것이 우리가 자부하는 문명인(文明人)의 무식(無識)한 민낯이다. 그러나 몇천 년 전에 최첨단 양자역학(量子力學)을 터득한 미개인(未開人)으로서 우리의 조상들은 인간이 에너지의 장(Field) 안에서 살고 있다는 사실을 명확히 알고 있었다. 그러면, 우리는 문명을 복원해가고 있을까? 아니면, 발전시켜가고 있을까? 물론 판단은 독자 여러분의 몫이다. 추가로 너무나 문명화(文明化)된 문명인(文明人)인 우리는 이런 사주 명리를 미신(迷信)으로 치부하고 있다. 이는 우리가 양자역학(量子力學)보다 수준이 훨씬 떨어지는 고전물리학(古典物理學)에 파묻혀서 살고 있으므로 인해서 발생한 대참사이다. 눈에 보이지 않는 에너지를 연구하는 양자역학과는 다르게 고전물리학은 겨우 눈에 보이는 현상을 쫓기에도 벅차다. 이러니 사주 명리라는 미신(美神)이 미신(迷信)이 안 되면, 그게 더 이상할 것이다. 그리고 인체가 대기(大氣)와 에너지로 대화한다는 사실은 보통 문제가 아니다. 이 문제는 대기라는 에너지를 누가 간섭(干

涉)하느냐로 다가간다. 그러면, 이 문제의 영역은 태양계 전체로 넓어진다. 그러면, 자동으로 이 문제는 지구에서 만들어지는 사계절(四季節)의 에너지 문제로 넓어진다. 그러면, 사계절의 눈에 보이지 않는 에너지를 누가 조절하고 간섭하느냐로 이어진다. 이 시점에서 음양이라는 에너지를 조절하고 간섭하는 오행(五行)이 등장하게 된다. 물론 이 오행은 하늘에 떠 있는 천체인 오성(五星)이 만들어낸다. 여기서 오성은 목화토금수를 말한다. 여기에 태양(太陽)까지 추가하면, 육기(六氣)가 된다. 이때 화는 태양을 말하는 군화(君火)와 화성을 말하는 상화(相火)로 구분된다. 이때 나온 단어가 오운육기(五運六氣)이다. 그래서 오운육기를 인체의 에너지를 간섭하는 대표적인 에너지가 된다. 그리고 이들은 사계절을 만들게 된다. 그리고 인간은 이 사계절의 에너지를 피해 갈 수가 없다. 이는 또한 아주 재미있는 현상을 만들어낸다. 이는 동물들이 임신하는 시기를 보면 된다. 이때 동물은 정확히 사계절의 에너지에 따라서 임신이 조절된다. 그러면, 자동으로 왜라는 질문이 던져진다. 이 문제는 상당히 복잡한 문제라서 별수 없이 본 연구소가 발행한 전자생리학을 참고하라는 말밖에는 할 수가 없다. 이 문제를 한마디로 요약하자면, 에너지는 생명체의 교배, 수정, 탄생, 성장, 성숙, 노화, 죽음을 모두 통제한다는 사실로 다가간다. 즉, 생명체는 에너지의 노예가 된다. 즉, 에너지는 인체를 가지고 논다. 즉, 인체를 포함해서 생명체는 에너지의 놀이터가 된다. 한마디로 에너지는 무소불위의 존재이다. 그리고 우리는 이 에너지처럼 무소불위의 존재를 신(神)이라고 부른다. 그래서 동양에서는 에너지를 신(神)이라고 부른다. 그러면, 자동으로 동양에서 나오는 문명을 설명할 때는 무조건 신(神)이라는 단어가 어김없이 등장하게 된다. 그래서 동양의학인 황제내경에도 신(神)이 등장하고, 동양 종교가 된 불교에서도 신(神)의 개념이 등장하고, 한국의 대종교에서도 신(神)이라는 단어가 등장하고, 동양 철학인 사주 명리에서도 자동으로 신(神)이라는 단어가 등장하고, 관상에서도 신(神)이라는 단어가 등장하게 된다. 그래서 동양 문명을 해석하면서, 신(神)을 모르게 되면, 절대로 동양 문명에 접근할 수가 없게 된다. 물론 사주 명리에서도 신(神)이 에너지(氣)라는 사실을 모르게 되면, 사주 명리의 정확한 해석은 물 건너가게 된다. 그리고 이것이 지금 우리가 맞닥뜨리고 있는 현실이다. 즉,

눈에 보이지 않는 에너지를 논하는 사주 명리의 핵심 중에서 핵심이 신(神)인데도 불구하고, 사주 명리를 해석하는 사람 중에서 단 한 명도 신(神)이 에너지(氣)라고 말하는 사람이 없다는 뜻이다. 이는 자동으로 사주 명리의 원래 취지를 왜곡하고 말았다. 이를 종합해보게 되면, 사주 명리는 인체 에너지(energy) 보고서(報告書)라는 사실이다. 물론 이때 인체의 에너지는 눈에 보이는 ATP가 아니라, 눈에 보이지 않는 에너지인 신(神)으로서 자유전자이다. 그리고 이 에너지의 구조는 일생토록 변하지 않는다. 그러면, 자동으로 인체에서 일생토록 변하지 않는 인자가 무엇일까? 라는 의문으로 다가간다. 이는 최첨단 현대의학이 잘 규명해 놓았다. 이는 바로 그 유명한 DNA이다. 그리고 DNA는 음이온 덩어리이다. 여기서 음이온이란 자유전자를 흠뻑 머금고 있는 물질을 말한다. 즉, DNA는 에너지 덩어리이다. 이는 태양계 아래 존재하는 모든 물질은 에너지 그 자체($E=mc^2$)라는 사실을 알면, DNA가 에너지 덩어리라는 사실은 그리 낯설지 않을 것이다. 그리고 에너지는 또한 정보(情報)의 도구이기도 하다. 이는 USB가 평소에는 정보(情報)를 옮기는 도구이지만, USB는 또한 전기라는 에너지(energy)를 충전하는 도구라는 사실이 여실히 증명해주고 있다. 결국에 DNA는 생체 에너지 정보 저장고가 된다. 그리고 이런 DNA는 평생토록 거의 변하지 않는다. 그러나 이런 DNA도 골격은 유지하지만, 안에 수록된 정보 일부는 변하게 되는 경우가 생긴다. 그리고 우리는 이를 연구하는 학문을 후성유전학(後成遺傳學:epigenetics) 또는 후생유전학(後生遺傳學)이라고 말한다. 이 후성유전학의 특징은 DNA의 구조는 그대로 두고서, DNA에 수록된 정보 일부만 변한다는 점이다. 이는 일란성 쌍둥이가 태어난 뒤에 서로 다른 환경에서 자라게 되면, 운명이 전혀 다르게 바뀌는 운명의 장난에서 잘 보여주고 있다. 이 시점에서 동양에서는 사주 명리가 등장한다. 그것도 몇천 년 전에 말이다. 즉, 사주 명리는 DNA라는 인체의 에너지 정보를 기반으로 해서, 후성유전(後成遺傳)을 통해서 인간의 운명을 일란성 쌍둥이처럼 바꿀 수 있다는 점이다. 이것이 바로 사주 명리가 존재하는 이유이다. 그리고 이 후성유전(後成遺傳) 인자(Factor)의 역할을 하는 인자가 바로 용신(用神)이다. 그래서 사주 명리에서 용신이 핵심이 된다. 즉, 용신은 인체 에너지 정보를 바꾸는 인자라는 뜻이다. 여기서 용신(用神)은 에너지(神)를 이용(用)한다는 뜻이다. 그러면, 이 문제는 자동으로 인체의 에너지와 우주의 에너지가 서로 교감(交感)한다는 사실로 다시 회귀한다. 그러면, 자동으로 인체 안에 에너지 조절자(調節者:Controller)가 존재한다는 사실로 다가간다. 이 시점에서 에너지는 자유전자(自由電子)라는 사실을 아는 일이 핵심이 된다. 그리고 이 자유전자는 산성 물질(酸性物質)이라는 담체(Carrier)를 이용한다는 사실도 또한 중요하다. 그리고 이런 산성 물질이 과잉되면, 이를 처리해주는 인체 기관이 오장(五臟)이라는 사실은 사주 명리의 마지막 퍼즐을 풀어준다. 즉, 우리가 사주 명리를 배우는 이유는 우리의 타고난 운명을 바꾸자는 취지 때문이다. 즉, 이것이 사주 명리가 존재하는 이유이다. 그러면, 자동으로 사주 명리를 배우는 사람은 동양의학을 배우는 일이 또 하나의 핵심이 된다. 이를 거꾸로 말하자면, 동양의학을 전공한 한의사는 특히 사주 명리에 통달해야만 한다는 사실로 다가간다. 어차피 질병은 인체의 에너지가 발병시키기 때문이다. 그러면, 자동으로 인체의 타고난 에너지를 점검하는 일은 건강에서 필수가 되고 만다. 그러면 자동으로 동양의학은 에너지 의학이 되고 만다. 어차피 인간이라는 생체는 에너지의 노예이니까, 이는 너무나도 당연한 일일 것이다. 그러나 현실은 최첨단 현대의학의 농간(弄奸)으로 인해서, 에너지와 인체는 서로 분리된 존재로 살게 된다. 여기에 설상가상으로 인체를 포함해서 생체의 에너지는 ATP라는 헛소리까지 추가하면서, 동양의학과 동양 철학은 미신(迷信)이 되고 말았다. 그러면, 인체가 어머니 뱃속에서 성장할 때 어떻게 음양오행이라는 눈에 보이지 않는 에너지의 영향을 받을까? 이는 에너지의 특성 때문이다. 앞에서 이미 말했지만, 에너지는 생명체의 교배, 수정, 탄생, 성장, 성숙, 노화, 죽음을 모두 통제한다는 사실에 방점(傍點)이 찍힌다. 즉, 인체의 에너지가 인체를 만들 때, 음양오행이라는 우주의 에너지가 이 인체 에너지를 간섭한다는 사실이다. 그러면, 이때는 자동으로 인체가 엄마 뱃속에서 만들어질 때, 어떤 음양오행의 에너지가 간섭했느냐는 질문으로 자연스럽게 흘러간다. 그런데, 하늘에서 발산되는 오운육기라는 에너지는 연(年)에 따라서 다르고, 월(月)에 따라서 다르고, 날(日)에 따라서 다르고, 시간(時)에 따라서 다르게 된다. 그러면, 여기서 아주 자연스럽게 자동으로 연월일시(年月

日時)라는 사주(四柱)가 나오게 된다. 즉, 사주는 에너지(energy) 보고서(報告書)가 된다는 뜻이다. 그런데, 인체가 에너지를 통해서 만들어질 때는 에너지라는 자유전자가 땅에서 만들어지는 물질에 의존해서 인체라는 물질을 만든다는 사실이다. 그러면, 이때는 자동으로 땅의 에너지를 사주에 포함시키는 일은 당연한 일이 될 것이다. 그러면, 사주는 자동으로 하늘의 에너지를 말하는 천간(天干)과 땅의 에너지를 말하는 지지(地支)로 구성될 수밖에 없게 된다. 즉, 하늘이 공급한 에너지인 자유전자는 땅이 만든 물질과 상호 작용함으로써 인체가 만들어진다는 뜻이다. 이는 자동으로 사주 문장을 여덟 글자로 만들게 한다. 지구라는 땅에는 중력이라는 에너지와 대기라는 에너지가 존재하는데, 이 중력 에너지와 대기의 에너지도 오운육기의 영향을 받아서 수시로 변동하게 된다. 그러면 중력과 대기로서 땅의 에너지도 연월일시(年月日時)에 따라서 변동하지 않을 수 없게 된다. 결국에 천간과 지지는 연월일시(年月日時)에 따라서 다르게 된다. 그리고 이 모든 정보는 자동으로 DNA에 기록되고, 이어서 보관된다. 여기서 아주 중요한 사실은 눈에 보이지 않는 이 정보를 인간의 눈으로는 파악이 불가하다는 사실이다. 그래서 자평진전은 이를 두고 다음과 같이 말하고 있다. 우리는 이렇게 눈에 보이지 않는 에너지를 오직 동정만 유추할 수 있을 뿐이며(惟有動靜), 이를 음양이라고 구분해서 따를 뿐이다(遂分陰陽). 이제 용신 문제로 다시 가보자. 용신(用神)의 핵심은 에너지(神)를 이용(用)해서, 에너지의 중재자(仲裁者)가 되는 것이다. 그래서 용신이 기능을 잘하게 되면, 사주는 자동으로 좋게 된다. 그러나 용신이 없으면, 자동으로 사주는 망하게 된다. 여기서 용신(用神)은 오행(五行)으로 표시된다. 즉, 모든 오행이 용신으로 쓰인다는 뜻이다. 문제는 이 용신을 인위적으로 만들어낼 수가 있다는 사실이다. 이 말은 사주 명리를 인체의 에너지로 연결하지 못하게 되면, 황당하게 들리게 된다. 즉, 사주 명리가 인체의 에너지 보고서라는 사실을 모르게 되면, 이는 황당한 이야기가 되고 만다. 그러면, 어떻게 인체의 에너지를 인위적으로 조정할 수 있단 말인가? 이는 인체의 에너지가 산성 물질에 실려서 유통된다는 사실에 그 기반을 두고 있다. 그리고 에너지를 실은 산성 물질이 과잉되면, 이들은 인체를 괴롭히기 시작한다. 이것을 보고 우리는 질병(疾病)이라고 말한다. 인체는 아프면, 자동으로 망한다. 즉, 인체가 병들면, 사주는 자동으로 망한다는 뜻이다. 그러면, 사주가 망하지 않게 하기 위해서는 용신이라는 에너지 중재자를 이용해서 인체의 에너지를 조절해줘야만 한다. 이는 인체 안에서 과잉 산을 조절해주는 오장(五臟)의 문제로 자동으로 흘러간다. 그러면, 여기서 의문이 든다. 즉, 인체의 오장(五臟)은 어떻게 오행(五行)과 에너지로 소통할까? 답은 양자역학에서 말하는 공명(共鳴:Resonance)에 있다. 이는 자동으로 같은 파장(波長)을 요구한다. 그리고 이때, 이 파장(波長)의 주인공은 색깔(色)이다. 색깔은 파장 그 자체라는 사실을 상기해보자. 그리고 오행이라는 에너지를 만들어내는 목화토금수라는 오성은 각각 청적황백흑(靑赤黃白黑)이라는 고유의 색깔을 보유하고 있다. 이 문제는 본 연구소가 발행한 황제내경 소문을 참고하면 자세히 살펴볼 수 있다. 그리고 인체 안에서 산성 물질을 조절해서 에너지를 조절하는 오장은 자기들이 고유로 처리하는 고유의 물질이 있다. 그리고, 이 고유의 물질은 각각 고유의 색깔을 보유하고 있다. 즉, 간은 파랗게(靑) 표현되는 담즙과 정맥혈을 통제하고, 심장은 빨간(赤) 혈색소를 보유한 혈액을 통제하고, 비장은 노란(黃) 색소를 보유한 빌리루빈을 통제하고, 폐는 하얀(白) 색으로 표현되는 이산화탄소가 만들어내는 중조를 통제하고, 신장은 검은(黑) 색소를 보유한 유로빌린(Urobilin)을 통제한다. 이는 자동으로 오장이 오성의 색깔과 공명을 통해서 서로 대화하게 만든다. 우리는 이를 두고 인체는 우주와 에너지로 대화한다고 말한다. 이는 정확히 맞는 말이다. 물론 이때 에너지는 사람의 눈에는 안 보인다. 그리고 우리는 지금까지 눈에 보이는 현상을 이해하기에도 벅찬 고전물리학의 시각으로 이처럼 눈에 보이지 않는 에너지를 이해해왔다. 결국에 이는 눈에 보이지 않는 에너지를 탐구하는 사주 명리를 미신(迷信)으로 만들고 말았다. 이를 다시 이해하게 되면, 눈에 보이지 않는 에너지를 연구하는 양자역학을 모르는 상태에서 눈에 보이지 않는 에너지를 연구한 사주 명리를 살펴보게 되면, 사주 명리의 이해는 물 건너가게 된다는 뜻이다. 그리고 이것이 현재의 현실이다. 다시 용신의 문제로 가자. 그러면, 우리가 용신을 인위적(人爲的)으로 만들 수 있다는 말은 자동으로 오장(五臟)의 문제로 흘러간다. 즉, 용신(用神)의 문제는 오장(五臟)의 문제가 된다는 말이다. 그러면, 용신이 우리의 사주를 바꾸어서 우리의 운명을 바꾸게 되는데, 오장은 어떻게 우리의 운명을 바꿀까? 라는 문제로 다가간다. 이는 오장이 분비하는 호르몬에 답이 있다. 최첨단 현대의학이 인체는 호르몬의 노예라고 말한다는 사실을 상기해보자. 분비된 호르몬은 반드시 산성 물질로서 오장이 과부하에 걸리면 분비된다. 간은 각종 신경 호르몬을 분비하고, 심장은 세로토닌이라는 기쁨 호르몬을 분비하고, 비장은 위장을 자극하는 각종 호르몬을 분비하고, 폐는 도파민이라는 행복 호르몬을 분비하고, 신장은 공포 호르몬인 아드레날린을 분비한다. 그리고 오장이 분비하는 이 호르몬들은 인체의 행동을 바꿔버린다. 그리고 이런 행동은 자동으로 당사자의 운명을 바꿔버린다. 그러면, 자동으로 이런 호르몬을 분비하는 오장을 다스려주게 되면, 자동으로 운명도 바뀌게 된다. 이것이 인위적(人爲的)인 용신의 개념이다. 그래서 사주 명리는 우리가 잘못 알고 있는 사실과는 다르게, 숙명론(宿命論)이 아니라 개명론(改命論)이다. 그러나 사주 명리를 인체의 생리와 연결하지 못하게 되면, 이는 자동으로 숙명론이 되고 만다. 그리고 이는 서양의 우성학(優性學)으로 이어지고 만다. 그러나 정확한 사주 명리는 모두가 다 우월적(優越的)인 존재로 살게 해준다. 그래서 사실 사주 명리를 보는 이유는 용신을 알기 위해서이다. 그래서 사주 명리에 좋은 용신으로서 인체 에너지 조절자가 없다는 말은 인체의 에너지를 조절하는 해당 오장의 역할이 너무 약하다는 뜻이 된다. 그러면, 이때는 해당 오장의 기능을 향상시켜주게 되면, 이 사람의 행동이 바뀌면서, 운명도 따라서 자동으로 바뀌게 된다. 이 문제는 양자역학 개념을 정확히 알고 있어야만 마음에 와닿게 된다. 그러나 고전물리학의 식견에 얽매이게 되면, 이때는 비난과 조롱 내지는 비웃음밖에는 나오지 않게 된다. 이는 물론 전제가 있다. 먼저 사주 여덟 글자를 어떻게 정확히 뽑아내느냐의 문제와 이어서 어떤 오장의 상태가 약한가를 정확히 알아내야만 한다는 전제 말이다. 그런데, 여기서 아주 재미있는 사실은 어떤 오장이 문제가 있느냐를 알게 되면, 이때는 사주 명리를 볼 필요가 없다는 사실이다. 이는 간단히 동양의학을 통해서, 해결이 가능하기 때문이다. 이보다 더 중요한 사실은 음양이론을 완벽하게 알게 되면, 오장도 필요 없고, 동양의학도 필요 없어진다. 이들은 모두 인체의 음양을 맞추기 위한 도구에 불과하기 때문이다. 사실 눈에 보이지 않는 에너지를 말하는 음양이론만 알게 되면, 건강을 가지고 놀 수 있게 된다. 다시 본문을 보자. 이 에너지의 보유 정도에 따라서 움직(動)이는 경우와 움직이지 않는(靜) 경우가 있는데(惟有動靜), 이를 음양이라고 구분해서 따를 뿐이다(遂分陰陽). 그리고 이 에너지는 노소를 보유하게 되는데(有老少), 이에 따라서(遂) 4가지 형태로 구분된다(遂分四象). 그리고 노(老)라는 상태는 에너지가 극도(極)로 동적(動)이거나 극도(極)로 정적(靜)일 때를 말한다(老者極動靜之時), 즉, 노(老)는 극(極)을 말한다. 즉, 노(老)는 에너지 상태의 변곡점(極)을 말한다. 즉, 에너지가 극도로 동적이면, 그다음 수순은 정적으로 되기 때문이고, 에너지가 극도로 정적이면, 그다음 수순은 동적으로 되기 때문이다. 이때 에너지가 극도로 동적일 때(時)는 태양(太陽)을 만들고, 극도로 정적일 때(時)는 태음(太陰)을 만든다(是為太陽太陰). 그리고 소(少)라는 상태는 에너지의 상태가 동(動)적인 상태로 옮겨갈 초기(初) 즈음(際)을 말하고, 정(靜)적인 상태로 옮겨갈 초기(初) 즈음(際)을 말한다(少者初動初靜之際). 그러면, 이때는 자동으로 각각 소음과 소양을 만든다(是為少陰少陽). 즉, 에너지의 상태가 동(動)적인 상태로 옮겨갈 초기(初) 즈음(際)에는 음(陰)이 약(少)해져서 소음(少陰)이 되고, 정(靜)적인 상태로 옮겨갈 초기(初) 즈음(際)에는 양(陽)이 약(少)해져서 소양(少陽)이 된다는 뜻이다. 이는 너무나도 당연한 말이다. 그래서 노(老)는 최고의 극점을 말하고, 소(少)는 최저의 극점을 말한다. 그러면, 자동으로 소음 다음에는 태양이 나오게 되고, 소양 다음에는 태음이 나오게 된다. 이는 사계절을 말하고 있다. 그래서 에너지는 이런(是) 4가지 형태(象)를 가지게 되는데(有是四象), 오행은 모두 이들(其) 가운데에서 행동한다(而五行具於其中矣). 그리고 이를 오성이 만들어내는 오행으로 표시하게 되면, 차가운 수성이 만들어내는 수라는 오행은(水者), 태음이 되고(太陰也), 뜨거운 화성이 만들어내는 화라는 오행은(火者), 태양이 되고(太陽也), 따뜻한 목성이 만들어내는 목이라는 오행은(木者), 소양이 되고(少陽也), 쌀쌀하고 건조함을 만들어내는 금성이 만들어내는 금이라는 오행은(金者), 소음이 된다(少陰也). 그리고 차가운 에너지를 수증기에 퍼부어서 비나 눈을 만들어내는 토성이 만들어내는 토라는 오행은(土者), 음양의 노소에 속하게 된다(陰陽老少). 즉, 토는 음양의 극단(老)과 음양 반등의 초기(少)를 섞어 논 상태이다. 그래서 토는 목화금수라는 사계절의 에너지와 충돌(衝)해서 맺힌(結) 결과물을 만들게 된다(木火金水衝氣所結也). 즉, 오행에서 토는 비와 눈을 만든다. 이는 눈과 비는 토성이 제공하는 차가운 에너지가 만들어낸다는 사실을 말하고 있다. 그리고 눈과 비는 결정(結晶)이라는 사실을 상기해보자. 그래서 여기서 나온 충기(衝氣)와 소결(所結)이라는 단어는 상당히 중요한 뜻을 보유한다. 이는 궁통보감의 오행론과 비교된다.

有是五行, 何以又有十干十二支乎? 蓋有陰陽, 因生五行, 而五行之中, 各有陰陽. 即以木論. 甲乙者, 木之陰陽也. 甲者, 乙之氣. 乙者, 甲之質. 在天為生氣, 而流行於萬物者, 甲也. 在地為萬物, 而承兹生氣者, 乙也. 又細分之, 生氣之散布者, 甲之甲, 而生氣之凝成者, 甲之乙. 萬木之所以有枝葉者, 乙之甲, 而萬木之枝枝葉葉者, 乙之乙也. 方其為甲, 而乙之氣已備. 及其為乙, 而甲之質乃堅, 有是甲乙, 而木之陰陽具矣.

이렇게 오행이 있는데(有是五行), 어찌 또 10 천간이 있고, 12 지지가 있단 말인가요(何以又有十干十二支乎)? 이들은 모두 음양을 가지고 있고(蓋有陰陽), 그로 인(因)해서 오행이 생겨난다(因生五行). 음양으로 구성된 간지(干支)를 오행으로 나누는 사실을 말하고 있다. 이렇게 나누어진 오행 안에(而五行之中), 각각은 음양을 보유하게 된다(各有陰陽). 예를 들자면, 목을 말할 때(即以木論), 갑을이라는 목은(甲乙者), 목의 음양이 된다는 뜻이다(木之陰陽也). 이때 갑목은(甲者), 을목의 에너지(氣)가 되고(乙之氣), 을목은(乙者), 갑목의 내용물(質)이 된다(甲之質). 이는 갑목은 에너지를 말하고, 을목은 갑목의 에너지를 받아서 보관할 수 있는 알칼리를 말한다. 여기서 에너지는 신(神)인 자유전자를 말한다. 이를 다시 표현해보게 되면, 을목은 눈에 보이는 물질(質)을 말하고, 갑목은 눈에 보이지 않는 에너지(氣)를 말한다. 물질(質)은 에너지(氣) 덩어리라는 사실을 상기해보자. 이는 최첨단 현대과학을 말하고 있다. 즉, 모든 물질은 에너지(氣)와 이 에너지를 끌어안고 있는 알칼리(陰) 물질로 구성되게 되는데, 그러면, 이 물질은 산성(陽)으로 변하게 된다. 여기서 자유전자라는 에너지를 품고 있는 산성 물질은 양(陽)이 되고, 이 에너지를 품기 전에 알칼리 물질은 음(陰)이 된다. 그러면, 자동으로 음양의 결정은 에너지인 기(氣)가 하게 된다. 그래서 기(氣)가 붙으면 양(陽)이 되므로, 기(氣)를 양(陽)으로 표현하고 있다. 그러면, 갑을이라는 목에서 갑목은 기를 보유하고 있으므로, 양(陽)이 되고, 을목은 기를 보유하지 않고 있으므로, 음(陰)이 된다. 이를 다시 표현하자면, 기를 가진 양(陽)은 에너지(氣)로 보고, 에너지를 품는 음(陰)은 물질(質)로 본다. 다시 본문을 보자. 원래는 하늘(天)에 존재(在)했지만, 생체로 유입되면서 생체의 기운인 생기(生氣)를 만든(在天為生氣), 만물에 흐르고 있는(流行) 기운은(而流行於萬物者), 갑목이다(甲也). 원래 에너지(氣)라는 자유전자는 하늘에서 태양이 폭발하면서 만들어지는 에너지이다. 그리고 이들이 땅으로 내려와서 알칼리 물질로 흡수되면, 이들은 생체의 생기(生氣)가 된다. 참으로 대단하다. 이는 완벽한 양자역학의 개념이기 때문이다. 여기서 생체의 생기론(生氣論)이 등장하게 된다. 참고로 이 생기론은 ATP라는 가짜 에너지 이론을 철저히 부정하므로, 서양 주류 과학자들은 생기론이라는 말만 들어도 알레르기 반응을 보인다. 그래서 하늘에서 내려온 자유전자라는 에너지는 땅(地)에 존재(存)하는 알칼리 물질과 만나서 만물(萬物)을 만들게(爲) 된다(在地為萬物). 즉, 하늘에 존재하던 에너지가 땅에 존재하게 되면, 이 에너지는 만물을 만들게(爲) 된다는 뜻이다. 이 문제는 에너지가 만물을 지배한다는 논리로 가게 된다. 이 문제는 본 연구소가 발행한 전자생리학을 참고하면 된다. 그리고, 이런 자유전자라는 에너지를 받아서(承) 생기로 무성(茲)하게 만드는 인자가(而承茲生氣者), 알칼리로서 을목이 된다(乙也). 여기서 을목은 인간이 눈으로 볼 수 있는 물질(質)을 말한다. 이는 또다시 세분되는데(又細分之), 에너지를 보유한 갑목이 만들어내는 생기가 퍼지게(散布) 되면(生氣之散布者), 이 생기라는 에너지는 에너지를 보유한 갑목이라는 또 다른 갑목을 만들어내게 된다(甲之甲). 그리고 이 갑목은 생기를 받아주는 알칼리 물질과 엉켜서(凝成) 반응하게 되면(而生氣之凝成者), 이때는 갑을이라는 눈에 보이는 하나의 물질로 변하게 된다(甲之乙). 그리고 많은(萬) 목(木)이 가지와 잎을 소유하게 되면(萬木之所以有枝葉者), 이는 을목이라는 알칼리 물질이 갑목이라는 에너지를 끌어안고 있는 상태가 된다(乙之甲). 이는 자유전자라는 에너지가 성장인자라는 사실을 말하고 있다. 이는 일차(一次) 에스터(Ester) 작용을 말하고 있기도 하다. 추가로 많은(萬) 목(木)이 가지와 잎을 엄청나게 보유하고 있게 되면(而萬木之枝枝葉葉者), 이때는 갑목이 준 생기를 끌어안은 을목과 을목이 만나는 경우가 된다(乙之乙也). 이때(其)는 갑목을 상대방(方)으로서 동반자로 만든 상태이다(方其為甲). 그러면, 이때 을목은 갑목이 준 생기를 이미(已) 받아들여서 구비(備)한 상태가 된다(而乙之氣已備). 즉, 이때는 사람의 눈에 보이는 물질이 만들어진 상태가 된다. 이는 또한 음양이 서로 만난 상태가 된다. 즉, 사람의 눈에 보이는 물질은 음양이 만나서 반응한 결과물이라는 뜻이다. 이는 하나의 물질과 다른 하나의 물질이 합쳐져서 더 큰 물질을 만든다는 사실을 말하고 있기도 하다. 즉, 이는 다중(多重) 에스터(Ester) 작용을 말하고 있다. 이때는 앞의 일차 에스터 때 만들어진 물체(枝葉)보다 더 큰 물체(枝枝葉葉)가 만들어진다. 이때 을목이 만든 물질들은 이미(已) 생기를 보유(備)한 상태가 된다(而乙之氣已備). 여기(其)에 을목이라는 알칼리 물질이 추가되면(及其為乙), 갑목은 여기에 생기를 공급해서 알칼리 물질(質)인 을목을 더 견고하게 해준다(而甲之質乃堅). 이렇게 갑을이라는 목을 모두 보유하게 되면(有是甲乙), 이때는 목이 음과 양을 모두 구비하게 된다(而木之陰陽具矣). 이는 실제로는 알칼리라는 음과 에너지라는 양이 만나서 하나의 물질이 만들어지는 과정을 말하고 있다. 이 부분은 전자생리학을 모르게 되면, 해석이 엉망이 되고 만다. 여기서 놀라운 사실은 어떻게 몇천 년 전에 이런 사실을 알았냐는 점이다. 이는 완벽한 양자역학이다.

何以複有寅卯者, 又與甲乙分陰陽天地而言之者也. 以甲乙而分陰陽, 則甲為陽, 乙為陰, 木之行於天而為陰陽者也, 以寅卯而陰陽, 則寅為陽, 卯為陰, 木之存乎地而為陰陽者也. 以甲乙寅卯而統分陰陽, 則甲乙為陽寅卯為陰, 木之在天成象而在地成形者也. 甲乙行乎天, 而寅卯受之. 寅卯存乎地, 而甲乙施焉. 是故甲乙如官長, 寅卯如該管地方. 甲祿於寅, 乙祿於卯, 如府官之在郡, 縣官之在邑, 而各司一月之令也.

그런데 어찌 된 일로 또다시(複) 인묘라는 목이 있단 말인가(何以複有寅卯者). 땅(地)의 인묘라는 목은 하늘(天)의 갑을이라는 목과 또다시 더불어서 음양으로 나누어진다고 말할 수 있다(又與甲乙分陰陽天地而言之者也). 하늘에서는 갑을로서 음양을 분류하고(以甲乙而分陰陽), 이때 갑목은 양이 되고(則甲為陽), 을목은 음이 되면서(乙為陰), 하늘에서 운행(行)하는 목에 대한 음양이 만들어지게 된다(木之行於天而為陰陽者也). 그리고 땅에서는 인묘로서 음양을 분류하고(以寅卯而陰陽), 이때 인목은 양이 되고(則寅為陽), 묘목은 음이 되면서(卯為陰), 땅에 존재하는 목에서 음양이 만들어진다(木之存乎地而為陰陽者也). 이때 다시 갑을이라는 목과 인묘라는 목을 가지고 음양의 통일적 분배를 하자면(以甲乙寅卯而統分陰陽), 갑을이라는 목은 양인 하늘에 있으므로 양이 되고(則甲乙為陽), 인묘라는 목은 음인 땅에 있으므로 음이 된다(寅卯為陰). 그리고 하늘에 존재하는 목인 갑을은 에너지인 징후(象)를 만들고(木之在天成象), 땅에 존재하는 목인 인묘는 물체의 겉으로 보이는 형체(形)를 만든다(而在地成形者也). 이는 앞에서 양인 갑목이 에너지 역할을 하고, 음인 을목이 형체의 역할을 했던 경우와 비교된다. 즉, 양은 에너지를 공급하고, 음은 이를 받을 수 있는 알칼리를 제공한다는 뜻이다. 다시 본문을 보자. 양인 갑을은 하늘이라고 부르는 곳에서 운행하고(甲乙行乎天), 인묘는 갑을이라는 에너지를 받아서 수용하게 되고(而寅卯受之), 음인 인목은 땅이라고 불리는 곳에서 존재하고(寅卯存乎地), 갑을은 하늘에서 땅으로 에너지를 베풀게(施) 된다(而甲乙施焉). 인간이 사는 태양계 아래 이 세상의 모든 존재는 무조건 에너지라는 양과 알칼리라는 음으로 이루어지는데, 양인 에너지는 하늘에 있는 태양이 공급하고, 땅에 있는 알칼리는 이 에너지를 받아서 물체를 완성시키게 된다. 다시 본문을 보자. 그래서 이때는 천간의 갑을이 중앙 부서 장관이라면(是故甲乙如官長), 지지의 인묘는 이 장관이 돌봐야만 하는 지방이다(寅卯如該管地方). 이는 에너지를 주는 하늘과 이를 받아서 물체를 만드는 땅을 비유적으로 표현하고 있다. 에너지는 생존의 도구라는 사실을 상기해보자. 그래서 이때 양인 갑목은 양인 인목에 에너지를 공급해서 덕(祿)을 베풀게 되고(甲祿於寅), 음인 을목은 음인 묘목에 에너지를 공급해서 덕(祿)을 베풀게 된다(乙祿於卯). 이때 양인 인목은 부관으로서 군에 존재하고(如府官之在郡), 음인 묘목은 현관으로서 읍에 존재하면서(縣官之在邑), 이 둘 각각은 한 달의 에너지인 월령을 다스리게(司) 된다(而各司一月之令也). 하늘의 에너지가 땅을 통제하는 일은 너무나 당연하다.

甲乙在天, 故動而不居. 建寅之月, 豈必當甲? 建卯之月, 豈必當乙? 寅卯在地, 故止而不遷. 甲雖遞易, 月必建寅. 乙雖遞易, 月必建卯. 以氣而論, 甲旺於乙. 以質而論, 乙堅於甲. 而俗書謬論, 以甲為大林, 盛而宜斬, 乙為微苗, 脆而莫傷, 可為不知陰陽之理者矣. 以木類推, 餘者可知, 惟土為木火金水衝氣, 故寄旺於四時, 而陰陽氣質之理, 亦同此論. 欲學命者, 必須先知干支之說, 然後可以入門.

그리고 에너지를 보유한 갑을은 하늘에 존재하면서(甲乙在天), 동력인 에너지를 보유한 관계로 계속해서 움직(動)이게 되고, 이어서 일정한 한곳에 머물지(居) 않게 된다(故動而不居). 에너지는 동력(動力)이라는 사실을 상기해보자. 그리고 양인 인목이 해당 달의 에너지를 통제하는 월건이 되면(建寅之月), 어찌하여 반드시 양인 갑목과 상대(當)해야만 하나요(豈必當甲)? 또한, 음인 묘목이 해당 달의 에너지를 통제하는 월건이 되면(建卯之月), 어찌하여 반드시 음인 을목과 상대(當)해야만 하나요(豈必當乙)? 이는 60갑자에서 천간과 지지의 짝을 만들 때 음음(陰陰), 양양(陽陽)의 짝을 말하고 있다. 이렇게 음음, 양양의 짝만 허용되는 이유는 아주 간단하다. 이들 모두는 에너지 문제이므로, 음과 양이 만나면 중화되어버리기 때문이다. 예를 들어서 양인 갑목과 음인 묘목이 만나게 되면, 이 둘은 음양으로 만나서 중화되어버린다. 다시 본문을 보자. 동력을 제공하는 에너지가 없는 인묘는 땅에 존재하면(寅卯在地), 동력이 없어서 멈추어(止)있는 상태여서 하늘로 올라가지는 않는다(故止而不遷). 이는 땅은 하늘이 주는(給) 에너지를 받아(受)들이는 알칼리라는 사실을 말하고 있다. 즉, 땅에 있는 전자가 부족한 알칼리가 하늘이 주는 자유전자를 받아들이는 사실을 말하고 있다. 더 쉽게 말하자면, 전자가 부족한 케톤기가 자유전자를 받아서 알콜기(수산기)가 되는 사실을 말하고 있다.

이때 순수 케톤은 동력인 자유전자가 없는 관계로, 활동성이 없지만, 이 케톤에 동력인 자유전자가 흡수되어서 알코올기(수산기)가 만들어지게 되면, 이때 케톤은 동력을 얻었으므로, 휘발해서 날아가 버린다. 이는 여성들의 매니큐어를 지우는 아세톤을 상각하면, 아주 쉽게 이해가 갈 것이다. 이때는 당연히 알칼리는 자유전자라는 동력이 없으므로 정지(止)해서 머무(居)는 상태가 되고, 자유전자라는 에너지는 동력을 보유하고 있으므로, 당연히 활동(動)적이면서 한곳에 머물지 않게(不居) 된다. 참으로 대단하다. 이는 완벽한 양자역학의 개념이다. 다시 본문을 보자. 모름지기 양인 갑목은 양인 인목과 서로 쉽게(易) 떨어질(遞) 수 있으므로(甲雖遞易) 즉, 이 둘은 양과 양이라서 서로 밀어내면서 쉽게 달라붙지 않고 쉽게 떨어지게(遞) 되므로 즉, 이 둘은 서로 합쳐지지 않고 떨어져서(遞) 각자 자기의 정체성을 발휘할 수 있으므로, 이때 갑목을 맞이하는 월건(月建)은 반드시 인목을 내세우게 된다(月必建寅). 앞에서도 말했지만, 음과 양이 서로 만나게 되면, 이 둘은 중화되고, 이어서 다른 물질이 되고 말면서, 자기들 고유의 정체성을 잃고 만다. 그러면, 똑같은 원리로 모름지기 음인 을목은 음인 묘목과 서로 쉽게(易) 떨어질(遞) 수 있으므로(乙雖遞易), 이때 을목을 맞이하는 월건(月建)은 반드시 묘목을 내세우게 된다(月必建卯). 그래야 서로 중화되어서 없어지지 않게 된다. 이를 에너지(氣)를 이용(以)해서 논하자면(以氣而論), 에너지를 보유한 갑목은 알칼리를 보유한 을목을 만나야만, 하나의 물질이 완성되고, 이어서 중화되어서 죽지 않고 존재 자체가 왕성해진다(甲旺於乙). 이를 알칼리가 만들어내는 기질(質)을 이용해서 논하자면(以質而論), 에너지는 없지만, 질량을 만들 수 있는 알칼리인 을목은 에너지를 보유한 갑목을 만나야만 하나의 물질이 완성되면서 견고해진다(乙堅於甲). 이런 현상에 관해서 속세의 책에서 전해지는 말이 있다(而俗書謬論). 성장인자인 에너지를 보유한 갑목을 이용(以)하게 되면, 이때는 성장인자 덕분에 당연히 큰 숲을 만들게(爲) 되고(以甲為大林), 이어서 이 숲이 너무 왕성(旺)하게 되면 즉, 이 숲이 너무 울창(旺)하게 되면, 이때는 당연히(宜) 과도하게 울창한 숲은 베어내야 하고(盛而宜斬), 성장인자인 에너지가 없는 을목은 아주 여린 묘목(微苗)을 만들게 되고(乙為微苗), 이 어리디어린 묘목은 위태로워지기 쉬워서, 상처받지 않게 돌봐야만 한다(脆而莫傷). 이런 설명은 옳기는(可) 하지만, 당연히 음양이라는 원리(理)를 모르고서 한 말이다(可為不知陰陽之理者矣). 즉, 이는 음양이론을 설명한 것이 아니라는 뜻이다. 그리고 음음, 양양이라는 천간과 지지의 짝을 만들 때, 지금은 목만 예로 들었지만, 나머지 오행도 원리는 이와 똑같다. 즉, 목의 이 원리를 유추(類推)해보게 되면(以木類推), 나머지(餘) 오행의 이 원리도 알게 될 것이다(餘者可知). 즉, 60갑자를 만들 때 천간과 지지의 짝을 음음(陰陰), 양양(陽陽)으로 하라는 뜻이다. 그러나 오직 토만은 목화금수와 만나서 충기(衝氣)를 만든다(惟土為木火金水衝氣). 이 토는 12 지지의 목화금수가 통제하는 사계절에 기생(寄)해서 왕성하게 된다(故寄旺於四時). 이는 12 지지를 오행으로 만들 때 토가 붙박이(寄)가 되는 현상을 말하고 있다. 즉, 수인 해자축(토), 목인 인묘진(토), 화인 사오미(토), 금인 신유술(토)로서 토가 붙박이(寄)가 되는 현상을 말하고 있다. 이때 토를 충기(衝氣)라고 하는데, 대부분은 이 충기라는 개념을 제대로 모르고 있다. 이는 앞에서 소개한 궁통보감(窮通寶鑑)의 토론(土論)을 참고하면 된다. 이는 천간에서 충기와 지지에서 충기가 다른 개념을 가지게 된다. 지지에서 충기는 지지에서 토가 해당 계절의 기운을 보유하면서 나타나게 된다. 그러면, 자동으로 지지에서 토인 축진미술은 천간에서 토의 성질과는 다르게 각각 다른 에너지를 보유하게 된다. 그래서 궁통보감의 토론에서 보면, 지지에서 다른 오행과 만나서 충돌(衝)하는 경우가 자동으로 생기게 된다. 다시 본문을 보자. 지금까지 기술한 이것이 음과 양을 만들 때, 양은 에너지인 기(氣)가 되고, 음은 물체의 기질(質)이 되는 원리이다(而陰陽氣質之理). 이 이론도 역시 토에도 그대로(同) 적용된다(亦同此論). 토에도 음양이 있다는 사실을 상기해보자. 즉, 천간과 지지의 토가 서로 60갑자의 짝을 만들 때는 음음, 양양만이 허용된다는 뜻이다. 그래서 속세에 있는 사람들이 명리학을 배우고자 한다면(欲學命者), 이때는 반드시 간지(干支)의 이론을 먼저(先) 알아야만 한다(必須先知干支之說). 그런 연후에야 일반인은 명리학에 입문(入門)이 가능해진다(然後可以入門).

제2장 음양생극을 논하다(論陰陽生剋)

제2장 음양생극을 논하다(論陰陽生剋)

四時之運, 相生而成, 故木生火, 火生土, 土生金, 金生水, 水複生木, 即相生之序, 循環迭運, 而時行不匱. 然而有生又必有克, 生而不克, 則四時亦不成矣. 克者, 所以節而止之, 使之收斂, 以為發洩之機, 故曰. 天地節而四時成. 即以木論, 木盛於夏, 殺於秋, 殺者, 使發洩於外者藏收內, 是殺正所以為生, 大易以收斂為性情之實, 以兌為萬物所說, 至哉言乎! 譬如人之養生, 固以飲食為生, 然使時時飲食, 而不使稍飢以待將來, 人壽其能久乎? 是以四時之運, 生與克同用, 克與生同功.

사계절의 운행은(四時之運), 상생에 따라서 완성된다(相生而成). 즉, 사계절은 목화토금수인데, 이들을 순서대로 하면, 상생이 되고, 이는 앞 계절의 에너지를 뒷 계절이 이어받는다는 뜻이 된다. 그래서 목의 에너지는 화의 에너지를 만들어주고(故木生火), 화의 에너지는 토의 에너지를 만들어주고(火生土), 토의 에너지는 금의 에너지를 만들어주고(土生金), 금의 에너지는 수의 에너지를 만들어주고(金生水), 수의 에너지는 다시 목의 에너지를 만들어준다(水複生木). 즉, 이것이 사계절의 상생의 질서이다(即相生之序). 이는 사계절의 질서 정연한 순환(循環)을 말하고 있다. 이렇게 순환(循環)하는 사계절의 에너지 운행이 순서대로 번갈아서(迭) 운행되면(循環迭運), 사계절의 운행은 궤멸하지 않게 된다(而時行不匱). 그리고 이런 사계절의 에너지 운행은 또한 자연(然)스럽게 반드시 상극을 만들어낸다(然而有生又必有克). 그리고 사계절의 에너지가 상생(生)하기만 하고, 상극(克)하지 않아도(生而不克), 사계절은 역시 제대로 완성되지 않게 된다(則四時亦不成矣). 여기서 상극이라는 뜻은, 예를 들자면, 여름과 겨울이 뚜렷하게 대조(克)되는 경우를 말한다. 그래서 계절에서 상극이라는 현상은(克者), 상대방의 에너지를 끊어서(節) 중지시키므로(所以節而止之), 결국에 다른 에너지로 수렴(收斂)하게 만든다(使之收斂). 이 의미를 에너지로 설명하자면, 겨울은 여름을 상극하는데 즉, 차가운 수는 뜨거운 화를 상극하는데, 이때 둘이 상극으로 만나게 되면, 이 둘은 서로 중화되어서 다른 에너지로 수렴하게 된다. 즉, 상극의 결과는 전혀 다른 에너지를 만든다는 뜻이다. 이는 에너지 담체(機)에서 에너지를 누설(洩)하는 것이기 때문이다(以為發洩之機). 즉, 에너지는 서로 상극하게 되면, 서로 에너지를 누설(洩)해서 다른 에너지 형태로 변하게 된다는 뜻이다. 그래서 다음과 같은 옛말이 있다(故曰). 천지의 에너지가 잘 조절되면, 사계절은 제대로 완성된다(天地節而四時成). 이를 목론을 이용해서 설명하자면(即以木論), 목이라는 나무는 여름에는 열에너지를 받아서 왕성하게 자라게 되고(木盛於夏), 가을에는 쌀쌀하고 건조한 가을 에너지를 받아서 성장을 멈추게(殺) 된다(殺於秋). 여기서 살이라는 말은(殺者), 외부로 에너지가 누설되어서 성장하도록 하기보다는(使發洩於外者), 에너지를 거두어(收)들여서 내부(內)에 저장(藏)하는 행위를 말한다(藏收內). 이는 완벽한 양자역학(量子力學)을 말하고 있다. 이는 가을에 나무가 성장을 멈추고 잎이 지면서, 씨앗이 든 열매를 맺는 사실을 말하고 있다. 전자생리학으로 씨앗이 든 열매를 보게 되면, 열매는 에너지 그 자체가 되기 때문이다. 그래서 가을에 열매에 모아둔 에너지는 봄에 새싹이 틀 때 영양분이 된다. 그래서 여기서 살(殺)은 죽인다는 뜻이 아니라 열매를 얻는다(殺)는 뜻이다. 살(殺)에는 얻는다(殺)는 뜻도 있다는 사실을 상기해보자. 다시 본문을 보자. 그래서 이런 살(殺)이 정상(正)적으로 만들어(生)지게 되면(是殺正所以為生), 이때는 에너지가 아주(大) 쉽게(易) 열매 안으로 수렴(收斂)해서 열매(實)의 씨앗(性情)이 된다(大易以收斂為性情之實). 이는 가을을 만드는 서쪽(兌)의 에너지를 이용(以)해서 만물이 요구하는 바(所說)를 만드는 일이다(以兌為萬物所說). 이것이 만물의 지극한 원리가 아니겠는가(至哉言乎)! 이를 사람의 양생에 비유하자면(譬如人之養生), 오직 먹는 것이 살로 간다고 해서(固以飮食為生), 매시간 먹게만 한다면(然使時時飮食), 이는 자동으로 장래에 소화시키면서 기다리는 시간을 주지 않게 되고(而不使稍飢以待將來), 그러면 사람이 이를 영구히 하면서 장수할 수 있겠는가(人壽其能久乎)? 씨앗을 만드는 계절의 쉬는 시간의 중요성을 말하고 있다. 그래서 이런(是) 원리는 사계절의 운행에서도 그대로 적용되는데(是以四時之運), 이때는 상생이 상극과 더불어(與) 똑같(同)이 이용된다(生與克同用). 그리고 상극도 상생과 더불어 똑같이 공을 세우게 된다(克與生同功). 여기서 상극은 계절의 뚜렷한 구별을 말한다.

然以五行而統論之, 則水木相生, 金木相克. 以五行之陰陽而分配之, 則生克之中, 又有異同. 此所以水同生木, 而印有偏正. 金同克木, 而局有官煞也. 印綬之中, 偏正相似, 生克之殊, 可置勿論. 而相克之內, 一官一煞, 淑慝判然, 其理不可不細詳也.

그래서 오행을 이용해서 상생과 상극을 종합적으로 살펴보자면(然以五行而統論之), 수와 목은 서로 상생하고(則水木相生), 금과 목은 서로 상극한다(金木相克). 그런데, 이때 오행의 음양을 여기에 분배해보게 되면(以五行之陰陽而分配之), 상생과 상극하는 와중에도(則生克之中), 또한 음양이 같은(同) 오행이 있기도 하고, 다른(異) 오행이 있기도 한다(又有異同). 이는 서로 상생, 상극하는 오행이 음양으로 구분되므로, 총 4가지 경우의 수가 만들어지기 때문이다. 이런 이유로 똑같은 수가 목과 상생하지만(此所以水同生木), 음양의 차이에 따라서 다른 인성(印星)을 만들 수 있어서, 인성(印)은 편인(偏)과 정인(正)으로 나누어지게 된다(而印有偏正). 즉, 똑같은 상생 관계이지만, 음양에 따라서 전혀 다른 효과를 만든다는 뜻이다. 즉, 수의 에너지는 목의 에너지를 만들어주면서, 서로 상생하지만, 수의 에너지를 받은 목이 수가 주는 양의 에너지를 받게 되면, 다른 효과를 만들어내고, 음의 에너지를 받게 되어도 다른 효과를 만들어내기 때문이다. 이를 에너지로 풀어보면 쉽다. 양(陽)인 갑목은 이미 에너지를 많이 보유해서 양(陽)인데, 이때 수가 양(陽)인 갑목으로 양(陽)인 임수를 보내게 되면, 이때 양인 갑목은 자동으로 에너지 과잉(過剩)이 발생하게 된다. 이를 생리로 풀게 되면, 이미 과부하(陽)에 걸린 신장(水)이 간(木)이 전문으로 처리하는 산성(陽) 정맥혈을 간으로 몽땅 보내는 경우이다. 그러면, 간은 즉각 문제를 만들고 만다. 이를 사주 용어로 바꾸게 되면, 이때 임수를 갑목의 편인(偏印)이라고 부른다. 즉, 이때는 에너지가 갑목에 너무 많이 쏠린(偏) 상황이 된다. 그래서 이를 편인(偏印)이라고 부른다. 그러나 이때 양인 갑목으로 음인 계수가 에너지를 보내게 되면, 이때는 양을 음이 중화(中和)해주므로, 양인 갑목은 음인 계수의 도움을 받게 되고, 그러면, 양인 갑목의 에너지는 덜어지게 되고, 그러면 갑목은 부담을 덜게 된다. 이때는 당연히 갑목의 에너지는 정상(正)화된다. 그래서 이를 정인(正印)이라고 부른다. 그래서 오행의 음양에 따라서 인성(印星)은 편인(偏印)과 정인(正印)으로 나누어지게 된다. 여기서 성(星)이라는 글자가 들어가는 이유는 오행이라는 에너지를 만드는 인자가 오성(五星)이기 때문이다. 그래서 상생 관계에서 양과 양이 만나게 되면, 이를 편인이라고 말하고, 양과 음이 만나게 되면, 정인이라고 한다. 이를 넓히게 되면, 상생 관계에서 똑같은 음양이 만나게 되면, 편인이 되고, 다른 음양이 만나게 되면, 정인이 된다. 다시 본문을 보자. 상극 관계에서도 마찬가지로, 똑같은 금이 목을 상극할지라도(金同克木), 구분(局)이 다르게 되는데, 이때는 정관과 칠살(편관)이 있게 된다(而局有官煞也). 그리고 상생의 인수 중에서(印綬之中), 편인과 정인은 에너지가 서로 유사하지만(偏正相似), 상생과 상극은 원리가 전혀 다르므로(生克之殊), 이 둘을 똑같이 취급해도 된다고 생각(論)해서는 안 된다(可置勿論). 그래서 상극 안에는(而相克之內), 하나의 관과 하나의 살이 있는데(一官一煞) 즉, 정관과 칠살(七煞:七殺)이 있는데 즉, 정관(正官)과 편관(偏官)이 있는데, 이 둘이 내포하고 있는 의미는 전혀 다르므로(淑慝判然), 이 원리를 상세히 알지 않으면 안 된다(其理不可不細詳也). 여기서 정관은 상극하는 오행의 음양이 서로 다른 경우이고, 편관은 상극하는 오행의 음양이 똑같은 경우이다. 즉, 금이 목을 상극한다고 했을 때, 목은 양인 갑목이고, 금은 음인 신금(辛)이면, 이는 갑목의 입장에서 신금이 정관(正官)이 된다. 이는 에너지로 풀면 아주 쉽다. 즉, 양인 갑목은 에너지가 많아서 양인데, 이때 음인 신금이 양인 갑목을 상극하게 되면, 이때는 서로 음양으로 만나서 에너지가 중화되면서, 양인 갑목의 에너지는 안정된다. 그래서 이 경우는 상극한다는 원래 의미를 벗어나서 상극이 거꾸로 갑목을 돕게 된다. 그래서 상극 관계이지만, 정관(正官)은 거꾸로 도움이 된다. 반대로, 양인 갑목을 양인 경금이 상극하게 되면, 이때는 에너지가 많아서 고민인 양인 갑목에 양인 경금이 추가로 에너지를 공급하게 되고, 그러면, 양인 갑목은 미치고 환장하게 되고, 양인 갑목은 심한 과부하(過負荷)에 시달리게 된다. 이때는 에너지가 너무 한쪽으로 치우쳤다(偏)고 해서, 편관(偏官:七煞:七殺)이라고 부른다. 그래서 이때 편관은 목에게는 피해만 주는 원수와 같은 존재가 된다. 이를 인체 생리로 풀자면, 간(木)에 에너지가 과잉(陽)이어서, 간(木)이 미치고 환장해 죽겠는데, 과부하(陽)에 걸린 폐(金)가 추가로 간(木)으로 에너지를 보내주는 경우이다. 지금처럼 인체 생리로 이를 푸는 이유는 원래 사주 명리의 용도가 인체의 에너지를 조절해서 운명을 바꿔주자는 취지이기 때문이다. 이 사실을 모르게 되면, 사주 명리는 숙명론(宿命論)이 되고 만다. 원래 사주 명리는 숙명론(宿命論)이 아니라 개명론(改命論)이라는 사실을 상기해보자. 이것이 사주 명리의 존재 가치이기도 하다. 그래서 실제 사주를 보는 이유는 에너지(神) 조절자인 용신(用神)을 찾기 위함이다. 이때 용신은 인체 안에서 에너지를 조절해주는 오장(五臟) 중에서 하나가 된다. 그래서 용신이 없으면, 용신을 인위적으로 만들어주면 된다. 여기서 용신이 없다는 말은 용신이 되는 오장이 아주 약하다는 뜻이다. 그래서 이때는 용신이 되는 오장을 치료해줘야만 한다. 그러면, 인체의 에너지는 균형은 잡게 되고, 이어서 인체의 건강이 제대로 잡히게 되고, 이어서 인체의 활동력이 증가하면서, 부귀가 따라오게 된다. 인간이 이루는 모든 일은 건강이 핵심이기 때문이다. 그리고 건강은 인체 에너지 균형이기 때문이다. 인체는 에너지로 작동한다는 사실을 상기해보자. 다시 본론으로 가보자. 그래서 상극 관계라고 할지라도, 음양이 다르게 되면, 그 파장은 전혀 다르게 된다(淑慝判然). 이는 관성을 말할 때, 이를 정관과 편관으로 구분하지 않고, 정관과 칠살(偏官:七煞:七殺)로 구분하는 이유가 된다. 즉, 이런 구분은 편관(偏官)의 해악을 강조하기 위함이다. 그래서 이런 상극의 원리를 잘 알아야만 한다(其理不可不細詳也)고 강조하고 있다. 즉, 상극 관계라고 해서 항상 피해만 주는 것은 아니라는 뜻이다. 이를 사회적으로 바꾸게 되면, 서로 경쟁 속에서 서로 발전하는 경우가 된다. 이들은 모두 에너지로 풀어야만 잘 풀린다.

即以甲乙庚辛言之. 甲者, 陽木也. 木之生氣也. 乙者, 陰木也. 木之形質也. 庚者, 陽金也. 秋天肅殺之氣也. 辛者, 陰金也. 人間五金之質也. 木之生氣, 寄於木而行於天, 故逢秋天為官, 而乙則反是, 庚官而辛殺也. 又以丙丁庚辛言之. 丙者, 陽火也. 融和之氣也. 丁者, 陰火也. 薪傳之火也. 秋天肅殺之氣, 逢陽和而克去, 而人間之金, 不畏陽和, 此庚以丙為殺, 而辛以丙為官也. 人間金鐵之質, 逢薪傳之火而立化, 而肅殺之氣, 不畏薪傳之火, 此所以辛以丁為殺, 而庚以丁為官也. 即此以推. 而餘者以相克可知矣.

이 원리를 갑을과 경신을 이용해서 설명해보자(即以甲乙庚辛言之). 양인 갑목은 에너지를 보유한 상태여서(甲者), 양목(陽木)이 된다(陽木也). 양은 에너지를 보유한 산성(陽) 상태이고, 음은 에너지가 없는 알칼리(陰) 상태라는 사실을 상기해보자. 그리고 여기서 에너지는 자유전자라는 사실도 더불어 상기해보자. 즉, 양목은 목의 에너지를 보유한 생기이다(木之生氣也). 여기서 생기(生氣)는 봄에 새싹이 나오게 하는 기운이다. 그리고 음인 을목은 에너지를 보유하지 않은 상태여서(乙者), 음목이 된다(陰木也). 즉, 음목은 에너지를 받아들여서 형질을 만들 수 있는 기질이 된다(木之形質也). 그래서 하나의 양목과 하나의 음목이 만나게 되면, 드디어 사람의 눈에 보이는 하나의 물질이 탄생하게 된다. 즉, 하나의 물질은 음양의 조합이라는 뜻이다. 이것이 봄에는 새싹으로 발현된다. 이는 전자생리학의 영역이다. 이번에는 목을 상극하는 금을 보자. 양인 경금은 에너지를 보유하고 있으므로(庚者), 양금이 된다(陽金也). 그리고 이 양금은 가을에 하늘의 숙살 기운을 받아서 행하는 금의 기운이다(秋天肅殺之氣也). 여기서 숙살(肅殺) 기운이란 에너지를 이용한 성장을 멈추고 에너지를 내부에 저장하게 하는 기운이다. 그리고 에너지가 없는 음인 신금은(辛者), 에너지가 없으므로, 음금이 된다(陰金也). 이 음금은 인간 세상에서 오금(五金)인 금, 은, 동, 주석, 철의 기질(質)이 된다(人間五金之質也). 그래서 이때 양금과 음금이 서로 만나게 되면, 하나의 오금(五金)이 만들어진다. 여기서 기질(質)이란 양의 에너지를 받아들이는 알칼리로서 그릇인 음금을 말한다. 그리고 갑목이 보유한 목의 생기는(木之生氣), 목의 기질에 얹혀서(寄) 하늘에서 운행된다(寄於木而行於天). 여기서 목의 생기(生氣)는 에너지인 자유전자를 말하는데, 이 자유전자는 반드시 담체(機:Carrier)에 얹혀서(寄) 행동하게 된다. 이도 역시 전자생리학의 영역이다. 이때 이런 갑목의 생기가 가을의 하늘에서 금의 기운과 만나게 되면, 관성(官星)을 만든다(故逢秋天為官). 그리고 음인 을목은 이(是)와 반대(反)로 나타나게 된다(而乙則反是). 그래서 음인 을목과 양인 경금은 정관(正官)이 되고, 음인 을목과 음인 신금은 편관(偏官)인 칠살

(七煞)이 된다(庚官而辛殺也). 이를 또 다른 상극 관계인 병정과 경신을 이용해서 논의해보자(又以丙丁庚辛言之). 에너지를 보유한 양인 병화는(丙者), 에너지를 보유했으므로, 양화가 된다(陽火也). 여기서 에너지를 보유한 양화는 이 에너지를 이용해서 모든 것을 녹여서 융합시키는 기운이다(融和之氣也). 그리고 에너지를 보유하지 못한 정화는(丁者), 에너지가 없으므로, 음화가 된다(陰火也). 그래서 음화는 에너지가 없으므로, 에너지를 받아들여서 불이 계속 타게(薪傳) 하는 기질이 된다(薪傳之火也). 이때 가을의 하늘을 지배하는 금의 숙살의 기운은(秋天肅殺之氣), 병화라는 양의 융화(和) 기운을 만나게 되면, 상극(克) 당해서 제거(去)되게 된다(逢陽和而克去). 그리고 인간 세상에 있는 금은(而人間之金), 병화라는 양의 융화 기운을 두려워하지 않는다(不畏陽和). 이때 오금은 불을 만나서 제련이 되어야만 드디어 쓸모가 있어지기 때문이다. 이때 양인 경금이 양인 병화를 만나게 되면, 이때는 칠살(殺)인 편관이 만들어지고(此庚以丙為殺), 음인 신금이 양인 병화를 만나게 되면, 이때는 정관(官)이 만들어지게 된다(而辛以丙為官也). 그리고, 인간 세상에 존재하는 금이라는 쇠의 기질은(人間金鐵之質), 불이 계속 타게(薪傳) 하는 기질을 만나면, 드디어 녹아서 융화되기에(立化) 이른다(逢薪傳之火而立化). 그러면, 이때 금의 숙살 기운은(而肅殺之氣), 불이 계속 타더라도 두려워하지 않게 된다(不畏薪傳之火). 이는 정관(正官)을 은유적으로 표현하고 있다. 정관(正官)은 상극 관계에서 나오는 인자이기는 하지만, 오히려 금에 이익이 되기 때문이다. 이때는 당연히 금은 화를 두려워할 이유가 없게 된다. 자기에게 이익이 되는데 왜 두려워하겠는가! 그러나 이때(此)도 음인 신금과 음인 정화가 만나게 되면, 이 둘은 서로 같은 음양을 보유한 상태이므로, 편관인 칠살(殺)의 관계를 만들고 만다(此所以辛以丁為殺). 즉, 상극 관계에서 다른 음양이 만나면, 정관이 되면서, 이익이 된다는 사실을 말하고 있고, 똑같은 음양을 만나면 살해극이 벌어져서 손해를 본다는 사실을 말하고 있다. 그래서 다른 음양끼리 만나는 경금과 정화가 만나게 되면, 이때는 정관(官)이 만들어진다(而庚以丁為官也). 이런 관계를 유추해보게 되면(即此以推). 나머지 오행들 사이에서 만들어지는 상극 관계에서 나오는 정관과 편관도 알 수 있을 것이다(而餘者以相克可知矣). 여기서 정관은 에너지의

상호 보완이 되는 경우이고, 편관인 칠살은 상호 에너지의 충돌을 말한다.

제3장 음양생사를 논하다(論陰陽生死)

제3장 음양생사를 논하다(論陰陽生死)

五行干支之說, 已詳論於干支篇. 干動而不息, 支靜而有常. 以每干流行於十二支之月, 而生旺墓絕系焉.

오행을 만드는 천간과 지지의 이론은(五行干支之說), 천간과 지지 편에서 이미(已) 상세히 논의했다(已詳論於干支篇). 하늘의 에너지 흐름을 표시하는 천간은 에너지가 쉬지 않고 항상 움직인다(動)는 특성으로 인해서 쉬지 않고(不息) 요동치게 된다(干動而不息). 그러나 이런 에너지를 받아주는 기질이 되는 지지는 변함이 없이 조용히(靜) 항상 항상성(常)을 유지한다(支靜而有常). 이를 아주 쉽게 표현하자면, 하늘의 에너지가 주도하는 계절의 에너지는 끊임없이 변동(動)하지만, 이를 받아들이는 땅은 항상 그대로 조용히(靜) 있다는 뜻이다. 이런 까닭(以)으로 12 지지로 표시되는 월(月)의 위에서 천간의 에너지가 매번 유통(流)하면서 흐르게(行) 된다(以每干流行於十二支之月). 이때는 당연히 서로 상생해서 왕성해지는 경우와 서로 상극해서 끊어져서 묻히는 경우(系) 생기게 된다(而生旺墓絕系焉). 이는 월지(月支)의 기반 위에서 일간(日干)이 움직인다는 사실을 말하고 있다. 이는 사주 명리를 분석할 때 왜 월지(月支)를 먼저 보고, 일간(日干)을 중요하게 생각하는지를 말하고 있다. 그리고 이 둘은 서로 만나서 상극, 상생, 동행을 만들게 된다. 이는 지지라는 땅의 에너지 위에 하늘이 보내는 천간의 에너지가 반영(反映)된다는 뜻이다. 이때 지지의 에너지는 땅의 중력 에너지와 대기의 에너지라는 2가지 에너지로 구성된다. 그리고 원래 이 2개의 에너지는 변함이 없는데, 하늘에서 천간의 에너지가 이를 간섭하면서, 지구의 에너지는 대변동을 만들게 된다. 이때 지구의 에너지 대변동 중에서 제일 큰 것이 엘니뇨(el Niño)이다. 이는 요즘에 일어나고 있는 지구의 기후 대변동을 말해주고 있다. 즉, 기록적인 폭우와 기록적인 폭염 말이다. 이는 비를 만드는 토성과 무더위를 만드는 화성의 문제이다. 그래서 실제로도 현재 토성과 화성이 지구에 점점 근접해오고 있다. 그러나 최첨단이라고 지껄여대는 현대 최첨단 천문학은 이 사실을 까맣게 모르고 있다.

陽主聚, 以進為進, 故主順. 陰主散, 以退為退, 故主逆. 長生沐浴等項, 所以有陽順陰逆之殊也. 四時之運, 功成者去, 等用者進, 故每流行於十二支之月, 而生旺墓絕. 又有一定. 陽之所生, 即陰之所死, 彼此互換, 自然之運也. 即以甲乙論, 甲為木之陽, 天之生氣流行萬木者, 是故生於亥而死於午, 乙爲木之陰, 木之枝枝葉葉, 受天生氣者, 是故生於午而死於亥, 夫木當亥月, 正枝葉剝落, 而內之生氣, 已收藏飽足, 可以為來春發洩之機, 此其所以生於亥也. 木當午月, 正枝葉繁盛之候, 而甲何以死? 卻不知外雖繁盛, 而內之生氣發洩已盡, 此其所以死於午也. 乙木反是, 午月枝葉繁盛, 即為之生, 亥月枝葉剝落, 即為之死. 以質而論, 自與氣殊也. 以甲乙為例, 餘可知矣.

양은 에너지를 축적(聚)하는 일을 주도하게 되면서(陽主聚), 이 에너지를 이용(以)해서 계속 전진(進)하는 일을 진행(進)하게 된다(以進為進). 그래서 양은 앞으로 나아가는 순행(順)을 주도하게 된다(故主順). 그러나 에너지를 보유하지 못한 음은 에너지를 흡수해서 성장을 주도하고, 이때 에너지는 자동으로 흩어지게(散) 된다(陰主散). 즉, 이때는 성장인자인 에너지가 성장을 통해서 소비된다. 이는 전자생리학의 영역이다. 그러면 자동으로 음은 음이라는 특성을 이용(以)해서 에너지의 양을 줄여서(退) 양의 힘을 퇴보(退)하게 만든다(以退為退). 이를 에너지를 기준으로 살펴보게 되면, 음은 양과 다르게 거꾸로 가게 된다. 그래서 이때 음은 양과는 정반대로 역행(逆)하게 된다(故主逆). 이 문제는 뒤에서 추가로 설명된다. 그리고 장생과 목욕은 지지의 똑같은(等) 오행이라는 항목(項)에서 나오지만(長生沐浴等項), 양순과 음역은 다르게 나오게 된다(所以有陽順陰逆之殊也). 장생과 목욕은 십이운성(十二運星)에서 나오는 용어이다. 그리고 십이운성이란 12지지와 천간을 구성하는 오성의 운행을 말한다. 즉, 십이운성은 천간과 지지의 조합을 말한다. 이를 보는 이유는 사주의 주인공인 일간(日干)이 지지와 어떤 관계를 맺고 있는지를 알고 싶기 때문이다. 이 관계가 중요한 이유는 일간은 사계절을 표시하고, 지지는 사계절을 구성하는 월(月)로 구성되기 때문이다. 그러면, 자동으로 월(月)의 에너지 변화는 사계절의 에너지 상태를 뒤흔들어버린다. 이것도 결국에는 상생, 상극, 동등의 관계일 뿐이다. 그 이유는 천간도 오행으로 나누어지고,

지지도 오행으로 나누어지기 때문이다. 그러면, 이 둘은 자동으로 에너지 관계로 변한다. 여기서 일간이 사주의 주인공이 되는 이유는 일간이 천간의 오행을 표시하기 때문이다. 여기서 천간의 오행은 목화토금수라는 오성(五星)을 말한다. 그리고 태양을 비롯해 이 오성의 에너지가 우리가 사는 지구라는 땅의 에너지를 쥐락펴락한다. 즉, 오성이 만들어내는 사계절이 땅의 에너지를 쥐락펴락한다는 뜻이다. 그래서 이 오성을 표시하는 일간이 사주의 주인공이 될 수밖에 없다. 그리고 이 오성의 에너지는 1년을 기준으로 12개로 나눌 수가 있다. 이게 지지의 월(月)이다. 우리는 이를 월건(月建)이라고 말한다. 그래서 지지는 천간 오행의 세분화(細分化)이다. 예를 들자면, 봄은 천간의 오행으로 따지자면, 목이다. 그러나 이를 월건으로 따지자면, 1, 2, 3월이 된다. 이는 봄의 에너지를 3가지 에너지로 나눈 것이다. 그러면, 1월은 겨울에 더 가깝고, 2월은 말 그대로 봄이고, 3월은 여름에 더 가깝게 된다. 그러면, 자동으로 봄이라는 일간의 갑을에 대한 지지의 영향력은 3가지로 나올 수밖에 없다. 그리고 이때 지지는 12가지이므로, 각각의 천간 오행에 대해서 12가지 경우의 수가 생기게 된다. 그래서 십이운성은 일간(日干)에 대한 지지(地支)의 영향력(影響力)을 보는 것이다. 이는 사주를 세밀(細密)하게 분석할 때 이용된다. 여기서 명심해야 할 일이 있다. 사주는 인간의 선천적(先天的) 에너지를 보는 일이다. 그런데, 왜 계절을 말할까? 이는 우리가 어머니 뱃속에서 잉태되고, 이어서 성장하고, 이어서 태어날 때, 이 모든 과정을 에너지가 주도하기 때문이다. 즉, 인간에게 에너지는 무소불위(無所不爲)의 존재라는 뜻이다. 그래서 에너지를 신(神)이라고 부른다. 이렇게 인간을 가지고 노는 에너지는 자동으로 다른 에너지의 간섭(干涉)을 받게 된다. 이는 우리가 왜 전자파(電磁波)라는 에너지를 조심해야만 하는지도 말해주고 있다. 이 문제는 아주 복잡한 문제로 다가간다. 즉, 이 문제는 전자생리학의 영역이라는 뜻이다. 그러면, 자동으로 우리 몸의 에너지는 누가 통제하느냐로 다가간다. 이를 우리는 경락(經絡)이라고 말한다. 즉, 경락은 에너지가 소통하는 통로라는 뜻이다. 물론 여기서 에너지는 눈에 뻔히 보이는 ATP라는 에너지 조절자가 아닌 눈에 보이지 않는 자유전자 즉, 전기(電氣) 에너지를 말한다. 즉, 경락은 전기가 흐르는 통로라는 뜻이다. 그리고 이 경락은 우리라는 생명이 잉태되고, 성장할 때 맨 처음 개입하게 된다. 그래서 경락을 원시 맥관계(原始脈管系:Primo Vascular System:PVS)라고 부른다. 즉 태아가 어머니 뱃속에서 처음 성장할 때 경락이 맨 먼저 개입한다는 뜻이다. 프리모(Primo:原始)라는 단어에 주목해보자. 그리고 이 경락의 에너지는 오행이라는 에너지의 영향을 받게 된다. 그래서 인간은 태어날 때부터 오행이라는 에너지(energy) 지문(指紋)을 가지고 태어난다. 그리고 이 에너지 지문이 바로 사주 명리이다. 그리고 우리의 지문이 평생토록 유지되듯이, 인체의 에너지 지문도 평생토록 유지된다. 그리고 이 에너지 지문은 태어나서도 여전히 오행의 영향을 받게 된다. 여기에서 세운(歲運), 대운(大運) 등등이 나오게 된다. 여기서 운(運)이란 오행의 운행(運)을 말한다. 그래서 우리가 태양계라는 우주에서 사는 한, 우리는 평생토록 오행(五行)이라는 에너지의 영향권에서 벗어날 수가 없다. 그리고 인간을 포함해서 모든 생명체는 에너지로 작동한다. 그러면, 자동으로 생명체는 오행(五行)이라는 에너지를 무시할 수가 없게 된다. 이 사실이 인간이 사주 명리를 살펴보는 이유가 된다. 그리고 이것이 사주 명리의 존재 가치이기도 하다. 그리고 인체의 에너지 조절은 오장(五臟)이 한다. 그리고 사주에서 에너지 조절자를 용신(用神)이라고 한다. 즉, 오장(五臟)이 용신(用神)이라는 뜻이다. 그래서 사주 명리에서 핵심은 자동으로 에너지 조절자인 용신이 될 수밖에 없다. 그래서 사주 명리를 살펴볼 때는 용신 하나만 봐도 된다. 이를 인체 생리로 바꾸게 되면, 오행으로 표시되는 용신이 되는 오장을 찾는 일이 사주 명리의 핵심이 된다. 일단 인체의 에너지가 조절되어야만 인체 건강이 유지되고, 그다음에 부귀가 논해질 수 있기 때문이다. 이는 자동으로 한의학으로 직결된다. 특히 체질의학으로 직결된다. 체질은 인체의 에너지가 결정하기 때문이다. 인체를 포함해서 생명체는 한마디로 에너지(energy)의 노예(奴隷)이다. 즉, 생명체는 신(神)의 놀이터에 불과하다. 여기서 인간은 자기를 지키기 위해서 신(神)을 모시는 종교(宗教)를 만들게 된다. 그래서 인간과 관련된 모든 문제에는 신(神)이 개입한다. 즉, 에너지를 조절하는 기술인 의학, 인간이 뭔가를 논하는 철학, 신을 모시는 종교에는 반드시 신(神)이 나올 수밖에 없다는 뜻이다. 이는 또한 신을 모르면, 인간을 논할 수 없다는 뜻이기도 하다. 그리고 이 신은 에너지이므로, 자동으로 음양오행이라는 보이지 않는 에너지와 연결된다. 지금까지 간단히 살펴본 내용을 이해하지 못한다면, 사주 명리는 그냥 심심풀이 땅콩 정도가 되고 만다. 그래서 사주 명리에서 반드시 명심해야만 하는 중요한 문제는 인간의 건강과 사주 명리가 직결된다는 사실이다. 그래서 본서는 사주 여덟 글자를 분석할 때도 용신만 분석할 것이다. 그리고 이를 오장과 연결할 것이다. 부귀를 논하는 사주 명리학책은 너무나 많아서 부귀 쪽을 알고 싶다면, 다른 사주 명리학책을 한 권 사서 보면, 된다. 그리고 이 책을 쓴 이유도 체질의학을 완성하기 위함 때문이다. 그런데, 여기서 아주 재미있는 사실은 음양오행의 원리를 정확히 알게 되면, 사주 명리는 배울 필요가 없다는 사실이다. 어차피 사주 명리를 배우는 이유도 인체의 에너지를 조절하려고 하기 때문이다. 삽화가 너무 길었다. 다시 본론으로 가보자. 그런데, 장생과 목욕은 똑같은 지지의 오행에서 나온다. 예를 들면, 천간의 갑목은 지지의 해수를 장생으로 삼고, 자수를 목욕으로 삼는다. 차이가 있다면, 장생은 에너지가 적고, 목욕은 에너지가 많다는 점이다. 이는 음양의 에너지 차이에서 나온다. 그리고 천간의 오행이 주도하는 사계절의 에너지 운행은(四時之運), 자기들의 임무(功)를 마치게(成) 되면, 자동으로 다음 계절로 에너지를 물려주고서 조용히 사라(去)지게 된다(功成者去). 그리고 이 사계절은 똑같이(等) 지지를 이용(用)하면서 진행된다(等用者進). 즉, 사계절을 운행하는 천간은 땅의 에너지인 지지의 에너지를 이용하게 된다. 그래서 계절이 진행될 때마다(每) 천간의 오행은 지지의 월(月)을 따라서 흘러가게 된다(故每流行於十二支之月). 한 계절이 석 달(月)이라는 사실을 상기해보자. 그리고 십이운성에는 생왕과 묘절이 있는데(而生旺墓絕), 이 또한 일정한 규칙이 있다(又有一定). 즉, 똑같은 오행에서도 양에서 소생하게 되면(陽之所生), 음에서 죽는 규칙이 있다(即陰之所死). 이 부분은 뒤에서 갑을을 예로 들어서 설명이 나온다. 그래서 음양이라는 피차(彼此)는 서로 호환된다(彼此互換). 그리고 이것이 자연 운행의 법칙이다(自然之運也). 사계절의 에너지 순환과 지지의 관계를 말하고 있다. 이를 갑을을 이용해서 설명해 보자면(即以甲乙論), 에너지를 보유한 갑목은 목의 양인데(甲為木之陽), 이 갑목은 하늘이 준 생기를 많은 목에 주입해서 이들을 성장시킨다(天之生氣流行萬木

者). 그리고 이런 갑목의 에너지는 겨울의 해수에서 받아서 만들어진(生) 에너지이고, 또한 이 에너지는 여름이 되면, 여름에게 에너지를 전달하고서 여름인 오화에서 사라지게(死) 된다(是故生於亥而死於午). 즉, 해수라는 음에서 만들어진(生) 에너지는 오화라는 양에서 죽게(死) 된다. 즉, 해수는 갑목으로 에너지를 보내고, 갑목은 오화로 에너지를 보낸다는 뜻이다. 이는 양(陽)은 순행(順)한다는 앞의 문구를 말해주고 있다. 그리고 을목은 목의 음으로서(乙爲木之陰), 목의 기질이 되어서 목을 무성하게 성장시킨다(木之枝枝葉葉). 즉, 을목은 갑목이 주는 에너지를 받는 기질이 되고, 이어서 하나의 물체가 만들어지게 작용한다. 이는 만물이 성장할 때 나오는 에스터(Ester) 현상을 말하고 있다. 만물의 성장은 에스터의 연속적인 과정이기 때문이다. 이때 갑목은 자유전자라는 에너지를 제공하고, 을목은 케톤이라는 기질을 제공한다. 다시 본문을 보자. 그래서 을목은 하늘에서 받은 생기를 이용해서(受天生氣者), 많은 목을 성장시키므로, 이때 을목은 목이 성장하는 여름인 오(午)에서 활성화(生)되고, 목이 성장하지 못하는 겨울인 해(亥)에서는 활성이 없어져(死) 버린다(是故生於午而死於亥). 이를 다시 설명하자면, 갑목은 에너지를 순환시키고, 을목은 이 에너지를 받아서 물체를 성장시킨다는 뜻이다. 그러면, 계절의 에너지는 순서(順)대로 겨울인 해수에서 시작해서 봄인 갑목을 거쳐서 여름인 오화로 흘러가게 된다. 그러나 이런 에너지를 받아서 물체를 성장시키는 을목은 여름인 오화에서는 물체를 성장시키지만, 겨울인 해수에서는 물체를 성장시킬 수가 없다. 이 사실을 보고, 을목이 오화에서 살고, 해수에서 죽는다(是故生於午而死於亥)고 표현하고 있다. 그래서 이때 을목은 갑목과 거꾸로(逆) 가게 된다. 그래서 양(陽)은 순(順)이고, 음(陰)은 역(逆)이 되게 된다. 즉, 일반적(夫)으로 성장을 주도하는 을목이 해수라는 겨울에 당도(當)하게 되면(夫木當亥月), 정상적(正)으로 성장(枝葉)하던 을목은 추운 겨울의 에너지로 인해서 성장하지 못하고 무성했던 잎은 떨어지고(落) 만다(正枝葉剝落). 그러나 이때 성장에 쓰일 생기라는 에너지는(而內之生氣), 내부로 흡수되어서 내부를 채울 때까지 내부(內)에 고스란히 저장된다(已收藏飽足). 그리고 이렇게 저장된 에너지는 봄이 오게(來) 되면, 봄의 따뜻한 에너지에 자극되어서 에너지 담체(機) 안에서 밖으로 누설(洩)되게 된다(可以為來春發洩之機). 여기서 에너지는 봄에 새싹을 틔울 성장인자라는 사실을 상기해보자. 이는 양자역학의 정수를 말하고 있다. 참으로 대단하다. 그래서 이(此) 에너지는 이런(其) 이유(所以)로 해수(亥)라는 겨울에 만들어(生)지게 된다(此其所以生於亥也). 즉, 에너지가 겨울에 만들어(生)진다는 말은 겨울에 에너지가 에너지 담체(機)에 저장(藏)된다는 뜻이다. 이번에는 성장을 주도하는 을목이 무더운 여름인 오화의 월건에 당면하게 되면(木當午月), 이때 오화라는 여름의 기후(候)는 겨울에 축적해둔 에너지를 자극해서 성장을 유도하고, 이어서 정상적으로 목을 무성하게 번성(繁)시키게 된다(正枝葉繁盛之候). 그러면, 이때 성장인자인 에너지를 보유한 갑목은 왜 죽는가(而甲何以死)? 그 이유는 성장인자인 에너지를 보유한 갑목은 오로지 번성(繁盛)시킨다는 것밖(外)에는 모르기 때문이다(卻不知外雖繁盛). 즉, 이때는 내부(內)에 저장된 갑목이 보유한 생기(生氣)가 누설되어서 성장에 소비되면서 고갈(盡)되어버리기 때문이다(而內之生氣發洩已盡). 여기서 생기는 갑목이 보유하고 있으므로, 이때는 자동으로 갑목이 죽는(死: 盡) 결과로 나타나게 된다. 그래서 이때(此)는 이런(其) 이유(所以)로 갑목은 오화(午)에서 생기를 모두 소비하고 죽게 된다(此其所以死於午也). 이는 갑목이 성장인자인 에너지를 보유하고 있으므로, 너무나 당연한 일이 된다. 이런 사실은 인체 안에서도 그대로 진행된다. 그러나 이는 너무나 긴 이야기이므로, 이 복잡한 사실을 여기서 기술할 수는 없다. 이때 을목은 거꾸로 에너지를 받아서 물체를 성장시키므로, 갑목(是)과는 정반대(反)로 작용하게 된다(乙木反是). 즉, 성장인자인 에너지를 받아서 물체를 성장시키는 을목은 여름의 오화에서 생기가 돌게 된다. 즉, 을목은 오화의 여름에 물체를 번성(繁盛)시키게 된다(午月枝葉繁盛). 즉, 이때 을목은 생기를 찾게 된다(即為之生). 그러나 성장을 막아버리는 겨울인 해수가 오면, 성장은 멈추고 잎들은 지게 된다(亥月枝葉剝落). 그래서 겨울인 해수가 되면, 을목은 자동으로 활성을 잃고 죽고 만다(即為之死). 이것은 을목이 성장을 위한 기질(質)을 제공하기 때문이라고 말할 수 있다(以質而論). 그래서 을목은 자동(自)으로 에너지인 기(氣)를 공여(與)하는 갑목과 다르게(殊) 된다(自與氣殊也). 지금 설명은 갑을만 가지고 예를 들었지만(以甲乙為例), 나머지(餘) 오행도 이를 응용하면 자동으로 알게 된다(餘可知矣). 양은 에너지를 제공하고, 음은 이 에너지를 받는다는 뜻이다. 이는 음양이 눈에 보이지 않는 에너지라는 사실을 모르게 되면, 절대로 풀리지 않게 된다. 그리고 음양이 서로 만나서 물체가 된다.

支有十二月, 故每干長生至胎養, 亦分十二位. 氣之由盛而衰, 衰而複盛, 逐節細分, 遂成十二. 而長生沐浴等名, 則假借形容之詞也. 長生者, 猶人之初生也. 沐浴者, 猶人既生之後. 而沐浴以去垢. 如果核既為苗, 則前之青殼, 洗而去之矣. 冠帶者, 形氣漸長, 猶人之年長而冠帶也. 臨官者, 由長而壯, 猶人之可以出仕也. 帝旺者, 壯盛之極, 猶人之可以輔帝而大有為也. 衰者, 盛極而衰, 物之初變也. 病者, 衰之甚也. 死者, 氣之盡而無餘也. 墓者, 造化收藏, 猶人之埋於土者也. 絕者, 前之氣已絕, 後之氣將續也. 胎者, 後之氣續而結聚成胎也. 養者, 如人養母腹也. 自是而後, 長生循環無端矣.

이제 십이운성의 각 항목의 설명을 들어보자. 지금 사주 명리를 논하면서, 왜 계절이 나오는지 의아해할 수도 있으나, 계절의 현상도 에너지가 만들어내는 자연의 현상이고, 인체의 에너지가 만들어내는 현상도 에너지가 만들어내는 자연의 현상으로서, 자연과 인체는 한 몸체이기 때문이다. 즉, 인체도 자연의 일부라는 뜻이다. 지지는 12개월의 월건을 담당한다(支有十二月). 그래서 지지는 계절로 표시되는 천간 때마다 장생(長生)에서 태양(胎養)에 이르기까지 12가지 변수를 만들게 된다(故每干長生至胎養). 즉, 천간 하나에 12개의 지지가 대응된다는 뜻이다(亦分十二位). 그래서 이때 대응되는 음양의 기운(氣)으로 말미암아(由) 왕성이 나오게 되면 자동으로 쇠퇴가 나오게 된다(氣之由盛而衰). 그리고 에너지는 순환하므로, 쇠퇴가 있으면, 다시(複) 왕성함이 따른다(衰而複盛). 이때 에너지를 24절기(節)로 세분해서 따르게 되면(逐節細分), 12개의 경우의 수가 만들어져서 따라온다(遂成十二). 이때 장생이나 목욕 등등(等)의 이름은(而長生沐浴等名), 이들의 말뜻(詞)을 묘사(形容)하기 위해서 가차(假借)한 것이다(則假借形容之詞也). 여기서 장생은(長生者), 모름지기 인간의 초기 탄생 말하고(猶人之初生也), 목욕은(沐浴

者), 이미(旣) 태어난 인간을(猶人既生之後), 후(後)에 목욕시켜서 때를 제거하는 것과 같다(而沐浴以去垢). 이를 식물에 비유하자면, 과실의 씨에서 싹이 나오고(如果核既為苗), 이 싹의 앞에 붙은 파란 부분을(則前之青殼), 씻어서 제거해주는 일과 같다(洗而去之矣). 즉, 싹을 틔우는 에너지는 장생이라는 에너지이고, 싹이 활짝 펴게 하는 에너지는 목욕이라는 에너지이다. 그리고 관대는(冠帶者), 사람의 형체와 기운이 점차(漸) 성장해서(形氣漸長), 어른이 되고, 이어서 관을 쓰고, 띠를 차는 일과 같다(猶人之年長而冠帶也). 즉, 관대는 성장을 말한다. 그리고 임관은(臨官者), 성장하면서 더 강해지는 것으로서(由長而壯), 모름지기 사람이 출사하는 일과 같다(猶人之可以出仕也). 그리고 제왕은(帝旺者), 힘의 왕성함이 최고조에 달할 때를 말한다(壯盛之極). 그래서 모름지기 이때 사람은 왕을 보좌해서 큰일을 이루게 된다(猶人之可以輔帝而大有為也). 그리고 쇠는(衰者), 왕성함이 극에 달한 후에 쇠퇴하는 것이다(盛極而衰). 이는 사물의 상태가 변하는 초기를 말한다(物之初變也). 그리고 병이라는 것은(病者), 쇠퇴가 심화되는 것이다(衰之甚也). 그리고 사는(死者), 에너지인 기가 모두 고갈되어서 여분이 없는 상태를 말한다(氣之盡而無餘也). 그리고 묘는(墓者), 에너지가 수렴되어서 묻히게 되는 것과 같아서(造化收藏), 이는 마치 인간이 죽어서 땅에 묻히는 것과 같다(猶人之埋於土者也). 그리고 절은(絕者), 앞의 기운은 이미 끊어졌고(前之氣已絕), 뒤의 기운이 장차 이를 이어가려는 경우와 같다(後之氣將續也). 그리고 태는(胎者), 뒤에 만들어져서 이어진 기운이 응축되어서 새로운 기운을 잉태하는 경우이다(後之氣續而結聚成胎也). 그리고 양은(養者), 사람이 어머니 뱃속에서 양육되는 경우와 같다(如人養母腹也). 그리고 이 마지막 양이 끝나게 면, 이때는 자동으로 다시 장생으로 넘어간 후에(自是而後), 이 과정은 다시 장생에서 순환해서 끝나지 않고 순환하게 된다(長生循環無端矣). 이는 결국에 에너지의 순환이다. 이는 사계절과 지지의 반응이라서 너무나도 당연한 일이 된다. 즉, 지지 위에서 사계절의 에너지가 순환하는 것이다. 이때는 당연히 에너지의 기복(起伏)이 있게 된다.

人之日主, 不必生逢祿旺, 即月令休囚, 而年日時中,, 得長祿旺, 便不為弱, 就使逢庫, 亦為有根. 時產謂投庫而必衝者, 俗書之謬也, 但陽長生有力, 而陰長生不甚有力, 然亦不弱. 若是逢庫, 則陽為有根, 而陰為無用. 蓋陽大陰小, 陽得兼陰, 陰不能兼陽, 自然之理也.

사람의 사주 명리의 일간이(人之日主), 월지가 만드는 건록이 반드시 왕성해야만 하는 조건을 만날 필요는 없다(不必生逢祿旺). 즉, 월령이 구속되어서 힘을 쓰지 못하고 쉬고 있을지라도(即月令休囚), 월지가 아닌 다른 연지, 일지, 시지 중에서(而年日時中), 장생, 건록, 제왕을 얻게 되면(得長祿旺), 이는 자동으로 이 사주가 약하다고 말하지 않게 된다(便不為弱). 즉, 월지의 역할을 다른 사주의 지지가 보충해주면 된다는 뜻이다. 그리고 설령 지지에서 사고(四庫:丑辰未戌)를 만났을지라도(就使逢庫), 이 사고가 양(養)이나 관대(冠帶)가 되면, 이도 역시 일간을 도울 수 있으므로, 일간은 뿌리를 가질 수 있게 된다(亦為有根). 그래서 요즘에 말하는 것처럼, 사고(四庫)를 만나게 되면, 이를 제거하기 위해서 반드시(必) 이를 공격(衝)하는 충기(衝)인 토를 만나야만 한다고 말하지만(時產謂投庫而必衝者), 이는 속설의 잘못된(謬) 말일 뿐이다(俗書之謬也). 지지의 토는 해당 오행의 에너지를 보유한다는 사실을 상기해보자. 그래서 해당 오행의 토는 해당 오행을 대표하게 된다. 이는 자동으로 지지의 토 사이에서 상극과 상생의 관계가 만들어지게 한다. 그리고 양간이 장생하게 되면, 이때 양간은 장생의 짝으로 해수, 인목, 신금, 사화, 신금이 나오게 되면서, 이때는 양이 3개이고, 음이 2개가 되면서, 당연히 양간은 힘을 보유하게 되고(但陽長生有力), 음간이 장생하게 되면, 이때 음간은 짝으로 오화, 유금, 묘목, 자수, 묘목이 되면서, 이때는 양이 2개, 음이 3개가 되면서, 이때 음간은 당연히 그다지 강하지 못한 힘을 보유하게 된다(而陰長生不甚有力). 그렇다고 해서 이때 음간 역시 약하다고 말할 수는 없다(然亦不弱). 그 이유는 이때 음간의 장생 짝에서 음이 겨우 하나 많기 때문이다. 그리고 만약에 이때 사고 중에서 하나의 토를 만난다고 한다면(若是逢庫), 이 사고인 토가 음이든 양이든지 간에 양간의 음양 개수에서 최소한의 균형은 맞춰지므로, 양간은 뿌리를 보유할 수 있게 된다(則陽為有根). 그러나 이때 음간은 음양의 개수에서 음이 하나 많은 상태이므로, 이 사고인 토가 음이든 양이든지 간에 사고에서 나온 토는 음간에 전혀 도움이 되지 않게 된다(而陰為無用). 그래서 이때 양간과 음간을 보게 되면, 양이 많고 음이 적은 양간에서는(蓋陽大陰小), 양이 많으므로, 사고에서 음인 토를 받아들일(兼) 수가 있으나(陽得兼陰), 양이 적고 음이 많은 음간에서는 음이 양을 받을(兼) 수가 없게 된다(陰不能兼陽). 즉, 에너지를 보유한 양은 음을 품을 수 있으나, 에너지가 부족한 음은 양을 품을 수가 없기 때문이다. 그래서 이것은 그냥 자연의 이치일 뿐이다(自然之理也).

제4장 십간배합성정을 논하다(論十干配合性情)

제4장 십간배합성정을 논하다(論十干配合性情)

合化之義, 以十幹陰陽相配而成. 河圖之數, 以一二三四五配六七八九十, 先天之道也. 故始於太陰之水, 而終於衝氣之土, 以氣而語其生之序也. 蓋未有五行之先, 必先有陰陽老少, 而後衝氣, 故生以土. 終之既有五行, 則萬物又生於土, 而水火木金, 亦寄質焉, 故以土先之. 是以甲己相合之始, 則化為土. 土則生金, 故乙庚化金次之. 金生水, 故丙辛化水又次之. 水生木, 故丁壬化木又次之. 木生火, 故戊癸化火又次之, 而五行遍焉. 先之以土, 相生之序, 自然如此. 此十干合化之義也.

천간에서 합화(合化)의 정의는(合化之義), 10 천간(十幹)에서 같은 오행이 음과 양으로 서로 만나서 만들어(成)지는 조합(配)을 말한다(以十幹陰陽相配而成). 이를 하도의 수로 표시할 수도 있다(河圖之數). 여기서 하도의 수는 천간을 표시하는 수를 말한다. 그래서 1, 2, 3, 4, 5는 6, 7, 8, 9, 10과 짝(配)하게 된다(以一二三四五配六七八九十). 이때 1에서 5는 양이 되고, 6에서 10은 음이 된다. 이를 선천의 도하고 한다(先天之道也). 즉, 이를 하늘의 도라고 한다. 이때 목은 후반부 3번째 8과 3이 되고, 화는 후반부 2번째 7과 2가 되고, 토는 한 가운데 10과 5가 되고, 금은 후반부 4번째 9와 4가 되고, 수는 후반부 1번째 6과 1이 된다. 그래서 이때 양을 보게 되면, 태음인 수를 표시하는 1에서 시작해서(故始於太陰之水), 충기인 토를 표시하는 5에서 끝나게 된다(而終於衝氣之土). 이는 오행이 보유한 에너지를 이용(以)해서, 음과 양의 조합이 만들어지는 질서를 말하고 있다(以氣而語其生之序也). 여기서 양은 빛 에너지를 말하고, 음은 중력 에너지를 말한다. 그러나 이 기준은 지구에서 측정한 것이어서, 오행을 구성하는 오성의 질량 크기 순서나 중력의 크기 순서와는 다르게 된다. 중력은 목성이 지구 대비 24.79배로서 가장 크다. 이는 10 천간의 배열법과 똑같게 된다. 즉, 천간을 두 부분으로 나눈다. 즉, 갑을병정무 그리고 기경신임계로 나눈다. 그러고서는 앞에서 갑과 뒤에서 기를 합쳐서 갑기가 나오고, 이어서 똑같은 방식으로 하면, 이어서 을경, 병신, 정임, 무계라는 새로운 오행이 만들어진다. 이는 월건기법(月建起法)에서 이용된다. 이를 다른 말로 천간합(天干合)이라고 부른다. 즉, 서로 다른 오행이 만나서 하나의 다른 오행으로 변하는 것을 합(合)이라고 말한다. 도표로 정리하면 다음과 같다.

천간합(天干合)					
합하는 오행	갑기(甲己)	을경(乙庚)	병신(丙辛)	정임(丁壬)	무계(戊癸)
변하는 오행	토(土)	금(金)	수(水)	목(木)	화(火)

이는 나중에 천간에서 용신을 찾을 때 이용된다. 다시 본문을 보자. 일반적으로 오행이 생기기 전에(蓋未有五行之先), 반드시 먼저 음양의 극(老)과 저(少)가 있었고(必先有陰陽老少), 이후에 충돌하는 기운이 만들어졌고(而後衝氣), 이어서 토가 생겼고(故生以土), 이 마지막에 기존의 오행이 생겼다(終之既有五行). 이는 빅뱅(big bang)을 말하고 있다. 처음에는 태극(太極)이라는 에너지만 있었고, 이 에너지가 서로 충돌(衝)하면서 음양이 만들어지게 된다. 주역에서는 이를 태극에서 음양이 나온다고 말한다. 음과 양은 알칼리와 산을 말하므로, 여기서 태극은 에너지인 자유전자를 말한다. 그리고 자유전자의 상호 반응이 충기(衝氣)이다. 그리고 충기라는 에너지가 토(土)라는 천체(天體)를 만들게 된다. 태양계 아래 모든 물체는 자유전자의 작품이라는 사실을 상기해보자. 이 결과로 오성이 만들어졌고, 이어서 이미(既) 오행이 만들어지게 된다(終之既有五行). 다시 본문을 보자. 그래서 만물이 천체라는 토에서 생겨나게 된다(則萬物又生於土). 그리고 수화목금이라는 천체도(而水火木金), 역시 만물이 기생하는 에너지의 기질이 된다(亦寄質焉). 오성에서 4개의 천체도 태양에서 에너지를 받는다는 사실을 상기해보자. 그러면 이들도 태양에서 에너지를 받는 기질이 될 수밖에 없게 된다. 기질(基質)이란 받아들이는 담체라는 사실을 상기해보자. 그래서 토라는 천체를 먼저 이용(以)해서(故以土先之), 갑기라는 에너지가 서로 합해지면서 새로운 오행이 시작된다(是以甲己相合之始). 즉, 토성과 목성이 만들어내는 에너지가 서로 합해지면서 새로운 오행이 시작되었다. 이들 천간합은 모두 음과 양으로 구성된다는 사실이 중요하다. 이는 활성 에너지의 안정(安定)을 말하게 된다. 그리고 사주 명리는 에너지의 안

정(安定)이 최우선이다. 이때 갑기에서 둘이 화합(化)해서 토라는 새로운 오행이 만들어지고(則化為土), 이 토는 오행의 순서대로 금이라는 오행을 생하게 되는데(土則生金), 이때 갑목에 이어서 을목은 경금과 화합해서 다음 금을 만든다(故乙庚化金次之). 그리고 이 금은 수를 생하게 되는데(金生水), 이때 목에 이어서 병화가 신금과 조화를 만들어서 차례대로 수를 또 만든다(故丙辛化水又次之). 그리고 수는 목을 생하게 되는데(水生木), 병화에 이어 정화가 임수와 반응해서 또 차례대로 목을 만들게 된다(故丁壬化木又次之). 이어서 목은 화를 생하게 되고(木生火), 그래서 무계는 화로 변해서 또 다음으로 간다(故戊癸化火又次之). 이렇게 해서 오행은 편성된다(而五行遍焉). 먼저 토를 이용해서(先之以土), 상생의 질서를 만들어내고(相生之序), 이는 자연의 이치와 같은 것이며(自然如此), 이렇게 10천간의 합화를 정의하게 된다(此十干合化之義也). 이는 상당히 복잡한 것처럼 보이지만, 앞에서 말한 천간합(天干合)을 말하고 있다. 즉, 기존의 천간에서 오행을 만드는 방법을 떠나서 새로운 오행을 만드는 방법이 천간합(天干合)이다. 이는 월건(月建)을 정확히 만들기 위함이다. 즉, 자신이 태어난 달(月) 정확하게 세우(建)려면 만세력을 봐야 하지만, 월건기법(月建起法)이라는 것을 이용하면, 연주의 천간(연간)을 기준으로 쉽게 월건을 세울 수 있다.

년(年)/월(月)	1월 입춘	2월 경칩	3월 청명	4월 입하	5월 망종	6월 소서	7월 입추	8월 백로	9월 한로	10월 입동	11월 대설	12월 소한
갑기(甲己)	丙寅	丁卯	戊辰	己巳	庚午	辛未	壬申	癸酉	甲戌	乙亥	丙子	丁丑
을경(乙庚)	戊寅	己卯	庚辰	辛巳	壬午	癸未	甲申	乙酉	丙戌	丁亥	戊子	己丑
병신(丙辛)	庚寅	辛卯	壬辰	癸巳	甲午	乙未	丙申	丁酉	戊戌	己亥	庚子	辛丑
정임(丁壬)	壬寅	癸卯	甲辰	乙巳	丙午	丁未	戊申	己酉	庚戌	辛亥	壬子	癸丑
무계(戊癸)	甲寅	乙卯	丙辰	丁巳	戊午	己未	庚申	辛酉	壬戌	癸亥	甲子	乙丑

월주를 세울 때 주의해야 할 점은, 해당 달이 시작되는 기준은 해당 달의 1일이 아니라 위에서 언급한 절기이다. 예를 들어 음력 2월생이라도 경칩 이전에 태어났다면, 전 달인 1월생으로 취급한다. 물론 경칩이 시작되는 절기에 진입하는 시각까지 따져서 그 시각 이전에 태어났어도 전달의 월주를 사용한다. 연주에서도 입춘이 한 해의 시작으로 취급하는 이유도 이 때문이다.

其性情何也？ 蓋既有配合, 必有向背. 如甲用辛官, 透丙作合, 而官非其官. 甲用癸印, 透戊作合, 而印非其印. 甲用己財, 己與別位之甲作合, 而財非其財. 如年己月甲, 年上之財, 被月合去, 而日主之甲乙無分. 年甲月己, 月上之財, 被年合去, 而日主之甲乙不與是也. 甲用丙食與辛作合, 而非其食, 此四喜神因合而無用者也.

그러면, 천간합(天干合)의 성질은 어떨까요(其性情何也)? 이미 천간합이라는 배합이 있다면(蓋既有配合), 여기에는 반드시 쫓는(向) 것과 등지는(背) 것이 있을 것이다(必有向背). 즉, 이를 이용할 때 우선순위(優先順位)가 있을 것이다. 예를 들면, 갑목이 신금을 이용해서 정관(正官)을 만들려고 할 때(如甲用辛官), 병화가 지지에서 천간으로 투출(透)해서 천간에 존재하게 되고, 이어서 병화가 신금과 서로 병신(病辛)이라는 수(水)로서 천간합(合)을 만들게(作) 되면(透丙作合), 이때 신금이라는 관성은 갑목(其)의 정관(官)이 되지 못(非)하고 만다(而官非其官). 이는 일간이 월지를 중요하게 여기기 때문이다. 즉, 여기서 지지에서 천간으로 투출(透)된 병화는 월지의 분신이므로, 당연히 천간에서 다른 오행보다 병화를 먼저 고려하게 만든다. 그다음에 병화와 다른 천간의 관계를 보게 된다. 그러면, 자동으로 투출된 병화는 먼저 쫓는(向) 오행이 되게 되고, 기존에 천간에 있던 신금은 등지(背)는 오행이 되게 된다. 또한 사주 명리는 에너지의 안정이므로, 갑목이 신금과 만드는 정관보다는 신금이 병화와 만든 안정된 에너지를 택하게 되기 때문이다. 그러면, 천간에서 안정된 에너지를 보유한 천간합이 우선 선택받게 된다. 즉, 그 이유는 천간합이 합화(合化)이기 때문이다. 합화(合化)란 두 천간이 합

(合)쳐져서 중화(化)된다는 뜻이다. 그러면, 자동으로 이 두 천간의 에너지는 변하고 만다. 즉, 이때는 다른 에너지로 변하고 만다. 이때 변한 병신(丙辛)의 에너지는 수(水)의 특성을 보유한다. 다시 본문을 보자. 갑목이 계수를 정인으로 이용하려고 할 때(甲用癸印), 무토가 천간에 투출(透)하면서 계수와 서로 무계(戊癸)라는 천간합을 만들게 되면(透戊作合), 이때 계수라는 인성은 갑목(其)의 정인(印)이 되지 못하고 만다(而印非其印). 그리고 갑목이 기토를 정재(正財)로 이용하려고 할 때(甲用己財), 다른(別) 사주의 자리(位)에 있는 다른 갑목과 서로(與) 갑기(甲己)라는 천간합을 만들게 되면(己與別位之甲作合), 이 기토라는 재성은 원래 갑목(其)의 정재(財)가 되지 못하고 만다(而財非其財). 이를 풀어서 설명하자면, 일주에 갑목이 있는 상태에서, 연주에 기토가 있고, 월주에 갑목이 있게 되면(如年己月甲), 일주에 있는 갑목과 연주에 있는 기토가 정재를 만들 수 있는데(年上之財), 이때 월주(月)에 있는 갑목이 이 정재(己)를 피습(被)해서 합쳐서 중화하고, 이어서 갑기가 만들어지면서 기토를 제거(去)하게 되면(被月合去), 자동으로 일주(日)에 있는 갑을은 자기의 짝(分)을 잃고 만다(而日主之甲乙無分). 이때 갑목과 기토의 위치가 바뀌어서 나와도 문제는 똑같게 된다. 즉, 이번에는 연주에 갑목이 있고, 월주에 기토가 있는 상태에서도(年甲月己), 여전히 월주의 기토는 일주의 갑목과 정재가 되는데(月上之財), 그러나 이도 연주에 있는 갑목에게 피습(被)당해서 합쳐져서 중화되고, 이어서 제거된다(被年合去). 그러면 자동으로 일주에 있는 갑을은 기토와 더불어(與) 짝을 만들 수가 없게 된다(而日主之甲乙不與是也). 이번에는 갑목이 병화를 식신(食神)으로 이용하려고 할 때, 천간에 신금이 존재하고 있어서, 병화와 신금이 천간합(合)을 만들게 되면(甲用丙食與辛作合), 이때 병화는 갑목(其)의 식신(食)이 되지 못하고 만다(而非其食). 그러면 자동으로 4개의 희신 즉, 4개의 좋은(喜) 에너지(神)는 즉, 신금이라는 정관, 계수라는 정인, 기토라는 정재, 병화라는 식신은 천간합(合)으로 인(因)해서 갑목에게 무용지물이 되고 만다(此四喜神因合而無用者也). 이는 천간합이 에너지를 중화해서 제거(去)해버리기 때문이다. 그리고 에너지가 안정(安定)된 천간합을 먼저 이용하기 때문이기도 하다. 이는 사주 명리를 분석할 때 합(合)을 먼저 보라는 뜻이다.

又是甲逢庚爲煞, 與乙合作, 而煞不攻身. 甲逢乙爲劫, 與庚作合, 而乙不劫財. 甲逢丁爲傷, 與壬作合, 而丁不爲傷官. 甲逢壬爲梟, 與丁作合, 而壬不奪食. 此四忌神因合而化吉者也.

또한, 이 갑목이 경금을 만나서 편관(煞)을 이루고 있을 때(又是甲逢庚爲煞), 천간에서 을목이 존재헤서 을경(乙庚)이라는 천간합을 만들게 되면(與乙合作), 이 때는 자동으로 편관(殺)인 경금은 을경에 묻혀서 사라지면서, 일주(身)에 있는 갑목을 공격할 수가 없게 된다(而煞不攻身). 즉, 이때는 칠살이 합(合)으로 인해서 제거된다. 이번에는 갑목이 을목을 만나서 겁재(劫)를 만들게 될 때(甲逢乙爲劫), 천간에 경금이 존재해서, 을경(乙庚)이라는 천간합을 만들게 되면(與庚作合), 이때 을목은 자동으로 제거되면서, 갑목의 겁재가 되지 못한다(而乙不劫財). 이번에는 갑목이 정화를 만나서 상관(傷官)을 만들 때(甲逢丁爲傷), 이때 천간에 임수가 존재해서, 정임(丁壬)이라는 천간합을 만들게 되면(與壬作合), 이때는 자동으로 정화는 갑목의 상관이 되지 못한다(而丁不爲傷官). 이번에는 갑목이 임수를 만나서 편인(梟:효)이 될 때(甲逢壬爲梟), 천간에 정화가 존재해서, 정임이라는 천간합을 만들게 되면(與丁作合), 이때는 자동으로 임수가 제거되면서, 임수는 갑목을 상하게 하지 못하게 되고, 이어서 임수가 병화를 상극해서 병화의 에너지를 제거하면서 병화가 갑목의 식신이 되는 일을 막지(奪) 못하게(不) 된다(而壬不奪食). 즉, 이때는 병화를 상극해서 죽이는 임수가 사라졌으므로, 병화는 갑목과 식신이 될 수 있다는 뜻이다. 이때는 아주 재미있는 현상이 나타나게 된다. 즉, 이 4가지 기신 즉, 갑목이 싫어(忌)하는 4가지 에너지(神) 즉, 경금이 만들어내는 편관, 을목이 만들어내는 겁재, 정화가 만들어내는 상관, 임수가 만들어내는 편인은 천간합(合)으로 인(因)해서 제거되면서, 나쁜 4가지 기신은 제거되고, 이어서 사주는 길하게 바뀌게(化) 된다(此四忌神因合而化吉者也). 여기서 나오는 정관, 정인, 정재, 식신이라는 4가지 좋은(喜) 에너지(神)인 희신(喜神)과 편관, 겁재, 상관, 편인이라는 나쁜(忌) 에너지(神)인 기신(忌神)은 사주 명리에서 아주 중요하게 취급된다. 이 에너지(神)들은 사주의 주인공(身)을 돕느냐 아니면 괴롭히느냐의 차이에서 나온다. 이도 결국에는 에너지 문제로 나타나게 된다.

蓋有所合則有所忌, 逢吉不為吉, 逢凶不為凶. 即以六親言之, 如男以財為妻, 而被別干合去, 財妻豈能親其夫乎? 女以官為夫, 而被他干合去, 官夫豈能愛其妻乎? 此謂配合之性情, 因向背而殊也.

그래서 천간합이 만들어질 때 기신이 뒤따르게 되면(蓋有所合則有所忌), 상황이 반전되면서, 이때는 길함을 만났을지라도 결국에는 기신이 만들어지면서 사주는 길하지 않게 된다(逢吉不為吉). 거꾸로 사주가 흉함을 만났을지라도 희신이 만들어지면 흉하지 않게 된다(逢凶不為凶. 그리고 이를 육친을 이용해서 설명해보자면(即以六親言之), 남자에게 재성(財)은 처가 되는데(如男以財為妻), 이 재성이 다른 천간에게 피습당해서 천간합을 만들면서 제거된다면(而被別干合去), 재성인 처가 어찌 남편인 부와 친할 수 있겠는가(財妻豈能親其夫乎)? 여자에게 관성(官)은 지아비인 남편이 되는데(女以官為夫), 이 관성이 다른 천간에게 피습당해서 천간합을 만들면서 제거된다면(而被他干合去), 관성인 남편이 어찌 부인과 칠할 수가 있겠는가(官夫豈能愛其妻乎)? 앞에서 설명한 이런 천간의 배합을 이르러, 천간합의 성정 즉, 성질이라고 부른다(此謂配合之性情). 이때는 이런 배경과 이유로 인해서 사주에서 쫓는(向) 오행과 등지는(背) 오행이 다르게(殊) 된다(因向背而殊也). 즉, 이때는 천간합이라는 오행은 쫓고(向), 기존에 존재하던 오행은 등지게(背) 된다.

제5장 10 천간의 합이불합을 논하다(論十干合而不合)

제5장 10 천간의 합이불합을 논하다(論十干合而不合)

十干化合之義, 前篇既明之矣, 然而亦有合而不合者, 何也? 蓋隔於有所間也, 譬如人彼此相好, 而有人從中間之, 則交必不能成. 譬如甲與己合, 而甲己中間, 以庚間隔之, 則甲豈能越克我之庚而合己? 此制於勢然也, 合而不敢合也, 有若無也.

10 천간의 천간합에 관한 정의에 대해서는(十干化合之義), 이미 전 편에서 명확히 설명했다(前篇既明之矣). 그런데, 이때 분명히 천간합이 있는데도 불구하고, 이 천간합이 천간합을 만들지 못하는 경우도 있다(然而亦有合而不合者). 그 이유는 뭘까(何也)? 이는 천간합을 만드는 천간들 사이에 장벽(隔)이 있기 때문이다(蓋隔於有所間也). 즉, 중간에 장벽이라는 사이(間)가 존재한다는 뜻이다. 이를 사람에 비유해서 설명하자면, 사람이 피차(彼此) 서로 좋아해서 사귀고 있을 때(譬如人彼此相好), 어떤 사람이 나타나서 이 가운데를 파고들게 되면(而有人從中間之), 이 사람의 방해로 인해서, 이때 서로의 교제는 반드시 깨지고 만다(則交必不能成). 이를 천간으로 예를 들어서 비유해보자면, 갑목이 기토와 더불어 천간합을 만들려고 할 때(譬如甲與己合), 이 두 천간 사이에(而甲己中間), 경금이 끼어들어서 이 둘의 사이를 가로막게 되면(以庚間隔之), 이때 갑목은 나를 상극(克)하는 경금을 넘어서서 어떻게 기토와 천간합을 만들 수가 있겠는가(則甲豈能越克我之庚而合己)? 이때 갑목의 기세가 제약당하는 일은 너무나도 당연한 일이 된다. 즉, 이때는 경금(此)이 갑목의 기세(勢)를 제약(制)하는 일은 아주 자연(然)스러운 일이 된다(此制於勢然也). 이때 갑목은 기토와 결합하려고 하지만, 에너지가 부족해서 감히 결합하지 못하고 만다(合而不敢合也). 이때는 눈앞에 기토가 있지만(有), 이는 기토가 없는 것과 다를 바가 없다(有若無也). 여기서 아주 재미있는 현상을 볼 수 있다. 이 천간합은 음양으로 구성되는데, 이 둘의 관계가 서로 상극(克)의 관계이다. 그러면, 이를 다시 상극(克)하게 되면, 이 상극(克) 관계는 깨지고 만다. 그래서 천간합의 문제는 결국에 천간의 오행에서 만들어지는 상극(克)의 문제를 다루고 있다. 이는 또 다른 아주 재미있는 문제를 만든다. 즉, 갑기(甲己)

라는 상극하는 중화 관계를 만들어서 에너지를 안정시키지만, 이때 경금이 끼어들어서 경금, 갑목, 기토라는 조합이 만들어져도 역시 에너지는 안정된다는 사실이다. 그러면, 이때는 자동으로 갑기보다는 경금, 갑목, 기토라는 조합이 선호된다. 즉, 이때는 천간합보다는 경금, 갑목, 기토라는 조합이 선호된다. 그 이유는 갑기는 2개의 에너지만 안정화시켰지만, 경금, 갑목, 기토라는 조합은 3개의 에너지를 안정화시키고 있기 때문이다. 사주의 핵심은 더 많은 에너지의 안정화이기 때문이다.

又有隔位太遠, 如甲在年乾, 己在時上, 心雖相契, 地則相遠, 如人天南地北, 不能相合一般. 然於有所制而不敢合者, 亦稍有差, 合而不能合也, 半合也, 其為禍福得十之二三而已.

또한 사주에서 천간합을 만드는 천간끼리 너무나 멀리 떨어져 있는 경우이다(又有隔位太遠). 즉, 이때도 천간합을 만들 수가 없게 된다. 예를 들자면, 천간의 연주에 갑목이 있고(如甲在年乾), 기토는 시주의 천간(上)에 자리하고 있다면(己在時上), 이때는 비록 마음(心)으로는 서로 계약을 맺어서 갑기라는 천간합을 만들고 싶지만(心雖相契), 이때는 지리적으로 서로 너무 멀다(地則相遠). 이를 사람에 비유하자면, 천인 남자는 남쪽에 있고, 지인 여자는 북쪽에 있는 셈이 된다(如人天南地北). 이 상태로는 서로 결합하는 일은 일반적으로는 불가능하다(不能相合一般). 그러나 이 경우는 상극이라는 제약이 있어서 감히 천간합을 만들지 못하는 경우와 비교해보게 되면(然於有所制而不敢合者), 역시 약간의 차이는 있다(亦稍有差). 이때는 천간합을 만들 때 불가능하기는 하지만(合而不能合也), 상극을 당해서 불가능한 경우와는 달라서, 절반의 합은 만든다고 봐야 한다(半合也). 물론 이(其) 경우는 이에 따르는 길흉화복도 20~30%에 그치게 된다(其為禍福得十之二三而已). 즉, 이때 만들어진 천간합의 효력은 아주 약하다는 뜻이다. 이 경우는 사주가 매우 어려울 때 쓴다는 뜻이기도 하다. 즉, 사주에서 좋은 방책을 찾고 또 찾아도 방책이 나오지 않을 때, 이를 쓴다는 뜻이다.

又有合而無傷於合者, 何也? 如甲生寅卯, 月時兩透辛官, 以年丙合月辛, 是為合一留一, 官星反輕. 甲逢月刃, 庚辛並透, 丙與辛合, 是為合官留煞, 而煞刃依然成格, 皆無傷於合也.

또한 천간합을 보유했을 때 천간합으로 인해서 상함(傷)이 없어지는 경우가 있는데(又有合而無傷於合者), 왜 그런가요(何也)? 갑목이 지지에 있는 인묘라는 목을 만나면, 이때는 비겁(比劫)이 만들어지는데(如甲生寅卯), 이때 월주에도 정관(官)으로서 신금이 있고, 시주에도 정관(官)으로서 신금이 있고(月時兩透辛官), 연주에는 병화가 있고, 이때 연주의 병화와 월주의 신금이 만나서 병신(丙辛)이라는 천간합을 만들게 되면(以年丙合月辛), 그러면, 하나의 신금은 천간합이 되고, 하나의 신금이 남게 되는데(是為合一留一), 그러면, 신금이라는 관성은 반대로 가벼워진다(官星反輕). 즉, 갑목의 관성이 2개에서 하나로 줄었다. 관성은 갑목을 상극(克)해서 상(傷)하게 한다는 사실을 상기해보자. 그리고 일간에 있는 갑목이 월지에서 묘목이라는 양인(羊刃)으로서 겁재를 만나고(甲逢月刃), 유금의 지장간인 경신(庚辛)이 병립해서 지지에서 천간으로 투출(透)해 있고(庚辛並透), 병화가 더불어 신금과 천간합(合)을 만들고 있게 되면(丙與辛合), 이때는 신금이라는 정관(官)은 천간합(合)이 되면서 사라지고, 경금이라는 편관(煞)만 남게 된다(是為合官留煞). 그래서 이때 갑목은 편관(煞)과 양인(羊刃)으로 전과 다름없이(依然) 격을 이루게 된다(而煞刃依然成格). 그래서 지금 살펴본 2가지 경우를 보면, 모두 천간합으로 인해서 관성이 하나씩 사라지는 경우로서 모두 천간합으로 인해서 관성이라는 상함(傷)이 없어지는 경우가 되었다(皆無傷於合也).

又有合而不以合論者, 何也? 本身之合也. 蓋五陽逢財, 五陰遇官, 俱是作合, 惟是本身十干合之, 不為合去. 假如乙用庚官, 日乾之乙, 與庚作合, 是我之官, 是我合之. 何為合去? 若庚在年上, 乙在月上, 則月上之乙, 先去合庚, 而日干反不能合, 是為合去也. 又如女以官為夫, 丁日逢壬, 是我之夫, 是我合之, 正如夫妻相親, 其情愈密. 惟壬在月上, 而年丁合之, 日乾之丁, 反不能合, 是以己之夫星, 被姊妹合去, 夫星透而不透矣.

또한 합을 보유했기는 하나 합으로 보지 않는 경우가 있는데(又有合而不以合論者), 무슨 이유인가요(何也)? 이때는 해당 사주의 근본(本)인 일간(身)이 에너지를 중화하는 다른 합(合)을 만들 때이다(本身之合也). 지금은 천간합의 목적을 말하고 있다. 즉, 천간합은 사주의 주인인 일간을 도와줘야만 하는데, 이때는 일간이 에너지를 중화하는 합(合)을 포함하게 되면서, 천간합이 일간을 도와주는 역할이 없어지고 말았다. 다시 본문을 보자. 예를 들어보자면, 대개 양의 오행이 정재를 만나고(蓋五陽逢財), 음의 오행이 정관을 만나게 되면(五陰遇官), 이때는 자동으로 모두 천간합을 만들게 된다(俱是作合). 즉, 정재와 정관 자체가 천간합이 된다는 뜻이다. 이는 자동으로 천간합이 음양과 상극으로 만들어지는 경우와 똑같은 경우가 된다. 그래서 이때는 천간합과 정재 그리고 정관을 서로 혼용해서 써도 된다. 즉, 이때는 정재도 천간합처럼 음양과 상극으로 만나는 경우이고, 정관도 천간합처럼 음양과 상극으로 만나는 경우이다. 이는 천간합이 음양의 조합이고, 더불어 상극의 조합이기 때문이다. 이는 아래에 있는 육친(六親) 조견표와 뒤에 나온 천간합 도표를 참고하면 된다. 그래서 이때는 해당 사주의 근본(本)인 일간(身)이 10 천간과 천간합을 만들기는 하지만(惟是本身十干合之), 이때 일간이 천간합을 만들면서 사라지지는 않게 된다(不為合去). 이때는 정관이나 정재가 이미 천간합이기 때문이다. 예를 들면, 을목이 경금을 만나서 을경(乙庚)으로서 정관으로 이용되고(假如乙用庚官), 일간의 을목이(日乾之乙), 경금과 더불어 을경(乙庚)이라는 금으로서 천간합을 만들게 되면(與庚作合), 이 경금은 을목 자신(我)의 정관도 만들게 되고(是我之官), 을목 자신(我)과 천간합도 만들게 된다(是我合之). 그래서 이때 만들어진 을경이라는 천간합이 어떻게 원래 목적의 천간합이 되어서 제거되겠는가(何為合去)? 이때는 이를 천간합으로 보는 것이 아니라 정재나 정관으로 보게 된다. 즉, 이때는 천간합의 의미가 없어져 버린다. 원래 천간합의 목적이 에너지의 중화(中和)인데, 정재나 정관이 이미(已) 에너지의 중화(中和)를 만들어놨기 때문이다. 그러면, 이때는 자동으로 에너지를 중화(中和)하기 위해서 천간합을 만들 이유가 없어져 버린다. 이 문제는 왜 천간합을 만드는지를 모르게 되면, 절대로 풀리지 않게 된다. 그리고 이는 지금도 진행형이다. 그런데, 만약에 이 경금이 연간으로 존재하고(若庚在年上), 을목이 월간으로 존재하게 되면(乙在月上), 이때는 월간의 을목이(則月上之乙), 먼저 연간의 경금과 을경이라는 천간합을 만들면서 제거된다(先去合庚). 그러면, 자동으로 이때 일간에 있는 을목은 반대로 천간합을 만들 수가 없게 된다(而日干反不能合). 즉, 이때는 이미 월간의 을목이 천간합을 만들어서 경금을 제거했기 때문이다(是為合去也). 이는 논할 가치가 없는 경우이다.

< 육친 조견표 >

일간/오행	甲	乙	丙	丁	戊	己	庚	辛	壬	癸
甲	비견	겁재	식신	상관	편재	정재	편관	정관	편인	정인
乙	겁재	비견	상관	식신	정재	편재	정관	편관	정인	편인
丙	편인	정인	비견	겁재	식신	상관	편재	정재	편관	정관
丁	정인	편인	겁재	비견	상관	식신	정재	편재	정관	편관
戊	편관	정관	편인	정인	비견	겁재	식신	상관	편재	정재
己	정관	편관	정인	편인	겁재	비견	상관	식신	정재	편재
庚	편재	정재	편관	정관	편인	정인	비견	겁재	식신	상관
辛	정재	편재	정관	편관	정인	편인	겁재	비견	상관	식신
壬	식신	상관	편재	정재	편관	정관	편인	정인	비견	겁재
癸	상관	식신	정재	편재	정관	편관	정인	편인	겁재	비견

천간합(天干合)					
합하는 오행	갑기(甲己)	을경(乙庚)	병신(丙辛)	정임(丁壬)	무계(戊癸)
변하는 오행	토(土)	금(金)	수(水)	목(木)	화(火)

然又有爭合妒合之說, 何也？ 如兩辛合丙, 兩丁合壬之類, 一夫不娶二妻, 一女不配二夫, 所以有爭合妒合之說. 然到底終有合意, 但情不專耳. 若以兩合一而隔位, 則全無爭妒. 如庚午, 乙酉, 甲子, 乙亥, 兩乙合庚, 甲日隔之, 此高太尉命, 仍作合煞留官, 無減福也.

그리고 또한 쟁합과 투합이라는 이론이 있는데(然又有爭合妒合之說), 이는 무엇인가요(何也)？ 예를 들면, 2개의 신금(辛)이 병화와 병신(丙辛)이라는 천간합을 만들고(如兩辛合丙), 2개의 정화(丁)가 임수와 정임(丁壬)이라는 천간합의 종류를 만들 때를 말한다(兩丁合壬之類). 참고로 이 둘은 모두 정관이 된다. 정관은 천간합이라는 사실을 상기해보자. 이는 결국에 한 남자가 두 부인을 얻을 수 없고(一夫不娶二妻), 한 여자가 두 남편을 얻을 수 없듯이(一女不配二夫), 이때는 심각한 문제를 만든다는 의미에서 쟁합과 투합이라는 이론을 가지게 된다(所以有爭合妒合之說). 물론 이는 결국에는 합의 의미를 가지게 되나(然到底終有合意), 단지 정(情)이 어느 한쪽으로만 치우치지(專) 못할 뿐이다(但情不專耳). 신금이나 정화가 2개씩이라는 사실을 상기해보자. 물론 이때 2개씩인 천간이 하나의 합을 만들고, 나머지 하나는 거리상으로 너무 멀리 떨어져 있게 되면(若以兩合一而隔位), 이때 멀리 떨어져 있는 천간은 합을 만들 수가 없으므로, 이때는 당연히 쟁합이나 투합은 전무(全無)하게 된다(則全無爭妒). 예를 들면, 연주가 경오이고(如庚午), 월주가 을유이고(乙酉), 일주가 갑자이고(甲子), 시주가 을해라면(乙亥), 이때는 이론상으로는 2개의 을목이 경금과 을경(乙庚)이라는 천간합을 만들 수 있지만(兩乙合庚), 이때 문제는 일간의 갑목이 시주의 을목이 연주의 경금과 소통하는 일을 가로막고 있다는 사실이다(甲日隔之). 즉, 이때는 마음으로는 천간합을 만들고 싶지만, 지리상으로 거리가 너무 멀다. 이 사주는 고태위의 명리인데(此高

太尉命), 이때는 갑목인 일간을 기준으로 보게 되면, 편관(煞)인 경금은 을경이라는 천간합이 되어서 제거되고, 정관인 유금이 남아있게 된다(仍作合煞留官). 그래서 이때는 이 상태로만 보게 되면, 복이 감소하지 않았다고 보아야 한다(無減福也). 이는 너무나 당연한 일이다.

今人不知命理, 動以本身之合, 妄論得失. 更有可笑者. 書云. 合官非為貴取. 本是至論, 而或以本身之合為合, 甚或以他支之合為合, 如辰與酉合, 卯與戌合之類, 皆作合官. 一謬至此子平之傳掃地矣 !

요즘 사람들은 사주 명리를 잘 알지 못해서(今人不知命理), 일간이 천간합이 되는 경우에 미혹(動)되어서(動以本身之合), 사주의 득실을 잘못 논하고 있으니(妄論得失), 이는 참으로 가소로운 일이다(更有可笑者). 속세의 책에서는 다음과 같이 말하고 있다(書云). 정관이 천간합을 만들게 되면, 이때 희신(喜神)인 정관이 제거되므로, 이때는 귀함을 취할 수 없다고 한다(合官非為貴取). 이는 겉으로 보게 되면(本是) 너무나도 당연한 말이다(本是至論). 이는 앞에서 이미 나왔던 이야기이다. 이때는 정관과 천간합을 똑같이 취급한다. 그래서 이때는 천간합이 의미가 없어지고 만다. 그래서 천간합의 의미를 모르게 되면, 어떤(或) 사람은 일간이 포함된 천간합도 합으로 봐야 한다고 하고(而或以本身之合為合), 심한 경우에는 지지에서 만들어지는 다른 육합(六合)도 합으로 봐야 한다고 한다(甚或以他支之合為合). 예를 들자면, 진유(辰酉)로 만들어지는 지지의 육합(六合)도 천간합처럼 취급해야 하고(如辰與酉合), 묘술(卯戌)로 만들어지는 지지의 육합(六合)도 천간합처럼 취급해야 한다는 것이다(卯與戌合之類). 즉, 지지에서 만들어지는 육합(六合)도 천간에서 만들어지는 천간합(天干合)처럼 취급하자는 것이다. 즉, 이 둘 모두에서도 합이 되면 무조건 관성이 작용한다고 본 것이다(皆作合官). 이는 또 하나의 오류일 뿐인데(一謬至), 이렇게 되면, 자평의 전통은 이 땅에서 사라져 버릴 것이다(此子平之傳掃地矣). 이는 천간과 지지의 개념을 제대로 모르기 때문이다.

즉, 하나의 지지는 천간 하나의 1/3만 대표하기 때문에, 근본적으로 천간과 지지는 똑같을 수가 없게 된다. 그래서 자동으로 지지의 오행 2개로 구성되는 육합은 천간의 오행 2개로 구성되는 천간합과 같을 수가 없게 된다.

제6장 10 천간의 득시불왕 실시불약
(論十干得時不旺失時不弱)

제6장 10 천간의 득시불왕 실시불약을 논하다 (論十干得時不旺失時不弱)

書云, 得時俱為旺論, 失時便作衰看, 雖是至理, 亦死法也. 然亦可活看. 夫五行之氣, 流行四時, 雖日幹各有專令, 而其實專令之中, 亦有並存者在. 假若春木司令, 甲乙雖旺, 而此時休囚之戊己, 亦未嘗絕於天地也. 特時當退避, 不能爭先, 而其實春土何嘗不生萬物, 冬日何嘗不照萬國乎?

옛날 책은 다음과 같이 말하고 있다(書云). 때를 잘 만나면 모두 왕성하다고 말하고(得時俱為旺論), 때를 잃으면 다시 쇠퇴를 관찰할 수 있다고 말하고 있다(失時便作衰看). 그러나 비록 이 말이 이치에 부합하기는 하지만(雖是至理), 역시 상황에 따라서는 죽으라는 법도 있다(亦死法也). 물론 이때도 역시 살라는 법도 있다(然亦可活看). 일반적으로 오행의 에너지란(夫五行之氣), 사계절을 따라서 흐른다(流行四時). 이는 오행이 사계절을 만들기 때문이다. 그리고 비록 일간에 따른 각각 월의 전령이 있기는 하지만(雖日幹各有專令), 이 실제 전령 안에도(而其實專令之中), 역시 함께 존재하는 전령의 다른 형태도 존재한다(亦有並存者在). 예를 들자면, 봄의 목에서 사령을 보면(假若春木司令), 모름지기 갑을이라는 목이 왕성하게 되면(甲乙雖旺), 이 시기에는 갑을이 상극하는 무기는 자동으로 갑을에 잡혀서 휴식하고 만다(而此時休囚之戊己). 그러나 이 상태는 천지에서 무기의 기운이 억제받고 있을 뿐이지 완전히 끊긴 것은 아니다(亦未嘗絕於天地也). 이는 오행의 에너지를 만드는 오성(五星)의 특성을 보면 된다. 지금은 목성과 토성의 문제인데, 이때 따뜻한 목성은 자기 에너지로 차가운 토성의 에너지를 제압한다. 이때 토성의 에너지가 완전히 사라지는 것이 아니고, 목성의 에너지로 중화되고 있을 뿐이다. 그래서 단지 토성이 지구라는 땅으로 본래 자기의 차가운 에너지를 제대로 보내지 못하고 있을 뿐이다. 그래서 따뜻한 봄바람을 만들어내는 목성이 토성을 제어하면서, 봄에는 토성이 제어하는 비가 아주 조금씩 내리게 된다. 이는 비를 만드는 토성의 기운이 완전히 끊긴 것은 아니라는 뜻이다. 지금 이 문장은 이 말을 하고 있다. 다시 본문을 보자. 그래서 이는 사령이 어느 특정한 시기에 쇠퇴하거나 잠시 회피당하고 있을 뿐이다(特時當退避). 즉, 이때 토성은 먼저(先) 경쟁(爭)을 이끌기는 불가능하지만(不能爭先), 그렇다고 봄의 토성이 자기 기능을 잃고 만물을 성장시키지 못하고 있는 상태는 아니다(而其實春土何嘗不生萬物). 이 범위를 넓혀서 보자면, 일조량이 적은 겨울에 태양이 지구에 빛을 비추지 않은 적이 있던가(冬日何嘗不照萬國乎)?

旺衰強弱四字, 昔人論命, 每籠統互用, 不知須分別看也. 大致得時為旺, 失時為衰. 黨眾為強, 助寡為弱. 故有雖旺而弱者, 亦有雖衰而強者, 分別觀之, 其理自明. 春木夏火秋金冬水為得時, 比劫印綬通根扶助為黨眾. 甲乙木生於寅卯月, 為得時者旺. 乾庚辛而支酉丑, 則金之黨眾, 而木之助寡. 幹丙丁而支巳午, 則火之黨眾, 木洩氣太重, 雖秉令而不強也. 甲乙木生於申酉月, 為失時則衰, 若比印重疊, 年日時支, 又通根比印, 即為黨眾, 雖失時而不弱也. 不特日主如此, 喜用忌神皆同此論.

그래서 사주에서 왕성, 쇠퇴, 강약을 따지면서(旺衰強弱四字), 옛날 사람들은 명리를 논했는데(昔人論命), 이때는 매번 명확하지 않고 서로 융통해서 사용했다(每籠統互用). 즉, 사령을 따질 때 월주의 월지만 이용하는 것이 아니라 다른 사주의 지지도 이용했다는 뜻이다. 이때는 월지와 다른 지지를 분별(分別)해서 관찰(看)하는 것을 몰랐다(不知須分別看也). 그래서 때를 크게 얻으면 사주는 왕성했고(大致得時為旺), 때를 얻지 못하면 쇠퇴했다(失時為衰). 여기서 때(時)는 지지(地支)를 말한다. 그래서 때가 일간을 무리를 지어서 돕는다면, 이 사주는 강해지고(黨眾為強), 도움(助)이 적다면(寡), 당연히 이 사주는 약해진다(助寡為弱). 그래서 일간이 비록 왕성하지만, 지지의 역할에 따라서 정작 사주는 약해질 수도 있고(故有雖旺而弱者), 역시 일간은 비록 쇠퇴하고 있지만, 사주는 강해질 수 있다(亦有雖衰而強者). 그래서 이때는 사주 여덟 글자를 서로 분리해서 관찰하게 되면(分別觀之), 그 원리는 자명해지게 된다(其理自明). 그래서 봄의 목, 여름의 화, 가을의 금, 겨울의 수가 모두 지지라는 때를 얻고 있을 때(春木夏火秋金冬水為得時),

비겁이나 인수가 해당 사주의 뿌리인 지지와 서로 소통하게 되면, 이들은 일간을 무리를 지어서(黨衆:당중) 돕게(扶助) 된다(比劫印綬通根扶助為黨衆). 예를 들자면, 일간의 갑을이 월지(月)의 인묘와 공생하고 있을 때(甲乙木生於寅卯月), 이때 일간이 지지라는 때(時)를 얻게 되면, 일간은 왕성하게 된다(為得時者旺). 이때 갑인과 을묘는 비견이라는 사실을 상기해보자. 이를 확장해보자면, 천간에서 경신이 나오고, 지지에서 유축이 나온다면(乾庚辛而支酉丑), 이는 금의 무리로서(則金之黨衆), 목에는 도움이 적게 된다(而木之助寡). 유금은 목을 상극하고, 축토는 목이 상극한다는 사실을 상기해보자. 추가로 축토의 지장간에는 신금이라는 금이 존재한다는 사실도 상기해보자. 이번에는 천간에는 병정이 있고, 지지에는 사오가 있다면(幹丙丁而支巳午), 이는 당연히 화의 무리로서(則火之黨衆), 목은 에너지를 크게 누설하게 된다(木洩氣太重). 이때 목은 화의 불쏘시개가 되기 때문이다. 이때는 일간의 목이 월지에서 사령(令)을 장악(秉)하고 있을지라도 다른 지지로 인해서 일간이 강해지지 않게 된다(雖秉令而不強也). 그리고 일간의 갑을이라는 목이 월지의 신유라는 금과 공생하고 있게 되면(甲乙木生於申酉月), 이때 일간인 목은 당연히 실기하게 되고 즉, 지지의 도움을 받지 못하게 되고, 결국에 쇠퇴하고 만다(為失時則衰). 금은 목을 상극한다는 사실을 상기해보자. 이때 만약에 비겁과 인성이 중첩해서 존재하고(若比印重疊), 동시에 월지를 제외한 나머지 사주의 지지에서(年日時支), 또한 이 비겁 그리고 인성이 지지(根)와 서로 소통하게 되면(又通根比印), 이때는 말이 필요 없이 이들은 자동으로 일간을 무리를 지어서 돕게 된다(即為黨衆). 그래서 이때는 월지에서 설사 실기를 했을지라도 많은 도움을 받은 일간은 약해지지 않게 된다(雖失時而不弱也). 이런 원리는 여기서 특별히 언급하지 않은 일주의 천간에서도 지금처럼 적용된다(不特日主如此). 그리고 희신, 용신, 기신도 모두 이 이론과 동일하게 적용된다(喜用忌神皆同此論). 이 부분은 판본에 따라서 다르게 나오는 곳이다. 그러나 개략적인 내용은 같다.

是故十干不論月令休囚, 只要四柱有根, 便能受財官食神而當傷官七煞, 長生祿旺,根之重者也. 墓庫餘氣, 根之輕者也. 天乾得一比肩, 不如得支中一墓庫, 如甲逢未, 丙逢戌之類. 乙逢戌, 丁逢丑, 不作此論, 以戌中無藏木, 丑中無藏火也. 得二比肩, 不如得一餘氣, 如乙逢辰, 丁逢未之類. 得三比肩, 不如得一長生祿刃, 如甲逢亥子寅卯之類. 陰長生不作此論, 如乙逢午, 丁逢酉之類, 然亦為明根, 可比得一餘氣. 蓋比劫如朋友之相扶, 通根如室家之可住. 乾多不如根重, 理固然也.

이런 이유로 천간이 월지를 통제해서 월지의 에너지 발산을 억제하는 상황을 논하지 않고도(是故十干不論月令休囚), 다른 사주의 지지라는 사주의 뿌리가 일간과 소통하고 있다면 즉, 사주가 중요한 뿌리를 보유하고 있다면(只要四柱有根), 이때는 자동으로 재성, 관성, 식신 등을 능히 받을 수가 있고, 상관과 칠살하고도 당당하게 대적할 수 있게 된다(便能受財官食神而當傷官七煞). 일간을 도와주는 지지의 중요성을 말하고 있다. 이때 일간을 도와주는 장생, 건록, 제왕은(長生祿旺), 지지라는 뿌리가 많다(重)는 사실을 말하고(根之重者也), 일간을 도와주지 않는 묘고, 조금 도와주는 여기는(墓庫餘氣), 지지라는 뿌리가 많지 않다(輕)는 사실을 말하고 있다(根之輕者也). 여기서 묘고(墓庫)는 십이운성에서 토(庫)가 천간과 만나서 만들어내는 묘(墓)를 말한다. 그리고 천간의 일간에서 비견을 하나 얻는 일은(天乾得一比肩), 지지에서 하나의 묘고(墓庫)를 얻는 일과 같지 않게 된다(不如得支中一墓庫). 추가로 비견도 좋은 역할을 하지 않는다는 사실을 상기해 보자. 이를 예를 들어서 설명하자면, 갑목이 묘(墓)인 미토를 만나고(如甲逢未), 병화가 묘(墓)인 술토의 종류를 만나고(丙逢戌之類), 을목이 묘(墓)인 술토를 만나고(乙逢戌), 정화가 묘(墓)인 축토를 만나게 되면(丁逢丑), 이 이론은 작동하지 않게 된다(不作此論). 즉, 묘(墓)는 일간을 도와주는 뿌리가 되지 못하기 때문이고, 비견도 일간을 도와주는 뿌리가 되지 못하기 때문이다. 그러나 이는 음양의 구별을 요구하고 있다. 즉, 갑목의 십이운성에서 술토는 양(養)이 되나, 을목의 십이운성에서 술토는 묘(墓)가 된다. 즉, 목의 음양에 따라서 술토의 역할이 정반대로 되고 만다. 이는 화에서도 똑같이 작동한다. 즉, 병화의 십이운성에서 축토는 양(養)이 되고, 정화의 십이운성에서 축토는 묘(墓)가 된다. 그래서 술토는 목을 모두 품을 수가 없고(以戌中無藏木), 오직 갑목만 품(藏)어서 일간의 뿌리가 될 수가 있다. 그리고 축토도 화를 모두 품을 수가 없고(丑中無藏火也), 오직 병화만 품(藏)어서 일간의 뿌리가 될 수 있다. 이를 명리 용어로 풀면, 12 지지의 술토의 지장간(藏)을 보게 되면, 신금의 여기, 정화의 중기, 무토의 정기가 있고, 목은 없게 된다(以戌中無藏木). 그래서 술토는 갑목의 뿌리가 되지 못한다. 이는 화에서도 똑같다. 즉, 축토의 지장간(藏)을 보게 되면, 여기의 계수, 중기의 신금, 정기의 기토가 되고, 화는 없게 된다(丑中無藏火也). 그래서 축토는 병화의 뿌리가 되지 못한다. 이는 지장간을 말하고 있다. 지장간은 삼합하고도 연결된다.

12 지지	음양	오행	지장간(支藏干)		
			여기(餘氣)	중기(中氣)	정기(正氣)
子(자)	양	수	壬(임)		**癸(계)**
丑(축)	음	토	癸(계)	辛(신)	己(기)
寅(인)	양	목	戊(무)	丙(병)	甲(갑)
卯(묘)	음	목	甲(갑)		乙(을)
辰(진)	양	토	乙(을)	癸(계)	戊(무)
巳(사)	음	화	戊(무)	庚(경)	**丙(병)**
午(오)	양	화	丙(병)	**己(기)**	**丁(정)**
未(미)	음	토	丁(정)	乙(을)	己(기)
申(신)	양	금	戊(무)	壬(임)	庚(경)
酉(유)	음	금	庚(경)		辛(신)
戌(술)	양	토	辛(신)	丁(정)	戊(무)
亥(해)	음	수	戊(무)	甲(갑)	**壬(임)**

삼합(三合)				
합하는 오행	인오술 (寅午戌)	신자진 (申子辰)	사유축 (巳酉丑)	해묘미 (亥卯未)
변하는 오행	화(火)	수(水)	금(金)	목(木)

삼합의 표를 보게 되면, 각각 지지 조합의 가운데 지지(오화, 자수, 유금, 묘목)

가 오행을 대표하고 있다. 이는 사실상 상생 관계를 말하고 있다. 인오술을 보게 되면, 목, 화, 금(금의 토가 술)이 되고, 신자진을 보게 되면, 금, 수, 목(목의 토가 진)이 되고, 사유축을 보게 되면, 화, 금, 수(수의 토가 축)가 되고, 해묘미를 보게 되면, 수, 목, 화(화의 토가 미)가 된다. 지금 우리는 에너지 흐름을 쫓고 있다는 사실을 상기해보자. 그리고 지금 상생 관계는 사계절의 에너지 흐름이라는 점도 상기해보자. 그러면, 화는 인목에서 시작해서 오화에서 절정을 이루고, 수는 신금에서 시작해서 자수에서 절정을 이루고, 금은 사화에서 시작해서 유금에서 절정을 이루고, 목은 해에서 시작해서 묘목에서 절정을 이루게 된다. 이 사실을 중기(中氣)에 적용해보게 되면, 인목(寅)에서 병화(丙)가 나오는 이유가 되고, 신금(申)에서 임수(壬)가 나오는 이유가 되고, 사화(巳)에서 경금(庚)이 나오는 이유가 되고, 해수에서 갑목이 나오는 이유가 된다. 그리고 봄의 마지막인 진토(辰)에서 겨울의 아주 작은 기운인 계수(癸)조차도 완벽하게 끝나게 되고, 여름의 마지막인 미토(未)에서 봄의 아주 작은 기운인 을목(乙)조차도 완벽하게 끝나게 되고, 가을의 마지막인 술토(戌)에서 여름의 아주 작은 기운인 정화(丁)조차도 완벽하게 끝나게 되고, 겨울의 마지막인 축토(丑)에서 가을의 아주 작은 기운인 신금(辛)조차도 완벽하게 끝나게 된다. 이 의미를 삼합 표에서 보게 되면, 술토(戌)와 화(火)가 짝이 되고, 진토(辰)와 수(水)가 짝이 되고, 축토(丑)와 금(金)이 짝이 되고, 미토(未)와 목(木)이 짝이 된다. 결국에 중기(中氣)는 삼합(三合)을 그대로 표시한 것에 불과하다. 그래서 중기를 보게 되면, 묘목, 유금, 자수의 공간은 비어있게 된다. 이때는 해당 계절의 기운이 절정을 이루므로, 다른 계절의 시작도 끝도 없는 시기가 된다. 그러나 여름의 절정인 오화(午)를 보게 되면, 기토(己)가 자리하고 있다. 왜 그럴까? 이는 오화가 여름의 절정이 아니라는 뜻이기도 하다. 왜 그럴까? 이는 토성이 주도하는 장하가 끼어있기 때문이다. 토성은 성질이 차갑다. 그래서 무더운 여름에 하늘로 몽땅 올라간 수증기는 토성의 차가운 에너지를 받게 되면, 장하라는 장마철을 만들게 된다. 그러면, 자동으로 여름은 식는다. 그리고 토성이라는 토의 차가운 기운도 여름의 무더운 기운에 데워져서 약해진다. 그래서 이때 오화의 공간에 약한 토인 기토(己)를 배치하게 된다. 즉, 오화의 자리를 차지하고 있는 기토(己)는 식은 여름과 데워진 장하를 대표한다. 이 중기의 해석을 제대로 하는 사주쟁이는 없다. 이는 삼합을 제대로 해석하지 못하기 때문이다. 이제 남은 하나는 정기(正氣)이다. 정기는 말 그대로 해당 오행의 정확(正)한 기운(氣)이다. 그래서 이는 지지를 오행으로 나누어서 천간으로 변환만 시키면 된다. 그런데, 여기에도 변수가 있다. 정기를 보게 되면, 양인 자수의 자리에는 원래 양인 임수가 자리해야 하지만, 음인 계수가 자리하고 있고, 양인 오화의 자리에도 원래 양인 병화가 자리해야 하지만, 음인 정화가 자리하고 있다. 그 이유는 동지(冬至)와 하지(夏至) 때문이다. 동지는 음인 밤의 길이가 제일 길고, 낮의 길이가 제일 짧다. 그러나 동지가 지나서 다음날부터는 낮의 길이가 길어지게 되면서, 양기가 차오르기 시작하므로, 이때 임수라는 차가운 기운은 덜 차가운 계수로 변하게 된다. 이 원리는 하지에도 그대로 적용된다. 즉, 하지는 낮의 길이가 제일 길고, 밤의 길이가 제일 짧다. 그러나 하지가 지나서 다음날이 되면, 밤의 길이가 길어지면서, 음의 기운이 살아나기 시작한다. 그러면, 이때 병화라는 기운은 자동으로 약해지면서 정화의 기운으로 변하게 된다. 그래서 정기(正氣)에서는 이 두 천간을 표시할 때는 주의를 요구한다. 문제는 또 있다. 즉, 음인 사화가 양인 병화로 표시되고, 음인 해수가 양인 임수로 표시되는 경우이다. 이는 각각 입하와 입동 때문이다. 즉, 입하 때는 더위가 추가되므로, 음인 사화가 양인 병화가 되고, 입동 때는 추위가 추가되므로, 음인 해수가 양인 임수가 된다. 그래서 지장간의 정기에서는 이처럼 4가지 경우의 수만 주의하면 된다. 다시 본문을 보자. 일간이 2개의 비견을 얻는 일은(得二比肩), 당연히 여기를 하나 얻는 일과 같지 않다(不如得一餘氣). 예를 들면, 을목이 관대(冠帶)인 진토를 만나게 되면(如乙逢辰), 진토는 을목이라는 지장간을 보유하게 되면서 진토는 을목의 에너지를 강하게 만든다. 이는 정화가 관대(冠帶)인 미토의 종류를 만나는 것과 같다(丁逢未之類). 여기서 보면, 진토의 지장간에서 을목은 아주 약한 여기(餘氣)에 불과하고, 정화에서도 마찬가지로, 미토의 지장간에서 정화는 아주 약한 여기(餘氣)에 불과하다. 그러나 비겁은 여기와 비교해보게 되면, 아주 강한 에너지가 된다. 여기는 말 그대로 여분의 에너지이다. 그래서 이때 똑같은 비겁을 만들더라도 여기를 이용하는 경우와 에너지의 크기가 다르게 된다. 다시 본문을 보자. 일간이 3개의 비견을 얻는 일은(得三比肩), 너무나도 당연히 하나의 장생, 건록, 양인을 얻는 것과 같지 않다(不如得一長生祿刃). 예를 들면, 양인 갑목이 해자인묘의 종류를 얻을 때나(如甲逢亥子寅卯之類) 즉, 양인 갑목이 장생, 목욕, 건록, 제왕을 얻을 때나, 음인 을목에서 장생인 오화가 나오게 되면, 이 이론이 작동하지 않게 된다(陰長生不作此論). 그리고 을목이 장생인 오화를 만나고(如乙逢午), 정화가 장생인 유금의 종류를 만나게 되면(丁逢酉之類), 이때 역시 자연스럽게 이들은 명확히 일간의 뿌리가 되어준다(然亦為明根). 그러면, 이는 자동으로 하나의 약하디약한 여기(餘氣) 하나를 얻는(得) 것과 비교(比)가 된다(可比得一餘氣). 대개 비겁은 벗과 상부상조하는 일로 본다(蓋比劫如朋友之相扶). 그리고 뿌리인 지지와 통하는 통근(通根)이라고 칭하는, 일간에 대한 지지의 도움은 자기를 돕는 일가친척(室家)과 함께 거주하는 일과 같다(通根如室家之可住). 그래서 지지의 도움으로 인해서 뿌리가 많다는 말은 천간에 있는 일간을 돕은 오행이 많은 뜻과는 같지 않게 된다(乾多不如根重). 이 이치는 너무나 당연한 일이다(理固然也). 천간과 지지는 에너지의 크기가 서로 다르기 때문이다.

今人不知命理, 見如夏水冬火, 不問有無通根, 便爲之弱, 更有陽干逢庫, 如壬逢辰, 丙坐戌之類, 不以爲水火通根身庫, 甚至求刑沖以開之. 此種謬書謬論, 必宜一切掃除也.

요즘 사람들은 사주 명리를 잘 알지 못해서(今人不知命理), 화(夏)가 수와 겹치고, 수(冬)가 화와 겹치게 되면(見如夏水冬火), 이들은 서로 상극하므로, 사주의 뿌리인 지지(根)와 소통(通)하는 조건의 유무는 따지지도 않고(不問有無通根), 간단히 해당 사주는 약하다고 치부해버린다(便爲之弱). 도리어(更) 양간이 사고를 만나는 경우에서(更有陽干逢庫), 예를 들자면, 임수가 진토를 만나게 되면(如壬逢辰), 진토는 지장간에서 계수를 품고 있고, 병화가 술토의 종류를 만나게 되면(丙坐戌之類), 술토는 지장간에서 정화를 품고 있어서, 이들은 지지(根)와 소통(通)하게 된다. 그런 데도 불구하고, 일간의 임수와 병화가 지지의 지장간을 통해서 사고와 서로 소통하고 있다는 사실을 모른다(不以爲水火通根身庫). 그래서 오히려 형충을 이용해서 문제를 해결해야 한다고 말한다(甚至求刑沖以開之). 그래서 이런 종류의 잘못된 책과 잘못된 이론은(此種謬書謬論), 반드시 모두 쓸어서 제거해 버려야 마땅하다(必宜一切掃除也). 사주 명리에서 천간과 지지의 소통은 굉장히 중요한 문제이다. 이는 천간이 지지를 통해서 표현되기 때문이다. 즉, 천간의 에너지를 이루고 있는 오행은 지지라는 땅의 에너지를 빌려서 자기를 표현하기 때문이다. 이때 표현된 형태가 만물이 된다. 인간에게서는 이를 관상이라고 부른다. 그래서 관상을 신상(神相)이라고 부른다. 여기서 신(神)은 에너지라는 사실을 상기해보자. 한 마디로 천간과 지지의 소통(疏通)은 의무이다.

제7장 형충회합의 해법을 논하다(論刑沖會合解法)

제7장 형충회합의 해법을 논하다(論刑沖會合解法)

刑者, 三刑也, 子卯巳申之類是也. 衝者, 六衝也. 子午卯酉之類是也. 會者, 三會也. 申子辰之類是也. 合者, 六合也. 子與丑合之類是也. 此皆以地支宮分而言, 系對射之意也. 三方為會, 朋友之意也. 並對為合, 比鄰之意也. 至於三刑取義, 姑且闕疑, 雖不知其所以然, 於命理亦無害也.

형은 삼형이다(刑者, 三刑也). 이는 자묘나 사신 종류가 된다(子卯巳申之類是也). 원래 형(刑)은 12 지지의 오행을 표시하는 방합(方合)에 삼합(三合)이 가세한 것을 말한다. 자묘(子卯)를 보게 되면, 자수는 양으로서 많은 에너지를 보유하고 있는데, 묘목은 음으로서 아주 약하다. 그리고 이 둘은 상생 관계로서 수가 목으로 에너지를 보내게 된다. 그러면, 약한 묘목은 강한 자수에게서 너무나 많은 에너지를 받게 되면서, 이를 감당하지 못하고, 결국에 묘목은 심한 과부하에 시달리게 된다. 이는 묘목에게는 형벌(刑)이나 다름이 없게 된다. 이는 삼합의 관계에서 나오지만, 일반적인 상생 관계에서도 그대로 통한다. 이를 점잖은 말로 무례지형(無禮之刑)이라고 부른다. 즉, 강한 어른이 약한 어린이를 때리는 일은 예의에 어긋나는 무례(無禮)한 행동이라는 뜻이다. 그리고 사신(巳申)을 보게 되면, 이는 원래 인사신(寅巳申)이다. 이를 삼합으로 풀어보게 되면, 인(寅)은 화(火)가 되고, 사(巳)는 금(金)이 되고, 신(申)은 수(水)가 된다. 이를 방합으로 표시된 오행으로만 보게 되면, 화(火), 금(金), 수(水)가 된다. 이를 재정렬하게 되면, 수, 화, 금이라는 상극(克)의 연속(連續) 관계가 나오게 된다. 이는 자동으로 형벌(刑)을 말하게 된다. 한마디로 세 놈이 모여서 서로 피 터지게 싸우는 형국이다. 다시 본문을 보자. 충은 육충이다(衝者, 六衝也). 이는 지지를 충(衝)으로 보게 되면 나오게 되는데, 자(子)↔오(午), 축(丑)↔미(未), 인(寅)↔신(申), 묘(卯)↔유(酉), 진(辰)↔술(戌), 사(巳)↔해(亥)라는 6가지가 된다. 이는 음음, 양양이라는 같은 지지끼리 모인다. 그리고 진술미토는 자기가 속한 오행을 대표하게 된다. 즉, 진(辰)은 목(木)을 대표하고, 술(戌)은 금(金)을 대표하고, 미(未)는 화(火)를 대표하고, 축

(丑)은 수(水)를 대표한다. 그러면, 이들은 겉으로는 같은 토로 표시되지만, 실제로는 오행을 대표하게 되고, 그러면, 이들은 서로 상극 관계가 되어서 충돌(衝)하게 된다. 즉, 충(衝)은 상극(克) 관계로 충돌(衝)한다는 뜻이다. 그래서 이는 자오나 묘유를 말한다(子午卯酉之類是也). 그리고 회는 삼회이다(會者, 三會也). 이는 신자진과 같은 종류이다(申子辰之類是也). 이는 정확히 삼합(三合)을 말한다. 삼합에서 신자진(申子辰)은 수(水)에 배정되는데, 여기서 진(辰)은 목(木)을 대표하므로, 이 조합은 금, 수, 목이 되면서 상생 관계가 형성된다. 삼합에 관한 설명은 앞에서 이미 했다. 그리고 합은 육합이다(合者, 六合也). 이는 자수와 축토가 합쳐진 종류를 말한다(子與丑合之類是也). 이는 아래 표를 참고해서 살펴보면 된다. 추가로 다른 합의 조합 표도 참고하라는 의미에서 예시했다.

육합(六合)						
합하는 오행	자축 (子丑)	인해 (寅亥)	묘술 (卯戌)	진유 (辰酉)	사신 (巳申)	오미 (午未)
변하는 오행	토(土)	목(木)	화(火)	금(金)	수(水)	잘되지 않음.

방합(方合)				
합하는 오행	인묘진 (寅卯辰)	사오미 (巳午未)	신유술 (申酉戌)	해자축 (亥子丑)
변하는 오행	목(木)	화(火)	금(金)	수(水)

삼합(三合)				
합하는 오행	인오술 (寅午戌)	신자진 (申子辰)	사유축 (巳酉丑)	해묘미 (亥卯未)
변하는 오행	화(火)	수(水)	금(金)	목(木)

지금까지 설명한 부분은 모두 지지의 궁(宮)을 가지고 각각의 조합을 구분해서 말한 것이다(此皆以地支宮分而言). 그리고 이 조합의 계통(系)들은 서로 대적해서 활을 쏘는 형국을 의미한다(系對射之意也). 이는 앞에서 본, 상극 관계와 상생 관계에서 에너지의 충돌(沖)을 말하고 있다. 그리고 3개(三)의 상대방(方)이 모인 회는(三方為會), 벗이 모였다는 의미이다(朋友之意也). 그리고 병립해서 대치하는 합은(並對為合) 즉, 인사신(寅巳申)과 같은 상극(克)의 연속(連續) 관계는, 이웃이 나란히 모였다는 의미이다(比鄰之意也). 그리고 삼형에 도달했을 때 자세한 의미를 해석하는 일은(至於三刑取義), 잠시 보류하지만(姑且闕疑), 모름지기 그 의미를 몰라도(雖不知其所以然), 사주 명리를 판단하는 데는 큰 무리가 없을 것이다(於命理亦無害也). 이는 판단하기가 아주 쉽기 때문이다.

八字支中, 刑衝俱非美事, 而三合六合, 可以解之. 假如甲生酉月, 逢卯則衝, 而或支中有戌, 則卯與戌合而不衝. 有辰, 則酉與辰合而不衝. 有亥與未, 則卯與亥未會而不衝. 有巳與丑, 則酉與巳丑會而不衝. 是會合可以解衝也. 又如丙生子月, 逢卯則刑, 而或支中有戌, 則與戌合而不刑. 有丑, 則子與丑合而不刑. 有亥與未, 則卯與亥未會而不刑. 有申與辰, 則子與申辰會而不刑. 是會合可以解刑也.

사주 여덟 글자의 지지 안에(八字支中), 형충이 모두 존재한다면, 이는 좋은 일은 아니지만(刑衝俱非美事), 이때 삼합과 육합이 존재한다면(而三合六合), 이 둘을 이용해서 이를 해결할 수도 있게 된다(可以解之). 예를 들면, 일간에 갑목이 있고, 월지에 유금이 있게 되면(假如甲生酉月), 이때는 유금이 갑목의 정관이라는 희신이 되면서 기뻐하게 되는데, 이때 묘를 만나서 서로 충돌(衝)하게 되면(逢卯則衝) 즉, 유금이 묘목과 상극으로 충돌(衝)하게 되면, 유금이라는 정관은 힘을 쓰지 못하고 만다. 그러나 이때 지지에 술토가 존재하게 되면(而或支中有戌), 묘술(卯戌)이 육합(六合)의 화(火)가 되면서, 묘(卯)가 제거되고, 이어서 묘는 유금과 상극으로 충돌(衝)하지 않게 된다(則卯與戌合而不衝). 이때 술 대신에 진(辰)이 있게 되면(有辰), 이때는 육합에서 진유(辰酉)라는 금(金)이 만들어지게 되고, 이때도 역시 묘목과 유금은 서로 충돌하지 않게 된다(則酉與辰合而不衝). 이때 해수와 미토가 더불어 있다면(有亥與未), 이때는 삼합에서 해묘미(亥卯未)라는 목(木)을 만들게 되고, 이어서 묘가 제거되면서, 이때도 묘목과 유금은 서로 충돌하지 않게 된다(則卯與亥未會而不衝). 이때 사화와 더불어 축토가 있다면(有巳與丑), 이때는 사유축(巳酉丑)이라는 금(金)이 삼합으로 만들어지게 되고, 유금과 묘목은 서로 충돌하지 않게 된다(則酉與巳丑會而不衝). 그래서 이런 회(會)를 만드는 삼합(合)은 충(衝) 문제를 해결하게 된다(是會合可以解衝也). 또한, 일간이 병화이고 월지가 자수이고(又如丙生子月), 이들이 묘목을 만나서 자묘(子卯)라는 무례지형을 만들 때(逢卯則刑), 지지에 술토가 존재하게 되면(而或支中有戌), 이때는 묘술(卯戌)이 육합의 화(火)가 되게 되고, 이때도 자동으로 자묘라는 형(刑)은 피하게 된다(則與戌合而不刑). 그리고 이때 축토가 있게 되면(有丑), 자축(子丑)이라는 육합의 토(土)가 만들어지면서, 자묘라는 형(刑)은 피하게 된다(則子與丑合而不刑). 또한 이때 해수와 미토가 더불어 있게 되면(有亥與未), 이때는 해묘미라는 삼합의 목(木)이 만들어지게 되고, 이때도 역시 자묘라는 형(刑)은 피하게 된다(則卯與亥未會而不刑). 또한 이때 신금과 진토가 있게 되면(有申與辰), 이때는 신자진이라는 삼합이 만들어지게 되고, 이때도 역시 자묘라는 형(刑)은 피하게 된다(則子與申辰會而不刑). 그래서 이런 회(會)를 만드는 삼합(合)은 형(刑) 문제를 해결하게 된다(是會合可以解刑也). 지금까지 기술한 내용은 모두 12 지지가 만들어내는 육합(六合)과 삼합(三合)이 일간의 천간을 어떻게 돕는지를 말하고 있다. 결국에 이는 에너지의 중화(中和) 문제이다. 사주 명리의 핵심은 인체를 다스리는 에너지(energy)의 균형(均衡)과 조화(調和)의 문제이기 때문이다. 인간을 비롯해 모든 생명체는 에너지(energy)의 노예(奴隷)라는 사실을 상기해보자. 그리고 타고난 사주 명리는 인체의 선천적(先天的) 에너지(energy) 지문(指紋)이다. 이를 다시 말하자면, 사주 명리는 선천적(先天的) 에너지(energy) 보고서(報告書)이다. 그리고 여기서 엄청나게 중요한 사항은 지금 말하는 에너지는 눈에 보이지 않는 에너지라는 사실이다. 즉, 지금 말하는 에너지는 ATP가 아니라는 뜻이다.

又有因解而反得刑衝者, 何也? 假如甲生子月, 支逢二卯相並, 二卯不刑一子, 而支又逢戌, 戌與卯合, 本為解刑, 而合去其一, 則一合而一刑, 是因解而反得刑衝也.

또한 이렇게 삼합이나 육합으로 인(因)해서 형충(刑衝)의 문제가 해결되기도 하지만, 반대로 형충을 얻는 경우 있는데(又有因解而反得刑衝者), 어떤 경우인가요(何也)? 예를 들어서 설명하자면, 일간이 갑목이고, 월지가 자수일 때(假如甲生子月), 지지에서 2개의 묘목을 병립해서 서로 만나게 되면(支逢二卯相並), 이때는 자묘라는 하나의 형밖에는 만들지 못하게 되고, 그러면 자동으로 하나의 묘목은 처리할 수 없게 된다(二卯不刑一子). 그러면 묘목은 갑목의 겁재(劫財)가 되고 만다. 이때 지지에 추가(又)로 술토가 존재하게 되면(而支又逢戌), 이때는 자동으로 하나 남은 묘목은 육합의 묘술(卯戌)이라는 화(火)를 만들면서(戌與卯合), 제거되게 되고, 그러면, 갑목(本)은 자동으로 형(刑) 문제를 풀게 된다(本為解刑). 이때 하나의 육합은 묘술을 만들어서 묘목(其)을 하나 제거(去)하게 되고(而合去其一), 하나의 합인 자묘는 하나의 형(刑)이 된다(則一合而一刑). 이것이 합으로 인해서 문제를 해결하는 경우와 반대로 형충을 얻는 경우를 설명한 것이다(是因解而反得刑衝也). 일간에 문제가 되는 에너지를 어떻게 중화하는지를 말하고 있다.

又有刑衝而會合不能解者, 何也? 假如子年午月, 日坐丑位, 丑與子合, 可以解衝, 而時逢巳酉, 則丑與巳酉會, 而子複衝午. 子年卯月, 日坐戌位, 戌與卯合, 可以解刑, 而或時逢寅午, 則戌與寅午會, 而卯複刑子. 是會合而不能解刑衝也.

또한 형충을 회합으로 해결하지 못하는 경우가 있는데(又有刑衝而會合不能解者), 그 이유는 뭔가요(何也)? 예를 들자면, 연지에 자수가 있고, 월지에 오화가 있고(假如子年午月), 일지에 축토가 있으면(日坐丑位), 이때는 자축이 육합의 토가 되면서(丑與子合), 자수와 오화가 상극으로 충돌(衝)하는 일이 해결된다(可以解衝). 이때 시지에서 사유를 만나게 되면(而時逢巳酉), 이때는 사유축이라는 삼합(會)이 만들어지게 되고(則丑與巳酉會), 그러면 이때 남은 자수는 다시 오화와 상극으로 충돌(衝)하게 된다(而子複衝午). 이번에는 연지에 자수가 있고, 월지에 묘목이 있고(子年卯月), 일지에 술토가 자리하고 있다면(日坐戌位), 이때는 묘술이라는 육합의 화가 만들어지면서(戌與卯合), 자묘라는 형(刑) 문제가 해결된다(可以解刑). 이때 혹시나 인목과 오화를 만나게 되면(而或時逢寅午), 인오술이라는 삼합(會)의 화가 만들어지게 되고(則戌與寅午會), 그러면, 다시 묘목은 자수와 형(刑)을 만든다(而卯複刑子). 이들 예가 삼합이 형충 문제를 해결하지 못한 경우이다(是會合而不能解刑衝也).

更有刑衝而可以解刑者, 何也? 蓋四柱之中, 刑衝俱不為美, 而刑衝用神, 尤為破格, 不如以另位之刑衝, 解月令之刑衝矣. 假如丙生子月, 卯以刑子, 而支又逢酉, 則又與酉衝不刑月令之官. 甲生酉月, 卯日衝之, 而時逢子立, 則卯與子刑, 而月令官星, 衝之無力, 雖於別宮刑衝, 六親不無刑克, 而月官猶在, 其格不破. 是所謂以刑衝而解刑衝也. 如此之類, 在人之變化而己.

또한 형충을 삼합으로 해결하는 경우가 있는데(更有刑衝而可以解刑者), 그 이유는 뭔가요(何也)? 대개 사주 중에서 나오는(蓋四柱之中), 형충은 모두 좋은 것이 아닌데(刑衝俱不為美), 이 형충이 용신과 부딪히게 되면(而刑衝用神), 이때 형충은 더욱더 사주의 격을 파괴해버리면서(尤為破格), 이는 다른 위치에서 형충이 되는 일과 비교가 안 될 정도로 폭발력이 세다(不如以另位之刑衝). 이때 월령에 형충이 걸리게 되면, 이는 해소되어야 한다(解月令之刑衝矣). 예를 들어서 설명하자면, 일간에 병화가 있고, 월지에 자수가 있고(假如丙生子月), 지지에서 묘목이 나타나서 자묘(子卯)라는 형(刑)을 만들게 될 때(卯以刑子), 지지에서 추가로 유금을 만나게 되면(而支又逢酉), 이때는 유금이 묘목과 상극으로 충돌(衝)하게 되고, 그러면, 자동으로 월령의 자수는 형(刑)을 당하지 않게 된다(則又與酉衝不刑月令之官). 이번에는 일간에 갑목이 있고, 월지에 유금이 있고(甲生酉月), 일지에 묘목이 있어서 유금과 묘목이 상극으로 충돌(衝)할 때(卯日衝之), 시지에서 자수가 나오게 되면(而時逢子立), 이때는 자묘(子卯)라는 형이 만들어지게 되고(則卯與子刑), 그러면, 갑목과 월령의 유금은 정관이라는 관성을 만든다(而月令官星). 그러면, 이때는 자동으로 유금과 묘목이 상극으로 충돌하는 일은 무력화된다(衝之無力). 모름지기 다른 지지의 자리(宮)에서 형충이 있어서(雖於別宮刑衝), 육친이 형극을 당하는 일이 없지는 않겠지만(六親不無刑克), 이때 월지의 지지 자리(宮)에 유금이 존재하는 한(而月官猶在), 이 사주의 정관 격은 깨지지 않게 된다(其格不破). 지금 설명한 이들이 소위 형충으로 형충을 해결하는 경우이다(是所謂以刑衝而解刑衝也). 이런 종류와 같은 문제는(如此之類), 해당 사주를 가진 사람의 변화를 살필(在) 뿐이다(在人之變化而已). 형충으로 형충을 해소했다는 말은 사람의 변화를 뜻하기 때문이다. 이는 결국에 지지에서 상생과 상극을 보는 일이다. 이는 천간에서도 마찬가지이다. 그래서 사주는 지지에서 월지를 중심으로 상생과 상극을 살펴보고, 천간에서 일간을 중심으로 상생과 상극을 살피면 된다. 그래서 이런 상생과 상극의 관계를 사주 용어를 써서 설명하고 있을 뿐이다. 그래서 사주를 쉽게 골격만 분석할 때는 상생과 상극으로 분석하면 쉬워진다. 사주 분석은 에너지 분석이기 때문이다.

제8장 용신을 논하다(論用神)

제8장 용신을 논하다(論用神)

八字用神, 專求月令, 以日乾配月令地支, 而生克不同, 格局分焉. 財官印食, 此用神之善而順用之者也. 煞傷劫刃, 用神之不善而逆用之者也. 當順而順, 當逆而逆, 配合得宜, 皆為貴格.

사주 여덟 글자에서 용신은(八字用神), 전적으로 월령을 기준으로 해서 구한다(專求月令). 사주의 주인공은 일간이다. 그리고 이 일간을 괴롭히거나 도와주는 인자가 월지이다. 그래서 일단은 일간을 안정화시키기 위해서 월지를 먼저 단속해 줘야만 한다. 그래서 이때는 일간이 월지로 어떤 에너지를 쓰고 있는지를 보게 된다. 즉, 서유기에서 월(月)이 부처님이라면, 일(日)은 손오공인 셈이다. 그래서 일(日)인 손오공은 아무리 날뛰어봤자 월(月)인 부처님의 손바닥 안에 있을 수밖에 없게 된다. 물론 여기서 주인공은 일(日)인 손오공이다. 그러면, 일(日)인 손오공은 월(月)인 부처님의 눈치를 볼 수밖에 없게 된다. 여기서 눈치는 부처님의 에너지(energy)이다. 그리고 이런 월지(支) 안에는 오행이 만드는 계절(干)의 에너지가 부분적(部分的)으로 포함(藏)되어있다. 여기서 지장간(支藏干)이라는 개념이 나오게 된다. 즉, 월을 표시하는 지지(支) 안에 계절을 표시하는 천간(干)의 기운이 부분적(部分的)으로 포함(藏)되어있다는 뜻이다. 그래서 지장간에는 계절 에너지의 부분(部分)을 표시하는 정기, 여기, 중기라는 에너지가 나올 수밖에 없다. 이들 모두는 한 계절의 부분(部分) 에너지이다. 이는 지지로 표시되는 한 개의 월(月)이 천간으로 표시되는 한 개의 계절(季節)의 1/3을 표시하기 때문이다. 이를 에너지로 다시 표현해보게 되면, 지지에 정기, 여기, 중기가 존재한다는 말은 지지를 통해서 계절의 에너지가 계속(繼續)해서 흐르고 있다는 뜻이다. 그리고 이 에너지 위에 일간(日干)이라는 천간의 에너지가 던져지게 된다. 그러면, 자동으로 지지 위에서 흐르는 에너지와 일간의 에너지는 서로 상호 반응(相互反應)하게 될 것이다. 그리고 이 반응 결과는 인체의 에너지(energy) 지문(指紋)으로 등록된다. 그래서 사주 명리는 이 에너지 지문을 분석(分析)하는 일이 된다. 이를 인체로 표현하자면, 인체가 어머니 뱃속에서 성장할 때는 1년의 에너지를 모두 받으면서 성장하므로, 이때 태아의 몸에서는 지지의 에너지가 계속해서 흐르게 된다. 즉, 1년 사계절의 에너지가 태아의 몸속에서 계속해서 흐르게 된다. 이런 태아가 세상 밖으로 나오게 되면, 그 순간(瞬間) 시점에서 태아 몸의 에너지는 자동으로 간섭(干涉)받게 된다. 이때 태아의 에너지를 간섭하는 에너지는 년(年)을 주도하는 에너지, 월(月)을 주도하는 에너지, 일(日)을 주도하는 에너지, 시(時)를 주도하는 에너지이다. 즉, 태아가 탄생할 때 4가지 에너지가 간섭하게 된다. 여기서 연주(年柱), 월주(月柱), 일주(日柱), 시주(時柱)라는 에너지가 나오게 된다. 그러면, 이때 영아의 에너지 지문은 완성(完成)된다. 그리고 이 에너지 정보는 DNA에 기록된다. 그래서 DNA의 구조는 영원히 변하지 않으므로, 인체의 에너지 지문도 영원히 변하지 않게 된다. 여기서 후성유전이라는 말이 나오는데, 이 후성유전은 DNA의 구조(構造)를 바꾸는 것이 아니라 DNA에 기록된 정보(情報)를 바꾸는 것이다. 이를 보고 사주 명리에서는 사주팔자(四柱八字)가 바뀌었다고 말한다. 사주팔자는 에너지 정보(情報)이기 때문이다. 이는 일란성 쌍둥이가 왜 환경(環境)이 바뀌면 운명도 바뀌는지를 설명해주고 있다. 이때 환경(環境)을 만드는 요인이 에너지(energy)라는 사실을 아는 것이 중요하다. 즉, 환경이 곧 에너지라는 뜻이다. 그러면, 환경이라는 에너지(energy)는 자동으로 인체의 에너지(energy)를 간섭해서 운명(運命)을 바꿔버린다. 여기서 운명(運命)은 오운육기(運)가 만들어내는 사주 명리(命)라는 뜻이다. 그러면, 도대체 에너지(energy)란 뭘까? 라는 의문이 자동으로 튀어나오게 된다. 여기서 에너지는 눈에 보이지는 않지만, 인체를 가지고 노는 존재로서 에너지이다. 이는 전자생리학의 분야이다. 이는 본 연구소가 발행한 전자생리학을 참고하면 될 것이다. 사실 인체를 포함해서 생체는 모두 에너지의 놀이터이고, 에너지의 장난감이고, 에너지의 노예이다. 그리고 사주 명리를 포함한 모든 동양 철학, 동양의학, 동양 종교는 모두 에너지(energy)가 그 중심이 된다. 그리고 이 에너지가 인간을 모든 면에서 가지고 노는 것이다. 우리를 이를 신(神)이라고 부른다. 즉, 신(神)은 인간을 가지고 논다. 이도 역시 전자생리학의 분야이다. 이는 본 연구소가 발행한 전자생리학을 참고하면 될 것이다. 그래서 동양이라는 주제를 연구하다 보면, 반드시 모두 공통으로 신(神)이 등장하게 된다. 인간은 신(神)이라는 에너지(energy)로 작동하므로, 이는 너무나도 당연한 일일 것이다. 이는 당연히 사주 명리를 미신(迷信)으로 둔갑시키게 된다. 우리가 알고 있는 생명체의 에너지는 눈에 보이지 않는 에너지가 아니라 눈에 아주 선명하게 잘 보이는 ATP라고 배웠기 때문이다. 이는 자동으로 생명을 잘못 정의(定義)하게 되고, 자동으로 섭씨 300도가 넘는 해수 열수공에 사는 생명체는 신비의 존재로 전락하고 만다. 이 지독한 환경에 사는 생명체들은 영양분을 먹는 입도 없고, 이어서 소화관도 없고, 이어서 배설 기관도 없다. 그래도 해수 열수공에 사는 생명체는 영양분을 흡수하지 않고도 아주 잘 살아가고 있다. 이 생명체들의 특이한 점은 자기 몸 안에서 발효(醱酵)를 일으킨다는 사실이다. 즉, 발효가 이 생명체들의 에너지원이 된다는 뜻이다. 그리고 발효는 자유전자(自由電子)라는 눈에 보이지 않는 에너지를 가지고 노는 과정이다. 그러면, 이 생명체의 에너지는 자동으로 ATP가 아니라 자유전자(自由電子)라는 뜻이 된다. 그리고 태양계 아래 모든 생명체는 똑같은 에너지를 이용하면서 살아가므로, 인간이라는 생명체의 에너지도 자동으로 ATP가 아닌 자유전자(自由電子)가 된다. 그리고 인체는 이 자유전자라는 눈에 보이지 않는 에너지를 경락(經絡)을 이용해서 소통시킨다. 이것을 다루는 동양의학이 바로 한의학(韓醫學)이다. 그래서 한의학은 경락(經絡)이 핵심이 될 수밖에 없다. 그러면, 자동으로 한의학은 에너지 의학이 된다. 이야기가 너무 길어졌다. 그래서 간단히 종합하자면, 사주 명리학은 누구나 함부로 해석할 수 있는 학문이 아니다. 사주 명리는 눈에 보이지 않는 에너지를 기반으로 하고 있으므로, 당연히 눈에 보이지 않는 에너지를 연구하는 양자역학(量子力學)이 필수가 된다. 한마디로 인간이 살고 있는 모든 공간은 인간의 눈에는 보이지 않지만, 에너지로 가득 차 있다. 그리고 인간은 이 사실을 모른다. 즉, 물고기가 물속에 살면서 물의 존재를 모르는 것이다. 그래서 사주 명리는 기본적으로 인간이 살고 있는 모든 공간이 에너지로 가득하다는 사실을 먼저 알아야만 풀리기 시작한다. 이를 아인슈타인은 모든 우주 공간은 휘어져 있다는 말로 표현했다. 그리고 그는 태양계 아래 모든 물체는 에너지 그 자체($E=mc^2$)라고 말했다. 즉, 인간도 그냥 에너지 덩어리 그 자체($E=mc^2$)에 불과하다. 그러면, 에너지 덩어리인 인간은 자동으로 우주 공간에 떠 있는 에너지의 간섭을 받을 수밖에 없게 된다. 이는 자동으로 우주 공간에 떠 있는 에너지를 연구하는 오운육기를 탐구하게 만들고 만다. 이는 전자생리학의 분야이다. 이는 본 연구소가 발행한 전자생리학을 참고하면 될 것이다. 다시 인체 에너지(energy) 지문(指紋) 문제로 가보자. 그러면, 년, 월, 일, 시라는 사주에 따라서 인체의 에너지(energy) 지문(指紋)이 달라질 수밖에 없게 된다. 그러면, 에너지 지문이라는 인체의 에너지는 인체를 가지고 놀게 된다. 인체는 에너지의 노예라는 사실을 상기해보자. 그러면, 이제 인체의 에너지 지문에 따라서 인체의 행동도 자동으로 달라진다. 이때 인체의 행동은 감정(感情)과 지능(知能)으로 나타나게 된다. 즉, 인간의 감정도 에너지가 가지고 놀고, 인간의 지능도 에너지가 가지고 논다는 뜻이다. 여기서 인간의 품격(品格)이 나오게 된다. 추가로 인체 질량(質量) 자체도 에너지가 결정하게 된다. 에너지는 성장인자(因子成長)라는 사실을 상기해보자. 그리고 인체의 에너지는 이 질량 안에 숨겨져 있다. 이는 자동으로 이제마의 체질의학(體質醫學)으로 향하게 된다. 즉, 인체의 체질은 인체의 질량 안에 든 에너지가 결정한다는 뜻이다. 그러면, 이 시점에서 부귀(富貴)와 인간의 품격(品格)이 나오게 된다. 그러면, 자동으로 사주 명리는 우생학(優生學)으로 향하게 되고, 이는 자동으로 서양 철학자들을 자극하게 된다. 추가로 숙명론(宿命論)으로도 향하게 된다. 그러나 사주 명리가 숙명론(宿命論)이 아니라는 사실은 일란성 쌍둥이에서 그 실마리를 찾을 수 있다. 즉, 이들은 에너지가 주도하는 환경이 바뀌면, 운명도 바뀌게 된다. 이는 아주 자연스럽게 인체 안에 에너지 조절자가 존재한다는 사실로 다가간다. 이 존재는 바로 인체 안에서 에너지를 조절(調節)하는 오장(五臟)이다. 그리고 용신(用神)은 에너지 조절(調節)의 문제이다. 여기서 신(神)은 에너지라는 사실을 상기해보자. 그리고 천간으로 표시되는 5가지 오행은 5가지 오장과 에너지(energy)로 공명(共鳴)하게 된다. 그러면, 이 시점에서 숙명론(宿命論)을 개명론(改命論)으로 바꿀 수 있다는 가능성을 보게 된다. 즉, 용신을 오장과 연계시켜서 인체의 에너지를 조절하게 되면, 자동으로 인체의 감정(感情)과 지능(知能)이 바뀌게 되고, 이어서 부귀(富貴)와 품격(品格)도 바뀌게 된다는 뜻이다. 이들은 모두 에너지 문제라는 사실을 다시 한번 상기해보자. 이는 자동으로 체질의학(體質醫學)으로 연결된다. 즉, 체질도 에너지 문제이고, 사주 명리도 에너지 문제라는 뜻이다. 그러면, 이제마의 체질의학의 책인 동의수세보원을 보게 되면, 자동으로 사주 명리도 봐야만 한다는 결론으로 다가간다. 그래서 체질의학을 공부하려면, 사주 명리의 탐구는 필수가 된다. 삽화가 너무 길었다. 다시 본문을 보자. 그래서 일간과 짝(配)하는 지지에 있는 월령은(以日乾配月令地支), 일간과 월지의 관계에 따라서 상생과 상극이 서로 달라서(而生克不同), 이때는 자동으로 격국이 분류된다(格局分焉). 이는 월지와 일간이 서로 상극(克)하느냐, 상생(生)하느냐를 말하고 있다. 이때 재성, 정관, 인성, 식신은(財官印食), 용신이 좋게 순응(順)한 결과로 나온 경우이며(此用神之善而順用之者也), 칠살, 상관, 겁재, 양인은(煞傷劫刃), 용신이 좋지 않게 역전(逆)되어서 만들어진 결과로 나온 경우이다(用神之不善而逆用之者也). 이는 월지와 일간이 서로 에너지(energy)로 만나서 에너지(energy)의 균형을 이루느냐 아니면 불균형을 이루느냐의 문제이다. 즉, 이는 일간과 월지의 상생, 상극의 문제를 넘어서서 에너지(energy)의 균형을 말하고 있다. 사주 명리의 핵심은 음양오행(陰陽五行)인데, 이 음양오행은 인간의 눈에는 보이지 않는 에너지(energy)라는 사실을 상기해보자. 그리고 사주가 순응해야만 할 때는 당연히 순응하고(當順而順), 역으로 가야 할 때는 당연히 역으로 가야만(當逆而逆), 사주 여덟 글자의 배합이 좋게 얻어지면서(配合得宜), 해당 사주는 모두 귀격이 된다(皆為貴格). 이 문제는 뒤에서 다시 논의된다.

取用之法不一, 約略歸納, 可分為下列五種. (一) 扶抑. 日元強者抑之, 日元弱者扶之, 此以扶抑為用神也. 月令之神太強則抑之, 月令之神太弱則扶之, 此以扶抑月令為用神也. (二) 病藥. 以扶為喜, 則以傷其扶者為病. 以抑為喜, 則以去其抑者為病. 除其病神, 即謂之藥. 此以病藥取用神也. (三) 調候. 金水生於冬令, 木火生於夏令, 氣候太寒太燥, 以調和氣候為急. 此以調候為用神也. (四) 專旺. 四柱之氣勢, 偏於一方其勢不可逆, 惟有順其氣勢為用. 或從或化, 及一方專旺等格局皆是也. (五) 通關. 兩神對峙, 強弱均平, 各不相下, 須調和之為美, 此以通關為用也.

그래서 용신을 취하는 법칙은 하나가 아니게 된다(取用之法不一). 이는 아래(下)에 나온(列) 것처럼, 대략(約略歸納), 5가지 종류로 구분이 가능해진다(可分為下列五種). 첫 번째가 억부법이다((一) 扶抑). 이는 일간의 원기(元)가 강하면 이를 억제해주는 것과(日元強者抑之), 약하면 도와주는 것이다(日元弱者扶之). 이렇게 억부를 이용(以)해서 용신을 만든다(此以扶抑為用神也). 그리고 월령의 에너지(神)가 너무 강하면, 이때도 억제해줘야 한다(月令之神太強則抑之). 거꾸로 월령의 에너지(神)가 너무 약해도 도와줘야 한다(月令之神太弱則扶之). 이렇게 억부를 이용(以)해서 월령을 돕는 용신을 만든다(此以扶抑月令為用神也). 여기서 억부란 일간과 월지 모두를 관할한다는 사실이다. 사주 명리의 핵심이 일간(日干)과 월지(月支)이기 때문이다. 두 번째가 병약법이다((二) 病藥). 사주가 약할 때 도와주면, 이때는 당연히 좋아한다(以扶為喜). 그런데, 이때 도와주는 오행(其)을 어떤 오행이 나타나서 상(傷)하게 하면, 상하게 하는 오행이 병(病)이 된다(則以傷其扶者為病). 그리고 사주가 너무 강할 때는 이를 억제해주는 것이 좋다(以抑為喜). 그런데, 이때 억제해주는 오행을 제거해버리는 오행을 병(病)이라고 한다(則以去其抑者為病). 결국에 사주 명리에서 병(病)은 사주의 균형을 깨뜨리는 오행이다. 그리고 이렇게 병이 되는 해당(其) 오행의 에너지(神)를 제거하는 오행을 약(藥)이라고 부른다(除其病神, 即謂之藥). 이때는 병약을 따라서(以) 용신을 취하게 된다(此以病藥取用神也). 세 번째 용신법은 조후법이다((三) 調候). 즉, 계절의 에너지(候)를 조절(調)하는 것처럼 하는 법칙이 조후법이다. 그러면 이 오행은 당연히 두 가지 오행 사이에 끼게 된다. 그러면 이는 자동으로 에너지의 정상적인 흐름을 만들어줄 것이다. 좋은 사주 명리는 정상적인 에너지의 흐름이라는 사실을 상기해보자. 그러면, 문제는 자동으로 한열(寒熱)의 문제로 간다. 그러면, 겨울의 사령을 가진 상태에서 금과 수가 서로 상생 관계를 보유하고 있게 되면(金水生於冬令), 이때는 자동으로 가을의 쌀쌀함과 겨울의 한파가 모여서 너무 춥게 된다. 마찬가지로, 여름의 사령을 가진 상태에서 목과 화가 서로 상생 관계를 보유하고 있게 되면(木火生於夏令), 이때는 봄의 따뜻함과 여름의 무더위가 서로 결합하면서, 너무 덥게 된다. 즉, 이 두 경우에서 보면, 전자의 기후(氣候)는 너무 춥게 되고, 후자의 기후(氣候)는 너무 덥게 된다(氣候太寒太燥). 그러면, 이때는 자동으로 이 기후(氣候)의 조화(調和)를 맞춰주는 일이 급선무(急)가 된다(以調和氣候為急). 이때 이런 기후를 조화롭게 만들 때 용신을 이용한다(此以調候為用神也). 네 번째 용신법은 전왕법이다((四) 專旺). 전왕법은 사주의 기세가 한쪽(一方)으로 치우쳐서(偏) 너무 강한데(四柱之氣勢), 이를 역전시킬 수 없을 때, 강한 오행을 별수 없이 용신으로 쓰는 용신법이다(偏於一方其勢不可逆). 이때는 오직 이(其) 강한 기세를 그대로 따를 수밖에 없다. 그래서 이때는 오직 이 강한 기세를 인정하고 따르면서(順) 이용(用)하게 되는데(惟有順其氣勢為用), 이를 전왕법이라고 한다. 그리고 이때는 때로는 따르기도 하고, 때로는 중화되기도 하면서(或從或化), 일방의 전왕이 똑같이 모든 격국이 된다(及一方專旺等格局皆是也). 그리고 다섯 번째 용신법은 통관법이다((五) 通關). 이 용신법은 양쪽의 에너지(神)가 서로 대치하고 있을 때 쓴다(兩神對峙). 즉, 통관법은 강약의 균형을 평균으로 잡아주는 것이다(強弱均平). 즉, 각각이 서로를 물리치지(下) 못하게 해서(各不相下), 모름지기 조화의 미를 만들어주는 것이다(須調和之為美). 이는 막힌(關) 것을 통(通)하게 하는 용신법이다(此以通關為用也). 이때는 보통 3개의 오행이 상생으로 엮이는 경우가 많다. 이들 용신법 모두는 결국에 상생과 상극의 문제로 간다. 겉으로 보게 되면, 여러 용어로 표현되지만, 그 실상은 모두 상생과 상극이다.

是以善而順用之, 則財喜食神以相生, 生官以護財. 官喜透財以相生, 生印以護官. 印喜官煞以相生, 劫財以護印. 食喜身旺以相生, 生財以護食. 不善而逆用之, 則七煞喜食神以制伏, 忌財印以資扶. 傷官喜佩印以制伏, 生財以化傷. 羊刃喜官煞以制伏, 忌官煞之俱無. 月劫喜透官以制伏, 利用財而透食以化劫. 此順逆之大路也.

그래서 용신을 쓸 때 좋게(善) 순행(順)하는 경우를 보면(是以善而順用之), 재성은 식신과 서로 상생하는 경우를 좋아하고(則財喜食神以相生), 정관으로 생하게 해서 재성을 보호하는 것을 좋아하게 된다(生官以護財). 이는 상당히 복잡한 것처럼 보이지만, 실제로 예를 들어서 살펴보면, 아주 쉽다. 갑목을 예로 들어보자, 갑목의 재성은 갑목이 상극하는 토가 된다. 그리고 갑목의 식신은 갑목이 에너지를 보내는 병화가 된다. 그리고 갑목의 정관은 갑목을 상극하는 신금이 된다. 그러면, 재성과 식신이 상생하게 되면, 병화, 토가 되고, 이때 이들이 정관을 생하게 되면, 병화, 토, 신금이 된다. 그러면, 갑목의 재성인 토는 신금으로 에너지를 보내서 보호된다. 이는 정확히 상생 관계의 조합을 만들어낸다. 이를 에너지로 말하자면, 이는 모두 상생 관계로서 에너지가 순(順)방향으로 좋게(善) 흘러가는 경우이다. 다른 경우의 수를 보자. 정관은 투출(透)하고 있는 재성과 서로 상생하는 경우를 좋아하고(官喜透財以相生), 이어서 이들이 인성을 생하면, 이때는 자동으로 정관이 보호된다((生印以護官). 이도 역시 갑목의 예를 보자. 여기서 갑목의 인성은 수(水)가 된다. 그러면, 관성과 재성의 상생은 토, 신금이 된다. 여기서 주의할 점은 여기서 말하는 토는 천간의 토가 아니라 지지에서 투출(透)해서 올라온 지지의 토라는 사실이다. 즉, 이때 토는 지장간이라는 뜻이다. 물론 표시는 천간으로 표시된다. 그리고 이들이 수와 상생하게 되면, 이때는 토, 신금, 수라는 정확히 상생 관계의 조합을 만들어낸다. 이를 에너지로 말하자면, 이는 모두 상생 관계로서 에너지가 순(順)방향으로 좋게(善) 흘러가는 경우이다. 다시 본론으로 가보다. 또 다른 경우의 수를 보자. 인성은 관살과 상생하는 경우를 좋아하고(印喜官煞以相生), 겁재가 인성을 보호하는 경우를 좋아하게 된다(劫財以護印). 이도 역시 갑목을 예로 살펴보자. 갑목의 겁재는 을목이고, 관살은 금이다. 그러면, 인성과 관살이 상생하는 경우는 금, 수가 된다. 그리고 이들이 겁재인 을목과 상생하게 되면, 이때는 금, 수, 을목이라는 정확히 상생 관계의 조합을 만들어낸다. 이를 에너지로 말하자면, 이는 모두 상생 관계로서 에너지가 순(順)방향으로 좋게(善) 흘러가는 경우이다. 또 다른 경우의 수를 보자. 식신은 신왕과 서로 상생하는 경우를 좋아하고(食喜身旺以相生), 이들은 재성과 상생해서 식신을 보호하는 경우를 좋아하게 된다(生財以護食). 이도 역시 갑목을 예로 살펴보자. 여기서 갑목의 신왕은 갑목과 같은 오행이다. 그래서 이때 식신과 신왕이 상생하면, 갑목, 병화가 되고, 이들이 재성과 상생하게 되면, 이때는 갑목, 병화, 토가 되면서 정확히 상생 관계의 조합을 만들어낸다. 이를 에너지로 말하자면, 이는 모두 상생 관계로서 에너지가 순(順)방향으로 좋게(善) 흘러가는 경우이다. 그러면, 이번에는 가꾸로 좋지 않게 역(逆)방향으로 가는 경우의 수를 살펴보자(不善而逆用之). 칠살은 식신을 제압(制)해서 굴복(伏)시키는 경우를 좋아하고(則七煞喜食神以制伏), 재성과 인성이 서로(資) 돕는 경우를 꺼리게 된다(忌財印以資扶). 이도 역시 갑목을 예로 살펴보자. 여기서 칠살은 편관을 말하므로, 갑목의 편관은 경금(庚)이 된다. 그러면 칠살이 식신을 제압(制)해서 굴복(伏)시키는 경우는 결국에 병화와 경금의 상극(克) 관계를 말한다. 그리고 재성과 인성이 서로(資) 돕는 경우를 꺼리게 된다는 말은 토와 수가 저들과 상극(克)한다는 뜻이다. 그러면, 여기에서는 아주 재미있는 현상을 만들어낸다. 즉, 수, 병화, 금이라는 상극(克)의 조합이 만들어지거나, 병화, 금, 토라는 상극(克)의 조합이 만들어지게 된다. 이는 정확히 에너지의 흐름이 순리대로 흐르지 못하고, 서로 상극하는 좋지 않은(不善) 역기능(逆)을 만들고 있다. 그래도 어떻게든 조합이 만들어져서 문제는 해결되게 된다. 이는 이 조합이 나쁜 조합이라는 뜻이 아니다. 다만, 상생의 관계를 만들 수 있으면, 상생의 관계를 만들어서 문제를 해결하고, 상극의 관계를 만들 수 있으면, 상극의 관계를 만들어서 문제를 해결하자는 전략일 뿐이다. 이는 상생과 상극이 3개가 서로 모여서 조합을 만들게 되면, 이때는 에너지의 흐름이 완충되면서 정상화되기 때문이다. 즉, 이 둘은 에너지 완충의 개념이 된다는 뜻이다. 그러면, 자동으로 문제가 되는 에너지는 완충되면서 해결된다. 그래서 이때는 이들 조합 안에 음의 오행이 하나씩은 끼어든다. 이는 이 장(章)의 첫 구절에 나오는 문장을 곱씹게 한다. 즉, 사주가 순응해야만 할 때는 당연히 순응하고(當順而順), 역으로 가야 할 때는 당연히 역으로 가야만(當逆而逆), 사주 여덟 글자의 배합이 좋게 얻어지면서(配合得宜), 해당 사주는 모두 귀격이 된다(皆為貴格). 그래서 여기서 상생의 조합(合)을 만들든, 상극의 조합(合)을 만들든지 간에, 어떻게 해서든지 간에 조합(合)만 만들어서 일간을 괴롭히는 에너지 문제를 완충해주면 된다. 이는 지지에서 삼합(三合)과 육합(六合)

이라는 조합(合)을 만들어서 월지를 괴롭히는 지지의 에너지 문제를 해결하는 방식과 똑같다. 이를 보게 되면, 이는 결국에 일간과 지지를 괴롭히는 에너지의 중화(化)를 말한다. 그리고 그 중화의 수단이 조합(合)이다. 그런데, 여기에서 나오는 삼합과 육합도 결국에는 상생과 상극일 뿐이다. 즉, 삼합과 육합에 상생과 상극의 원리가 들어있다는 뜻이다. 이도 결국에는 에너지 완충의 개념이라서 육합과 삼합을 보게 되면, 음양이 섞이게 된다. 그리고 지지에서는 또 하나의 합이 있는데 우합(隅合)이라는 조합이다. 이는 방위를 사방에서 팔방으로 늘린 개념이다. 이는 어떻게 해서든지 간에 조합을 만들어서 에너지를 완충하자는 전략이다. 이는 도표를 보면 확연히 드러난다. 아래는 이들 참고 도표이다. 이때 우리는 응용도 가능해진다. 즉, 지지에서도 천간에서처럼 상생과 상극의 조합을 써도 된다는 뜻이다. 그리고, 천간에서도, 이미 바로 앞에서 보았듯이, 복잡하게 육친(六親)을 들먹이지 않고도, 상생과 상극의 조합으로 문제를 해결할 수가 있다는 뜻이다. 그러나 이때 주의할 점은 천간과 지지의 혼합(混合) 조합은 원칙적으로 허용이 안 된다. 그 이유는 하나의 지지는 천간 하나의 1/3만 채울 수 있기 때문이다. 즉, 천간은 하나가 한 계절(季節)을 표시하지만, 지지는 3개의 월이 한 계절(季節)을 표시하기 때문이다. 그러나 지지의 에너지는 천간의 부분 집합이므로, 천간의 에너지를 괴롭히는 일은 가능하다. 거꾸로 천간은 지지를 맘대로 짓밟을 수가 있다. 그래서 지장간(支藏干)에서도 보면, 하나의 오행을 만들 때는 3개의 지지 기운이 합쳐진다. 그래야 하나의 천간 기운을 표시할 수 있기 때문이다. 그래서 용어도 지장간(支藏干)이라고 말하고 있다. 그리고 사주의 핵심은 용신이므로, 그러면, 용신을 찾을 때 아주 쉬워진다. 필자는 이 새로운 법칙을 써볼 생각이다.

육합(六合)						
합하는 오행	자축 (子丑)	인해 (寅亥)	묘술 (卯戌)	진유 (辰酉)	사신 (巳申)	오미 (午未)
변하는 오행	토(土)	목(木)	화(火)	금(金)	수(水)	잘되지 않음.

방합(方合)				
합하는 오행	인묘진 (寅卯辰)	사오미 (巳午未)	신유술 (申酉戌)	해자축 (亥子丑)
변하는 오행	목(木)	화(火)	금(金)	수(水)

삼합(三合)				
합하는 오행	인오술 (寅午戌)	신자진 (申子辰)	사유축 (巳酉丑)	해묘미 (亥卯未)
변하는 오행	화(火)	수(水)	금(金)	목(木)

우합(隅合)				
합하는 오행	축인(丑寅)	진사(辰巳)	미신(未申)	술해(戌亥)
이명	간방합 (艮方合)	손방합 (巽方合)	곤방합 (坤方合)	건방합 (乾方合)
방향	동북방 (東北方)	동남방 (東南方)	서남방 (西南方)	서북방 (西北方)

여기서 아주 재미있는 사실은 우합(隅合)은 거의 손을 대지 않는다는 사실이다. 이는 사주와 오행이 왜 연결되는지를 모르기 때문이다. 그러면, 에너지 중화의 개념도 모르게 되고, 그러면 자동으로 왜 조합을 만들어야 하는지도 모르게 된다. 그러면 우합을 이용하지 못하는 일은 당연한 일이 된다. 사실 우합도 상생 관계를 표시할 뿐이다. 이는 단지 방합(方合)의 모서리(隅)끼리 모여서 합(合)을 만들고 있을 뿐이다. 그래서 우합(隅合)이다. 이도 당연히 문제를 해결할 수 있는 합이다. 단지, 사주 명리를 제대로 모르므로, 이를 제대로 이용하지 못하고 있을 뿐이다. 그래서 지지에서 문제를 해결하기 위해서 나오는 4개의 조합이라는 합(合)은 모두

결국에는 상생(相生)과 상극(相剋)의 문제를 다르게 표현하고 있을 뿐이다. 그러면, 굳이 육친을 들먹이고, 지장간을 들먹일 필요가 있을까? 이는 결국에 시간 낭비이고, 허례허식에 불과하다. 사주의 핵심인 일간(日干)과 월지(月支)를 괴롭히는 에너지만 조정해주면 간단히 끝날 문제 아니던가 말이다. 그러면, 필자가 제안한 문제 풀이 해법도 틀린 해법이 아닐 것이다. 아래 표는 육친의 참조 도표이다.

< 육친(六親) 참조 도표 >

일간/천간	甲	乙	丙	丁	戊	己	庚	辛	壬	癸
甲	비견	겁재	식신	상관	편재	정재	편관	정관	편인	정인
乙	겁재	비견	상관	식신	정재	편재	정관	편관	정인	편인
丙	편인	정인	비견	겁재	식신	상관	편재	정재	편관	정관
丁	정인	편인	겁재	비견	상관	식신	정재	편재	정관	편관
戊	편관	정관	편인	정인	비견	겁재	식신	상관	편재	정재
己	정관	편관	정인	편인	겁재	비견	상관	식신	정재	편재
庚	편재	정재	편관	정관	편인	정인	비견	겁재	식신	상관
辛	정재	편재	정관	편관	정인	편인	겁재	비견	상관	식신
壬	식신	상관	편재	정재	편관	정관	편인	정인	비견	겁재
癸	상관	식신	정재	편재	정관	편관	정인	편인	겁재	비견

이는 결국에 인체의 타고난 에너지를 어떻게 조절하느냐의 문제로 다가간다. 그러면, 용신은 자동으로 인체의 에너지를 조절하는 수단이 된다. 이는 아주 재미있는 현상을 만들어내게 된다. 즉, 선천적(先天的)으로 타고난 운명을 후천적(後天的)으로 바꿀 수 있다는 뜻이 되기 때문이다. 이는 특히 세운(歲運)이 아주 잘 말해주고 있다. 세운이라는 에너지는 선천적 에너지가 아니라 외부 에너지이기 때문이다. 즉, 세운은 외부 에너지가 선천적 에너지를 간섭하는 것이다. 이는 더 재미있는 현상을 만들어낸다. 즉, 사주 명리학은 운명론(運命論)이 아니라 개명론(改命論)이라는 사실이다. 이는 자동으로 한의학으로 연결된다. 그 이유는 인체의 에너지를 조절하는 도구가 오장(五臟)이기 때문이다. 이는 오장이 인체의 에너지를 조절해서 인간의 감정(感情)과 지능(知能)을 조절한다는 뜻이기도 하다. 즉, 인간의 사주 명리를 쥐고 흔드는 인자가 에너지(energy)라는 뜻이다. 그래서 사주 명리의 핵심은 에너지인 오행(五行)으로 표출된다. 그리고 이 오행은 인간의 오장과 색깔로 공명(共鳴)하면서 서로 소통한다. 그리고 이 공명(共鳴)으로 인해서 인체의 에너지 분포에 변화가 생기면서, 대운과 세운이 나오게 된다. 그러면, 우리는 오장(五臟)의 에너지를 조절해서 용신(用神)을 인위적(人爲的)으로 만들 수 있다는 결론으로 다가간다. 이것이 개명론(改命論)이다. 그리고 이것이 우리가 사주 명리를 배우는 이유이기도 하다. 또한 이 사실은 사주 명리가 존재하게 하는 가치이기도 하다. 이는 똑같은 명(命)으로 타고난 일란성 쌍둥이가 자라나는 환경(環境)이 바뀌게 되면, 운명(運命)도 바뀐다는 사실에서 여실히 증명된다. 여기서 운명(運命)이라는 글자 자체를 조용히 음미해보기를 바란다. 이를 최첨단 현대의학은 후성유전이라고 부른다. 유전자(遺傳子)는 인체 에너지 정보 저장고이기 때문이다. 이는 전자생리학의 영역이다. 다시 본론으로 돌아가서 다른 경우의 수를 보자. 상관은 인성을 만나서 제압하고 굴복시키는 것을 좋아하고(傷官喜佩印以制伏), 이들은 재성과 상생해서 상관을 중화하는 것을 좋아한다(生財以化傷). 이도 역시 갑목을 예로 풀어보자. 갑목의 상관은 정화(丁)이고, 인성은 수(水)이고, 재성은 토(土)이다. 그러면, 상관과 인성은 정화와 수로서 서로 상극 관계가 되고, 여기에 재성인 토를 합치면, 토, 수, 정화가 되면서, 상극의 조합이 만들어진다. 결국에 이 문제도 상극의 조합으로 풀라는 뜻이다. 다시 본문을 보자. 양인은 관살이라는 관성을 제압해서 굴복시키는 것을 좋아하고(羊刃喜官煞以制伏), 관살이 둘 다 전혀 없는 것을 싫어한다(忌官煞之俱無). 이도 역시 갑목을 예로 풀어보자. 그러면 양인(羊刃)은 겁재인 을목(乙)이 되고, 관살은 관성으로서 금(金)이 되고, 관살은 편관과 정관 둘로 나뉜다. 그러면, 을목과 금은 상극 관계로 얽히고, 이때 을목은 금에 상극 당해서 제거된다. 그래서 이 상황을 갑목의 입장으로 보자면, 갑목은 당연히 겁재인 을목을 제거하는 관살이 없는 상황을 싫어하게 된다. 다시 본문을 보자. 월겁은 투출(透)된 정관을 제압해서 굴복시키는 것을 좋아하고(月劫喜透官以制伏), 재성을 이용해서 이익을 보고, 투출(透)된 식신으로 월겁을 중화하는 일을 좋아한다(利用財而透食以化劫). 이는 을목으로 풀어야 한다. 월겁(月劫)이란 월지가 일간을 겁재하는 경우인데, 일간이 음일 때 쓴다. 그리고 일간이 양일 때는 양인(羊刃)이라고 부른다. 그러면, 을목의 월겁은 인목(寅)이 되고, 을목의 관성은 금(金)이 되고, 을목의 재성은 토(土)가 되고, 을목의 식신은 오화(午)가 된다. 그러면, 인목(寅)과 금(金)은 상극 관계로 제압되어서 굴복하고, 그러면, 이때 인목에 상극 당하는 재성인 토(土)는 이익(利)을 보게 되고, 식신인 오화는 월겁인 인목에게 에너지를 뺏어서(劫) 중화(化)된다. 이를 정리해보게 되면, 금, 인목, 토가 되면서 하나의 상극 관계 조합이 나오고, 오화, 금, 인목이라는 또 하나의 상극 관계 조합이 나오게 된다. 이는 상극 관계 조합을 만드는 과정을 복잡하게 기술했을 뿐이다. 이 사실을 모르게 되면, 이 구문의 해설은 물 건너가게 된다. 그리고 이는 작금의 현실이다. 지금까지 기술한 이 내용들이 용신을 이용할 때 순과 역의 큰 틀이다(此順逆之大路也). 여기서 약간 주의할 점은 월겁(月劫)과 양인(羊刃)의 개념이다. 물론 이는 용어의 문제일 뿐이다.

凡看命者, 先觀用神之何屬, 然後或順或逆, 以年月日時逐干逐支, 參配而權衡之, 則富貴貧賤, 自有一定之理也. 不求用神, 而泛以觀之者, 散而無也. 不向月令求用神, 而妄取用神者, 執假失眞也.

일반적으로 한 사람의 명리를 관찰할 때는(凡看命者), 먼저 용신이 어떤 무리인지를 살피고(先觀用神之何屬), 그런 연후에 이 용신이 상생 관계를 만들어서 순행(順)하는지, 상극 관계를 맺어서 역행(逆)하는지를 살펴야 한다(然後或順或逆). 이는 이미 앞에서 설명했다. 이때는 당연히 사주에서 천간을 추적하고 지지를 추적하게 된다(以年月日時逐干逐支). 그리고 이때 만들어진 조합(配)을 참고(參)해서 사주에 있는 오행의 힘(權)의 균형(衡)을 맞춰주면 된다(參配而權衡之). 조합의 이용 문제도 이미 앞에서 자세히 설명했다. 그러면, 부귀와 빈천의 문제는(則富貴貧賤), 자동으로 일정한 원리로 나타나게 된다(自有一定之理也). 그리고 용신을 제대로 찾지 못하게 되면(不求用神), 이는 마치 뜬구름을 보는 것과 같아서(而泛以觀之者), 사주의 의미는 흩어지게 되고, 당연히 사주의 해석은 무용지물이 되고 만다(散而無也). 그리고 월령을 기준으로 용신을 찾지 않게 되면(不向月令求用神), 이는 용신을 잘못 취하는 일이 되고(而妄取用神者), 그러면, 자동으로 사주의 진실은 알지 못하게 되고, 결국에 거짓 정보만 얻게 될 것이다(執假失眞也).

今人不知專主提綱, 然後將四柱干支, 字字統歸月令, 以觀喜忌, 甚至見正官佩印, 則以為官印雙全, 與印綬用官者同論. 見財透食神, 不以為財逢食生, 而以為食神生財, 與食神生財同論. 見偏印透食, 不以為洩身之秀, 而以為梟神奪食, 宜用財制, 與食神逢梟同論. 見煞逢食制而露印者, 不以為去食護煞, 而以為煞印相生, 與印綬逢煞者同論. 更有煞格逢刃, 不以為刃可幫身制煞, 而以為七煞制刃, 與陽刃露煞者同論. 此皆由不知月令而妄論之故也.

요즘 사람들은 사주의 요점(提綱)을 전혀 모른 상태에서 홀로(專主) 사주 문제를 처리한다(今人不知專主提綱). 그러나 실제로는 사주의 요점(提綱)을 살핀 연후에 사주의 천간과 지지를 살피고(然後將四柱干支), 이어서 글자들이 월지와 소통하는지를 보고(字字統歸月令), 추가로 기신과 희신을 관찰해야만 한다(以觀喜忌). 심지어는 정관이 인성과 함께하는 경우와(甚至見正官佩印), 관성과 인성이 온전히 존재하는 경우가 있을 때(則以為官印雙全), 인수가 관성을 이용하는 일과 똑같다고 말한다(與印綬用官者同論). 이는 상당히 복잡한 것처럼 보이는데, 이를 갑목을 예로 풀어보자. 갑목에서 정관은 신금(辛)이고, 인수는 수(水)이다. 그러면, 이때 신금(辛)은 임수와 계수라는 두 가지 수(水)와 대적하게 된다. 그리고 관성과 인성이 모두 존재한다면(官印雙全), 이때는 관성에서 경금과 신금 두 가지가 나오고, 인성에서 임수와 계수라는 두 가지가 나온다. 그러면, 자동으로 신금이라는 정관이 수를 대적하는 경우의 수와 관성이 인성을 대적하는 경우의 수를 확연하게 달라진다. 그런데 사주의 요점(提綱)을 모르는 사람들은 이 두 경우의 수가 서로 같다고 말한다(與印綬用官者同論)는 것이다. 다시 본문을 보자. 재성에 식신이 투출(透)된 경우와(見財透食神), 재성이 식신과 상생 관계로 만나는(逢) 경우는 서로 같지 않아서(不以為財逢食生), 이때는 식신이 재성을 생하게 해준다(而以為食神生財). 그런 데도 불구하고, 이 두 경우를 더불어 식신이 재성을 생하게 해준다고 말하고 있다(與食神生財同論). 이도 역시 상당히 복잡한 것처럼 보이지만, 갑목의 예로 풀면, 아주 쉽다. 여기서 투(透)와 봉(逢)은 합(合)을 만들 때는 신경을 안 써도 된다. 여기서 투(透)는 보통 투출(透出)했다고 말한다. 그리고 투출(透出)이라는 말은 지지의 지장간 중에서 어떤 지장간의 오행이 천간에 출현했다는 뜻이다. 이를 천간에서 보면, 이는 그냥 천간의 오행에 불과하기 때문이다. 그러나 에너지의 크기를 문제 삼을 때는 이 둘의 차이가 생기게 된다. 갑목의 재성은 토이고, 식신은 병화이다. 그러면, 이는 자동으로 화와 토는 서로 상생 관계를 만든다. 그런데, 투출(透)은 지장간을 대표하는 천간의 오행이다. 그래서 투출된 천간의 오행은 실제로는 약한 에너지이다. 하나의 지지는 천간 하나의 1/3이라는 사실을 상기해보자. 그래서 지금 기술하고 있는 토와 화의 상생 관계는 엄연히 다르게 된다. 즉, 투출된 병화가 만든 상생 관계와 천간에 있던 병화가 만든 상생 관계는 엄연히 다르게 된다. 그런데, 지지의 오행 에너지와 천간의 오행 에너지 사이에 이런 차이를 모르게 되면, 둘 다 똑같은 상생 관계로 취급하게 된다. 다시 본문을 보자. 이번에는 편인이 식신을 투출(透)받은 상태는(見偏印透食), 일간의 무성함을 설기하면서 같지 않은데(不以為洩身之秀), 편인이라는 사나운(梟) 에너지(神)가 식신의 에너지를 탈취(奪)한다고 인정해버린다(而以為梟神奪食). 그러면, 이때는 당연히 재성으로 이를 상극해서 제어해야만 하게 된다(宜用財制). 즉, 이는 식신과 편인이 서로 자연스럽게 만나는(逢) 일로 똑같이 취급하는 것이다(與食神逢梟同論). 이도 역시 상당히 복잡하다. 그러나 갑목을 예로 보면 쉽다. 이도 역시 앞에서 본 에너지 크기의 문제이다. 갑목의 편인은 임수(壬)이고, 식신은 병화(丙)이다. 그러면, 다른 조건을 붙이지 않고, 이 둘을 보게 되면, 이때는 당연히 임수의 에너지를 병화가 탈취(奪)하게 된다. 물론 이때는 임수가 병화의 에너지를 탈취한다고 해도 된다. 상극이 서로 만나게 되면, 에너지가 서로 중화되기 때문이다. 그러나 이때 병화는 지장간에서 투출(透)되어서 올라온 1/3의 아주 약한 에너지이다. 그래서 이때 지장간의 약한 병화는 양으로서 엄청나게 큰(梟) 에너지를 보유한 임수의 에너지를 탈취해서 받아들일 수 있는 공간이 없게 된다. 그래서 이때는 정상적인 상극이라면, 병화와 임수 사이에 놓인 상극 문제를 해결하기 위해서 마땅히 갑목의 재성인 토를 이용하게 되는데(宜用財制), 지금은 병화의 에너지가 너무 작아서, 천간의 토를 이용할 수 없게 된다. 즉, 토, 임수, 지장간의 병화라는 조합을 만들 수가 없다는 뜻이다. 그러면, 이 조합은 자동으로 토, 임수, 병화라는 조합과 똑같이 처리할 수는 없게 된다. 다시 본문을 보자. 칠살인 편관이 식신을 만나서 상극 당해서 제어를 받는 상태에서, 인성이 노출되면(見煞逢食制而露印者), 식신의 제거는 무위로 끝나고 칠살인 편관은 보호된다(不以為去食護煞). 이도 상당히 복잡한데, 갑목을 예로 설명하면 아주 쉽다. 갑목의 칠살인 편관은 경금(庚)이고, 식신은 병화(丙)이다. 그러면, 자동으로 병화는 경금을 상극(克)해서 제어(制)하게 된다. 이때 인성인 수(水)가 노출되면, 이 수는 당연히 병화를 상극(克)해서 제어(制)하게 된다. 그러면, 이 기회를 틈타서 칠살(煞)인 경금은 도망쳐서 보호(護)된다. 이때는 원래 수, 병화, 경금이라는 조합이 만들어진다. 다시 본문을 보자. 그러면 자동으로 칠살인 경금과 인성인 수는 상생 관계가 된다(而以為煞印相生). 그런데, 이를 인수가 칠살을 만나는 것과 동일시한다(與印綬逢煞者同論). 이 두 경우는 모두 결과적(結果的)으로 인수가 칠살을 만나는 것처럼 보인다. 그러나 앞의 경우는 수, 병화, 경금이라는 조합을 만들면서, 인수가 칠살을 만났다. 그러나 뒤 경우는 이런 조합이 없이 그냥 인수가 칠살을 만난 것이다. 그래서 이때는 똑같은 상생 관계가 아니다. 일반적으로 조합이 만들어지면, 에너지가 조절된 상태가 된다. 다시 본문을 보자. 또 다른(更) 경우를 보자. 칠살 격(格)이 양인을 만나게 되면(更有煞格逢刃), 양인이 칠살을 제어해서 일간을 돕지 않는(不) 것으로 생각한다(不以為刃可幫身制煞). 이는 격(格)이라는 글자에 답이 있다. 갑목을 예로 보자. 갑목의 칠살격(煞格)은 일간이 갑목이고, 월지가 신금(申)이다. 이때 양인은 자동으로 묘목이 된다. 그러면, 묘목과 신금은 상극으로 만나서 대립한다. 그러면, 이때 갑목의 칠살격은 사라지게 된다. 그러면, 이때 양인인 묘목은 자동으로 일간(身)인 갑목을 돕게 된다. 즉, 칠살인 신금(申)이 양인인 묘목을 제어(制)하게 된다(而以為七煞制刃). 그러면, 이는 양인(陽刃:羊刃)이 천간의 그냥 칠살인 경금(庚)에 노출된 것과는 다르게 되는데, 이를 똑같이 취급한다는 것이다(與陽刃露煞者同論). 그 이유는 천간인 경금(庚)은 한 계절을 대표하지만, 지지인 신금(申)은 금으로서 글자는 같지만, 한 계절의 1/3밖에는 대표하지 못하기 때문이다. 그래서 경금과 신금을 똑같은 오행으로 취급해서는 안 된다. 이 둘은 서로 등급(Class)이 다르다. 즉, 이 둘은 전체 집합(庚)과 부분 집합(申)의 관계라는 뜻이다. 이 부분은 에너지 관계를 모르게 되면, 자동으로 해석이 불가하게 된다. 그리고 이는 작금의 현실이다. 즉, 대부분 사주쟁이는 천간의 금과 지지의 금을 제대로 이해하지 못하고 있다는 뜻이다. 다시 본문을 보자. 이런(此) 모든(皆) 연유(由)를 모르는 관계로, 지지로 표시되는 월령의 의미를 모르게 되고, 이어서 사주를 논할 때 말도 안 되는 망론(妄論)을 자신있게 펼치게 된다(此皆由不知月令而妄論之故也). 여기서도 할 말이 많다. 그 이유는 육친을 들먹이면, 문제가 복잡해지기 때문이다. 물론 육친(六親)은 사주의 자세한 내용을 파악할 때 필수이기는 하다. 여기서도 결국에 흐르는 줄기는 상극, 상생, 동등의 관계가 전부이다. 그러면, 이때는 에너지로 풀면 이런 복잡한 관계를 꺼낼 필요가 없게 된다. 갑목이라는 에너지를 예로 들어서 설명해보자. 에너지가 많은 양인 갑목은 양인 갑목을 만나게 되면, 이때 갑목의 에너지는 두 배가 되면서 어깨에 힘이 잔뜩 들어가게(比肩) 된다. 이는 깡패들이나 하는 짓거리여서 사주에서는 이를 좋게 말하지 않는다. 즉, 이때는 에너지가 너무 과하다. 사주의 에너지는 균형과 조화라는 사실을 상기해보자. 이번에는 에너지를 보유한 양인 갑목이 에너지가 없는 음인 을목을 만나게 되면, 이때는 자동으로 갑목의 에너지는 을목으로 빨려들어서 뺏기고(劫:劫財) 만다. 이는 자동으로 갑목에게는 희소식은 아니게(忌) 된다. 이번에는 갑목이 병화를 만나게 되면, 이 둘은 상생 관계가 되면서, 에너지가 너무 많은 양인 갑목은 자기의 과한 에너지(神)를 양인 병화로 떠넘겨서 먹이고(食), 갑목은 편히 살 수 있게 되면서 좋아서(喜) 죽는다. 그래서 이때 갑목은 이를 좋아(喜)하게 된다. 이번에는 음인 정화를 양인 갑목과 짝을 맞춰보게 되면, 이때는 상생 관계로서 거꾸로 양인 갑목이 음인 정화에게 너무나 많은 에너지를 뺏기고 만다. 그러면, 자동으로 갑목의 에너지는 너무나 적어지게 되면서 갑목은 상처(傷)를 입고 만다. 이번에는 토를 보자. 목은 토를 상극(克)한다. 그런데, 토는 음양으로 두 종류이다. 그래서 토에 대한 갑목의 반응도 다르게 나온다. 상극한다는 말은 상대를 죽인다는 뜻이다. 그래서 양인 갑목이 양인 토를 상극하게 되면, 이때 양인 갑목은 양인 토를 완벽하게 죽이지는 못하고 일부(偏)만 죽일 수 있게 된다. 그러나 음인 토는 양인 갑목이 정확히(正) 죽일 수가 있다. 이번에는 금을 보자. 금은 목을 상극(克)해서 죽인다. 그러나 이때도 음양의 차이가 발생한다. 즉, 양인 갑목은 양인 경금의 공격을 받지만, 양이라서 완강히 버티면서 일부(偏)만 상처를 입게 된다. 그러나 음인 경금이 양인 갑목을 공격하게 되면, 이때 양인 갑목은 음인 경금을 정상적(正)으로 대응하게 된다. 이때는 차라리 갑목이 보유한 과한 에너지를 신금에게 뺏기는 것이 더 좋게(喜) 된다. 이번에는 수이다. 수는 목과 상생 관계여서, 수가 목으로 에너지를 보내게 된다. 그래서 에너지가 많은 양인 갑목이 에너지가 많은 양인 임수에게서 에너지를 받게 되면, 이때 에너지가 이미 많은 갑목은 미치고 환장하게 된다. 이때는 갑목으로 에너지가 너무 편중(偏)되고 만다. 거꾸로 음인 계수는 갑목을 에너지를 중화해주게 되고, 이때 갑목은 좋아서(喜) 죽게 된다. 그래서 체질의학에 사주 명리를 이용할 때는 육친이나 십이운성과 같은 복잡한 문제는 제쳐둬도 문제가 없다. 즉, 이때는 그냥 에너지 개념으로 사주를 풀어도 된다. 체질의학에서 필요한 사주 명리는 오직 용신(用神)이다. 그리고 이 용신은 오행이 핵심이다. 그리고 오행은 오장과 공명(共鳴)으로 대화한다. 그리고 사주 명리 문제는 인간의 감정(感情)과 지능(知能) 문제이다. 그리고 이 둘은 오장이 인체의 에너지를 조절해서 조절할 수 있다. 그러면, 오장을 통해서 용신을 인위적으로 만들어내면서, 자기의 운명(運命)을 바꿀 수 있게 된다. 이는 운명을 오행이라는 에너지가 결정한다는 사실을 상기해보면, 아주 쉽게 이해가 갈 것이다. 그래서 이 자평진전이라는 책을 번역한 이유도 체질의학 때문이다. 즉, 체질의학의 고전인 이제마의 동의수세보원을 번역한 일로 인해서, 자평진전이라는 사주 명리학책을 번역하게 되었다는 뜻이다. 그러면, 체질의학 문제는 여기서 끝날까? 당연히 아니다. 사주 명리는 인체 안에 숨은 에너지의 구조를 파악하는 일이고, 관상(觀相)은 인체의 에너지 표현형(表現型)을 읽는 일이기 때문이다. 표현형은 DNA를 다룰 때 쓰는 용어이다. 그래서 자동으로 DNA는 인체 에너지 정보 창고가 된다. 그러면, 여기서 체질의학은 완성될까? 아니다. 하나가 더 남아있다. 생체는 먹은 것이 그 자체가 된다. 즉, 마지막 관문은 약식동원(藥食同原) 또는 식약동원(食藥同原) 또는 의식동원(醫食同原)이다. 즉, 식료본초(食療本草)가 체질의학의 마지막 완성 고리가 된다는 뜻이다. 그러면, 드디어 체질의학의 4권 세트가 완성된다. 즉, 체질의학을 완성하기 위해서는 사주 명리, 관상, 동의수세보원, 식료본초라는 4가지 분야가 꼭 필요하다는 뜻이다. 거듭, 에너지는 인체를 가지고 논다는 사실을 상기해보자.

然亦有月令無用神者, 將若之何? 如木生寅卯, 日與月同, 本身不可為用, 必看四柱有無財官煞食透幹會支, 另取用神. 然終以月令為主, 然後尋用, 是建祿月劫之格, 非用而即用神也.

자연스럽게 역시 보유한 월령이 용신이 아닌 경우가 생기게 된다(然亦有月令無用神者). 그러면, 이는 장차 어떻게 하란 말인가(將若之何)? 예를 들어서 설명해보자면, 일간인 목이 인묘를 월지로 하고 있다면(如木生寅卯), 이는 일간과 월지가 똑같은 오행이 되면서(日與月同), 이 둘은 일간의 비견과 겁재가 되고, 이어서 이 사주의 근본(本)인 일간(身)은 이 둘을 용신으로 사용할 수가 없게 된다(本身

不可為用). 이때는 반드시 사주에서 재성, 관성, 칠살, 식신 등이 천간으로 투출(透)되었는지 유무와 지지에서 삼합(會)이 만들어지는지 유무를 따지고 나서(必看四柱有無財官煞食透幹會支), 용신을 따로(另) 취해야만 한다(另取用神). 즉, 이때는 용신을 월지로 하는 일을 포기하고, 다른 오행을 용신으로 쓰라는 뜻이다. 이때 사주의 주인공은 일간이라는 사실을 명심하자. 그리고 용신은 일간을 돕는 에너지라는 사실도 명심하자. 그리고 이때 삼합(會)의 역할은 용신으로 쓰지 못한 오행을 제거하기 위함이다. 그래서 결론적으로 말하자면, 일단 월령이 용신을 주도하기는 하지만(然終以月令為主), 이때 월령이 용신이 되지 못하게 되면, 이후에는 다른 용신을 찾는 일이 순리가 된다(然後尋用). 지금처럼 용신으로 건록이라는 인(寅)이 나오거나 묘(卯)라는 겁재가 나오는 격(格)이 만들어지게 되면(是建祿月劫之格), 이들은 자동으로 용신이 되지 못하므로, 즉시 다른 용신을 찾아야만 한다(非用而即用神也). 용신은 일간을 보좌하는 에너지라는 사실을 상기해보면, 쉽게 이해가 갈 것이다. 이를 보면, 용신은 월지를 중심에 두지만, 실제로는 일간을 돕게 되면, 모두 용신이라는 뜻도 된다. 그래서 용신의 범위는 상당히 넓다. 이는 용신(用神)이라는 말 자체에 그 의미가 내포되어있기 때문이다. 용신(用神)은 말 그대로 일간을 위해서 에너지(神)를 이용(用)하는 일이기 때문이다. 여기서 신(神)은 에너지(神:energy)라는 사실을 상기해보자. 그리고 사주 명리 자체가 에너지(神)를 분석하는 일이다. 그러면, 사실상 사주에 나온 모든 에너지가 일간의 이용 대상이 될 수밖에 없게 된다. 그래서 용신의 범위는 상당히 넓을 수밖에 없다. 그래서 다른 측면에서 용신을 바라보게 되면, 용신이라는 용어 자체가 필요 없기도 하다.

제9장 용신성패구응을 논하다(論用神成敗救應)

제9장 용신성패구응을 논하다(論用神成敗救應)

用神專尋月令, 以四柱配之, 必有成敗. 何謂成? 如官逢財印, 又無刑衝破害, 官格成也. 財生官旺, 或財逢食生而身強帶比, 或財格透印而位置妥貼, 兩不相克, 財格成也. 印輕逢煞, 或官印雙全, 或身印兩旺而用食傷洩氣, 或印多逢財而財透根輕, 印格成也. 食神生財, 或食帶煞而無財, 棄食就煞而透印, 食格成也. 身強七煞逢制, 煞格成也. 傷官生財, 或傷官佩印而傷官旺, 印有根, 或傷官旺, 身主弱而透煞印, 或傷官帶煞而無財, 傷官格成也. 陽刃透官煞而露財印, 不見傷官, 陽刃格成也. 建祿月劫, 透官而逢財印, 透財而逢食傷, 透煞而遇制伏, 建祿月劫之格成也.

용신은 월지가 일간과 짝하는 관계로 인해서 월령에서 먼저 전적으로 찾게(尋) 된다(用神專尋月令). 그러고 나서 나머지 사주의 오행들을 배합해보게 되면(以四柱配之), 반드시 일간과 격이 맞는지(成) 틀리는지(敗)를 알게 된다(必有成敗). 이를 보통은 성격(成格), 패격(敗格)으로 부른다. 즉, 일간과 지지가 좋은 격을 만들면 성격(成格), 아니면 패격(敗格)이 된다. 그러면, 성격은 어떤 경우가 되는가(何謂成)? 예를 들자면, 정관이 재성과 인성을 만나고(如官逢財印), 추가로 형충파해라는 조합이 만들어지지 않게 되면(又無刑衝破害), 정관격이 완성되었다고 한다(官格成也). 여기서 형충파해(刑衝破害)는 지지의 문제라는 사실을 명심하자. 갑목을 예로 들어보자. 갑목의 정관은 유금이고, 재성은 지지의 토가 되고, 인성은 지지의 수가 된다. 그러면, 자동으로 유금, 토, 수라는 에너지를 중화해주는 상극의 조합이 만들어진다. 그리고 나머지 지지에서 하나 남은 오행이 갑목의 정관인 유금을 망치는 형충파해가 되지 않는다면 즉, 나머지 지지에서 정관인 유금을 충(衝)하는 묘목이 없거나, 정관인 유금을 형(刑)하는 유금이 없거나, 정관인 유금을 파(破)하는 자수가 없거나, 정관인 유금을 해(害)치는 술토가 없게 되면, 이때는 갑목과 유금이 정관격을 편안히 만들(成) 수 있게 된다. 다시 본문을 보자. 재성이 관성을 생(生)해서 관성이 왕성(旺)하게 될 때(財生官旺), 때로 재성이 식신을 만나서 상생하게 되면, 이때 일간이 강화되려면, 비견을 둘러야 한다(或財逢食生而

身強帶比). 상당히 복잡하다. 이를 갑목을 예로 들어서 설명해보자. 갑목의 재성은 토이고, 관성은 금이다. 그러면, 이때 토는 자동으로 금을 생하게 되면서 토, 금이라는 조합이 나오고, 이어서 금은 토의 에너지를 받게 되고, 이어서 금의 에너지는 왕성(旺)해지게 된다. 이때 관성은 금으로서 일간인 갑목을 상극(克)한다는 사실을 상기해보자. 그런데 이때 토인 재성이 병화인 식신을 만나게 된다. 그러면, 이때는 자동으로 화, 토라는 상생 관계가 만들어지게 된다. 그러면, 토, 금이라는 조합과 화, 토라는 2개의 조합이 만들어진다. 그러면, 자동으로 토는 2개가 된다. 그러면, 이때 하나의 토는 목으로 상극해서 제거해야만 한다. 그러면, 화, 토, 금이라는 에너지를 중화해주는 좋은 조합이 만들어진다. 그러기 위해서 당연히 일간인 갑목은 자기의 비견이나 겁재가 되는 목을 띠(帶)처럼 두르고(帶) 있어야만 한다. 그래야만 중복된 토가 문제를 만들지 않게 된다. 재성에는 편재와 정재 두 가지가 존재한다는 사실도 상기해보자. 다시 본문을 보자. 때로 정재격에서 인성이 투출(透)하고, 그 자리가 적당하게 되면(或財格透印而位置妥貼), 이 둘은 서로 상극하지 않게 되고(兩不相克), 그러면 정재격은 완성된다(財格成也). 이도 역시 갑목을 예로 들어보자. 일단 정재격(財格)이 되려면 일간은 갑목이므로, 월지는 음으로서 지지의 토(土)가 되어야 한다. 그리고 갑목의 인성은 지장간을 통해서 올라온 천간의 수(水)가 된다. 이때 이를 정리해보게 되면, 천간에서 갑목과 수(水)가 짝이 되면서 자동으로 상극(克) 관계는 나오지 않게 된다. 즉, 이 둘은 서로 상극하지 않는다(兩不相克)는 조건이 된다. 그러면 이때 투출해서 만들어진 갑목의 인성인 수는 적당한 자리를 얻게 된다位置妥貼). 그러면 자동으로 정재격은 완성된다(財格成也). 다시 본문을 보자. 인수가 가벼운데 이때 칠살인 편관을 만나거나(印輕逢煞), 혹은 관성과 인성이 모두 보전되고 있거나(或官印雙全), 혹은 일간이나 인성이 모두 에너지를 받아서 왕성한데, 식상을 이용해서 설기된 경우나(或身印兩旺而用食傷洩氣), 혹은 많은 인성이 재성을 만나고, 재성이 재성이 투출(透)하고, 뿌리가 약하거나(或印多逢財而財透根輕), 그러면, 이들 모두는 인성격을 만들었다고 말한다(印格成也). 상당히 복잡하다. 하나씩 보자. 이번에도 역시 갑목을 예로 보자. 인수가 가벼운데 이때 칠살인 편관을 만났다(印輕逢煞). 갑목의 인성은 수이다. 그런데, 이 수가 에너지가 가볍다. 이는 음인 해수를 말한다. 그리고 갑목의 칠살인 편관은 신금이다. 그러면, 신금은 해수로 에너지를 보내서 식신이 되어준다. 즉, 이때 신금은 희신(喜)이 된다. 그러면, 이때는 해수에 대한 걸림돌이 없으므로, 자동으로 갑목과 해수가 만나면서 인수격이 된다(印格成也). 이번에는 관성과 인성이 모두 보전되고 있다(或官印雙全). 그러면, 갑목의 관성은 금이고, 인성은 수이다. 그러면, 이는 수와 금의 관계가 된다. 이때는 자동으로 금이 수로 에너지를 보내게 된다. 그런데, 이 둘(雙)이 서로 보전(全)되고 있다는 말은 정인을 이루고 있다는 뜻이다. 즉, 신금이 해수를 만나거나, 유금이 자수를 만나는 경우이다. 양과 양이 만나게 되면, 에너지가 충돌하면서 에너지는 보전(全)되지 않게 된다는 사실을 상기해보자. 그러면, 이때는 자동으로 갑목이 수를 만나면 인수격이 된다(印格成也). 이번에는 일간이나 인성이 모두(兩) 에너지를 받아서 왕성(旺)한데, 식상을 이용해서 설기된 경우이다(或身印兩旺而用食傷洩氣). 지금 일간(身)은 갑목으로 가정하고 있으므로, 일간이 왕성(旺)하면, 이는 자동으로 갑목이 임수에서 에너지를 받은 상태를 말하고, 인성이 왕성(旺)하면, 수가 금에서 에너지를 받은 상태를 말한다. 그러면, 이를 정리해보게 되면, 신금이 자수로 에너지를 보내고, 자수는 갑목으로 에너지를 보낸 상태가 된다. 그리고 이때 갑목이 인성과 격(格)을 만들려고 하면, 신금을 제거하면 된다. 즉, 식상을 이용해서 신금(申)의 에너지를 설기(洩氣)하는 것이다. 그리고 설기(洩氣)는 자기를 생(生) 해주는 오행에서 에너지를 빼먹는(洩) 경우이다. 이는 자동으로 음양으로 만난다. 그러면, 지금은 신금을 설기해야 하므로, 음인 해수(亥)를 이용하면 된다. 그러면, 신금(申)이 제거되면서, 갑목과 인성인 수는 그대로 유지된다. 그러면, 이때는 자동으로 갑목이 수를 만나면서 인수격이 된다(印格成也). 이때는 해수가 희신(喜)이 된다. 이번에는 인성이 많은 재성을 만나고, 추가로 재성이 투출(透)하고, 뿌리가 약하다(或印多逢財而財透根輕). 이도 역시 갑목을 예로 보자. 갑목의 인성은 수(水)이고, 재성은 토이다. 그런데, 이런 재성이 2개로 많다. 그런데, 이 재성 중에서 하나는 천간으로 투출(透)하고 있다. 그러면, 지지에서 토인 재성은 하나만 남게 된다. 그리고 월지인 뿌리가 약(輕)하다. 이는 월지가 에너지가 약(輕)한 해수라는 뜻이다. 그러면, 지지에서는 해수와 재성인 토가 마주치게 된다. 이때 토가 양이 되면, 해수는 정관을 만들게 된다. 그러면, 지지의 문제는 해결된다. 이제 천간을 보게 되면, 일간인 갑목이 투출된 재성과 마주하게 된다. 그러나 투출(透)된 에너지는 어떤 에너지가 되든지 간에 천간 에너지의 1/3밖에는 안 되므로, 이때 천간에 존재하는 투출(透)된 재성의 에너지는 일간인 갑목에 위협적인 존재가 되지 못하고 만다. 그러면, 천간의 문제도 해결되고, 이때는 자동으로 갑목이 수를 만나면서 인수격이 된다(印格成也). 대신에 이때는 지지의 토가 양이라는 조건이 붙어야만 한다. 다시 본문을 보자. 식신이 재성과 생하거나(食神生財), 혹은 식신이 칠살인 편관을 품고 있고 동시에 재성이 없거나(或食帶煞而無財), 식신을 버리고 칠살인 편관을 취하고 인성이 투출하게 되면(棄食就煞而透印), 이때는 식신이 성격을 이루게 된다(食格成也). 이도 역시 갑목을 예로 살펴보자. 식신이 재성을 생하면(食神生財), 식신이 성격을 이루게 된다(食格成也). 갑목의 식신은 사화이고, 재성은 토이다. 그런데, 이때 갑목은 식신과 성격(成格)을 만들어야만 한다. 그러면, 자동으로 재성인 토가 사화의 식신이 되어서 희신(喜)이 되어야만 한다. 그러면, 이때 토는 음이 되어야만 한다. 그러면, 이때는 갑목이 식신과 만나서 성격을 이루게 된다(食格成也). 이번에는 식신이 칠살인 편관을 품고(帶) 있고 동시에 재성이 없다(或食帶煞而無財). 그러면, 갑목의 식신은 사화이고, 사화는 칠살인 편관을 품고 있으므로, 이때 칠살은 경금이고, 재성은 토이다. 그러면, 사화와 경금의 관계를 보면 되는데, 이 둘은 정관이 된다. 이때 재성인 토가 있게 되면, 사화, 토, 경금이 되면서, 정관이 무력화되고 만다. 그러나 지금은 다행히 재성인 토가 없다. 그러면 자동으로 이때는 갑목이 식신과 만나서 성격을 이루게 된다(食格成也). 이번에는 식신이 칠살인 편관을 취해서(就) 버리면서(棄), 인성을 투출(透)하고 있다(棄食就煞而透印). 이는 이 문장의 해석에 방점이 찍힌다. 갑목을 예로 살펴보자. 갑목의 편관은 신금(申)이 되고, 이 신금은 갑목의 인성(印)인 임수를 투출(透)하고 있다(棄食就煞而透印). 그러면, 이때 지지의 신금은 자동으로 버려지고(棄), 대신에 천간에 임수가 투출(透)해서 나타나게 된다. 그리고 천간에 투출된 임수의 에너지는 너무나 약해서 갑목에 위협적인 존재가 되지 못한다. 그러면, 갑목의 식신인 사화와 신금이 서로 반응하지 못하게 된다. 그러면 자동으로 이때는 갑목이 식신과 만나서 성격을 이루게 된다(食格成也). 다시 본문을 보자. 신강과 칠살이 만나서 제어하게 되면(身強七煞逢制), 칠살격이 된다(煞格成也). 갑목을 예로 살펴보자. 갑목의 칠살은 편관이므로, 신금(申)이 되고, 신강은 비겁과 인성을 말한다. 그러면, 갑목의 비겁은 묘목이 되고, 인성은 수가 된다. 그런데 이때 조건이 칠살격이다. 그러면, 신금이 신강에서 묘목이나 수를 만나는 경우를 살펴보아야 한다. 그러면 자동으로 묘목은 신금의 정재가 되면서 희신(喜)이 된다. 그러면, 이때는 자동으로 칠살격이 된다(煞格成也). 물론 이는 다르게 해석해도 된다. 다시 본문을 보자. 상관이 재성을 생하거나(傷官生財), 혹은 상관이 인수를 품고 있으면서 상관의 기운이 왕성하고(或傷官佩印而傷官旺), 인수가 뿌리를 갖고 있거나(印有根), 혹은 상관의 에너지가 왕성할 때(或傷官旺), 신약하고, 칠살과 인수를 투출하거나(身主弱而透煞印), 혹은 상관이 칠살을 품고(帶) 있으면서 재성이 없게 되면(或傷官帶煞而無財), 이때는 상관격을 만든다(傷官格成也). 이때도 역시 갑목을 예로 살펴보자. 그리고 상관이 재성을 생한다(傷官生財). 그러면 갑목의 상관은 오화(午)이고, 재성은 토가 된다. 그런데, 이때 조건이 상관격이다. 그러면, 자동으로 토는 오화의 식신이 되어야만 한다. 그래야 토가 오화의 희신(喜)이 된다. 그러면, 이때 토는 양이 되어야 한다. 그러면, 이때는 자동으로 상관격을 만든다(傷官格成也). 이번에는 상관이 인수를 품고 있으면서 상관의 기운이 왕성하고(或傷官佩印而傷官旺), 인수가 뿌리를 갖고 있다(印有根). 갑목의 상관은 오화이고, 인수는 수인데, 이때 상관인 오화가 목으로부터 에너지를 받아서 왕성(旺)하다. 그러면, 이때 목은 인목이 된다. 이를 정리하게 되면, 수, 인목, 오화가 나오게 된다. 그런데 이때 조건이 상관격이다. 그러면, 수와 인목이 남게 되는데, 이들을 제거해야만 한다. 이는 육합으로 해결해보자. 육합을 보게 되면, 인해(寅亥)가 있다. 그러면, 이때 인수(印)는 해수(亥)가 되어야만 한다. 그리고 이 인해(寅亥)는 목(木)으로 변한다. 그러면, 이때 인해(寅亥)는 자동으로 갑목(甲)의 뿌리(根)가 된다(印有根). 동시에 자동으로 상관격이 만들어진다(傷官格成也). 이번에는 상관의 에너지가 왕성할 때(或傷官旺), 신약하고, 칠살과 인수를 투출(透)한다(身主弱而透煞印). 갑목을 예로 살펴보자. 갑목의 상관인 오화가 왕성하므로,

이때는 인목이 오화로 에너지를 보내게 된다. 이때 신약이 추가된다. 신약은 갑목의 식상, 재성, 인성을 말한다. 이때 갑목의 식상은 오화, 재성은 토, 인성은 수이다. 또한 칠살인 신금(申)과 인수인 수가 투출(透)하고 있다. 그러면, 이 둘은 천간으로 지장간을 보내면서 지지에서 제거된다. 그러면, 상관인 오화와 신금은 서로 상극으로 충돌하지 못하게 된다. 그리고 신약의 인자인 수도 천간으로 투출하면서 제거된다. 그러면, 상관인 오화와 수도 서로 상극으로 충돌하지 못하게 된다. 그러면, 자동으로 갑목의 상관인 오화는 살아남게 된다. 이때 천간으로 올라간 오행들은 에너지가 너무 약해서 갑목의 적수가 되지 못한다. 그러면 이때는 자동으로 상관격이 만들어진다(傷官格成也). 이번에는 상관이 칠살을 품고(帶) 있으면서 재성이 없다(或傷官帶煞而無財). 이 문제는 해석의 문제로서 대(帶)를 투(透)로 보면 된다. 갑목의 상관은 오화이고, 오화가 갑목의 칠살인 편관을 투출(帶:透)받고 있으므로, 이때 칠살은 경금(庚)이고, 그러면, 경금을 투출하는 유금(酉)이 지지에 있게 된다. 그러면, 유금은 천간으로 투출하고 있으므로, 지지에서 제거된다. 그런데, 이때 재성인 토가 지지에 있게 되면, 이때는 오화, 토, 유금이라는 조합이 만들어지면서 오화가 제거되고, 이어서 오화가 만드는 상관격이 만들어지지 않게 된다. 그런데, 다행히 이런 토인 재성이 없다. 그러면, 지지에는 오화만 남게 된다. 이때 중요한 사실은 지지에서 천간으로 올라온 칠살인 경금은 에너지가 너무 약해서 갑목을 상극하지 못한다는 점이다. 이는 투출(透:帶)해서 천간으로 올라온 지장간의 오행은 지지를 대표하므로, 천간의 1/3밖에는 대표하지 못하기 때문이다. 그러면 이때는 자동으로 상관격이 만들어진다(傷官格成也). 다시 본문을 보자. 양인이 관성을 투출(透)받고, 재성과 인성을 노출하고 있고(陽刃透官煞而露財印), 동시에 상관이 보이지 않는다면(不見傷官), 이는 양인격을 만든다(陽刃格成也). 이도 역시 갑목을 예로 들어서 설명해보자. 갑목의 양인은 묘목이고, 관성은 금이고, 재성은 토이고, 인성은 수이고, 상관은 오화이다. 그런데 조건이 양인의 격이다(陽刃格成也). 원래 양인은 용신이 될 수가 없다. 용신은 에너지를 조절해주는 기능을 보유하기 때문이다. 그러나 양인은 모두 같은 오행이다. 그래서 양인은 원래부터 근본적으로 용신이 불가하다. 그래서 양인격이 되려면, 묘목을 상극으로 제어해줘야만 한다. 묘목을 상극으로 제어하려면, 자동으로 관성인 금을 요구한다. 그런데, 지금은 관성인 금이 투출(透)해서 천간으로 올라가 버린 상태이다. 그런데, 이런 묘목을 꼭 금으로 상극해서 제어할 필요는 없다. 즉, 이때는 묘목이 상극하는 토(土)를 이용해도 된다는 뜻이다. 그래도 어차피 묘목의 에너지는 제어된다. 그러나 이때는 하나의 문제가 생기게 된다. 즉, 묘목이 토로 에너지를 뺏기고 만다. 지금 묘목은 음이라서 에너지가 약하다. 그러면, 이때는 묘목에게 에너지를 전해줄 인수(印)인 수가 필요해진다. 그러나 이때 상관인 오화가 보이게 되면, 수와 오화가 서로 상극으로 만나서 제거된다. 그러나 지금은 다행히 상관이 보이지 않는다(不見傷官), 이때 상관인 오화가 보이게 되면, 수, 묘목, 오화라는 상생의 조합이 만들어지면서, 묘목이 자동으로 제거되기도 한다. 그래서 양인이 관성을 투출(透)받고, 재성과 인성을 노출하고 있고(陽刃透官煞而露財印), 동시에 상관이 보이지 않는다면(不見傷官), 이때는 자동으로 양인격을 만들게 된다(陽刃格成也). 이는 에너지의 흐름을 읽지 못하게 되면, 절대로 풀리지 않게 된다. 그리고 지금의 사주쟁이 중에서 사주 명리를 에너지 흐름으로 푸는 사람은 없다. 그래서 사주쟁이들은 이 구문을 공식처럼 그냥 외우고 있다. 다시 본문을 보자. 건록과 월겁이(建祿月劫), 관성을 투출(透)받고 있고, 동시에 재성과 인성을 만나거나(透官而逢財印), 재성을 투출(透)받고 식상을 만나거나(透財而逢食傷), 칠살을 투출(透)받고 제복을 만나게 되면(透煞而遇制伏), 이때는 건록 월겁격을 만들게 된다(建祿月劫之格成也). 하나씩 풀어보자. 여기서는 월겁이 나왔으므로, 을목(乙)을 예로 들어야 한다. 월겁은 일간이 음(陰)이기 때문이다. 그리고 건록은 오행이 같으면서 음양이 같은 경우이다. 그러면, 건록과 월겁에서 한가지 오행이 나오게 된다. 즉, 이를 을목으로 보게 되면, 일간이 을목이고, 월지가 묘목이면, 건록이 되고, 월지가 인목이면 월겁이 된다. 그러면, 이때는 자동으로 한 가지 오행인 목(木)이 된다. 이제 예시된 문장을 하나씩 보자. 건록과 월겁이(建祿月劫), 관성을 투출(透)받고 있고, 동시에 재성과 인성을 만나면(透官而逢財印), 이때는 건록 월겁격을 만들게 된다(建祿月劫之格成也). 이는 바로 앞에서 풀었던 문장을 되풀이하고 있다. 이때는 단지 양인(陽刃)이었을 뿐이다. 즉, 목의 에너지를 조절하기 위해서는 목을 상극하는 관성인 금이 필요한데, 지금은 관성인 금이 투출(透)해서 천간으로 올라가 버린 상태이다. 다행히 목이 상극하는 재성인 토가 있고, 이런 목을 돕은 인수인 수가 있다. 그러면, 이때는 자동으로 건록 월겁격을 만들게 된다(建祿月劫之格成也). 이번에는 재성을 투출(透)받고 식상을 만나는 경우이다(透財而逢食傷). 지금은 지지에 있는 목(木)의 에너지 문제이다. 그리고 갑목의 식상은 지지의 화(火)이다. 그러면, 목은 화로 에너지를 보내서 자기 에너지를 조절할 수 있게 된다. 이때 물론 재성인 토가 있어서 목을 상극하게 되면, 이 조합은 깨지고 만다. 그런데, 지금은 이런 재성인 토가 천간으로 투출(透)해서 올라가 버린 상태이다. 그러면, 이때는 자동으로 건록 월겁격이 만들어지게 된다(建祿月劫之格成也). 이번에는 칠살을 투출(透)받고 제복을 만나게(遇) 되는 경우이다(透煞而遇制伏). 이는 해석의 문제이다. 여기서 갑목의 칠살은 신금이다. 이는 목을 상극해서 제어해준다. 그러나 이는 투출(透)해서 천간으로 올라가 버린 상태여서, 지금은 이를 이용할 수가 없다. 문제의 해답은 제복(制伏)에 있다. 이때 제복(制伏)은 목의 에너지를 제어(制)해서 굴복(伏)시키라는 뜻이다. 이 문제의 해답은 이미 앞에서 제시했다. 즉, 관성을 투출(透)받고 있고, 동시에 재성과 인성을 만나는 경우이다(透官而逢財印). 즉, 이때 제복(制伏)은 재성(財)인 토와 인성(印)인 수를 만나는 경우를 말한다. 그러면 자동으로 이때는 건록, 비겁의 격이 완성된다(建祿月劫之格成也). 이 구절도 역시 제대로 해석하는 사주쟁이가 없다.

財旺生官者, 月令星旺, 四柱有官, 則財旺自生官. 或月令財星而透食神, 身強則食神洩秀, 轉而生財. 財本忌比劫, 有食神則不忌而喜, 蓋有食神化之也. 或透印而位置妥貼者, 財印不相礙也. (參觀財格佩印節. 如年乾透印, 時乾透財, 中隔比劫, 則不相礙. 隔官星則為財旺生官, 亦不相礙, 是為財格成也.

일간이 월지와 재성을 만들고 있을 때, 재성이 관성을 왕성하게 생하면(財旺生官者), 이때 월령은 자동으로 왕성한 상태가 된다(月令星旺). 이는 너무나도 당연한 사실이다. 그리고 이때는 사주가 관성을 보유하고 있으므로(四柱有官), 재성이 왕성해지면서 자동으로 관성을 생하게 된다(則財旺自生官). 이도 역시 너무나도 당연한 말이다. 관성이 되는 오행과 재성이 되는 오행은 서로 붙어있기 때문이다. 그리고 월령이 재성이고, 식신을 투출(透)하고 있고(或月令財星而透食神), 신강하면 식신의 누설이 많다(身強則食神洩秀). 갑목을 예로 들어보자. 월지가 재성이면, 이는 지지의 토를 말하고, 식신의 투출(透)은 오화가 되고, 신강은 비겁과 인성을 말하므로, 갑목의 비겁은 목이 되고, 인성은 수가 된다. 그러면, 신강에서는 목이나 수를 선택하면 된다. 그리고 설기(洩氣)는 자기를 생(生) 해주는 오행에서 에너지를 빼먹는(洩) 경우이다. 그러면, 식신은 오화이므로, 오화를 생해주는 오행은 자동으로 신강에서 목이 된다. 즉, 오화가 목에서 에너지를 빼먹는 것이다. 다시 본문을 보자. 전하면 재성을 생하고(轉而生財), 재본이 비겁을 싫어하고(財本忌比劫), 식신을 보유하면 꺼리지 않고 좋아한다(有食神則不忌而喜). 이는 앞의 문장을 다시 한번 설명하고 있다. 즉, 목과 오화가 상생하고 있는 상태에서 한 번 더 변(轉)하게 되면, 자동으로 오화는 재성인 토을 생하게 된다(轉而生財). 그래서 토인 재성(財)의 본래(本) 성질은 목이라는 갑목의 비겁을 싫어하는데(財本忌比劫) 즉, 목이 토를 상극하므로, 토는 목을 싫어(忌)하는데, 식신인 오화를 보유(有)함으로써, 목, 오화, 토라는 상생의 조합이 만들어졌고, 이어서 토는 목과 거리가 생기면서 상극을 당하지 않게 되고, 이어서 토는 목을 싫어하지 않고 좋아(喜)하게 된다(有食神則不忌而喜). 해석이 상당히 어렵다. 이는 목, 오화, 토라는 조합을 만드는 이유를 알지 못하게 되면, 아예 해석이 안 되기 때문이다. 그래서 이는 모두 식신이 상극을 상생으로 만들어서 에너지를 중화(化)한 것이다(蓋有食神化之也). 즉, 목과 토 사이에 오화가 끼어들어서 에너지 중재자가 된 것이다. 이때 오화는 진정한 용신이 된다. 용신은 불안정한 에너지를 안정된 에너지로 바꿔주는 일을 하기 때문이다. 그러면, 이때는 상극의 에너지가 상생의 에너지로 변하게 된다. 또 다른 경우의 수를 보자. 이때 인성이 투출(透)하고 자리만 적절하게 잡고 있게 되면(或透印而位置妥貼者), 재성과 인성은 서로 꺼리지(礙) 않게 된다(財印不相礙也). 이는 투출(透)에 답이 있다. 지지에서 천간으로 투출(透)하게 되면, 이 오행은 지지에서 제거되는 효과를 보게 되고, 천간으로 올라갔어도 힘을 못 쓰게 되기 때문이다. 그러면, 이때는 지지에 재성만 남게 된다. 그러면, 이때는 자동으로 재성과 인성은 서로 꺼리지(礙) 않게 된다(財印不相礙也). 인성이 천간으로 투출(透)되면서 없어져 버렸으므로, 너무나도 당연한 사실이다. 이 경우는 일간이 만드는 장벽(隔)으로 풀어도 된다. 이 부분은 재격이 인수격을 끼고(佩) 있는 절(節)을 참고하면 된다(參觀財格佩印節). 다시 본문을 보자. 이때 연주에 인수가 투출(透)해있고(如年乾透印), 시주의 천간에 재성이 투출(透)해있고(時乾透財), 연주와 시주 사이(中)에서 비겁이 가로막고 있으면(中隔比劫), 서로 꺼리지 않게 된다(則不相礙). 지금은 갑목을 예로 해서 살펴보고 있다. 그러면, 연주에 수가 있고, 시주에 토가 있다. 이때 비겁인 목이 끼어들게(隔) 된다. 그러면, 이때는 목, 토, 수라는 상극(克)의 조합이 만들어지게 된다. 그러면, 3개의 오행은 상극(克)으로 연결되어있지만, 이는 불안정한 에너지를 안정된 에너지로 바꿔주는 역할을 하므로, 서로 상극해서 싫어(礙)하지 않게 된다. 이는 상당히 중요한 의미를 암시하고 있다. 그러나 어떤 사주 명리의 책에서도 이에 관한 말은 한마디도 하지 않고 있다. 즉, 사주 명리의 어떤 책에서도 이런 조합을 만드는 원리를 말하지 못하고 있다. 이는 사주 명리가 에너지 관계라는 사실을 모르기 때문이다. 결국에 이는 에너지 완충의 개념이다. 이 문제는 전에 이미 설명했다. 그래서 이 구절은 아예 빼버리는 사주 명리학책이 대부분이다. 이는 물론 일간이 만드는 장벽으로 풀어도 된다. 다시 본문을 보자. 이때 중간에서 관성이 가로막게 되면, 재성은 왕성하게 되고, 이어서 관성을 생하게 되고(隔官星則為財旺生官), 이때도 역시 서로 싫어하지 않게 된다(亦不相礙). 이렇게 되면 재격을 만들게 된다(是為財格成也). 앞에서는 비겁이 사이에 끼었는데, 이번에는 관성이 끼어든다. 갑목의 관성은 금이다. 그러면, 자동으로 갑목의 재성인 토는 갑목의 관성인 금을 생(生)하게 된다(隔官星則為財旺生官). 이는 역시 상극의 관계가 아니고 상생의 관계이므로 서로 싫어(礙)할 이유가 없게 된다(亦不相礙). 이(是) 관계는 재격을 만든다고 한다(是為財格成也). 너무나도 당연한 이야기이다. 이때 토와 금은 상생 관계라는 사실을 상기해보자. 이 구절은 해석이 상당히 어려워서 대부분 책에서는 이 부분을 아예 빼버린다. 그 이유는 3개의 오행을 이용해서 한 개의 조합을 만드는 원리를 모르기 때문이다. 여기서 주의할 점은 이런 조합이 에너지의 균형을 잡아주는 용도로 쓰이기도 하지만, 에너지를 중화해서 오행을 제거해버리는 용도로도 쓰인다는 사실이다. 이 관계는 뒤에서 보게 된다. 이때 이 조합은 육합과 똑같은 기능을 하게 된다는 뜻이다.

何謂敗？ 官逢傷克刑衝, 官格敗也. 財輕比重, 財透七煞, 財格敗也. 印輕逢財, 或身強印重而透煞, 印格敗也. 食神逢梟, 或生財露煞, 食神格敗也. 七煞逢財無制, 七煞格敗也. 傷官非金水而見官, 或生財而帶煞身弱. 或佩印而傷輕身旺, 傷官格敗也. 陽刃無官煞, 刃格敗也. 建祿月劫, 無財官, 透煞印, 建祿月劫之格敗也.

그러면, 패격은 무엇인가요(何謂敗)？ 관성이 식상을 만나서 상극(克)을 당하고, 이어서 형충이 되면(官逢傷克刑衝), 이때 관격은 패격이 된다(官格敗也). 갑목을 예로 살펴보자. 갑목의 관성은 금이고, 식상은 화이다. 그러면, 자동으로 화는 금을 상극해서 제거해버린다. 그러면, 자동으로 관격은 깨지고(敗) 만다. 물론 이 경우는 주로 정관을 만나서 만들어지는 정관격을 말한다. 다시 본문을 보자. 재성이 음으로 약하고, 비겁은 양으로 강하고(財輕比重), 재성이 칠살인 편재를 투출(透)하고 있으면(財透七煞), 이때 재격은 패격이 된다(財格敗也). 갑목을 예로 설명해보자. 갑목의 재성은 토이므로, 음이면 음으로서 토가 되고, 갑목의 비겁은 목이므로, 양이면 인목이 되고, 이때 재성이 칠살을 투출(透)하고 있게 되면, 신금(申)이 나오게 된다. 이를 정리해보게 되면, 토, 인목, 신금이 된다. 그런데 재성이 칠살인 편재를 투출(透)하고 있으므로(財透七煞), 재성인 신금은 지지에서 지워지게 된다. 그러면, 이때 재성인 토와 신금의 관계는 상관(傷官)이 되고 만다. 그러면, 자동으로 재격은 패격이 된다(財格敗也). 다시 본문을 보자. 인성이 약해서 정인이 되고, 이런 정인이 재성을 만날 때도 마찬가지이다(印輕逢財). 갑목의 정인은 계수이고, 재성은 토이다. 그러면, 토와 계수의 관계를 보면 되는데, 계수와 토는 편재(偏財)가 만들어지는 경우가 있다. 또한 이를 다르게 보게 되면, 토는 수를 상극(克)하게 된다. 이는 당연히 갑목의 정재인 토를 도울 수가 없게 되고, 이때는 자동으로 정재격은 물 건너가고 만다. 다시 본문을 보자. 다른 경우의 수에서 보자면, 강한 일간(身)이 강한 인수를 보유하고 있는데, 추가로 칠살인 편관이 투출(透)하고 있으면(或身強印重而透煞), 이때 인수격은 패격이 되고 만다(印格敗也). 갑목을 예로 보자면, 일간이 강하므로, 갑목은 비견으로서 인목이 있게 되고, 편관은 신금(申)이고, 인수는 수인데 강(重)하므로 자수가 된다. 그래서 이를 보게 되면, 신금, 자수, 인목이 되면서 에너지가 중화된다. 그런데 이때 편관인 신금이 지지에서 천간으로 투출(透)해서 올라가게 되면, 이는 지지에서 지워진다. 그러면, 지지에는 인목과 자수만 남게 된다. 그러면, 양인 인목은 양인 자수를 에너지로 강하게 압박하게 되고, 이때는 자동으로 인수격은 패격이 되고 만다(印格敗也). 다시 본문을 보자. 식신이 편인을 만나는 경우나(食神逢梟), 혹은 식신이 재성을 생하고 칠살을 노출할 경우에는(或生財露煞), 식신격이 패격이 되고 만다(食神格敗也). 갑목을 예로 풀어보자. 갑목의 식신은 사화(巳)가 되고, 편인(梟:효)은 해수(亥)가 된다. 그런데, 이 둘의 관계는 상극의 관계이다. 그러면, 자동으로 갑목과 사화가 만들어내는 식신격은 만들어지지 않게 된다. 또한, 갑목의 식신인 사화가 갑목의 재성인 토와 생(生)하고 있는 상태에서, 갑목의 칠살로서 편관인 신금을 노출하고 있게 되면, 이때는 사화, 토, 신금이 되면서, 에너지가 중화되고, 사화는 기능을 잃고 만다. 그러면, 자동으로 갑목과 사화가 만들어내는 식신격은 만들어지지 않게 된다. 이는 육합(六合)으로 풀어도 된다. 사신(巳申)은 육합의 수(水)가 된다. 그러면, 자동으로 사화는 제거된다. 그러면, 자동으로 갑목과 사화가 만들어내는 식신격은 만들어지지 않게 된다(食神格敗也). 다시 본문을 보자. 칠살인 편관이 재성을 만나서 제어를 받지 않게 되면(七煞逢財無制), 칠살격은 패격이 된다(七煞格敗也). 갑목의 편관은 신금이 되고, 재성은 토가 되는데, 이때 토는 신금과 상생관계를 만든다. 그래서 이때 이 관계가 제어(制)를 받지 않게 되면, 즉, 이때 양인 신금과 양인 토가 만나게 되면, 이 둘의 관계가 제어(制)되지 않게(無) 되고, 이어서 편인이 되면서, 이때는 자동으로 칠살격은 만들어지지 않게 된다. 이때 제어(制)는 과한 에너지의 제어(制)를 말한다. 다시 본문을 보자. 상관이 금과 수를 보지 않고, 관성을 보거나(傷官非金水而見官), 혹은 상관이 재성을 생하면서 칠살을 두르고(帶) 있거나(或生財而帶煞). 혹은 상관이 인수를 두르고(佩) 있으면서 식상이 약하고 일간은 왕성하게 되면(或佩印而傷輕身旺), 상관격은 패격이 되고 만다(傷官格敗也). 이도 갑목을 예로 하나씩 살펴보자. 상관이 금과 수를 보지 않고, 관성을 보는 경우이다(傷官非金水而見官). 갑목의 상관은 오화이다. 이때 금과 수를 보게 되면, 수, 오화, 금이라는 상극(克)의 조합이 되면서 에너지가 균형을 잡게 된다. 그런데, 수가 없이 관성(官)이라는 금만 보게 되면, 오화와 금은 서로 상극 관계가 되면서, 자동으로 상관격은 패격이 되고 만다(傷官格敗也). 이번에는 상관이 재성을 생하면서 칠살을 두르고(帶) 있는 경우이다(或生財而帶煞). 이때 나온 오행을 정리해보게 되면, 오화, 토, 신금이다. 이는 자동으로 에너지를 중화해서 오화를 제거하게 된다. 그러면, 이때는 자동으로 상관격은 패격이 되고 만다(傷官格敗也). 이번에는 상관이 인수를 두르고(佩) 있으면서 식상이 약하고 일간은 왕성하게 되는 경우이다(或佩印而傷輕身旺). 상관격에서 갑목의 상관은 오화이다. 그런데, 식상(傷)이 약(輕)하다. 그러면, 이때 양으로서 강한 오화는 약(輕)한 음으로서 사화로 변하게 된다. 그러면, 갑목과 오화의 관계는 갑목과 사화의 관계로 변하게 된다. 그러면, 갑목과 사화는 상관이 아닌 식신으로 변하게 되면서, 자동으로 사주(身)는 에너지가 안정되면서 왕성(旺)해지게 된다. 그러면, 이때는 자동으로 상관격은 패격이 되고 만다(傷官格敗也). 즉, 이때는 식신격이 된다. 다시 본문을 보자. 상관이 재성을 생하면서 칠살을 두르고 있고, 신약한 경우를 보자(或生財而帶煞身弱). 갑목의 상관은 오화이고, 재성은 토이다. 갑목의 칠살이 띠(帶)처럼 두르고 있다. 그리고 갑목의 칠살은 신금이다. 그러면, 오화, 토, 신금이라는 에너지를 중화하는 조합이 나오게 되고, 이때 상관인 오화는 자동으로 제거된다. 그러면, 현재로서는 지지에 아무 오행도 없다. 이는 일간의 뿌리가 없다는 뜻이 되고, 이때 사주(身)의 주인공인 일간은 자동으로 약(弱)해진다. 그러면, 이때는 자동으로 상관격은 패격이 되고 만다(傷官格敗也). 다시 본문을 보자. 양인이 관성이 없게 되면(陽刃無官煞), 양인격은 만들어지지 않게 된다(刃格敗也). 갑목을 예로 보게 되면, 갑목의 양인은 묘목이 되고, 관성은 금이 된다. 여기서 양인(陽刃)

을 목의 양(陽)인 인목으로 봐도 된다. 여기서 인(刃)은 에너지를 해친다는 뜻이다. 그러면, 이때는 갑목의 에너지가 너무 과하게 된다. 그리고 이를 묘목으로 볼 때는 거꾸로 에너지가 중화되면서 갑목의 에너지를 빼앗아버린다. 아무튼, 어떤 경우가 되었든지 간에 이를 갑목의 용신으로 쓸 수는 없다. 용신은 에너지를 안정되게 조절해주는 인자이기 때문이다. 그러면, 이때는 자동으로 다른 에너지의 도움을 받아야만 한다. 그러면, 자동으로 이 에너지를 누군가가 나서서 제어(制)해줘야만 한다. 이때 제어(制)는 자동으로 상극(克)을 말하게 된다. 그러면, 이때 지지에 있는 목의 상극은 지지의 금이 된다. 이를 갑목의 기준으로 보게 되면, 이는 자동으로 금인 관성이 된다. 그래서 월지의 목(木) 에너지를 상극해서 제어해줄 금이라는 다른 에너지가 없다면, 양인격은 만들어지지 않게 된다(刃格敗也). 다시 본문을 보자. 건록과 월겁이 있는데(建祿月劫), 재성과 관성이 없고(無財官), 이 상태에서 칠살과 인성을 투출(透)하고 있다면(透煞印), 이때는 건록, 월겁격은 만들어지지 않게 된다(建祿月劫之格敗也). 이는 월겁이 나와 있으므로, 을목을 예로 살펴봐야만 한다. 그러면, 자동으로 묘목과 인목이 나오게 된다. 즉, 이는 지지의 목(木)을 말한다. 그리고 을목의 재성은 토가 되고, 을목의 관성은 금이 되고, 을목의 칠살은 유금이 되고, 을목의 인수는 수가 된다. 그러면, 먼저 묘목과 인목은 재성인 토와 관성인 금(財官)과 만나게 된다. 그리고 이 둘은 목과 상극으로 만나게 된다. 즉, 이때는 지지의 목을 토나 금이 상극으로 제어(制)해주게 되면서, 이 격은 유지된다. 물론 이런 토나 금이 없게 되면(無財官), 이 격은 유지가 안 된다. 이 상태에서 칠살과 인성을 투출(透)하고 있다면(透煞印), 이는 칠살과 인성이 천간으로 투출(透)해서 올라갔다는 뜻이 된다. 그러면, 이때 천간의 오행을 보게 되면, 을목, 을목의 칠살인 신금(辛), 을목의 인수인 수가 존재하게 된다. 이를 정리해보게 되면, 을목, 신금, 수가 된다. 이를 재정렬해보게 되면, 이는 신금, 수, 을목이라는 상생의 조합이 만들어지면서 에너지가 중화된다. 이때는 자동으로 을목은 제거된다. 그러면, 이때는 자동으로 건록, 월겁격은 만들어지지 않게 된다(建祿月劫之格敗也). 이도 해석이 그리 쉽지만은 않다.

成中有敗, 必是帶忌. 敗中有成, 全憑救應. 何謂帶忌? 如正官逢財而又逢傷. 透官而又逢合. 財旺生官而又逢傷逢合. 印透食以洩氣, 而又遇財露. 透煞以生印, 而又透財, 以去印存煞. 食神帶煞印而又逢財. 七煞逢食制而又逢印. 傷官生財而財又逢合. 佩印而印又遭傷, 陽刃透官而又被傷. 透煞而又被合. 建祿月劫透官而逢傷. 透財而逢煞, 是皆謂之帶忌也.

성격을 만들었는가 싶더니 패격이 되는 경우가 있다(成中有敗). 이때는 반드시 패격을 만드는 기신(忌)이 되는 오행을 끼고(帶) 있기 때문이다(必是帶忌). 이번에는 패격을 만들었는가 싶더니 성격이 되는 경우가 있다(敗中有成). 이때는 전적으로 의지할 수 있는 구응(救應)이라는 오행이 있기 때문이다(全憑救應). 그러면, 어느 때 기신(忌)을 끼고(帶) 있다고 말하는가(何謂帶忌)? 이는 9가지로 나열된다. 즉, 정관이 재성을 만나고 있는 상태에서 추가로 상관을 만나는 경우이다(如正官逢財而又逢傷). 갑목의 예를 보자. 갑목의 정관은 유금이고, 재성은 토이고, 상관은 오화이다. 이때 재성인 토는 음인 유금으로 에너지를 보내준다. 그런데, 상관인 오화는 유금을 상극해서 제거해버린다. 즉, 이때 상관인 오화가 기신(忌)이 된다는 뜻이다. 이때 정관격은 깨지고 만다. 다시 본문을 보자. 월지가 정관을 투출(透)하고 있어서, 일간이 정관격을 만들었는데, 이때 천간에서 투출한 오행을 포함하고 있는 합(合)이 형성되는 경우이다(透官而又逢合). 이때는 합이 우선이어서, 합이 만들어지게 되면, 정관을 만든 오행은 자동으로 사라지게 된다. 물론 이때 합은 천간합(天干合)이다. 지지에서 오행이 투출(透)해있다는 사실을 상기해보자. 갑목을 예로 들어보자. 갑목의 정관은 천간의 신금(辛)이다. 이때는 지지에서 오행이 술토(戌)일 경우이다. 육십갑자는 음음, 양양만이 짝이 된다는 사실을 상기해보자. 만일에 육십갑자가 음양으로 만나게 되면, 서로 중화되어서 에너지로서 기능을 하지 못하기 때문이다. 즉, 이때는 월지가 술토일 때 천간에 신금(辛)이 있어서 지장간이 되는 경우이다. 그러면, 갑목은 월지의 술토를 버리고, 천간의 신금(辛)과 짝이 되면서, 이때는 정관격이 만들어진다. 이때 천간에 병화(丙)가 존재하고 있어서 병신(丙辛)으로 수(水)라는 천간합(合)을 만들게 되면, 이때 정관을 만들고 있던 신금은 자동으로 제거된다. 이는 합(合)이 우선 적용되는 대상이기 때문이다. 그러면, 이때는 자동으로 갑목의 정관격은 깨지고 만다. 이때는 합(合)이 기신(忌)이 된다. 물론 이때는 합을 만든 병화(丙)를 기신(氣)으로 봐도 된다. 이때 신(神)은 에너지라는 사실을 상기해보자. 다시 본문을 보자. 이번에는 왕성한 재성이 정관을 생하고 있을 때, 추가로 상관을 만나거나 합을 만나는 경우이다(財旺生官而又逢傷逢合). 왕성한 재성은 양의 재성을 말하게 되고, 이는 정관과 정인으로 만나게 된다. 그러면, 이때는 자동으로 정관격이 만들어진다. 그런데, 이때 정관이 상관(傷)을 만나게 되면, 이 둘은 서로 상극(克)하게 되면서, 정관격은 깨지게 된다. 이때 또한 정관을 만드는 오행을 포함하고 있는 합(合)이 만들어져도 정관은 사라지게 되면서, 정관격은 깨지게 된다. 다시 본문을 보자. 이번에는 인수가 식신을 투출하고 설기하면서(印透食以洩氣), 추가로 재성의 노출을 만나게 되면 성격이 깨지는 경우이다(而又遇財露). 갑목을 예로 보자. 갑목의 인수는 수이고, 투출(透)한 식신은 병화이고, 재성은 토이다. 이는 해석의 문제이다. 즉, 이는 이 문장(印透食以洩氣)을 어떻게 해석하느냐의 문제라는 뜻이다. 이 문장을 해석해보게 되면, 인수(印)가 식신(食)을 지장간을 통해서 투출(透)하고 있는데, 이 둘의 관계가 설기(洩氣)라는 것이다. 설기는 상생 관계의 문제라는 사실을 상기해보자. 그러면, 여기서 갑목의 식신은 병화이니까, 지장간에서 병화를 투출하면서 인수인 수와 상생 관계를 맺으려면, 이때 지지의 오행은 자동으로 병화를 투출하는 인목(寅)이 된다. 그러면, 수와 인목은 상생 관계로서 수의 에너지를 설기(洩氣)하게 된다. 그러면, 이때는 자동으로 식신격이 만들어진다. 그러면, 지지에서 인목이 살아있어야만 한다. 그러면, 여기서 변수는 인목을 누군가가 상극(克)해서는 안 된다. 그런데, 지금은 갑목의 재성인 토가 버티고(露) 있다(而又遇財露). 이 토는 자동으로 인목을 상극하게 되고, 이 식신격은 깨지고 만다. 즉, 이때는 재성인 토가 기신(忌)이 된다. 이 문장의 해석은 상당히 어려워서 대부분은 이를 해석하지 못한다. 다시 본문을 보자. 이번에는 칠살이 투출(透)하고 있는 상태에서 인수와 상생하고(透煞以生印), 추가로 재성이 투출(透)하고 있으면(而又透財), 이때는 인수를 제거하고 칠살을 보존시키는 경우가 된다(以去印存煞). 이도 역시 해석의 문제이다. 갑목을 예로 보자. 갑목의 칠살은 경금(庚)이다. 그런데, 이 경금이 지지에서 투출(透)해서 천간으로 올라왔다. 그러면, 지지에서 경금을 투출하는 오행은 신금(申)이 된다. 그러면, 이 신금은 자동으로 인수인 수와 상생(生)하게 된다(透煞以生印). 그리고 이때 재성이 추가로 투출(透)하게 된다(而又透財). 그러면, 이때는 칠살인 경금이 재성인 토와 천간에서 상극(克)으로 만나게 된다. 그러면, 칠살은 자동으로 제거된다. 그런데, 뒤에 조건이 붙어있다. 이때 인수를 제거하게 되면, 칠살이 보존된다는 사실이다(以去印存煞). 그러면, 인수(印)가 재성(財)을 투출(透)했다는 뜻이 된다. 그러면 지지의 수에서 토를 투출하는 지지의 지장간을 찾으면 된다. 이는 지지의 해수(亥)가 된다. 그러면, 여기서는 지지의 해수(亥)가 기신(忌)이 된다. 덕분에 이 격국은 칠살격(煞)이 되고 만다. 어렵지는 않지만, 상당히 복잡하다. 다시 본문을 보자. 이번에는 식신이 칠살과 인성을 끼고(帶) 있을 때 추가로 재성을 만나게 되는 경우이다(食神帶煞印而又逢財). 여기서 대(帶)는 투출(透)이라는 뜻이다. 그런데, 지금은 추가의 의미가 있다. 즉, 칠살과 인수가 띠(帶)로 묶여서 함께 투출(透)되어서 올라왔다는 뜻이다. 즉, 여기에 나온 칠살과 인수가 하나의 지장간에서 올라왔다는 뜻이다. 갑목을 예로 보자. 갑목의 식신은 사화이고, 투출된 칠살은 경금이고, 인수는 수이다. 그러면, 경금과 수를 함께(帶) 투출하는 지장간은 신금(申)이 된다. 이때 재성인 토를 만나게 된다(而又逢財). 그러면, 이때 지지의 오행을 정리해보게 되면, 사화, 신금, 토가 된다. 이를 재정렬하게 되면, 사화, 토(土), 신금이 되면서 에너지가 중화되면서, 3개의 오행이 무력화되고 만다. 즉, 재성(財)인 토(土)가 한가운데에서 양쪽의 에너지를 중화하는 중개자가 된 것이다. 그러면, 이때는 지지에서 격을 만드는 오행이 모두 제거되면서 어떤 격도 성립하지 못하게 된다. 이때는 토인 재성(財)이 기신(忌)이 된다. 해석이 만만하지 않다. 다시 본문을 보자. 이번에는 칠살이 식신을 만나서 제어할 때, 추가로 인성을 만나게 되면(七煞逢食制而又逢印), 패격이 만들어진다. 이 부분도 갑목을 예로 들어서 설명해보자. 갑목의 식신은 사화(巳)이고, 편관은 신금(申)이다. 그러면, 자동으로 음인 사화는 양인 신금을 상극(克)하지만, 음양으로 만나면서 거꾸로 에너지가 안정되도록 제어(制)된다. 그러면, 이때는 자동으로 식신격이 만들어진다. 그런데 이때 인성인 수가 개입하게 되면, 자동으로 인성인 수(水)는 사화인 식신을 상극으로 제거해버리게 된다. 그러면, 자동으로 식신격은 깨지고 만다. 다시 본문을 보자. 이번에는 상관이 재성을 생하고 있을 때, 추가로 합을 만나게 되면(傷官生財而財又逢合), 이때는 패격이 되고 만다. 이는 설명을 덧붙일 일조차도 없게 만든다. 합(合)은 지지의 오행을 제거해서 다른 오행을 만들어버리기 때문이다. 갑목을 예로 보자. 갑목의 상관은 오화이고, 재성은 토이다. 그러면, 오화는 자동으로 토를 생하게 되고, 이때는 자동으로 정재격이 만들어질 것이다. 지금은 패격을 논하고 있으므로, 성격(成格)이 되어야만 한다. 그러면, 자동으로 정재격이 될 것이다. 그런데, 이런 정재격을 만드는 토인 재성이 합(合)이 되면서 사라지게 되면, 정재격은 자동으로 깨지게 된다. 이때는 합(合)이 기신(忌)이 된다. 다시 본문을 보자. 이번에는 인성을 끼고 있는데, 인성이 추가로 상관을 만나게 되면(佩印而印又遭傷), 이때도 패격이 되고 만다. 여기서 패인(佩印)은 일간과 정인(正印)이 이미 성격(成格)을 만들고 있다는 뜻이다. 그런데, 이때 갑자기 상관을 만나게 되면, 이 둘은 서로 상극(克)하게 되고, 이어서 이때는 말이 필요 없이 정인격은 자동으로 깨지게 된다. 이를 갑목으로 보게 되면, 자수(子)와 오화(午)가 상극으로 만나는 경우가 된다. 이때 상관은 성격(成格)을 망치는 기신(忌)이 된다. 다시 본문을 보자. 이번에는 양인이 관성을 투출(透)받고 있을 때, 추가로 상관을 피습하게 되면(陽刃透官而又被傷), 이때도 패격을 만든다. 갑목을 예로 보자. 갑목의 양인은 묘목이 된다. 그러면, 이때는 자동으로 묘목을 제어(制)해줘야만 한다. 그래야만 양인격이 성립된다. 그러면, 자동으로 묘목을 상극하는 지지의 금(金)을 요구한다. 그리고 지지의 금은 자동으로 천간으로 투출될 때 역시 관성인 금(金)을 투출(透)하게 된다. 그러면, 이때 양인격이 성립되기 위해서는 자동으로 묘목을 제어해주는 금이 상극(克)을 당해서는 안 된다. 그러나 지금은 상관(傷)인 오화가 금을 피습(被)해서 상극하고 있다. 그러면, 자동으로 양인격은 깨지고 만다. 이때는 상관(傷)인 오화가 기신(忌)이 된다. 다시 본문을 보자. 이번에는 양인이 칠살이 투출(透)해있고, 추가로 합(合)을 만나서 피습(被)하게 되면(透煞而又被合), 이때는 패격을 만든다. 이는 바로 앞 경우와 똑같은데, 추가로 합(合)이 있을 뿐이다. 그리고 합은 자동으로 지지의 오행을 제거해버린다. 그러면, 양인격은 자동으로 사라져 버린다. 이때는 다른 조건은 볼 필요조차도 없다. 다시 본문을 보자. 이번에는 건록과 월겁이 관성을 투출(透)받고 있을 때, 상관을 만나는 경우이다(建祿月劫透官而逢傷). 이 부분도 앞에서 본 경우와 같다. 갑목으로 보자면, 건록과 월겁은 목을 말하고, 그러면, 이때 목은 상극으로 제어되어야만 하므로, 자동으로 관성인 금을 요구한다. 그런데, 지금은 관성이 투출하고 있다. 그리고 지지에서 천간으로 관성의 투출은 지지의 금이 하게 된다. 즉, 지지의 목을 지지의 금이 상극으로 제어해주면서 건록월겁격이 성립되고 있다. 그러나 이때 지지에서 금을 상극하는 상관을 만나게 되면, 지지의 금은 제거된다. 그러면, 자동으로 건록월겁격은 만들어지지 않게 된다. 이때는 상관이 기신(忌)이 된다. 다시 본문을 보자. 이번에는 건록과 월겁이 재성을 만나고 있을 때, 칠살을 만나는 경우이다(透財而逢煞). 이를 갑목으로 보게 되면, 목을 재성인 토가 상극해주면서 목의 에너지를 조절해주고 있다. 이때 재성의 투출(透)은 지지의 토가 해준다는 사실을 상기해보자. 이때 신금을 만나게 되면, 신금은 자동으로 재성인 토를 상극해버린다. 그러면, 이때는 자동으로 건록월겁격은 만들어지지 않게 된다. 이때는 칠살(煞)이 기신(忌)이 된다. 다시 본문을 보자. 지금까지 살펴본 이들 모두는 기신을 끼고(帶) 있는 경우이다(是皆謂之帶忌也). 이 구문도 해석이 그리 만만치가 않다.

成中之敗, 亦變化萬端, 此不過其大概也. 如財旺生官, 美格也. 身弱透官, 即為破格. 傷官見官, 為格之忌, 透財而地位配置合宜, 則傷官生財來生官, 反可以解, 種種變化, 非言說所能盡, 在於熟習者之妙悟耳.

성중지패(成中之敗), 역시 변화가 다양하다(亦變化萬端). 이는 그 큰 개념을 넘지 못하는 경우이다(此不過其大概也). 여기서 개(概)는 에너지를 말한다. 그러면 대개(大概)는 큰 에너지가 된다. 그러면, 이 문장(此不過其大概也)의 해석은 이(此)때는 그(其) 큰(大) 에너지(概)를 넘어서지(過) 못하는(不) 경우가 된다. 예를 들자면, 왕성(旺)한 재성이 관성을 생(生)하는 경우인데(如財旺生官), 이는 아름다운 격인 미격이 된다(美格也). 이를 갑목을 예로 들어보자. 갑목의 재성은 토(土)이고, 관성은 금(金)이다. 그런데 이때 재성인 토가 왕성(旺)해서 에너지가 강하다. 그리고 원래 금은 토를 상극(克)한다. 그러나 이때 토는 금을 상생(生)하기도 한다. 그리고 사주 명리에서 강한 에너지는 좋은 상태가 아니다. 이때는 누가 나서서 이런 강한 에너지를 가져가 주기를 바란다. 그러면, 이때 에너지를 뺏어서 가져가는 상극(克)은 거꾸로 아름다운(美) 약이 된다. 그래서 이때는 설사 금이 에너지가 왕성(旺)한 토를 상극해서 죽이려고 해도, 토의 에너지가 너무 왕성해서, 금은 그(其) 벽을 넘지(過) 못하게(不) 된다. 그래서 이때는 에너지가 중화되어서 거꾸로 안정되게 된다. 그러면, 이 관계는 자동으로 미격(美格)이 된다(美格也). 그리고 이 안정된 에너지 관계를 다르게 풀 수도 있다. 즉, 재성인 토의 에너지가 왕성(旺)하려면, 화가 에너지를 토로 보내줘야만 한다. 그러면, 이때는 화, 토, 금이라는 조합이 만들어진다. 그러면, 이때 금은 토를 상극해서 넘어가지(過) 못하게(不) 된다. 이는 당연히 상극이라는 상충된 에너지가 중화된 상태이므로, 자동으로 아름다운(美) 격(格)인 미격(美格)이 된다. 그러면, 자동으로 성중지패(成中之敗)라는 문구의 의미가 확실하게 나타나게 된다. 즉, 성격(成)이 완성되는 가운데(中) 금이 토를 상극하지 못하고 패(敗)한 것이다. 물론 이는 토를 왕성하게 해준 화(火)의 덕분이다. 다시 본문을 보자. 일간(身)이 약할 때 관성을 투출하면서(身弱透官), 즉시 파격이 만들어질 때이다(即為破格). 일간(身)이 약(弱)한 경우는 월지가 일간을 상극(克)할 때이다. 이를 갑목의 예로 살펴보자. 그러면, 월지는 자동으로 갑목을 상극하는 금이 되면서 관성(官)이 된다. 그리고 이 관성(官)이 투출(透)해서 천간으로 올라가게 되면, 지지의 금은 자동으로 무용지물이 되고 만다. 즉, 이때는 갑목이 관성인 금과 충돌하지 않게 된다. 그러면, 이때는 자동으로 파격이 된다(即為破格). 즉, 이때 갑목은 상극을 벗어나게 된다. 이보다 더 좋을(美) 수는 없다. 다시 본문을 보자. 상관이 관성을 보게 되면(傷官見官), 상관과 관성은 서로 상극으로 만나게 되므로, 관성은 상관격의 기신이 되고 만다(為格之忌). 그러면, 이때는 재성을 투출(透)시켜서 관성과 상관의 자리를 적절히 배치하는 조합

(合)을 얻게 되면 좋아진다(透財而地位配置合宜). 이는 상관과 관성이 이미 투출(透)되어서 천간에 자리하고 있는 경우이다. 이때 추가로 재성이 천간으로 투출(透)하게 된다. 그러면, 자동으로 천간에서 상관, 재성, 관성이라는 아름다운 조합이 만들어진다. 이는 이 아름다운 조합에서 오행의 위치(地位)를 적절히 배치(配置)한 경우이다. 갑목을 기준으로 이를 오행으로 표시하자면, 정화, 토, 금이 된다. 이는 상관이 재성으로 인해서 관성을 상극으로 넘지(過) 못한(不) 결과로 나타난 것이다. 즉, 정화가 토에 막혀서 금을 상극(極)하지 못한 경우이다. 그리고 정화, 토, 금이라는 조합의 경우를 자세히 살펴보게 되면, 상관(傷官)인 정화가 재성(財)인 토를 생(生)하게 되었고, 이는 다시 관성(官)인 금을 생(生)한 결과로 나온(來) 것이다(則傷官生財來生官). 물론 이를 다르게(反) 풀어도 된다(反可以解). 즉, 정화가 토에 가로막혀서 금을 상극(克)하지 못한 것이다. 또한 이는 상관이 재성으로 인해서 관성을 상극으로 넘지(過) 못한(不) 결과로 나타난 것이다. 이는 조합의 종류(種)에 따라서 각종(種) 변화를 수반한다(種種變化). 이런 조합의 능력은 끝이 없어서 말로 다 표현할 수가 없게 된다(非言說所能盡). 그래서 이런 문제는 숙달(熟習)된 사주쟁이만이 묘안(妙)을 깨달을(悟) 뿐이다(在於熟習者之妙悟耳). 즉, 이는 상당히 어려운 문제라는 뜻이다. 그러면, 왜 이런 상황이 어려울까? 이도 역시 3개의 오행을 이용해서 아름다운(美) 조합(合)으로 미격(美格)을 만들지 못하기 때문이다. 이 덕분에 이 구절은 대부분 사주 명리학책에서 자동으로 슬그머니 사라지고 만다. 즉, 이 구절의 해석이 어려워서 풀지 못하니까 원래부터 없었던 구절처럼 슬쩍 빼버리는 것이다. 이것이 현재 사주 명리학의 참담한 현실이다.

何謂救應？ 如官逢傷而透印以解之, 雜煞而合煞以清之, 刑衝而會合以解之. 財逢劫而透食以化之, 生官以制之, 逢煞而食神制煞以生財, 或存財而合煞. 印逢財而劫財以解之, 或合財而存印. 食逢梟而就煞以成格, 或生財以護食. 煞逢食制, 印來護煞, 而逢財以去印存食. 傷官生財透煞而煞逢合. 陽刃用官煞帶傷食, 而重印以護之. 建祿月劫用官, 遇傷而傷被合, 用財帶煞而煞被合, 是謂之救應也.

구응이란 무엇을 말할까(何謂救應)? 예를 들자면, 관성이 상관을 만났는데, 인수가 투출(透)해서 풀리는 경우이다(如官逢傷而透印以解之). 이를 갑목으로 풀어보게 되면, 갑목의 관성은 금이 되고, 상관은 정화기 되는데, 이 둘은 상극으로 엮이게 된다. 그런데, 이때 인수라는 수가 개입하게 되면, 이때는 자동으로 정화가 수의 견제(制)를 받게 된다. 그러면, 자동으로 수, 정화, 금이라는 이름다운(美) 조합이 만들어진다. 즉, 정화와 금의 상극 상황에 대응(應)해서 금을 수가 구조(救)해준 상황이다. 이는 바로 앞의 구설에서 말한 미격(美格)을 다시 설명하고 있다. 지금은 천간의 문제를 말하고 있다는 사실을 상기해보자. 다시 본문을 보자. 잡살이 있을 때 합살로 청소해준 경우이다(雜煞而合煞以淸之). 즉, 여러(雜) 가지 살이 존재할 때 즉, 칠살인 편관과 정관이 혼잡(雜)해서 존재할 때, 이를 삼합과 같은 합(合)으로 제거하는 경우를 말한다. 지지에서 삼합(三合)과 같은 합이 만들어지게 되면, 이때 지지의 오행은 천간의 다른 오행으로 바뀌기 때문이다. 그러면, 이때 살을 만들던 지지의 오행은 자동으로 제거(淸)된다. 이때 합(合)을, 지지의 오행을 합이 제거(煞)했으므로, 살(煞)이라고 부른다. 즉, 이는 잡살의 상황에 대응(應)해서 합살이 일간을 구조(救)해준 경우이다. 다시 본문을 보자. 지지에서 형충이 나올 때, 이를 삼합(會合:회합)으로 해결한 경우이다(刑衝而會合以解之). 이는 앞 경우와 똑같다. 그 이유는 형충도 살(煞)의 개념을 담고 있기 때문이다. 그러면, 이 형충을 만드는 오행들을 삼합을 통해서 합을 만들어서 제거해서 해결(解)하면 된다. 다시 본문을 보자. 재성이 겁재를 만나고 있을 때 식신을 투출(透)해서 중화해주면 된다(財逢劫而透食以化之). 이를 갑목을 통해서 풀어보자. 갑목의 재성은 토이고, 겁재는 을목이다. 그러면, 토는 자동으로 을목을 상극해서 제거해버린다. 그러나 이때는 식신인 병화를 동원해서 중화해주면 된다. 즉, 을목, 병화, 토라는 조합을 만들어서 상극(克) 관계를 상생(生) 관계로 중화(化)해주면 된다. 다시 본문을 보자. 이때는 관성을 생해서 제어해줘도 된다(生官以制之). 갑목의 관성은 금이다. 그러면, 토와 을목에 금이 가세하게 되고, 이를 재정렬하게 되면, 금, 토, 을목이 되면서, 금이 토를 상극으로 제어(制)한 것이다. 다시 본문을 보자. 칠살을 만났는데, 식신이 이(煞)를 제어하고, 식신이 재성을 생하는 경우이다(逢煞而食神制煞以生財). 갑목의 칠살은 신금(申)이고, 식신은 사화인데, 이 둘은 상극으로 만나서 제어(制)된다. 즉, 사화, 신금이 된다. 이때 갑목의 재성인 토를 식신인 사화가 생하게 되면, 사화, 토, 신금이라는 아름다운 조합이 만들어지게 된다. 이때는 재성이 토가 상극에 대응(應)해서 신금을 구해준(救) 것이다. 또 다른(或) 경우의 수를 보자. 이때 거꾸로 뒤에 나온 재성(財)인 토를 존치(存)시키고, 사화와 신금을 육합과 같은 합(合)을 만들어서 제거(煞)하는 경우도 있다(或存財而合煞). 이번에는 인성이 재성을 만나게 되면, 이 둘은 서로 상극하는 관계인데, 이를 겁재를 이용해서 해결하는 경우이다(印逢財而劫財以解之). 이는 겁재가 재성을 상극하는 원리를 이용한 것이다. 그러면, 겁재, 재성, 인성이라는 아름다운 조합이 만들어진다. 이를 갑목으로 풀면, 묘목, 토, 수라는 상극의 중화(化) 조합이 만들어진다. 또한 이때 묘목과 토(財)를 육합(合)으로 만들어서 제거하고, 인성을 보존한 경우도 있다(或合財而存印). 이번에는 식신이 편인(梟:효)을 만나고, 칠살을 취해서 성격으로 쓰는 경우이다(食逢梟而就煞以成格). 이를 갑목을 이용해서 설명하자면, 식신인 사화가 편인인 해수를 만나서 상극 관계를 보일 때, 칠살인 신금(申)을 취하게 되면, 이때는 사화와 해수의 상극 관계가 해수, 사화, 신금이라는 이름다운 상극 관계로 변하면서, 에너지는 균형을 잡게 되고, 이어서 성격(成格)을 만들게 된다. 또 다른(或) 경우의 수를 보자. 이때 재성을 생(生)해서 식신을 보호하는 경우도 있다(或生財以護食). 이때 재성인 토를 생한다는 말은 토가 식신인 사화와 편인인 해수를 만난다는 뜻이다. 그러면, 자동으로 토, 해수, 사화라는 아름다운 상극의 조합이 만들어지게 되고, 이어서 에너지는 균형을 잡게 되고, 이어서 성격(成格)은 만들어지게 된다. 다시 본문을 보자. 칠살이 식신을 만나서 제어를 당하고 있을 때(煞逢食制), 인수가 오게 되면, 칠살을 보호하게 된다(印來護煞). 갑목을 예로 설명해보자. 갑목의 칠살은 신금(申)이고, 식신은 사화이고, 인수는 수이다. 그러면, 식신인 사화는 자동으로 신금을 상극해서 제어(制)하게 된다. 이때 인수인 수가 나타나게(來) 되면, 수는 자동으로 사화를 상극해서 제어하게 되고, 그러면, 힘이 빠진 사화는 칠살인 신금을 제대로 상극하지 못하게 되고, 그러면, 자동으로 칠살인 신금은 보호(護)된다. 이때는 수, 사화, 신금이라는 조합이 만들어지게 된다. 다시 본문을 보자. 이때 재성을 만나서 인수를 제거하게 되면, 식신은 보존된다(而逢財以去印存食). 즉, 갑목의 재성은 토가 되는데, 이 토는 인성인 수를 상극으로 제거할 수가 있게 되고, 그러면, 이때는 토, 신금, 수라는 조합이 나오면서, 신금과 수는 제거되고, 결국에 식신인 사화만 남게 된다는 뜻이다. 다시 본문을 보자. 상관이 재성을 생하면서 동시에 칠살을 투출(透)하고 있을 때 칠살은 합을 만나게 된다(傷官生財透煞而煞逢合). 이는 투출(透)이 있으므로, 천간의 문제가 된다. 갑목을 예로 보면, 갑목의 상관인 정화는 자동으로 갑목의 재성인 토를 생하게 된다. 이때 여기에 칠살인 경금이 투출해서 합류하게 되면, 자동으로 정화, 토, 경금이라는 조합이 만들어지면서, 이때 칠살(煞)은 이 합(合)을 만나게(逢) 된다. 다시 본문을 보자. 이번에는 양인이 관성을 용신으로 이용하고 있고, 추가로 식상을 끼고(帶) 있을 때는(陽刃用官煞帶傷食), 강한 인수가 이를 보호하게 된다(而重印以護之). 갑목을 예로 들어보자. 갑목의 양인은 묘목이고, 관성은 금이고, 식상은 화이다. 그런데 이때 금을 용신(用)으로 쓰고 있다. 양인은 원래 용신으로 쓸 수가 없어서 반드시 상극으로 견제한다는 사실을 상기해보자. 그래서 지금은 금을 묘목의 에너지를 조절해주는 용신으로 쓸 수밖에 없다. 그러면, 이 격이 양인이라는 성격(成格)이 되려면, 양인인 묘목과 금의 관계가 보존되도록 도와줘야만 한다. 그런데, 금이 식상인 화와 상극으로 엮이고 만다. 즉, 그러면, 이 격은 자동으로 패격(敗格)이 되고 만다. 그런데 이때 인성인 수가 강(重)하게 되면, 이 강한 수는 화를 상극으로 제어해서 제거하고 금을 보호(護)하게 된다. 즉, 금과 묘목이라는 상극의 관계를 수가 화를 제거해서 금을 보호(護)하고 있다. 그러면, 용신인 금은 자동으로 보호된다. 그러면, 양인격은 유지된다. 다시 본문을 보자. 건록과 월겁이 관성을 용신으로 쓰고 있을 때(建祿月劫用官), 상관을 만나게 되면, 상관은 합으로 피습하면 된다(遇傷而傷被合). 이는 월겁이 있으므로, 을목을 예로 보자면, 을목의 건록과 월겁은 지지의 목이 되고, 을목의 관성은 금이 되고, 상관은 사화가 된다. 이때도 역시 관성인 금을 용신으로 쓰고 있다. 그러면, 용신인 금을 지키려면, 자동으로 사화 그리고 목과 금의 관계를 봐야만 한다. 이는 바로 앞 경우와 똑같다. 그러면, 이때 상관(傷)인 사화는 자동으로 금을 상극으로 제거해버린다. 그러면, 이때는 금을 용신으로 쓰는 격은 패격(敗格)이 되고 만다. 그래서 이때는 상관인 사화를 합(合)으로 피습(被)해서 제거해주면 된다. 그러면, 금이 보호되면서 이 격은 유지된다. 다시 본문을 보자. 이때 용신으로 관성이 아닌 재성을 쓰고, 동시에 칠살을 끼고(帶) 있게 되면, 재성을 합으로 피습해서 제거(煞)하면 된다(用財帶煞而煞被合). 건록월겁격은 상극하는 관성을 용신으로 써야만 한다. 그런데, 지금은 재성을 용신으로 쓰고 있다. 그런데, 이 재성이 칠살과 함께(帶)하고 있다. 그러면, 이때는 재성을 제거해주게 되면, 이 격에 필요한 칠살을 이용할 수 있게 된다. 이때 재성의 제거는 합(合)을 이용한다는 것이다. 이때 대(帶)를 투출(透)로 해석하게 되면, 이 문제는 천간의 문제로 변하게 되고, 나머지는 똑같게 되는데, 단 한 가지 차이는 이때는 지지의 합을 이용하는 것이 아니라 천간의 합을 이용하면 된다는 점이다. 어떻게 해석해도 문제는 없다. 다시 본문을 보자. 지금까지 기술한 내용들을 구응(救應)이라고 말한다(是謂之救應也). 즉, 패격을 만드는 기신을 제거하는 방법을 말하고 있다.

八字妙用, 全在成敗救應, 其中權輕權重, 甚是活潑. 學者從此留心, 能於萬變中融以一理, 則於命之一道, 其庶幾乎！

사주의 여덟 글자를 해석할 때 꼭 필요한 용신의 묘미는(八字妙用), 전적으로 격을 만들 때 성패와 구응에 있다(全在成敗救應). 이 문제는 이미 앞에서 예시를 해석하면서 많이 접했다. 이 안에서 사주의 힘이 약해지기도 하고, 강해지기도 한다(其中權輕權重). 물론 이 과정에서 사주는 극단적으로 활발해지기도 한다(甚是活潑). 사주 명리를 배울 때는 이 점을 좇아서 마음을 기울여야만 한다(學者從此留心). 사주 명리는 하나의 원리를 이용해서 수많은 변화와 융합이 만들어낸다(能於萬變中融以一理). 이것이 사주 명리의 하나의 길이다(則於命之一道). 이런 사실들을 잘 알게 되면, 사주의 잘 다스려짐이 있지 않겠는가(其庶幾乎)！

제10장 용신의 변화를 논하다(論用神變化)

제10장 용신의 변화를 논하다(論用神變化)

用神既主月令矣, 然月令所藏不一, 而用神遂有變化. 如十二支中, 除子午卯酉外, 餘皆有藏, 不必四庫也. 即以寅論, 甲為本主, 如郡之有府, 丙其長生, 如郡之有同知, 戊亦長生, 如郡之有通判. 假使寅月為提, 不透甲而透丙, 則如知府不臨郡, 而同知得以作主. 此變化之由也.

용신은 원래(既) 월령을 주도한다(用神既主月令矣). 너무나 당연한 말이다. 계절을 담당하는 천간이 직접 실행하는 에너지는 월(月)의 에너지이기 때문이다. 즉, 12개월이 천간으로 표시되는 사계절을 실행한다. 그래서 월은 계절을 뒤흔들 수 있게 된다. 그러면, 자동으로 계절이라는 천간이 어느 월과 대응하느냐에 따라서 천간의 효과는 다르게 나타나게 된다. 그래서 천간인 일간이 이용하는 용신은 월령을 주도할 수밖에 없다. 물론 월지가 일간이 이용하는 제 1용신이 된다. 다시 본문을 보자. 그러나 월령은 한 가지 에너지만 보유(藏)하고 있지 않으므로(然月令所藏不一), 이에 따라서 용신은 다양한 변화를 보유하게 된다(而用神遂有變化). 월지를 포함해서 지지가 보유한 지장간(支藏干)이라는 개념을 말하고 있다. 예를 들자면, 12 지지 중에서(如十二支中), 지장간의 중기(中氣)를 보게 되면, 중기가 제대로 없는 자오묘유(子午卯酉)를 제외하면(除子午卯酉外), 나머지는 모두 다른 에너지를 보유(藏)하고 있다(餘皆有藏). 그러나 여기서 오(午)는 장하를 고려한 중기를 보유하고 있다. 이는 오(午)의 중기가 아니라는 사실을 아는 것이 중요하다. 물론 사고(四庫:四墓)인 축진미술(丑辰未戌)에는 모두 중기가 있어서, 사고는 이에 해당하지는 않으므로, 중기를 사고에서 거론하는 일은 불필요하다(不必四庫也). 이는 축진미술이라는 토는 여기(餘氣)의 역할을 하므로, 중기에서 여기를 말하는 기운이 중기에 포함되기 때문이다. 이에 관해서 인목을 이용해서 논의를 해보자면(即以寅論), 인목의 지장간은 무병갑(戊丙甲)인데, 이때 갑목이 인목의 본래(本) 에너지를 주도(主)하게 된다(甲為本主). 즉, 인목으로 표시되는 이때는 봄(甲)이므로, 갑목(甲)이 인목의 본래(本) 에너지라는 뜻이다. 그래서 이 갑목을 정기(正氣)라고 부른다. 즉, 갑목은 봄(春)이라는 계절을 주도하는데, 봄(春)이라는 계절 안에 인목이라는 1월이 들어있으므로, 이때는 봄이므로, 당연히 봄을 담당하는 갑목이 인목의 에너지를 주도(主)하게 된다. 즉, 인목의 지장간에서 정기(正氣)라는 개념은 원래(本) 봄의 기운인 갑목의 기운이라는 뜻이다. 여기서 정기(正氣)는 정상적인 계절의 기운이라는 뜻이다. 이는 지장간을 파악할 때, 여기(餘氣)라는 여분의 에너지, 시작 에너지와 끝의 에너지 사이에 존재하는 중기(中氣)의 에너지와 구별된다. 다시 본문을 보자. 즉, 행정구역에서 갑목이라는 큰 군(郡)이 인목 안에 표시된 더 작은 3개의 부(知府)를 보유(有)한 셈이다(如郡之有府). 즉, 천간은 계절을 말하는데, 지지는 계절의 1/3이라는 뜻이다. 즉, 3개의 지지가 하나의 계절을 만든다는 뜻이다. 이때 인목의 지장간에서 중기에 들어있는 병화(丙)는 봄의 연장(長)으로서 자기가 만드는 여름(其)의 기운을 만들게(生) 된다(丙其長生). 즉, 중기(中氣)라는 개념은 다음 계절에 돌아올 에너지의 시작(始作)과 현재 계절 에너지의 절정(絕頂)과 전(前) 계절의 에너지의 종말(終末)을 말하게 된다. 즉, 인목의 지장간에 든 병화의 의미는 봄에 이미 여름의 에너지가 미약하게나마 시작된다는 뜻인데, 이는 봄부터 여름의 열기라는 에너지가 시작되기 때문이다. 그리고 이 열기는 점점 세져서 여름의 무더위로 발전하게 된다. 그러면, 자동으로 이때는 겨울의 잔존하던 한기는 완전히 사라지게 된다. 그래서 이때 봄의 마지막 달인 3월의 진토(辰)에 겨울의 약(陰)한 한기를 말하는 음(陰)인 계수(癸)가 자리하게 된다. 대부분 사주쟁이는 지장간의 중기 개념을 모르고 있다. 즉, 중기는 시작, 절정, 종말의 개념을 포함한다는 뜻이다. 이 중기(中氣)는 삼합(三合:會合)으로 나타나게 된다. 지장간이 존재하는 이유는 전에 이미 설명했다. 이는 지구의 대기(大氣)라는 에너지를 하늘에서 보내는 천간의 에너지인 오행이 달구기도 하고, 식히기도 하기 때문이다. 그런데, 대기는 상당히 큰(大) 에너지(氣)여서 쉽게 달궈지지도 않고, 쉽게 식지도 않게 된다. 그래서 여름의 무더위는 봄의 따뜻함에서 시작된다. 그리고 겨울의 추위는 가을의 쌀쌀함에서 시작된다. 그리고 여름의 무더위는 가을의 마지막 달이 되어서야 완전히 사라지게 된다. 다른 계절도 마찬가지로 통한다. 이것이 지장간에서 말하는 중기의 개념이다. 그러면, 여기서 자동으로 여기의 개념도 나오게 된다. 다시 본문을 보자. 갑목이라는 군에서 똑같은 지부(知府)로서 표시된(如郡之有同知), 지장간의 여기에 있는 무(戊) 역시(亦) 전(前) 달 에너지의 연장(長)으로 인해서 만들어지게(生) 된다(戊亦長生). 즉, 전달의 여분의 에너지가 봄까지 연장(長)되어서 만들어진(生) 것이 지장간의 여기라는 뜻이다. 그런데, 여기서 주의할 점이 있다. 봄의 전 계절은 겨울이고, 이때 여분의 에너지는 음으로서 축토(丑)이다. 그런데 이 여분을 받은 에너지는 양으로서 무토(戊)이다. 이는 겨울의 여분의 에너지에 추가로 봄의 기운도 받고 있으므로, 양인 무토로 처리해주기 때문이다. 이는 사계절 모두에서 똑같은 원리가 적용된다. 그래서 여기의 첫 시작은 무조건 모두 무토(戊)로 처리된다. 다시 본문을 보자. 군에는 통판이라는 벼슬이 있다(如郡之有通判). 즉, 통판은 군(郡)과 지부(知府) 사이에서 소통(通)을 담당한다. 이를 지장간에서 예로 들면, 인목에서 지장간은 무병갑(戊丙甲)이다. 이는 인목이라는 월이 끌어(提)당기고 빌려(假)서 만든 것이다(假使寅月為提). 이때 갑목은 원래 봄의 에너지이니까 문제가 없다. 그러나 무토(戊)나 병화(丙)는 원래 봄의 에너지가 아니다. 그러나 이 둘을 인목이 끌어(提)당긴 것이다. 즉, 무토로 표시된 여기는 원래 겨울의 끝인 축토에서 끌어(提)당겨서 무토가 된 것이고, 병화로 표시되는 중기는 원래 여름인 병화에서 끌어(提)당겨서 병화가 된 것이다. 그래서 초봄인 인목의 중기에서 보면, 봄의 에너지인 갑목의 투출(透)은 없고, 인목이 끌어당겨서 만들어 놓은 병화가 투출(透)하게 된다(不透甲而透丙). 이는 중기라는 갑목의 지부에 병화라는 군이 부임하지 않았지만則如知府不臨郡), 지부는 병화의 작용(作)을 얻은 것과 같게 된다(而同知得以作主). 즉, 인목 안에는 이미 병화의 기운도 꿈틀대고 있다는 뜻이다. 이것이 용신의 변화를 만들어내는 이유이다(此變化之由也). 즉, 천간이 용신으로 인목(寅)을 이용할 때, 인목이 무병갑(戊丙甲)이라는 3가지 에너지를 보유한 관계로 더불어 인목인 용신의 변화도 수반되고, 이어서 인목을 용신으로 쓴 천간의 변화도 유도된다는 뜻이다. 그러면 자동으로 용신의 변화도 다양하게 된다. 즉, 이때 인목이라는 용신은 3가지의 에너지를 보유하므로, 용신도 3가지가 나타나게 된다. 물론 이때는 천간으로 이 3가지 에너지를 투출(透)해서 이 3가지 에너지가 천간에 나타날 때만 적용된다.

故若丁生亥月, 本為正官, 支全卯未, 則化為印. 己生申月, 本屬傷官. 藏庚透壬, 則化為財. 凡此之類皆用神之變化也.

일간이 정화이고, 월지가 해수이면(故若丁生亥月), 정화와 해수의 관계가 본래는 정관이 되므로, 이 격은 정관격이지만(本為正官), 이때 만일에 지지에서 묘미가 함께(全) 존재하고 있다면(支全卯未), 삼합(三合:會合)의 원리에 따라서, 해묘미(亥卯未)는 3개의 지지가 모였으므로, 한 개의 천간으로 표시가 가능해지는데, 이는 가운데 묘목의 존재로 인해서 목(木)으로 표시된다. 그러면, 해수는 삼합으로 인해서 제거되고, 지지에는 해수가 아닌 목이 존재하게 되면서, 천간의 정화와 지지의 목이 대응하게 되고, 그러면 이 둘은 인수(印)의 관계가 되므로, 이어서 이는 자동으로 정관격이 아닌 인수격으로 변화된다(則化為印). 여기서 삼합은 처음 시작 지지에서 3개씩 건너뛰면 된다. 그러면, 겨울의 해(亥)라는 에너지, 봄의 묘(卯)라는 에너지, 여름의 미(未)라는 에너지가 서로 공존하게 되면서, 에너지는 중화(中)되고, 이어서 중화된 에너지는 목(木)의 에너지로 표현된다. 다른 삼합을 만드는 원리도 이와 똑같다. 이는 천간의 무게와 지지의 무게가 다르다는 사실도 말해주고 있다. 즉, 하나의 지지는 천간 하나의 1/3밖에는 안 된다는 뜻이다. 이는 계절에서 만들어지는 에너지의 다양성을 말해주고 있기도 하다. 그러면 지지를 용신으로 쓸 때는 무조건 삼합의 여부를 먼저 따져 봐야 한다는 뜻도 된다. 이는 지장간에 나오는 중기(中氣)의 의미를 삼합(三合)에 대비시켜서 살펴볼 필요가 있게 한다. 이의 관계를 다시 한번 살펴보기 위해서 아래에 지장간 표와 삼합 표를 다시 소환했다. 이 문제는 제6장에서 이미 논의했었던 문제이다. 그래도 지금 지장간 문제가 제기되고 있으므로, 이를 다시 한번 일부분만 살펴보고 가자. 이는 6장의 내용을 그대로 가져온 것이다. 삼합의 표를 보게 되면, 각각 지지 조합의 가운데 지지(오화, 자수, 유금, 묘목)가 오행을 대표하고 있다. 이는 사실상 상생 관계를 말하고 있다. 인오술을 보게 되면, 목, 화, 금(금의 토가 술)이 되고, 신자진을 보게 되면, 금, 수, 목(목의 토가 진)이 되고, 사유축을 보게 되면, 화, 금, 수(수의 토가 축)가 되고, 해묘미를 보게 되면, 수, 목, 화(화의 토가 미)가 된다. 지금 우리는 에너지 흐름을 쫓고 있다는 사실을 상기해보자.

12 지지	음양	오행	지장간(支藏干)		
			여기(餘氣)	중기(中氣)	정기(正氣)
子(자)	양	수	壬(임)		**癸(계)**
丑(축)	음	토	癸(계)	辛(신)	己(기)
寅(인)	양	목	戊(무)	丙(병)	甲(갑)
卯(묘)	음	목	甲(갑)		乙(을)
辰(진)	양	토	乙(을)	癸(계)	戊(무)
巳(사)	음	화	戊(무)	庚(경)	丙(병)
午(오)	양	화	丙(병)	**己(기)**	**丁(정)**
未(미)	음	토	丁(정)	乙(을)	己(기)
申(신)	양	금	戊(무)	壬(임)	庚(경)
酉(유)	음	금	庚(경)		辛(신)
戌(술)	양	토	辛(신)	丁(정)	戊(무)
亥(해)	음	수	戊(무)	甲(갑)	壬(임)

삼합(三合)				
합하는 오행	인오술 (寅午戌)	신자진 (申子辰)	사유축 (巳酉丑)	해묘미 (亥卯未)
변하는 오행	화(火)	수(水)	금(金)	목(木)

그리고 지금 상생 관계는 사계절의 에너지 흐름이라는 점도 상기해보자. 그러면, 화는 인목에서 시작해서 오화에서 절정을 이루고, 수는 신금에서 시작해서 자수에서 절정을 이루고, 금은 사화에서 시작해서 유금에서 절정을 이루고, 목은 해에서 시작해서 묘목에서 절정을 이루게 된다. 이 사실을 중기(中氣)에 적용해보게 되면, 인목(寅)에서 병화(丙)가 나오는 이유가 되고, 신금(申)에서 임수(壬)가 나오는 이유가 되고, 사화(巳)에서 경금(庚)이 나오는 이유가 되고, 해수에서 갑목이 나오는 이유가 된다. 그리고 봄의 마지막인 진토(辰)에서 겨울의 아주 작은 기운인 계수

(癸)조차도 완벽하게 끝나게 되고, 여름의 마지막인 미토(未)에서 봄의 아주 작은 기운인 을목(乙)조차도 완벽하게 끝나게 되고, 가을의 마지막인 술토(戌)에서 여름의 아주 작은 기운인 정화(丁)조차도 완벽하게 끝나게 되고, 겨울의 마지막인 축토(丑)에서 가을의 아주 작은 기운인 신금(辛)조차도 완벽하게 끝나게 된다. 이 의미를 삼합 표에서 보게 되면, 술토(戌)와 화(火)가 짝이 되고, 진토(辰)와 수(水)가 짝이 되고, 축토(丑)와 금(金)이 짝이 되고, 미토(未)와 목(木)이 짝이 된다. 결국에 중기(中氣)는 삼합(三合)을 그대로 표시한 것에 불과하다. 그래서 중기를 보게 되면, 묘목, 유금, 자수의 공간은 비어있게 된다. 이때는 해당 계절의 기운이 절정을 이루므로, 다른 계절의 시작도 끝도 없는 시기가 된다. 그러나 여름의 절정인 오화(午)를 보게 되면, 기토(己)가 자리하고 있다. 왜 그럴까? 이는 오화가 여름의 절정이 아니라는 뜻이기도 하다. 왜 그럴까? 이는 토성이 주도하는 장하가 끼어있기 때문이다. 토성은 성질이 차갑다. 그래서 무더운 여름에 하늘로 몽땅 올라간 수증기는 토성의 차가운 에너지를 받게 되면, 장하라는 장마철을 만들게 된다. 그러면, 자동으로 여름은 식는다. 그리고 토성이라는 토의 차가운 기운도 여름의 무더운 기운에 데워져서 약해진다. 그래서 이때 오화의 공간에 약한 토인 기토(己)를 배치하게 된다. 즉, 오화의 자리를 차지하고 있는 기토(己)는 식은 여름과 데워진 장하를 대표한다. 이 중기의 해석을 제대로 하는 사주쟁이는 없다. 이는 삼합을 제대로 해석하지 못하기 때문이다. 이제 남은 하나는 정기(正氣)이다. 정기는 말 그대로 해당 오행의 정확(正)한 기운(氣)이다. 그래서 이는 지지를 오행으로 나누어서 천간으로 변환만 시키면 된다. 그런데, 여기에도 변수가 있다. 정기를 보게 되면, 양인 자수의 자리에는 원래 양인 임수가 자리해야 하지만, 음인 계수가 자리하고 있고, 양인 오화의 자리에도 원래 양인 병화가 자리해야 하지만, 음인 정화가 자리하고 있다. 그 이유는 동지(冬至)와 하지(夏至) 때문이다. 동지는 음인 밤의 길이가 제일 길고, 양인 낮의 길이가 제일 짧다. 그러나 동지가 지나서 다음날부터는 낮의 길이가 길어지게 되면서, 양기가 차오르기 시작하므로, 이때 임수라는 차가운 기운은 덜 차가운 계수로 변하게 된다. 이 원리는 하지에도 그대로 적용된다. 즉, 하지는 양인 낮의 길이가 제일 길고, 음인 밤의 길이가 제일 짧다.

그러나 하지가 지나서 다음날이 되면, 밤의 길이가 길어지면서, 음의 기운이 살아나기 시작한다. 그러면, 이때 병화라는 기운은 자동으로 약해지면서 정화의 기운으로 변하게 된다. 그리고 음인 해수가 양인 임수가 되고, 음인 사화가 양인 병화가 된다. 이는 해수에 입동(立冬)이라는 차가운 절기가 있어서, 이때는 차가움이 더해지기 때문이다. 그리고 사화에는 입하라는 무더운 절기가 있어서, 이때는 무더움이 더해지기 때문이다. 그러면, 자동으로 음인 해수는 양인 임수가 되고, 음인 사화는 양인 병화가 된다. 그래서 정기(正氣)에서는 이 4개의 천간 표시만 주의하면 된다. 이는 사실 완벽한 과학(科學)이다. 그러나 이때 변화하는 에너지가 눈에 보이지 않는 에너지라는 사실을 모르게 되면, 이는 완벽한 미신(迷信)이 되고 만다. 즉, 과학과 미신의 차이(差異)는 인간이 보유한 앎의 차이일 뿐이다. 이를 과학으로 말하자면, 양자역학을 고전물리학으로 바라보게 되면, 양자역학은 자동으로 미신이 되고 만다는 뜻이다. 그러면, 고전물리학을 배운 우리는 양자역학을 미신(迷信)으로 봐야만 한다. 여기서 놀라운 사실은 이런 양자역학의 개념을 우리 선조들은 이미 약 5,000년 전에 알고 있었다는 사실이다. 그래서 사주 명리를 미신이라고 외치고 있는 고전 물리학자들을 지하에 있는 우리의 조상들은 아마도 하도 가소로워서 조롱하고 있었을 것이다. 다시 본문을 살펴보자. 이번에는 다른 예를 보자. 일간이 기토이고, 월지가 신금이 되면(己生申月), 기토와 신금의 관계는 상관이므로, 이는 본래(本) 상관격에 속하지만(本屬傷官), 신금의 지장간(藏)을 보게 되면, 지지인 신금의 원래 기운은 천간의 경금인데, 이때 경금이 지장간의 원리에 따라서 임수를 투출(透)하고 있으면(藏庚透壬), 이때는 기토와 임수가 짝이 되면서, 이 둘의 관계는 정재이므로, 이는 상관격이 아닌 정재격으로 변화(化)하게 된다(則化為財). 그래서 일반적으로 이런 종류의 지지를 모두 용신으로 쓰게 되면, 용신의 변화는 엄청나게 된다(凡此之類皆用神之變化也). 이는 숨겨진(藏) 용신이다. 이 구절을 종합해보게 되면, 용신을 구할 때는 하나의 지지만 보고 용신을 간단히 결정할 것이 아니라, 해당 지지가 삼합을 만들고 있는지 여부도 따져 봐야 하고, 지장간의 여부도 따져 봐야 한다는 뜻이다. 그러면, 자동으로 용신을 정할 때 선후 문제가 제기될 것이다.

變之而善, 其格愈美. 變之不善, 其格遂壞, 何謂變之而善? 如辛生寅月, 逢丙而化財為官. 壬生戌月逢辛而化煞為印. 癸生寅月, 不專以煞論. 此二者以透出而變化者也. 癸生寅月, 月令傷官秉令, 藏甲透丙, 會午會戌, 則寅午戌三合, 傷化為財. 加以丙火透出, 完全作為財論, 即使不透丙而透戊土, 亦作財旺生官論. 蓋寅午戌三合變化在前, 不作傷官見官論也. 乙生寅月, 月劫秉令, 會午會戌, 則劫化為食傷, 透戊則為食傷生財, 不作比劫爭財論. 此二者因會合而變化者. 因變化而忌化為喜, 為變之善者.

이때는 용신으로 인해서 격(格)이 어떻게 변했느냐를 따지게 되는데, 이 변화가 좋다는 말은(變之而善), 이때 용신(其)이 만든 격(格)이 더욱더 아름다워졌다는 뜻이 되고(其格愈美), 이 변화가 좋지 않다는 말은(變之不善), 이때 용신(其)이 만든 격(格)이 붕괴(壞)를 수반했다는 뜻이 된다(其格遂壞). 그러면 좋은 경우는 어떤 경우를 말하는가(何謂變之而善)? 예를 들자면, 일간이 신금이고, 월지가 인목일 때는(如辛生寅月), 신금과 인목이 짝이 되면서 정재격이 되는데, 이때 인목의 지장간의 중기(中氣)에서 병화를 투출(透)하게 되면, 정재격은 변화(化)해서 신금과 병화가 짝이 되고, 이어서 정관이 만들어지고, 이어서 이는 정관격이 된다(逢丙而化財為官). 참고로 인목의 지장간에는 중기의 병화 말고도 여기의 무토도 있다. 그러면, 이때는 신금과 무토가 만나면서 정인격이 된다. 그래서 이 경우는 지장간에서 어느 쪽으로 잡아도 좋은 격이 나오게 된다. 이번에는 일간이 임수이고, 월지가 술토이면, 임수와 술토가 짝이 되면서, 상관격이 되는데, 이때 술토의 지장간의 여기에 있는 신금(辛)을 만나서(逢) 투출받게 되면, 임수와 신금이 만나면서 짝이 되고, 이어서 이 둘은 정인이 되고, 이어서 이때는 상관격은 제거(煞)되고, 정인격이라는 좋은 격으로 변하게 된다(壬生戌月逢辛而化煞為印). 참고로 이때 중기의 정화를 보게 되면, 이때는 정재격이 된다. 그래서 이 경우도 지장간에서 어느 쪽이 투출해도 좋은 격이 나오게 된다. 이번에는 일간이 계수이고, 월지가 인목일 때는(癸生寅月), 상관격이 만들어지는데, 이는 상관이라는 살(煞)의 개념으로 막혀있지 않고(不專以煞論), 이때 인목은 지장간에서 여기의 무토와 중기의 병화라는 2(二)가지 오행을 투출(透)할 수 있으므로, 계수와 무토가 짝하게 되면 정관이 만들어지고, 계수와 병화가 짝하게 되면 정재가 만들어지므로, 이때 상관격은 변화(化)를 겪으면서 좋은 격을 만들게 된다(此二者以透出而變化者也). 그래서 일간이 계수이고, 월지가 인목일 때는(癸生寅月), 인목이라는 월령으로 보게 되면, 인목이 계수에 대한 상관으로서 힘을 발휘하지만(月令傷官秉令), 인목의 지장간에서 인목의 정기인 갑목이 중기에서 병화를 투출(透)하고 있으면(藏甲透丙), 이때는 정재격이 되면서 격은 좋아진다. 게다가 지지에서 인목이 오와 술을 만나게 되면(會午會戌), 이때는 인오술이라는 삼합이 만들어지게 되고(則寅午戌三合), 이는 화를 대표하게 되고, 그러면 상관격(傷)은 변화(化)를 겪게 되는데, 이때는 계수와 화가 짝이 되면서 재격(財)이 된다(傷化為財). 이때 추가로 인목의 지장간을 보게 되면, 정기의 갑목이 중기의 병화를 투출(透)할 수 있으므로(加以丙火透出), 이때는 병화가 그냥 재격이 아닌 완전(完全)한 정재격을 만들도록 작용(作)하게 된다고 말할 수 있게 된다(完全作為財論). 그러나 이때 중기에서 병화가 투출(透)하지 못하도록 해도(使), 여기에서 무토가 투출(透)하고 있으면(即使不透丙而透戊土), 이때 역시 병화라는 왕성한 정재격(財)이 무토라는 정관격(官)을 생(生)하게 한다고 말할 수 있게 된다(亦作財旺生官論). 일반적으로 인오술이라는 삼합이 먼저(前) 존재하므로(蓋寅午戌三合變化在前), 상관이 지장간을 통해서 정관을 보게 되도록 작용한다고 말할 수는 없게 된다(不作傷官見官論也). 지장간보다는 합이 먼저 적용된다는 사실을 상기해보자. 이번에는 일간이 을목이고, 월지가 인목일 때(乙生寅月), 이 둘의 관계는 월겁인 겁재가 되어서 에너지를 다스리게 되는데(月劫秉令), 이때 인목이 오화와 술토를 만나게 되면(會午會戌), 인오술이 되면서 천간의 화로 변하게 되고, 그러면 월겁은 자동으로 변화(化)를 겪으면서 을목과 화가 짝이 되고, 이어서 이는 식상으로 변한다(則劫化為食傷). 그러나 이때 인목의 지장간을 보게 되면, 여기에 무토가 있어서, 정기인 갑목은 무토를 투출하게 되고, 그러면, 을목과 무토가 짝이 되면서, 식상은 정재가 되나(透戊則為食傷生財), 이때는 삼합이 우선이므로, 월겁인 비겁이 정재와 다툴(爭) 수 있다고 말할 수 없게 된다(不作比劫爭財論). 그래서 일간의 을목과 월지의 인목이라는 이(此) 두(二) 오행은 회합이라고 불리는 삼합으로 인(因)해서 변화를 겪게 된다(此二者因會合而變化者). 지금까지 기술한 내용들을 종합해보게 되면, 변화로 인해서 기신이 희신을 만든 경우이다(因變化而忌化為喜). 이때 변화는 당연히 좋은 변화를 만들었다(為變之善者). 이 부분에서 보면, 해석이 어려운 부분이 끼어있게 되는데, 그로 인해서 많은 사주 명리학책에서 이 문구들을 빼버린다.

何謂變之而不善? 如丙生寅月, 本為印綬, 甲不透乾而會午會戌, 則化為劫. 丙生申月, 本屬偏財, 藏庚透壬, 會子會辰, 則化為煞. 如此之類亦多, 皆變之不善者也.

그러면 어떻게 변화하면 좋지 않은 경우가 되는가(何謂變之而不善)? 예를 들자면, 일간이 병화이고, 월지가 인목일 때(如丙生寅月), 이 둘의 본래 관계는 인수의 편인이지만(本為印綬), 인목 지장간에서 정기인 갑목이 무토나 병화를 천간으로 투출(透)하지 못하게 되는 경우가 있게 되는데, 이때는 인목이 오화와 술토를 만났을 때이다(甲不透乾而會午會戌). 그러면, 이때는 자동으로 인오술이라는 삼합이 먼저 만들어지게 되고, 지장간은 나중에 작용하기 때문이다. 그러면, 이때는 삼합으로 인해서 지장간의 역할은 무용지물이 되고, 그러면, 이 경우에 인목은 여기의 무토나 중기의 병화를 쓸 수가 없게 되고 만다. 그러나 이때 만들어진 삼합을 쓴다고 해도, 이 삼합은 화를 대표하므로, 이는 일간의 병화와 짝하게 되면서 변화해서 비겁이 되고 만다(則化為劫). 이때는 차라리 편인이 더 좋게 된다. 즉, 이 경우는 용신을 써서 더 나쁘게 된 경우이다. 참고로 지장간을 써서 무토를 이용하게 되면, 병화와 무토가 짝이 되면서 좋은 식신격이 만들어진다. 이는 삼합으로 인해서 지장간을 쓰지 못해서 나타난 나쁜 경우이다. 다시 본문을 보자. 일간이 병화이고, 월지가 신금일 때는(丙生申月), 본래 격은 편재에 속하게 된다(本屬偏財). 이때 신금의 지장간을 보게 되면, 경금은 중기로 임수를 투출(透)하고 있는 경우가 있는데(藏庚透壬), 이때는 병화와 임수가 짝하게 되면서 편관이 만들어진다. 이때 지지에서 신금이 자수와 진토를 만나게 되면, 신자진이 되면서(會子會辰), 이들은 수로 변하게 되고, 이때도 역시 관성이 되고 만다. 그래서 이 경우는 모두 변해서 살(煞)이 되고 만다(則化為煞). 그리고 이와 같은 경우도 역시 많이 나오게 된다(如此之類亦多). 지금처럼 나오는 모든 변화는 나쁜 경우이다(皆變之不善者也). 여기서는 삼합만 나왔지만, 이는 천간에서 천간합도 요구한다.

又有變之而不失本格者. 如辛生寅月, 透丙化官, 而又透甲, 格成正財, 正官乃其兼格也. 乙生申月, 透壬化印, 而又透戊, 則財能生官, 印逢財而退位, 雖通月令, 格成偏官, 戊官忌見. 丙生寅月, 午戌會劫, 而又或透甲, 或透壬, 則仍為印而格不破. 丙生申月, 逢壬化煞, 而又透戊, 則食神能制煞生財, 仍為財格, 不失富貴. 如此之類甚多, 是皆變而不失本格者也.

또 다른 경우를 보자면, 용신에서 변화는 있었지만, 본래의 격이 바뀌지 않는 경우도 있다(又有變之而不失本格者). 예를 들자면, 일간이 신금이고, 월지가 인목일 때는(如辛生寅月), 정재가 되지만, 인목의 지장간을 보게 되면, 정기인 갑목이 중기인 병화를 투출(透)할 수 있어서 신금과 병화가 짝하게 되면, 이때는 정재가 정관으로 변하게 된다(透丙化官). 이는 둘 다 좋은 격이므로, 이때는 격에서 큰 변화는 없다고 봐야 한다. 그런데 추가로(又) 지장간의 정기인 갑목을 투출(透)하게 되면(而又透甲), 이때는 정재라는 성격이 나오게 되고(格成正財), 그러면 지장간에서 정관과 정재라는 좋은 격을 겸(兼)하고 있게 된다(正官乃其兼格也). 이번에는 일간은 을목이고, 월지는 신금일 때는(乙生申月), 정관격이 나오게 되는데, 이때 신금의 지장간을 보게 되면, 경금은 중기에서 임수를 투출(透)할 수 있으므로, 이때는 격이 변해서 정인이 된다(透壬化印). 또한 이때 지장간에서 투출하고 있는 여기의 무토를 이용할 수 있게 되면(而又透戊), 이때는 을목과 무토가 짝이 되면서 정재가 되는데, 그러면, 무토가 만든 정재는 자동으로 신금이 만든 정관을 생하게 된다(則財能生官). 그러나 이때 을목과 임수가 만든 정인(印)이 을목과 무토가 만든 정재(財)를 만나게 되면, 이때는 에너지가 서로 상생하지 못하고 거꾸로(退) 흐르게 된다(印逢財而退位). 즉, 무토는 임수를 상극해버린다. 그래서 을목과 임수가 만든 정인(印)과 을목과 무토가 만든 정재(財)는 모두 월령을 소통시키고는 있지만(雖通月令), 이때 정인과 정재가 만나게 되면, 서로 상극하면서 편관이 만들어지고 만다(格成偏官). 이때 무토는 당연히 임수와 만든 편관을 싫어하는 것으로 나타난다(戊官忌見). 이때 상생과 상극의 관계는 뒤에서 다시 검토된다. 이번에는 일간은 병화이고, 월지는 인목일 때(丙生寅月), 마침 지지에 오술(午戌)이 존재해서 인오술이라는 삼합이 만들어지고, 이어서 이 삼합은 화로 변하게 되고, 그러면, 이때는 자동으로 병화와 화가 만나면서 비겁이 되고 만다(午戌會劫). 또는 인목이 지장간에서 정기인 갑목을 투출(透)하고 있거나(而又或透甲), 혹은 갑목이 임수를 투출(透)하고 있게 되면(或透壬), 갑목의 투출은 병화와 갑목의 짝을 만들면서 편인이 되고, 병화와 임수는 편관을 만들게 된다. 그러면, 이때 병화와 갑목이 만든 편인은 병화와 인목이 만든 편인이라는 격을 깨지 못하고 만다(則仍為印而格不破). 즉, 지장간에서 정기(正氣)인 갑목을 이용하는 일은 무의미하다는 뜻이다. 즉, 지장간에서 정기(正氣)를 이용하는 일은 무의미하다는 뜻이다. 이번에는 일간이 병화이고, 월지가 신금일 때(丙生申月), 지장간에서 경금이 임수를 투출(透)하게 되면, 병화와 임수가 짝이 되고, 이어서 편관을 만들면서 용신이 편관인 칠살로 변하고 만다(逢壬化煞). 이는 결국에 병화와 신금이 만들어내는 편재라는 격을 깨지 못한 결과로 나타나게 된다. 또는 신금 지장간의 여기에서 무토를 투출(透)시키게 되면(而又透戊), 이때는 병화와 무토가 만나면서 식신을 만들어낸다. 그러면, 이때는 무토가 만든 식신격이 능히 임수가 만든 칠살격을 상극으로 제압하게 되는데, 이는 병화의 재격을 생하게 할 수 있다(則食神能制煞生財). 그래서 이때 재격이 추가로 만들어진다면(仍為財格), 식신격과 재격은 서로 상극이 아닌 상생하므로, 부귀를 잃지 않게 된다(不失富貴). 이를 잠시 정리해보자. 지금 식신격, 칠살격, 재격이 나오고 있다. 이를 다시 정리하게 되면, 식신격, 재격, 칠살격이 된다. 그러면, 이는 상생(生)의 조합이 된다. 그러면, 이때는 재격이 끼어들면서 식신과 칠살이 서로 상극(克)하는 관계를 벗어날 수 있게 된다. 그러면, 이때 격(格)은 재격 덕분에 식신격으로 온전히 유지되게 된다. 그러면, 이때 식신격이 만든 부귀(富貴)는 잃지 않고(不失) 온전히 유지된다. 다시 본문을 보자. 이와 같은 종류의 문제는 너무나 많다(如此之類甚多). 이 모든 변화는 본래의 좋은 격을 잃지 않게 해야만 한다(是皆變而不失本格者也). 이 문장은 이 구절의 맨 앞 문장을 설명하고 있지만, 이렇게 해석해주는 것이 옳은 것 같다. 지금 보시다시피, 이 부분은 해석이 상당히 어렵다. 이 덕분에 많은 사주 명리학책에서는 이 부분에서 많은 문장을 제거(除去)하거나 수정(修整)해버린다. 이는 결국에 미신(美神)인 사주 명리를 미신(迷信)으로 만들고 말았다. 이 부분의 해석이 어렵게 되면서, 설도 난무하고 있다. 이는 결국에 눈에 보이지 않는 에너지를 연구하는 양자역학의 개념을 사주 명리로 끌어들이지 못하고 있으므로 인해서 나온 결과물들이다. 그리고 사주 명리의 핵심인 음양오행이라는 에너지는 눈에 보이지 않는 에너지라는 사실도 모르게 되면서, 이는 혼란을 더욱더 부채질하고 있다. 즉, 아직도 사주 명리의 이론이 제대로 정립되지 못하고 있다는 뜻이다. 이러니 사주 명리가 현실에서 맞을 리가 있겠는가! 여기에 현실의 에너지까지 추가되면, 문제는 더욱더 어려워진다. 여기서 현실의 에너지는 생활 환경의 에너지를 말한다.

是故八字非用神不立, 用神非變化不靈, 善觀命者, 必於此細詳之.

이런 이유로 사주 여덟 글자가 좋은 용신을 얻지 못하게 되면, 사주는 좋은 쪽으로 성립(立)되지 못하고 만다(是故八字非用神不立). 그리고 용신의 변화가 없다면, 사주의 오묘함도 없을 것이다(用神非變化不靈). 즉, 사주 변화의 오묘함은 용신의 다양한 변화에서 찾을 수 있다는 뜻이다. 그래서 사주 명리를 잘(善) 관찰(觀)할 수 있게 되면(善觀命者), 이때는 반드시 해당(此) 사주 명리의 상세함도 자동으로 알 수 있게 된다(必於此細詳之).

제11장 용신의 순잡을 논하다(論用神純雜)

제11장 용신의 순잡을 논하다(論用神純雜)

用神既有變化，則變化之中，遂分純雜．純者吉，雜者凶．何謂純？ 互用而兩相得者是也．如辛生寅月，甲丙並透，財與官相生，兩相得也．戊生申月，庚壬並透，財與食相生，兩相得也．癸生未月，乙己並透，煞與食相克，相克而得其當，亦兩相得也．如此之類，皆用神之純者．

용신은 본래(既) 변화를 보유한다(用神既有變化). 그런데, 이런 용신의 변화 가운데는(則變化之中), 순(純)과 잡(雜)이 분리되어서 따라온다(遂分純雜). 여기서 순은 좋은 상태를 말하고(純者吉), 잡은 흉한 상태를 말한다(雜者凶). 그러면, 어떤 경우를 순이라고 말하는가(何謂純)? 이는 용신을 서로 만났을 때 양쪽을 호용(互用)해도 서로 에너지로서 이익을 얻는 관계를 말한다(互用而兩相得者是也). 즉, 두 가지 용신을 동시에 보유하고 있을 때, 두 가지 용신 중에서 어떤 용신을 이용해도 이익이 되는 경우를 말한다. 예를 들자면, 일간이 신금이고, 월지가 인목일 때(如辛生寅月), 인목의 지장간을 보게 되면, 정기인 갑목과 중기인 병화가 함께(並) 투출(透)할 수 있는데(甲丙並透), 이 둘을 일간인 신금과 맞춰서 용신을 만들어보게 되면, 신금과 갑목의 짝은 정재가 되고, 신금과 병화의 짝은 정관이 되는데, 이때 이 둘은 갑목과 병화로서 서로 상생(相生)하고 있다(財與官相生). 그래서 이때는 이 둘(兩)이 상생하므로 서로(相) 이익을 주고 있다(兩相得也). 그리고 이때 신금은 정재와 정관을 호용(互用)해서 어느 격이나 마음대로 선택해서 이용할 수 있게 된다. 이게 순(純)이다. 여기서 핵심 단어는 호용(互用)과 상생(生)이다. 다시 본문을 보자. 이번에는 일간이 무토이고, 월지가 신금일 때(戊生申月), 신금의 지장간에서 정기는 경금이고, 중기는 임수인데, 신금의 지장간에서 경금과 임수를 동시에 투출하고 있다면(庚壬並透), 무토와 경금의 짝에서는 식신이 나오고, 무토와 임수의 짝에서는 편재가 나온다. 그리고 이때 경금과 임수는 더불어 상생하고 있게 된다(財與食相生). 즉, 이 둘(兩) 서로 상생으로 이익을 보고 있다(兩相得也). 다시 본문을 보자. 이번에는 일간이 계수이고, 월지가 미토일 때

(癸生未月), 미토의 지장간을 보게 되면, 정기에서 을목과 중기에서 기토가 함께 투출(透)할 수 있다(乙己並透). 그러면, 계수와 을목의 짝에서는 식신이 나오고, 계수와 기토의 짝에서는 편관이 나온다. 그러면, 칠살인 편관과 식신은 서로 상극하게 된다(煞與食相克). 이 둘은 서로 상극하고 있기는 하지만, 그(其)에 해당하는 이익을 얻고 있다(相克而得其當). 그래서 이때도 역시 양쪽은 서로 이익을 얻고 있다(亦兩相得也). 이는 도대체 무슨 말일까? 상생이라면 서로 이익이 된다는 말이 이해가 가는데, 왜 상극에서도 그(其)에 해당(當)하는 이익을 얻고 있다고 할까? 답은 상극의 짝을 구성하는 음과 양에 있다. 즉, 식신을 만드는 계수와 을목은 서로 상극이기는 하지만, 음과 음이 만나고 있어서 서로 중화되지 않고 있고, 편관을 만드는 계수와 기토도 서로 상극이기는 하지만, 음과 음이 만나고 있어서 서로 중화되지 않고 있다. 즉, 음(陰)과 음(陰)이 순수(純)하게 만났다는 뜻이다. 이는 뒤에서 잡(雜)의 예를 보면 쉽게 이해가 갈 것이다. 그래서 이 둘은 서로 상극을 맺으면서 서로 에너지를 보내면서 어느 한쪽은 에너지로서 이익을 보게 된다. 이때 이 둘이 음과 양으로 만나게 되면, 이때 에너지는 반드시 중화된다. 그러면, 이때는 에너지 측면에서 어느 쪽도 이익을 보지 못하게 된다. 그래서 여기서는 중화(中和)가 순과 잡의 핵심이 된다. 그러면, 상극이라고 해도 무조건 나쁜 일은 아니라는 뜻이 된다. 이런 경우를(如此之類), 모두 용신의 순(純)이라고 부른다(皆用神之純者). 여기서 핵심 단어는 호용(互用)과 상생(生)이다.

何謂雜？ 互用而兩不相謀者是也. 如壬生未月, 乙己並透, 官與傷相克, 兩不相謀也. 甲生辰月, 癸戊並透, 印與財相克, 亦兩不相謀也. 如此之類, 皆用之雜者也.

그러면 잡은 뭔가요(何謂雜)？ 호용할 수는 있으나, 양쪽이 서로 일을 도모할 수 없는 경우이다(互用而兩不相謀者是也). 예를 들어서 설명해보자면, 일간이 임수이고, 월지가 미토일 때(如壬生未月), 이때 미토의 지장간에서 을기가 동시에 천간으로 투출할 수 있게 된다(乙己並透). 그러면, 이때는 임수와 을목에서 상관이 나오고, 임수와 기토에서 정관이 나오게 되는데, 이때 을목과 기토는 서로 상극한다(官與傷相克). 그리고 이 둘은 서로 만나서 일을 도모할 수 없게 된다(兩不相謀也). 이는 해석을 매우 어렵게 만들고 있다. 답은 에너지에 있다. 지금은 앞에서 나온 을기를 그대로 이용하고 있는데, 앞에서는 일간이 계수라는 음(陰)이고, 지금은 일간이 임수라는 양(陽)이다. 그래서 지금은 임수라는 양의 에너지와 을기라는 음의 에너지가 서로 만나게 되면, 중화되어서 제거된다. 이는 60갑자에서 음과 양의 조합이 없는 이유이기도 하다. 그러면, 이때는 서로 에너지적으로 이익이 안 된다. 이 부분은 사주 명리가 에너지 문제라는 사실을 인식하지 못하게 되면, 절대로 풀리지 않게 된다. 다시 본문을 보자. 또 다른 예를 보자. 일간이 갑목이고, 월지가 진토일 때(甲生辰月), 신금의 지장간에서 계무를 동시에 투출하게 되면(癸戊並透), 이때는 갑목과 계수에서 정인이 나오고, 갑목과 무토에서 편재가 나오게 되는데, 무토와 계수는 서로 상극한다(印與財相克). 그러나 이 역시도 둘이 서로 일을 도모할 수 없게 된다(亦兩不相謀也). 여기에서도 갑목과 계수라는 음과 양의 에너지가 만나서 에너지가 중화되는 경우가 있다. 그러면, 이때는 갑목과 계수는 에너지를 중화(中和)하는 경우이고, 갑목과 무토는 에너지가 서로 가중(加重)되는 경우이다. 그러면, 이때는 에너지로 보았을 때 호용(互用)이 불가하게 된다. 즉, 용신으로 갑목과 계수에서 나온 정인을 이용하게 되면, 이때는 에너지가 중화되는 경우이고, 갑목과 무토에서 나온 편재를 이용하게 되면, 이때는 에너지가 가중되는 경우라서, 이 둘은 에너지적으로 호용(互用)이 불가하게 된다. 그러면, 순잡(純雜)은 한 가지 지지의 지장간에서 동시에 두 개의 천간 오행이 투출(透)했을 때, 이 둘의 에너지가 서로 중화되는 경우와 서로 가중되는 경우를 말하게 된다. 결국은 조합이 음음, 양양이면 순(純)이고, 음양이면 잡(雜)이 된다. 이때 순은 길(吉)하고, 잡이 흉(凶)한 이유는 잡이 에너지를 중화(中和)해서 지장간의 의미를 제거해버리기 때문이다. 이는 지장간에서 두 개의 천간이 올라올 때라는 사실을 명심하는 것이 중요하다. 용신은 정말로 어렵다. 그리고 이와 같은 종류가 나오는(如此之類), 모든 용신은 잡(雜)이라고 한다(皆用之雜者也).

純雜之理, 不出變化, 分而疏之, 其理愈明, 學命者不可不知也.

순잡의 원리를 이해할 때는(純雜之理), 변화가 나오는(出) 경우와 나오지 않는(不) 경우가 있는데(不出變化), 이를 구분(分)해서 소통(疏)할 줄 알아야만 한다(分而疏之). 그리고 순잡의 원리를 더욱더 명확히 이해하는 일은(其理愈明), 명리를 배우는 사람들에게는 필수가 된다(學命者不可不知也).

제12장 용신의 격국 고저를 논하다(論用神格局高低)

제12장 용신의 격국 고저를 논하다(論用神格局高低)

八字既有用神, 必有格局, 有格局必有高低, 財官印食煞傷劫刃, 何格無貴? 何格無賤? 由極貴而至極賤, 萬有不齊, 其變千狀, 豈可言傳? 然其理之大綱, 亦在有情無情, 有力無力之間而已.

인체의 에너지(神)를 분석하는 사주 명리에서 여덟 글자는 대개 용신을 보유한다(八字既有用神). 용신(用神)은 에너지(神)를 이용(用)하는 일이기 때문이다. 그래서 용신은 인체의 에너지를 분석하는 사주 명리에서 핵심이 된다. 그래서 이때는 반드시 격국도 보유하게 된다(必有格局). 여기서 격국(格局)은 지지와 천간으로 구성된 사주 여덟 글자의 구조적 짜임새를 말한다. 격국(格局)에서 격(格)은 대개 천간(天干)을 말하고, 국(局)은 대개 지지(地支)를 말한다. 그러면, 격국은 자동으로 사주 여덟 글자의 짜임새를 말하게 된다. 그리고 이런 격국에는 반드시 고상한 격국과 저급한 격국이 있게 된다(有格局必有高低). 즉, 사주의 짜임새가 좋은 경우와 나쁜 경우가 있다는 뜻이다. 물론 이때는 재성, 관성, 인성, 식상, 칠살, 겁재, 양인 등등이 있지만(財官印食煞傷劫刃), 이들은 상황에 따라서 역할이 달라지므로, 어떤 격이라고 귀함이 없고(何格無貴)? 어떤 격이라고 천함이 없겠는가(何格無賤)? 극히 귀한 경우부터 극히 천한 경우까지(由極貴而至極賤), 수만 가지가 존재하면서 정렬하기가 어려울 정도이다(萬有不齊). 그래서 그 변화는 천태만상으로 나타나므로(其變千狀), 이를 어찌 말로 다 표현할 수 있겠는가(豈可言傳)? 그러나 그 원리는 크게 요약이 가능하며(然其理之大綱), 이는 역시 의미가 있는 경우와 없는 경우(亦在有情無情), 힘이 있는 경우와 없는 경우의 사이(間)에서 간극이 존재(存)할 뿐이다(有力無力之間而已).

如正官佩印, 不如透財, 而四柱帶傷, 反推佩印. 故甲透酉官, 透丁合壬, 是謂合傷存官, 遂成貴格, 以其有情也. 財忌比劫, 而與煞作合, 劫反為用. 故甲生辰月, 透戊成格, 遇乙為劫, 逢庚為煞, 二者相合, 皆得其用, 遂成貴格, 亦以其有情也.

예를 들어서 설명해보자면, 정관이 인성을 끼고 있는 경우는(如正官佩印), 재성을 투출하고 있는 경우와 같지 않은데(不如透財), 이때 사주가 상관을 투출(帶)하고 있다면(而四柱帶傷), 반대로 인성을 끼고 있는 경우를 더 추천하게 된다(反推佩印). 이를 갑목을 예로 설명해보자. 갑목의 정관은 유금이고, 인성은 수이다. 그리고 갑목의 재성은 토인데, 지금 재성은 투출(透)하고 있으므로, 천간의 토가 된다. 그리고 갑목의 상관은 투출(帶)하고 있으므로, 정화가 된다. 이때 정관과 인수가 만나게 되면(如正官佩印), 이때는 지지에서 유금과 수가 만나게 된다. 이때는 지지에서 이 둘이 상생 관계를 만들어낸다. 한편, 이때 재성을 투출(透)받게 되면서(不如透財), 함께(帶) 상관을 투출(帶)받게 되면(而四柱帶傷), 이때는 용신이 천간으로 옮겨가면서, 천간에서 천간의 토와 정화가 만나게 된다. 그러면, 자동으로 천간에서 갑목, 토, 정화가 만나게 된다. 이때는 갑목은 토를 자동으로 상극하거나, 아니면 이를 재정렬하게 되면, 갑목, 정화, 토라는 상생의 조합이 만들어지면서 사주의 주인공인 갑목의 에너지가 중화(中和)되어서 제거되어버린다. 그러면, 이때는 자동으로 정관이 인성을 끼고 있는 경우를(如正官佩印) 추천(推)할 수밖에 없게 된다. 다시 본문을 보자. 그래서 갑목이 유금을 만나서 유금의 지장간인 관성(官)을 투출하고 있고(故甲透酉官), 추가로 정화와 임수가 함께(合) 투출하고 있게 되면(透丁合壬), 이때 정임(丁壬)은 천간합(天干合)이 되면서 목(木)으로 변하게 되고. 그러면, 이때는 갑목과 목이 만나게 된다. 그러면, 이때는 목이 너무 강하므로, 목을 금으로 상극해줘야만 한다. 상극으로 에너지를 조절해줘야만 하는 양인격을 말하고 있다. 그런데 지금은 마침 관성(官)인 금이 투출해 있다. 이를 다르게 해석하게 되면, 천간합(合)이 목이 되면서 일간인 갑목에 상해(傷)를 입혔는데, 이때 마침 목을 상극하는 관성(官)인 금이 존재(存)함으로써(是謂合傷存官), 이에 따라서 갑목은 양인격으로서 귀격(貴格)을 이루게 된다(遂成貴格). 이로써 갑목(其)은 의미를 보유하게 된다(以其有情也). 해석이 상당히 어렵다. 그래서 이를 해석하지 못하니까 합상존관(合傷存官)이 귀격(貴格)이라고 말하고 있을 뿐이다. 그러나 사주 명리의 기초를 정확히 알고 있게 되면, 이는 이처럼 자연스럽게 풀리게 된다. 여기서 합상존관(合傷存官)이 귀격(貴格)이라고 말하는 일은 사주 명리를 망치는 일이 된다. 이것이 현재 사주쟁이들의 참담한 현실이다. 이는 자동으로 미신(美神)인 사주 명리를 미신(迷信)으로 만들고 만다. 다시 본문을 보자. 재성이 비겁을 꺼리게 될 때(財忌比劫), 더불어 찰살이 합을 만들고 있게 되면(而與煞作合), 반대로 겁재가 용신으로 쓰인다(劫反為用). 갑목을 예로 살펴보자. 갑목의 재성은 토이고, 겁재는 목이다. 그러면, 토는 당연히 자기를 상극하는 목을 꺼리게(忌) 된다. 그리고 갑목의 칠살은 신금이(申) 된다. 그런데, 이 신금이 합(合)을 만들면, 겁재(劫)가 용신으로 쓰인다고 했다. 그러면, 인묘(寅卯)라는 비겁에서 인목이 신금과 합(合)이 된다는 뜻이다. 이는 상극의 합(合)을 말하고 있다. 그러면, 묘목과 재성인 토가 짝이 되면서, 자동으로 묘목인 겁재가 용신으로 쓰이게 된다. 재성인 토의 입장으로 보면, 음인 묘목은 거꾸로 토를 도와주는 경우도 있기 때문이다. 또한 지금은 갑목을 예로 들었으므로, 갑목과 묘목이 만나게 되면, 양인이 되는데, 이때는 묘목을 상극(克)으로 견제해줘야만 한다. 그런데, 지금은 토가 묘목을 상극(克)해주고 있다. 그러면, 자동으로 겁재(劫)인 묘목이 용신(用)으로 쓰이게 된다(劫反為用). 다시 본문을 보자. 그래서 일간이 갑목이고 월지가 진토일 때(故甲生辰月), 진토의 지장간인 무토를 투출(透)받게 되면, 이때 갑목은 지지의 진토가 아닌 천간의 무토와 성격을 만든다(透戊成格). 너무나 당연한 사실이다. 그러면, 이제 격의 문제는 천간으로 이동하게 된다. 그런데, 이때 천간에서 갑목이 을목을 만나게 되면, 이때는 당연히 겁재를 만든다(遇乙為劫). 그리고 갑목이 경금을 만나게 되면, 이때는 당연히 칠살을 만든다(逢庚為煞), 그런데, 이때 겁재인 을목과 칠살인 경금이 천간에서 서로 만나게 되면, 이때는 을경(乙庚)이라는 천간합(合)이 만들어지게 되고(二者相合), 그러면, 이때 이 둘은 금(金)으로 변하게 된다. 그러면, 지금 상태에서는 오행이 모두 그 용도를 얻게 되는 결과로 나타나게 된다(皆得其用). 이에 따라서 갑목은 을목과 만나서 망치는 격을 만드는 것이 아니라, 자기가 상극하는 무토를 만나서 귀격을 이루게 된다(遂成貴格). 이때 천간합에서 만들어지는 금(金)은 당연히 무토를 견제하게 된다. 그러면, 이때는 금, 갑목, 무토라는 상극의 조합이 되면서, 에너지가 균형을 잡게 된다. 이는 당연히 귀격(貴格)을 만든다. 즉, 생극제화(生剋制化)가 만들어진 것이다. 즉, 에너지 균형이 이루어진 것이다. 그러면, 앞에서와 마찬가지로 이때도 역시 갑목(其)은 의미를 보유하게 된다(亦以其有情也). 이 부분도 역시 해석이 상당히 어렵다.

身強煞露而食神又旺, 如乙生酉月, 辛金透, 丁火剛, 秋木盛, 三者皆備, 極等之貴. 以其有力也. 官強財透, 身逢祿刃, 如丙生子月, 癸水透, 庚金露, 而坐巳午, 三者皆均, 遂成大貴, 亦以其有力也.

이번에는 일간(身)이 강한데, 칠살이 노출되어있고, 또한 식신의 에너지가 왕성한 경우이다(身強煞露而食神又旺). 예를 들어서 설명하자면, 일간이 을목이고, 월지가 유금일 때(如乙生酉月), 유금의 지장간에서 신금(辛)이 투출(透)하고 있고(辛金透), 정화가 강하게 버티고 있고(丁火剛), 가을에 목도 왕성하게 되면(秋木盛), 이 셋은 모두 신강, 칠살, 식신이라는 3가지를 모두 갖추게 되고(三者皆備), 이는 최고 등급의 귀격을 말하게 되고(極等之貴), 이로써 을목은 힘을 갖게 된다(以其有力也). 일단 가을에 목이 왕성(旺盛)하므로, 이와 을목이 만나게 되면, 이때는 자동으로 신강이 된다. 그러면, 이때는 자동으로 왕성한 목을 상극(克)으로 제어해줘야만 한다. 그런데 지금은 마침 목을 상극하는 칠살이라는 신금이 있다. 그리고 이 신금을 정화가 추가로 제어해주고 있다. 그러면, 자동으로 정화, 신금, 목이라는 조합이 만들어지면서 에너지의 균형이 맞춰지고 있다. 그러면 자동으로 신강, 칠살, 식신이라는 3가지를 모두 갖추게 되고(三者皆備), 이는 자동으로 최고 등급의 귀격을 말하게 된다(極等之貴). 최고의 사주는 에너지의 균형이라는 사실을 상기해보자. 그러면, 이 사주는 자동으로 좋은 짜임새라는 힘(力)을 갖게 된다. 다시 본문을 보자. 이번에는 강한 관성이 재성을 투출하고 있고(官強財透), 일간이 같은 오행인 녹인을 만나는 경우이다(身逢祿刃). 예를 들어서 설명하자면, 일간이 병화이고, 월지가 자수일 때(如丙生子月), 자수의 지장간에서 계수가 투출(透)하고 있고(癸水透), 경금이 천간에서 노출되고 있고(庚金露), 병화가 사오에 자리하고 있다면(而坐巳午), 이때는 계수의 정관, 경금의 편재, 사오의 녹인이라는 3가지가 모두 균형을 잡아주면서(三者皆均), 이에 따라서 이 사주는 대귀격을 이루게 된다(遂成大貴). 이때도 역시 이로써 병화는 힘을 갖게 된다(亦以其有力也). 일단 여기에 나오는 오행을 나열해보게 되면, 계수, 병화, 경금이라는 조합이 만들어지게 되고, 이는 천간에서 에너지 균형을 말하게 된다. 또한 병화는 사오라는 녹인을 보유하고 있다. 그러면, 이때는 병화의 에너지가 너무 강하므로, 이를 상극으로 제어해줘야만 한다. 그런데, 마침 경금이 병화를 상극으로 제어해주고 있다. 그러면, 녹인의 에너지는 자동으로 균형을 잡게 된다. 그러면, 병화는 녹인라는 강한 에너지를 보유해서 힘(力)을 보유하면서도 귀격을 유지할 수 있게 된다.

又有有情而兼有力, 有力而兼有情者. 如甲用酉官, 壬合丁以清官, 而壬水根深, 是有情而兼有力者也. 乙用酉煞, 辛逢丁制, 而辛之祿即丁之長生, 同根月令, 是有力而兼有情者也. 是皆格之最高者也.

또한 유정을 보유하고 있으면서, 겸해서 유력을 보유한 경우와(又有有情而兼有力), 유력을 보유하고 있으면서, 겸해서 유정을 보유한 경우이다有力而兼有情者). 예를 들어서 설명하자면, 갑목이 유금의 지장간을 이용(用)해서 관성(官)을 천간으로 투출할 때(如甲用酉官), 천간에 있던 임수와 정화가 합쳐져서 임정(壬丁)이 되면서 천간합(合)을 만들고, 이어서 이 둘이 목(木)으로 변하게 되면, 이때는 일간의 갑목과 천간합의 목이 만나게 되고, 그러면, 이때 갑목은 힘(力)을 보유하게 되고, 추가로 천간합의 목은 지장간에서 올라온 관성(官)인 금과 상극으로 만나서 관성(官)을 제거(淸)하게 된다(壬合丁以清官). 이때 관성인 금은 갑목과 상극한다는 사실을 상기해보자. 그런데, 이런 금을 천간합의 목이 제거(淸)해준 것이다. 그러면, 이때 갑목은 아무 격(格)도 만들지 못하고 홀로 남게 된다. 그런데, 이때 천간의 임수가 지지라는 뿌리(根)를 무성(深)하게 보유하고 있게 되면(而壬水根深) 즉, 지지에 자수와 신금이 있어서 지장간으로서 임수를 천간으로 투출하고 있게 되면, 이때는 자수나 신금 하나는 지지에 남게 된다. 여기서 심(深)은 자수와 신금이 지지에 동시에 존재하고 있어서 임수의 뿌리(根)가 무성(深)하다는 뜻이다. 그러면, 이때 갑목은 자수와 정인격을 만들든지, 신금과 정관격을 만들어서, 갑목은 의미(情)를 보유하게 된다. 그러면, 이 경우는 자동으로 유정(情)을 보유하고 겸해서 유력(力)도 보유하게 된다(是有情而兼有力者也). 이 구절에서 핵심은 유금(酉)의 관성(官) 투출과 심(深)의 해석에 있다. 이 둘을 제대로 처리하지 못하게 되면, 이 구절의 해석은 엉망진창이 되고 만다. 그리고 이는 지금 진행형이기도 하다. 다시 본문을 보자. 이번에는 일간의 을목이 월지의 유금에서 지장간으로 칠살인 신금(辛)을 천간으로 투출받고 있을 때(乙用酉煞), 이 신금이 정화를 만나서 상극으로 제어되면(辛逢丁制), 을목은 일단은 상극을 벗어나서 살아나게 된다. 그리고 신금의 녹(祿)인 유금이 정화를 만나서 장생하게 되면(而辛之祿即丁之長生), 이때 을목은 힘(力)을 보유하게 된다. 그리고 신금과 정화의 공동(同) 뿌리(根)인 술토를 월지로 하게 되면(同根月令), 이때 을목과 술토는 정재격을 만들게 되면서, 을목은 의미(情)를 보유하게 된다. 그러면, 이 경우는 유력을 보유한 상태에서 겸해서 유정도 보유한 경우가 된다(是有力而兼有情者也). 그래서 이런 경우도 모두 격이 최고가 된다(是皆格之最高者也). 해석이 상당히 어려워서 만만하지 않다.

如甲用酉官, 透丁逢癸, 癸克不如壬合, 是有情而非情之至. 乙逢酉逢煞, 透丁以制, 而或煞強而丁稍弱, 丁旺而煞不昂, 又或辛丁並旺而乙根不甚深, 是有力而非力之全, 格之高而次者也.

또 다른 예를 들어보자. 갑목이 유금의 지장간을 이용(用)해서 관성(官)을 천간으로 투출받게 되면(如甲用酉官), 이때 갑목은 관성인 금에 상극 당하게 되면서 좋은 의미(情)를 보유하지 못하게 된다. 추가로 정화를 투출받고, 이어서 계수를 만나게 되면(透丁逢癸), 계수는 당연히 정화를 상극하게 된다. 그러면, 이때 갑목의 상태는 변함없이 그대로 유지된다. 그러나 이때 정화가 계수 대신에 임수를 만나게 되면, 정임이라는 목(木)으로서 천간합을 만들게 된다. 그러면, 천간합의 목은 자동으로 갑목과 짝하고 있는 관성을 상극해서 제거하게 된다. 그러면, 자동으로 갑목과 계수가 남게 되고, 이 둘은 정인격이 되면서 갑목은 의미(情)를 보유하게 된다. 그래서 이 경우에는 계수가 정화를 상극(克)하는 경우와 정화가 임수를 만나서 합(合)을 만드는 경우는 서로 다르게(不如) 된다(癸克不如壬合). 그래서 이 경우는 유정을 유지하면서 유지하지 못하는 경우까지 이르게(至) 된다(是有情而非情之至). 다시 본문을 보자. 이번에는 을목이 유금을 만나고, 이어서 칠살인 신금을 추가로 만나게 되면(乙逢酉逢煞), 이때 을목은 당연히 2개의 금에서 상극을 통해서 에너지를 받게 되므로, 자동으로 힘(力)을 보유하게 된다. 그런데, 이때 추가로 정화를 투출(透)받아서 정화가 신금을 상극으로 제어(制)하게 되면(透丁以制). 이때 을목은 금으로부터 받은 에너지가 적어지면서 힘(力)을 보유하지 못하게 된다. 그러면, 이 경우는 힘을 보유했다가 힘을 보유하지 못한 전형(全)이 된다(是有力而非力之全). 다시 본문을 보자, 이번에는 갑목의 칠살인 신금이 강한데 이를 제어하는 정화가 점점 약해지면(而或煞強而丁稍弱), 이때는 자동으로 을목은 힘(力)을 보유하게 되고, 거꾸로 정화의 에너지가 왕성한데 칠살의 에너지가 약해지면(丁旺而煞不昂), 이때는 자동으로 을목의 에너지가 약해지게 된다. 이는 바로 앞 예시의 연장선이다. 그러면, 이 경우도 힘을 보유했다가 힘을 보유하지 못한 전형(全)이 된다(是有力而非力之全). 다시 본문을 보자. 이번에는 신금과 정화가 모두 에너지가 왕성하고(又或辛丁並旺), 을목의 뿌리가 아주(甚) 무성(深)하지 못하게(不) 되면(而乙根不甚深) 즉, 월지에서 지장간을 통해서 신금과 정화를 제어해서 을목의 힘을 제어하지 못하게 되어서도, 힘을 보유했다가 힘을 보유하지 못한 전형(全)이 된다(是有力而非力之全). 이를 격(格)의 높이(高)로 보게 되면, 이 격은 최고는 못 되고, 차선(次)이 된다(格之高而次者也).

至如印用七煞, 本為貴格, 而身強印旺, 透煞孤貧, 蓋身旺不勞印生, 印旺何勞煞助? 偏之又偏, 以其無情也. 傷官佩印, 本秀而貴, 而身主甚旺, 傷官甚淺, 印又太重, 不貴不秀, 蓋欲助身則身強, 制傷則傷淺, 要此重印何用? 是亦無情也. 又如煞強食旺而身無根, 身強比重而財無氣, 或夭或貧, 以其無力也. 是皆格之低而無用者也.

또 다른 예로 가보자. 인수가 칠살을 보조 용신으로 이용하게 되면(至如印用七煞), 이는 본래 귀격이다(本為貴格). 이를 갑목을 예로 풀어보자. 갑목의 인수는 수이고, 칠살은 신금(申)이다. 이때 수는 신금과 서로 상생한다. 이는 당연히 귀격이다. 그런데, 이때 일간이 강하고 인수도 에너지가 왕성하고(而身強印旺), 칠살이 투출하고 있게 되면, 이는 고달픈 사주가 된다(透煞孤貧). 갑목을 예로 보자. 지지에서 인수의 에너지가 왕성(旺)하게 되면, 자동으로 갑목의 에너지는 강(强)하게 된다. 그런데, 갑목의 에너지도 원래부터 강(强)하다. 이는 갑목에 에너지가 너무 과하게 집중(集中)된 상태를 말한다. 이는 사주에서 제일 싫어하는 상황이다. 이를 인체 생리로 풀게 되면, 갑목이 대표하는 간(肝)에 에너지를 보유한 산성 체액이 엄청나게 정체하면서 간을 엄청나게 괴롭히고 있다는 뜻이 된다. 이는 인체 최대의 해독 기관이 망가지고 있다는 뜻이 된다. 이때 인생은 당연히 고달플 것이다. 이때 추가로 갑목의 칠살이 천간으로 투출(透)해서 존재하게 되면, 천간에서도 자동으로 갑목이 칠살에 시달리게 된다. 그러면, 갑목은 지지와 천간에서 모두 에너지 과잉으로 인해서 곤란을 겪게 된다. 여기서도 인체 생리를 도입하게 되면, 간이 망가지고 있는데, 추가로 칠살을 말하는 폐(肺)가 간으로 산성 담즙을 몽땅 보내고 있다는 뜻이 된다. 그러면, 간은 설상가상이 되면서 자동으로 미치고 환장하게 된다. 이때 이 사주를 보유한 사람이 고달프지 않으면, 그게 더 이상할 것이다. 그러면, 이때는 자동으로 체질 의학을 동원해야만 한다. 즉, 간과 폐를 치료해줘야만 한다는 뜻이다. 이것이 사주 명리를 분석하는 이유이다. 다시 본문을 보자. 원래 일간(身)의 에너지가 왕성하게 되면, 일간을 생하는 인수가 일간을 위해서 에너지를 보내면서 수고로울 일이 없다(蓋身旺不勞印生). 이미 일간은 에너지가 충분하기 때문이다. 그런데, 이때 갑목으로 에너지를 보내는 인수의 에너지가 이미 왕성할 때, 추가로 투출한 칠살인 경금이 갑목으로 에너지를 보내서 도와(助)주면서 수고로움을 겪어야 할 이유가 있겠는가(印旺何勞煞助? 이때는 이미 에너지가 왕성한 인수로 인해서 갑목의 에너지가 편중(偏)되어있는데, 또다시(又) 칠살로 인해서 갑목의 에너지가 더욱더 편중(偏)되게 하고 만다(偏之又偏). 그러면, 자동으로 이로써 갑목은 의미(情)를 보유하지 못하게 된다(以其無情也). 즉, 이때 사주는 망하고 만다. 다시 본문을 보자. 상관격이 인수를 끼고 있게 되면(傷官佩印), 인수가 상관의 에너지를 견제해주면서 일간의 에너지는 본래 수려해지게 되고, 사주는 귀격이 된다(本秀而貴). 이를 갑목의 예로 보게 되면, 수, 갑목, 정화라는 조합이 만들어지면서, 에너지가 균형을 잡게 된다. 이때는 당연히 귀격이 나오게 된다. 사주는 에너지의 균형이 핵심이라는 사실을 상기해보자. 다시 본문을 보자. 이때 일간의 에너지가 너무 심하게 왕성하고(而身主甚旺), 상관의 에너지가 너무 심하게 약하고(傷官甚淺), 추가로 인성의 에너지도 태과하고 있게 되면(印又太重), 이 사주는 귀하지도 수려하지도 않게 된다(不貴不秀). 이 구절이 기술하고 있는 사주를 보게 되면, 지금 등장하고 있는 오행들의 에너지가 모두 너무 극단적(極)으로 치우쳐(偏)있다. 이런 때는 사주를 분석할 필요조차도 없다. 사주는 에너지의 균형을 보는 것인데, 지금은 아예 대놓고 극단적(極)으로 치우친(偏) 에너지를 보유하고 있다. 이 사주는 당연히 망한 사주가 된다. 다시 본문을 보자. 대개 일간을 에너지적으로 도와주려고 하면, 당연히 일간의 에너지는 강해진다(蓋欲助身則身強). 그리고 지금은 인수를 상극으로 제어하는 상관을 제어(制)하게 되면, 그렇지 않아도 약한 상관은 더욱더 약해져 버린다(制傷則傷淺). 그래서 이렇게 중요한 상황에서 태과한 인수를 어떻게 용신으로 사용할 수 있겠는가(要此重印何用)? 그래서 이때도 역시 일간은 의미(情)를 보유하지 못한다(是亦無情也). 또 다른 예를 보자. 칠살이 강하고, 식신이 왕성하면서 일간이 뿌리를 보유하지 않고(又如煞強食旺而身無根), 일간이 강하고 비견이 많은데 재성의 기운이 없게 되면(身強比重而財無氣), 요절하거나 가난하다(或夭或貧). 이로써 이 사주는 힘(力)을 보유하지 못하게 된다(以其無力也). 갑목을 예로 보자. 갑목의 칠살은 신금이고, 식신은 사화이고, 통근(根)은 지지의 삼합(三合)이나 방합(方合)을 통해서 같은 오행을 만나는 경우이므로, 갑목의 통근(根)은 목이 된다. 그러면 칠살이 강하고, 식신이 왕성하면서 일간이 뿌리를 보유하지 않고 있는 경우를 보자(又如煞強食旺而身無根). 이때는 식신격을 이루게 되면, 갑목은 의미(情)를 보유하게 된다. 그런데, 식신인 사화를 칠살인 신금이 상극으로 제거해버린다. 그러면 갑목은 격을 이루지 못하게 되면서 의미(情)를 보유하지 못하게 된다. 이때 지지에서 통근(根)해서 합(合)으로 목(木)을 만들게 되면, 이 목이 신금과 상극으로 반응해서 칠살인 신금을 제거해준다. 그러나 지금은 불행히도 이런 통근(根)이 없는(無) 상태이다. 결국에 이때는 자동으로 갑목은 의미(情)를 보유하지 못하게 된다. 그러면 자동으로 이 사주는 망하게 되고, 이어서 이 사주를 가진 사람은 요절하거나 가난하게 된다(或夭或貧). 다음 경우는 일간이 강하고 비견이 많은데, 재성의 기운이 없게 되는 경우이다(身強比重而財無氣). 이때 일간의 에너지는 이미 강(强)한데, 많은 비견까지 추가되면서 어마어마하게 큰 상태가 된다. 그런데, 이런 일간의 에너지를 상극(克)으로 제어해줄 재성(財)인 토의 에너지(氣)가 없다면(無), 갑목은 제대로 된 격을 이루지 못하게 되면서 의미(情)를 보유하지 못하게 된다. 이를 인간 생리로 설명하자면, 갑목인 간(肝)에 엄청난 양의 에너지를 보유한 산성 체액이 정체하고 있는데, 이를 도와줄 오장이 없다는 뜻이 된다. 이를 사주로 풀자면, 이 사주를 가진 사람은 건강으로 인해서 요절하거나 가난하게 된다(或夭或貧). 이로써 이 사주는 힘(力)을 보유하지 못하게 된다(以其無力也). 사주가 망했으니 너무나도 당연한 일일 것이다. 그래서 지금까지 기술한 이런 격은 모두 저급(低)에 속하는 격이며, 당연히 적절한 용신도 없게 된다(是皆格之低而無用者也).

然其中高低之故, 變化甚微, 或一字而有千鈞之力, 或半字而敗全局之美, 隨時觀理, 難以擬議, 此特大略而已.

그래서 이런 와중에 격국의 고저를 만드는 이유(故)가 있게 되는데(然其中高低之故), 이때는 변화가 심(甚)하게 일어나는 경우도 있고, 미미(微)하게 일어나는 경우도 있게 된다(變化甚微). 때로는 사주팔자의 글자 하나(一)가 나머지 모든(千) 에너지의 균형(鈞)을 만들어주는 힘(力)을 보유하기도 한다(或一字而有千鈞之力). 때로는 술토(戌)와 무토(戊)처럼 획수가 하나 줄어든 반자(半字)가 온전한 격국의 아름다움을 망쳐(敗) 놓기도 한다(或半字而敗全局之美). 술토는 지지의 오행이고, 무토는 천간의 오행이라는 사실을 상기해보자. 그리고 지지의 술토는 지장간도 보유한다는 사실을 상기해보자. 그러면, 이때는 획수 하나의 차이가 엄청난 파장을 몰고 오게 된다. 다시 본문을 보자. 수시로 사주 명리의 이치를 관찰한다고 해도(隨時觀理), 실제로 적용할 때는 어려움에 봉착하게 된다(難以擬議). 여기서 말하는 의의(擬議)는 말하기 전에 의논하는 것을 의(擬)라 하고, 실행하기 전에 의논하고 평가하는 것을 의(議)라 하므로, 의의(擬議)는 어떤 일의 계획이나 실행에 앞서서 토의하는 일을 말한다. 그래서 지금까지 기술한 내용들은 특이한 경우만 뽑아서 대략 설명한 것들이다(此特大略而已).

제13장 용신으로 인한 성득패 패득성을 논하다

(論用神因成得敗因敗得成)

제13장 용신으로 인한 성득패 패득성을 논하다 (論用神因成得敗因敗得成)

八字之中, 變化不一, 遂分成敗. 而成敗之中, 又變化不測, 遂有因成得敗, 因敗得成之奇.

사주 여덟 글자 중에서(八字之中), 어떤 글자도 변화가 하나로 나타나지는 않는다(變化不一). 이때 따라서 성격과 패격으로 구분된다(遂分成敗). 또한 성격과 패격을 만드는 와중에도(而成敗之中), 변화를 예측할 수 없게 된다(又變化不測). 결국에는 원인에 따라서 성격이 패격을 얻기(得)도 하고(遂有因成得敗), 패격이 성격을 얻기(得)도 하는 특이성(奇)이 나타나게 된다(因敗得成之奇).

是故化傷為財, 格之成也. 然辛生亥月, 透丁為用, 卯未會財, 乃以黨煞, 因成得敗矣. 印用七煞, 格之成也. 然癸生申月, 秋金重重, 略帶財以損太過, 逢煞則煞印忌財, 因成得敗也. 如此之類, 不可勝數, 皆因成得敗之例也.

그래서 상관의 에너지를 재성의 에너지로 상생을 통해서 중화(化)하게 되면(是故化傷為財), 격은 완성된다(格之成也). 갑목을 예로 보게 되면, 갑목의 상관은 오화이고, 재성은 토이다. 그러면, 오화는 에너지를 재성으로 보내면서 자기의 과도한 에너지를 중화(化)할 수 있게 된다. 다시 본문을 보자. 일간이 신금이고, 월지가 해수일 때(然辛生亥月), 정관을 투출받아서 이용하고(透丁為用), 유미가 삼합이 되어서 재성이 되고(卯未會財), 당살에 이르러서(乃以黨煞), 그로 인해서 성격이 패격이 되고 만다(因成得敗矣). 일단 지지에서 해묘미(亥卯未)라는 삼합(三合)으로서 목(木)이 나오게 된다. 그러면, 이 목은 자동으로 일간의 신금과 짝이 되어서 재성(財)이 된다. 당연히 이 둘은 상극(克)하는 사이가 된다. 천간을 보게 되면, 정화가 투출하고 있어서 신금과 정화는 서로 상극(克)하는 칠살이 된다. 그러면, 이 경우는 상극이 두 개가 형성되고, 위아래 모두에서 상극(克)으로 공격받게 된다. 즉, 당살에 걸리게 된 경우이다(乃以黨煞). 이는 신금이 해수와 식신이 되면서 성격(成格)을 이루었으나, 나머지 요인들로 인(因)해서 패격이 되고 만 것이다(因成得敗矣). 다시 본문을 보자. 인성이 칠살을 이용하면(印用七煞), 격이 완성된다(格之成也). 갑목을 예로 보자. 인성은 수이고, 칠살은 신금이다. 그러면, 이 둘은 상생 관계가 되면서 격이 완성된다. 그러나 일간이 계수이고, 월지가 신금이고(然癸生申月), 가을에 금이 겹치면서 태과(重重)로 존재하고(秋金重重), 간단하게 재성인 화를 끼고(帶) 있어서 상극으로 금의 태과를 줄이고 있고(略帶財以損太過), 음인 토로서 칠살을 만나게 되면, 토인 칠살은 금인 인성(印)이 상극하는 화인 재성(財)을 꺼리게(忌) 되는 상황을 제거(煞)하게 된다(逢煞則煞印忌財). 즉, 이때는 원래 금인 인성은 화인 재성과 상극하는 관계이므로, 당연히 이 둘은 서로 꺼리게(忌) 되는데, 이때 토인 칠살이 끼어들게 되면, 화, 토, 금이라는 상생의 조합이 만들어지면서, 상극하는 에너지를 중화(中和)하게 되면, 결국에 화와 금이 상극하는 상태를 제거(煞)하게 된다. 여기서는 살(煞)의 해석에 묘미가 있다. 그러면, 재성인 화가 태과한 금을 줄이는(損) 효과는 사라지고 만다. 그러면, 금은 여전히 태과(重重)한 상태로 존재하게 된다. 그로 인해서 성격은 자동으로 패격이 되고 만다(因成得敗也). 일간의 계수와 월지의 신금은 정인(正印)이라는 사실을 상기해보자. 여기서 핵심은 재성인 화(火)가 인성인 금(金)을 상극(克)으로 제어한다는 사실이다. 그러면, 하나의 금이 사라지면서, 일간의 계수와 월지의 신금은 정인(正印)이 되면서 성격을 이루게 된다. 그런데, 갑자기 칠살인 토가 끼어들면서 이 관계를 망쳐버린 것이다. 해석이 어렵지는 않는데, 상당히 까다롭다. 다시 본문을 보자. 지금까지 기술한 이런 종류의 경우는(如此之類), 수도 없이 나오게 된다(不可勝數). 그리고 지금까지 예로 든 이들은 모두 성격이 패격으로 변한 경우이다(皆因成得敗之例也). 결국에 문제는 에너지의 균형이다. 위의 예문에서 보면, 모두 에너지의 과다(黨煞:重重)가 문제로 등장하게 된다. 사주의 핵심은 에너지의 균형(均衡)이라는 사실을 상기해보자. 이를 인체 생리로 풀면, 하나의 오장에 에너지를 보유한 산성 체액의 과다(過多)한 집중이 없는 경우이다.

官印逢傷, 格之敗也. 然辛生戊月, 年丙時壬, 壬不能越戊克丙, 而反能洩身為秀, 是因敗得成矣. 煞刃逢食, 格之敗也. 然庚生酉月, 年丙月丁, 時上逢壬, 則食神合官留煞, 而官煞不雜, 煞刃局清, 是因敗得成矣. 如此之類, 亦不可勝數, 皆因敗得成之例也.

관성과 인성이 상관을 만나게 되면(官印逢傷), 격은 만들어지지 않는다(格之敗也). 갑목을 예로 보자. 갑목의 관성은 금이고, 인성은 수이고, 상관은 오화이다. 이때 금과 수는 상생 관계이므로, 이때는 격이 완성(成)된다. 그러나 여기에 상관인 오화가 끼어들게 되면, 오화는 금과 수 모두에게 상극(克) 관계를 만들면서, 격을 망치고(敗) 만다. 다시 본문을 보자. 일주에 신금이 있고, 월주에 무토가 있고(然辛生戊月), 연주에 병화가 있고, 시주에 임수가 있게 되면(年丙時壬), 이때는 자동으로 임수는 병화를 상극할 수 있게 되는데, 문제는 월주에 무토가 가로막고 있다는 사실이다. 즉, 이때는 무토가 임수를 상극한다는 뜻이다. 그러면, 무토, 임수, 병화라는 조합이 만들어지면서, 상극하는 에너지가 중화된다. 그래서 이때 임수는 무토를 넘어(越)서서 병화를 상극할 수 없게 되고 만다(壬不能越戊克丙). 이를 보통은 연주에서 시주까지 거리가 너무 멀다고 말하게 된다. 이때 반대(反)로 일주(身)에 있는 신금의 에너지를 누설(洩)하게 되면, 이 사주는 수려(秀)하게 된다(而反能洩身為秀). 여기서 에너지를 누설(洩)한다는 말은 자기를 생하는 오행에서 에너지를 뺏는(洩) 경우이다. 그러면, 일주의 신금(辛)은 자동으로 수(水)에게 에너지를 뺏긴다(洩)는 말이 된다. 이는 수가 존재한다는 뜻이 되고, 그러면, 이 수는 자동으로 골칫거리인 오화를 상극으로 제거해버리게 된다. 그러면, 이때는 자동으로 성격(成格)이 된다. 그러면, 이 경우는 자동으로 그로 인(因)해서 패격이 성격으로 바뀌게 된다(是因敗得成矣). 다시 본문을 보자. 칠살과 양인이 식신을 만나게 되면(煞刃逢食), 패격이 된다(格之敗也). 갑목을 예로 보자. 갑목의 칠살은 신금이고, 양인은 묘목이고, 식신은 사화이다. 그러면, 이때는 갑목과 묘목이 양인격을 만들게 되는데, 이때는 묘목을 상극(克)으로 제어해줘야만 한다. 이때 칠살인 신금이 이용된다. 그런데, 이때 사화가 등장하게 되면, 사화는 양인격을 만들 때 핵심인 신금을 상극해서 제거해버리게 된다. 그러면 이때는 당연히 패격이 되고 만다. 다시 본문을 보자. 일간이 경금이고, 월지가 유금일 때(然庚生酉月), 연주에 병화가 있고, 월주에 정화가 있고(年丙月丁), 시주의 천간에 임수가 있다(時上逢壬). 그러면, 이때는 병정이라는 화(火)가 경금과 유금이 만드는 양인격에서 상극(克)하는 오행으로 작용하게 된다. 그리고 경금의 식신인 임수와 관성인 정화가 만나서 정임이라는 천간합이 되면서 목(木)으로 변하게 된다. 그러면, 이때는 자동으로 관성인 화에서 병화만 남게 되면서, 병화인 칠살(煞)만 남기게(留) 된다(則食神合官留煞). 그러면, 이때 병정이라는 관살은 서로 문제를 만들지 않게 된다(而官煞不雜). 그러면, 이때 병화라는 칠살(煞)은 양인(刃)에서 경금을 상극으로 견제해서 지지(局)에 있는 유금의 에너지 문제를 깨끗이 청소(淸)하게 된다(煞刃局淸). 지금 양인은 음양으로 만나서 에너지를 중화(中和)해서 제거한다는 사실을 상기해보자. 그래서 이때 경금의 에너지를 병화라는 칠살로 견제해주게 되면, 이때 경금은 유금과 만나서 중화(中和)되는 에너지를 보유하지 못하게 된다. 그러면, 이때는 자동으로 양인격이 성립하게 된다. 그래서 이때는 병화라는 칠살로 인(因)해서 패격이 성격으로 변하게 된다(是因敗得成矣). 이때는 물론 천간합으로 만들어진 목(木)으로도 경금(庚)을 상극해서 경금의 에너지를 제어할 수 있게 된다. 추가로 목과 병화는 상생 관계가 된다. 그리고 여기서 보면, 합관류살(合官留煞)과 관살부잡(官煞不雜)이라는 문구를 용어로 만들어서 쓰고 있다. 이는 이 구절을 제대로 해석하지 못하면서, 이를 용어로 만들고 있다. 이는 사주 명리의 기초를 제대로 모르므로 인해서 생긴 현상이다. 이런 현상은 자동으로 미신(美神)인 사주명리를 미신(迷信)으로 만들고 만다. 다시 본문을 보자. 지금까지 기술한 이런 종류의 경우는(如此之類), 수도 없이 나오게 된다(亦不可勝數). 그리고 지금까지 예로 든 이들은 모두 패격이 성격으로 변한 경우이다(皆因敗得成之例也). 이 경우도 결국에는 에너지의 균형(均衡) 문제로 다가가게 된다. 그리고 에너지의 균형 문제는 상생, 상극, 동등의 문제가 된다. 그리고 일간과 월지의 에너지가 동등한 오행으로 구성된 경우에는 상극(克)으로 처리해서, 에너지의 균형을 잡아주게 된다.

其間奇奇怪怪, 變幼無窮, 惟以理權衡之, 隨在觀理, 因時運化, 由他奇奇怪怪, 自有一種至當不易不論. 觀命者毋眩而無主. 執而不化也.

이들 사이에서 나타나는 현상들은 아주 기기괴괴하고(其間奇奇怪怪), 변화도 환상적이어서 무궁무진하게 된다(變幼無窮). 이때는 오직 사주 명리의 기본 이론을 이용(以)해서 에너지로 표시되는 힘(權)의 균형(衡)을 잡아줘야만 한다(惟以理權衡之). 그리고 각각 오행의 위치에 따라서 원리를 관찰하게 되면(隨在觀理), 그로 인해서 시운의 변화를 알 수 있게 되고(因時運化), 그러면, 다른 기기괴괴한 경우도(由他奇奇怪怪), 자동으로 한 종류의 원리로 당연히 도달하게 되고, 그러면, 사주 명리도 쉽게 논의할 수 있게 된다(自有一種至當不易不論). 사주 명리를 관찰할 때는 명확하지 못한 이론을 가지고 억지로 주장해서도 안 되고(觀命者毋眩而無主), 어느 한 가지 이론에 집착해서 조화를 잃어서도 안 된다(執而不化也).

제14장 용신과 짝하는 기후 득실을 논하다
(論用神配氣候得失)

제14장 용신과 짝하는 기후 득실을 논하다(論用神配氣候得失)

論命惟以月令用神為主, 然亦須配氣候而互參之. 譬如英雄豪傑, 生得其時, 自然事半功倍. 遭時不順, 雖有奇才, 成功不易.

인체의 에너지를 분석하는 사주 명리를 논할 때는 월령을 용신으로 이용(以)해서 일간 에너지의 분석을 주도하지만(論命惟以月令用神為主), 그러나 역시 전체 에너지(氣)의 상태(候)도 배합(配)해서 다른 오행의 에너지도 서로(互) 참여시키게 된다(然亦須配氣候而互參之). 여기서 용신(用神)은 일간의 에너지 균형을 잡아주기 위해서 에너지(神)를 이용(用)한다는 사실을 아는 것이 중요하다. 그래서 용신(用神)이다. 이를 비유적으로 보게 되면, 아무리 능력이 뛰어난 영웅호걸도(譬如英雄豪傑), 당시에 때를 잘 만나게 되면(生得其時), 자연스럽게 일의 절반도 배로 불어나서 좋게 되지만(自然事半功倍), 때를 잘못 만나게 되면(遭時不順), 모름지기 뛰어난 재주를 가지고 있을지라도(雖有奇才), 성공은 쉽지 않게 된다(成功不易).

是以印綬遇官, 此謂官印雙全, 無人不貴. 而冬木逢水, 雖透官星, 亦難必貴, 蓋金寒而水益凍, 凍水不能生木, 其理然也. 身印兩旺, 透食則貴, 凡印格皆然. 而用之冬木, 尤為秀氣, 以冬木逢火, 不惟可以洩身, 而即可以調候也.

그래서 인수가 관성을 만나게 되면(是以印綬遇官), 이 둘은 서로 상생하므로, 관성과 인성이 모두 보전되면서(此謂官印雙全), 이 사주를 가진 사람은 귀하지 않은 사람이 없게 된다(無人不貴). 그러나 겨울에 목이 수를 만나게 되고(而冬木逢水), 게다가 관성이 투출하고 있게 되면(雖透官星), 역시 이 사주는 반드시 어렵게 되고 귀는 사라진다. 즉, 이때는 역시 반드시 귀하기가 어려워진다(亦難必貴). 겨울(冬)에 목(木)은 너무 춥다. 그런데 추가로 추운 수를 만나게 되면, 목은 더 추워진다. 이때는 당연히 병화를 요구한다. 그래야 겨울의 수를 중화하게 된다. 그런데, 이때 추가로 병화가 아닌 수를 만나게 되면, 목은 미치고 환장하게 된다. 그런데, 설상가상으로 천간으로 관성이 투출(透)해서 목을 상극하게 되면, 목은 아예 죽을상이 되고 만다. 이 상태를 보고 사주가 귀(貴)하다고 하면, 미친놈이 될 것이다. 다시 본문을 보자. 일반적으로 쌀쌀한 한기를 보유한 금이 수와 동거하게 되면, 수는 더욱더 얼어버리고 만다(蓋金寒而水益凍). 그리고 이런 냉한 성질을 보유한 수가 따뜻한 목을 생하기는 불가하다(凍水不能生木). 이런 이치는 너무나도 당연한 일이다(其理然也). 그래서 일간과 일간을 생하는 인성이 에너지적으로 모두 왕성하게 될 때(身印兩旺), 식신을 투출하게 되면 귀하게 된다(透食則貴). 이때는 식신이 인성을 상극으로 견제해주기 때문이다. 그러면, 일간의 에너지는 균형을 잡게 된다. 즉, 이때는 인성, 일간, 식신이라는 상생의 조합이 만들어지면서, 에너지가 균형을 잡게 된다. 다시 본문을 보자. 일반적으로 지금처럼 인수격은 모두 이렇게 되지만(凡印格皆然), 특히 겨울을 끼고 있는 목이 식신을 용신으로 이용(用)하게 되면(而用之冬木), 일간인 목의 에너지는 식신인 화가 겨울의 수를 상극해서 제어해주면서, 더욱더 수려(秀)한 기운(氣)으로 변하게 된다(尤為秀氣). 즉, 겨울을 끼고 있는 목이 화를 만난 것이다(以冬木逢火). 이때 식신인 화는 겨울의 수를 견제할 뿐만이 아니라(不惟) 일간인 목의 에너지도 설기해서 조절해준다(不惟可以洩身). 즉(卽), 이때는 식신인 화가 전체 에너지의 상태(候)를 조절(調)하는 일도 가능해진다(而即可以調候也).

傷官見官, 為禍百端, 而金水見之, 反為秀氣. 非官之不畏夫傷, 而調候為急, 權而用之也. 傷官帶煞, 隨時可用, 而用之冬金, 其秀百倍.

목의 상관이 관성을 보게 되면(傷官見官), 상관은 관성을 상극하므로, 화를 더욱더 키우게 된다(為禍百端). 이때 목이 금수(金水)를 보게 되면(而金水見之), 이때는 반대로 금과 수가 서로 상생하게 되면서, 목의 기운은 수려하게 된다(反為秀氣). 그리고 일반적(夫)으로 목의 관성(官)은 자기를 상극하는 상관을 두려워하지 않을 수 없게 된다(非官之不畏夫傷). 화는 금을 상극하기 때문이다. 이때는 당연히 에너지 상태(候)의 조절(調)이 급선무(急)가 된다(而調候為急). 그리고 이때는 당연히 에너지의 힘(權)을 이용(用)하게 된다(權而用之也). 그리고 상관이 칠살을 끼고 있을 때도(傷官帶煞), 때에 따라서는 용신으로 이용이 가능할 때도 있다(隨時可用). 즉, 겨울을 끼고 있는 금은(而用之冬金), 겨울이라는 수를 제거해야만 한다. 이때는 칠살인 화를 이용해서 겨울의 수를 상극으로 제거하면 된다. 그러면 이때 금(其)의 에너지는 백 배 더 수려(秀)해지게 된다(其秀百倍). 지금은 겨울의 수와 상관이라는 수가 동시에 존재한다는 사실을 상기해보자.

傷官佩印, 隨時可用, 而用之夏木, 其秀百倍, 火濟水, 水濟火也. 傷官用財, 本為貴格, 而用之冬水, 即使小富, 亦多不貴, 凍水不能生木也. 傷官用財, 即為秀氣, 而用之夏木, 貴而不甚秀, 燥土不甚靈秀也.

상관이 인성을 끼고 있을 때는(傷官佩印), 인성이 상관을 상극으로 견제해주므로, 때에 따라서는 상관을 용신으로 이용하는 일이 가능하게 된다(隨時可用). 그러면, 이때는 인성, 일간, 상관이라는 상생의 조합이 만들어지면서 에너지 균형이 잡힌다는 뜻이다. 그리고 여름에 낀 목이 있을 경우에는(而用之夏木), 여름의 무더위인 상관을 수(水)인 인성이 견제해주므로, 이때도 역시 상관을 용신으로 이용하는 일이 가능하게 된다. 그러면, 이때 목(其)이라는 일간은 자기 에너지를 백 배 더 수려하게 만들 수 있게 된다(其秀百倍). 이때는 화가 수로 에너지를 건네게 되며(火濟水), 또한 수가 화로 에너지를 건네게 된다(水濟火也). 즉, 수화기제(水火既濟)를 말하고 있다. 그리고 상관이 재성을 이용하게 되면(傷官用財), 상관은 재성과 상생의 관계이므로, 이때 일간(本)은 자동으로 귀격을 만든다(本為貴格). 그리고 겨울을 끼고 있는 수가 이 둘을 용신으로 쓰게 되면(而用之冬水), 수는 상관과 재성 모두에서 서로 상극하는 존재가 되므로, 아주 작은 복은 만들게 할 수는 있으나(即使小富), 역시 귀가 많지는 않게 된다(亦多不貴). 그리고 겨울을 끼고 있는 수는 얼음이 꽁꽁 언 상태라서, 이는 봄인 목과 상생은 불가하게 된다(凍水不能生木也). 그러나 이때 목이 상관이 재성을 이용하고 있는 상황을 마주치게 되면(傷官用財), 목은 자동으로 꽁꽁 언 수(水) 중에서 하나는 상관이라는 화로 상극해서 제어하고, 하나는 토로 상극해서 제어하게 되면, 이때는 목의 에너지(氣)가 수려하게 변한다(即為秀氣). 그리고 여름을 끼고 있는 목이 상관이 재성을 이용하고 있는 상황을 마주치게 되면서, 이 둘을 이용하게 되면(而用之夏木), 여름의 화와 상관은 화가 되고, 재성은 토가 되면서, 화와 토는 상생하게 되고, 이어서 목이 만든 격은 귀격이 되나, 이때 목의 에너지는 특별히 심하게 변해서 수려하게 되지는 않는다(貴而不甚秀). 이때 토는 장하를 말하게 되는데, 장하의 토(土)는 여름의 끝자락이라서 약간 더운(燥) 상태를 말하게 되므로, 이런 토는 여름을 끼고 있는 목에 아주 강하게 작용하지는 못하기 때문이다(燥土不甚靈秀也).

春木逢火, 則為木為通明, 而夏木不作此論. 秋金遇水, 則為金水相涵, 而冬金不作此論. 氣有衰旺, 取用不同也. 春木逢火, 木火通明, 不利見官. 而秋金遇水, 金水相涵, 見官無礙. 假如庚生申月, 而支中或子或辰, 會成水局, 天乾透丁, 以為官星, 只要壬癸不透露幹頭, 便為貴格, 與食神傷官喜見官之說同論, 亦調候之道也.

쌀쌀한 봄을 낀 목이 여름의 화를 만나게 되면(春木逢火), 더욱더 쌀쌀해진 목은 당연히 화라는 더운 에너지를 만나게 되면서, 목은 명확(明)하게 봄의 에너지를 소통(通)할 수 있게 된다(則為木為通明). 즉, 목이 두 개라서 심하게 쌀쌀한 봄에 화는 봄이 정상적으로 따뜻해지도록 돕게 된다. 봄은 쌀쌀함과 따뜻함이 공존(共存)한다는 사실을 상기해보자. 다시 본문을 보자. 그러나 이때 목이 여름을 끼고 있게 되면, 이때는 봄이 너무 더워지므로, 추가된 화는 문제가 되면서, 이 이론은 작동하지 않게 된다(而夏木不作此論). 그리고 쌀쌀한 가을을 낀 금이 차가운 수를 만나게 되면(秋金遇水), 이때 금과 수는 서로 젖게 된다(則為金水相涵). 즉, 지금은 가을을 금이 끼고 있으므로, 이때는 가을의 쌀쌀함이 두 배가 되고, 여기에 수라는 차가움을 더하게 되면, 이때는 아주 추워진다는 뜻이다. 이때 금과 수는 서로 더욱더(涵) 추워지게 만들고 말 것이다. 그래서 이때는 겨울과 금이 서로 상생한다는 이론은 작동하지 못하게 된다(而冬金不作此論). 그래서 에너지는 당연히 어떤 에너지를 만나느냐에 따라서 쇠퇴와 왕성함이 있게 된다(氣有衰旺). 그러면, 이때는 자동으로 에너지를 조절하는 용신을 취할 때도 다르게 된다(取用不同也). 예를 들자면, 봄을 낀 목이 화를 만나게 되면(春木逢火), 이미 앞에서 본 것처럼, 이때는 목과 화가 만나서 목을 명확히 소통하게 해주지만(木火通明), 이때 금이라는 관성을 만나게 되면, 금은 목과 화를 모두 상극하는 에너지가 되므로, 관성인 금은 목에 불리하게 작용한다(不利見官). 그리고 가을을 낀 금이 수를 만나게 되면(而秋金遇水), 이미 앞에서 본 것처럼, 이때는 더욱더 추워지게 되면서, 금과 수가 서로 추위에 젖게(涵) 만들므로(金水相涵), 이때 금을 상극하는 화인 관성을 만나게 되어도 꺼리지(礙) 않게 된다(見官無礙). 이때는 관성인 화가 두 개의 금 중에서 하나를 상극으로 제어해주게 되고, 그러면, 금과 수의 상생 관계는 회복되기 때문이다. 예를 하나 들어보자. 일간이 경금이고, 월지가 신금일 때(假如庚生申月), 지지에서 자수나 진토가 나오게 되면(而支中或子或辰), 신자진이라는 삼합(會)이 만들어지면서, 이는 지지(局)에서 수(水)로 변하게 된다(會成水局). 지금 금(金)이 하나 제거되었다는 사실이 중요하다. 이때 천간으로 정화가 투출해있게 되면(天乾透丁), 이는 경금과 짝하게 되면서 관성인 정관이 된다(以為官星). 그러면 경금은 지지에서 삼합의 수와 상생의 관계가 되고, 천간에서는 정관의 관계 나오게 된다. 이는 자동으로 귀격을 만든다. 이는 앞에서 설명한 이론을 아주 복잡하게 증명하고 있다. 그 이유는 앞의 이론은 천간을 기준으로 설명한듯하면서, 실제 예시에서는 지지와 천간을 번갈아 가면서 말하고 있기 때문이다. 물론 두 개 모두 틀린 것은 아니다. 그래서 자동으로 이 예시에서는 단지(只) 중요(要)한 사실은 지지에서 삼합으로 만들어진 수인 임계가 천간이라는 머리로 투출해서 노출되지 못한다는 점이다(只要壬癸不透露幹頭). 그러나 자동으로 귀격은 만들게 된다(便為貴格). 이때 식신과 상관이 관성을 보게 되는 이론도 똑같게 된다(與食神傷官喜見官之說同論). 금의 식산은 해수가 되고, 상관은 자수가 되고, 관성은 화가 된다. ㄱ러면, 이때는 수가 둘이라서 하나는 상극으로 제거해줘야만 한다. 이때 관성인 화가 필요하게 된다. 지금까지 기술한 이들이 에너지의 상태(候)를 조율(調)하는 원리이다(亦調候之道也). 여기서 후(候)를 기후라는 계절의 에너지로 해석하면 안 된다. 그 이유는 사주 명리에 나오는 에너지는 계절의 에너지 상태도 분석하지만, 동시에 인체의 에너지 상태도 분석하기 때문이다.

食神雖逢正印, 亦謂奪食, 而夏木火盛, 輕用之亦秀而貴, 與木火傷官喜見水同論, 亦調候之謂也. 此類甚多, 不能悉述, 在學者引伸觸類, 神而明之而已.

일간의 입장으로 보았을 때 식신이 비록 좋은 조건인 정인을 만났을지라도(食神雖逢正印), 정인은 식신을 상극해서 제어하게 되므로, 이때는 역시 정인이 식신의 에너지를 탈취하게 된다(亦謂奪食). 그래서 여름을 낀 목이 여름인 화가 왕성할 때를 만나게 되면(而夏木火盛), 이때 목은 너무 더워지게 되므로, 계수라는 약(輕)한 정인이라도 용신으로 쓰게 되면, 화는 자동으로 약해지게 되고, 이어서 이때 목의 에너지는 역시 수려해지게 되고, 이어서 목과 화는 상생하게 되고, 이어서 목은 귀해지게 된다(輕用之亦秀而貴). 그리고 이때 목이 화인 상관을 끼고 있을 때, 이런 화를 제어해주는 수를 만나게 되면, 자동으로 목은 좋아하게 되는 이론과 같게 된다(與木火傷官喜見水同論). 이때는 수, 목, 화라는 상생의 조합이 만들어지면서 에너지가 균형을 잡게 되기 때문이다. 이것도 역시 에너지 상태의 조율이라고 부른다(亦調候之謂也). 그리고 이런 종류는 너무나도 많아서(此類甚多), 모두 기술하기조차도 어렵다(不能悉述). 그래서 사주 명리를 공부할 때(在學)는 이런 종류의 문제를 끌어다가 분석해보게 되면(在學者引伸觸類), 용신에서 이용하는 에너지(神)라는 개념이 명확하게 드러나게 된다(神而明之而已).

제15장 상신의 긴요를 논하다(論相神緊要)

제15장 상신의 긴요를 논하다(論相神緊要)

月令既得用神, 則別位亦必有相, 若君之有相, 輔者是也. 如官逢財生, 則官為用, 財為相. 財旺生官, 則財為用, 官為相. 煞逢食制, 則煞為用, 食為相. 然此乃一定之法, 非通變之妙. 要而言之. 凡全局之格, 賴此一字而成者, 均謂之相也.

월령에서 이미 용신을 얻고 있을지라도(月令既得用神), 별도로 다른 위치에서 역시 반드시 이에 상응하는 용신을 보유해야만 할 때가 있다(則別位亦必有相). 이는 에너지 균형(均衡) 때문이다. 이는 임금에게 재상이 있어서, 재상이 임금을 돕는 것과 같아서(若君之有相), 상신도 역시 이런 도움(輔)을 주는 경우가 된다(輔者是也). 예를 들자면, 관성이 재성을 만나서 상생하고 있을 때(如官逢財生), 관성을 용신으로 쓰게 되면(則官為用), 이때는 관성의 에너지를 상극으로 제어해주는 재성이 상신이 된다(財為相). 이때 재성이 왕성하게 관성을 생하게 되면(財旺生官), 이때는 자동으로 에너지의 부담을 줄일 수 있는 재성이 용신이 되고(則財為用), 재성의 에너지 부담을 줄여주는 관성이 재성을 보좌하는 상신이 된다(官為相). 이때는 관성이 에너지의 균형을 잡아주는 추의 역할을 하게 된다. 그리고 칠살이 식신을 만나서 상극으로 제어받게 되면(煞逢食制), 이때는 자동으로 상극당하는 칠살이 용신이 되고(則煞為用), 상극하는 식신이 상신이 된다(食為相). 그러면, 일간은 이들과 만나서 식신, 칠살, 일간이라는 상극의 조합이 만들어지면서 에너지가 균형(均衡)을 찾게 된다. 그러나 이는 일정한 법칙에 이를 수 있는(然此乃一定之法), 변통의 묘미는 아니다(非通變之妙). 즉 상황에 따라서 에너지의 균형(均衡)을 보라는 뜻이다. 이를 요약해서 보자면(要而言之), 일반적으로 격국의 온전함은(凡全局之格), 이런 한 글자에 의지(賴)해서 격을 완성하게 되므로(賴此一字而成者), 이때는 에너지의 균형(均)을 말하는 일은 상신을 말하게 된다(均謂之相也). 즉, 상신은 에너지의 균형을 잡아주는 추라는 뜻이다. 사주 명리에서 핵심은 일간의 에너지를 어떻게 균형을 유지하면서 보전하느냐의 문제이기 때문이다.

傷用神甚於傷身, 傷相甚於傷用. 如甲用酉官, 透丁逢壬, 則合傷存官以成格者, 全賴壬之相. 戊用子財, 透甲並己, 則合煞存財以成格者, 全賴己之相. 乙用酉煞, 年丁月癸, 時上逢戊, 則合去癸印以使丁得制煞者, 全賴戊之相.

용신을 상하게 하는 에너지가 일간을 상하게 하는 에너지보다 더 심한 문제를 만든다(傷用神甚於傷身). 그 이유는 용신은 일간을 비롯한 사주 전체의 에너지 균형을 조절해주기 때문이다. 그리고 이런 용신의 에너지 균형을 도와주는 상신의 에너지를 상하게 하는 에너지는 용신을 상하게 하는 에너지보다 더 심한 문제를 만든다(傷相甚於傷用). 그 이유는 이때는 용신의 에너지와 일간의 에너지를 동시에 무너뜨리기 때문이다. 예를 들어서 설명하자면, 갑목이 유금을 정관으로 이용할 때(如甲用酉官), 정화가 천간으로 투출해서 임수를 만나게 되면(透丁逢壬), 이때는 정임이라는 천간합(合)의 목(木)을 만들게 되고, 이어서 갑목의 에너지와 천간합이 만든 목의 에너지가 합쳐지게 되면서, 갑목의 에너지가 너무 과도해지게 되고, 이어서 목을 만든 합은 정관을 이용해서 성격을 만들 때 상해를 입히게 된다. 즉, 이는 목이라는 천간합이 문제라는 뜻이다. 이때 목이라는 천간합을 만들지 않았다면, 이때는 정화와 임수가 합거(合)하면서, 천간의 정화는 갑목과 상관(傷)이 되면서 동시에 지지에서 유금과 갑목이 정관(官)이 되고, 이어서 성격(成格)을 이룰 수 있었는데(則合傷存官以成格者), 이때 갑목을 죽이는 정화가 갑목의 용신이 될 수 있었던 이유는 전적(全)으로 정화를 상극으로 제어하는 임수(壬)라는 상신(相)에 의지(賴)할 수 있었기 때문이다(全賴壬之相). 그런데, 지금은 정임이 목으로 변하면서, 거꾸로 이 목은 갑목을 망치고 있다. 이때는 임수라는 상신을 천간합이 망치고 있는 경우이다. 덕분에 갑목의 에너지 균형은 모조리 깨지고 말았다. 임수라는 상신을 망치는 일은 이렇게 무섭다는 사실을 말하고 있다. 해석이 의외로 까다롭다. 다시 본문을 보자. 일간인 무토가 월지의 자수를 정재로 이용하고 있을 때(戊用子財), 갑목이 천간으로 투출해서 기토와 서로 존재할 때는(透甲並己), 갑기라는 천간합의 토(土)를 만들게 된다. 그러면, 무토의 에너지와 토의 에너지가 합쳐지면서, 정재격은 깨지고 만다. 이때 만일에 갑목과 기토가 서로 합거

(合)하면서, 천간에서 갑목이 무토와 칠살(煞)을 만들고, 지지에서는 자수와 정재(財)를 만들고, 이어서 무토가 성격(成格)을 만들 수 있는 이유는(則合煞存財以成格者), 무토가 갑목을 상극해서 제어하는 기토(己)라는 상신(相)에 전적(全)으로 의지(賴)할 수 있었기 때문이다(全賴己之相). 그러나 지금은 갑기가 토로 변하면서, 무토의 에너지 균형은 모조리 깨지고 말았다. 다시 본문을 보자. 일간의 을목이 월지에서 유금을 만나서 칠살격을 만들고 있을 때(乙用酉煞), 연간에 정화가 있고, 월간에 계수가 있고(年丁月癸), 시간에서 무토를 만나게 되면(時上逢戊), 무계는 천간합으로서 화(火)가 된다. 이때 천간합을 배제하고 합거를 가정하게 되면, 을목과 정화는 식신이 되고, 계수는 편인이 되고, 무토는 정재가 된다. 그러면, 이때 식신인 정화(丁)를 이용(以使)해서 계수(癸)라는 편인(印)을 제거(去)해서 제어(制)할 수 있게 되고, 그러면, 을목은 유금과 만드는 칠살격(煞)을 유지할 수 있게 되는데(則合去癸印以使丁得制煞者), 그 이유는 을목의 에너지를 천간의 무토가 상극으로 제어할 수 있었기 때문이다. 그래서 이때 을목은 상신(相)인 무토(戊)를 전적(全)으로 의지(賴)하게 된다(全賴戊之相). 그러면, 이때는 을목의 에너지가 강해지면서, 을목은 유금과 칠살격을 만들지 않게 되고, 이어서 에너지는 균형을 잡게 되고, 아이러니하게도 칠살격은 유지된다. 즉, 이때는 유금, 을목, 무토라는 상극의 조합이 만들어지면서 에너지의 균형이 잡히게 되고, 칠살격은 유지된다. 이때 칠살격의 에너지 조율은 천간에서 하든 지지에서 하든 상관이 없다.

癸生亥月, 透丙為財, 財逢月劫, 而卯未來會, 則化水為木而轉劫以生財者, 全賴於卯未之相. 庚生申月, 透癸洩氣, 不通月令而金氣不甚靈, 子辰會局, 則化金為水而成金水相涵者, 全賴於子辰之相. 如此之類, 皆相神之緊要也.

일간이 계수이고 월지가 해수여서, 이때는 자동으로 겁재가 되는데(癸生亥月), 추가로 병화가 투출해서 일간인 계수와 정재를 만들고(透丙為財), 그러면, 이때는 재성이 월겁을 만나는 경우가 되고(財逢月劫), 이때 지지에서 묘미가 나오게 되면, 이 둘은 월지인 해와 만나서 삼합(會)인 해묘미라는 목(木)을 만들게 되고(而卯未來會), 그러면, 지지의 해수(亥水)는 변화(化)해서 목(木)이 되고, 그러면, 이미 만들어진 겁재(劫)는 목으로 변(轉)해서 재성인 화를 생하게 되고(則化水為木而轉劫以生財者), 그러면, 이때는 투출(透)한 재성인 병화가 정재로서 용신이 되는데, 이는 묘미라는 상신이 나타나서 해묘미라는 목(木)을 만들면서 일간인 계수의 에너지가 안정화되었으므로, 이때는 전적으로 묘미라는 상신에 의지한 결과이다(全賴於卯未之相). 여기서 엄청나게 주의할 점은 원래 지지의 오행은 천간의 오행을 에너지적으로 상대할 수가 없다는 사실이다. 지지의 오행 에너지는 천간 오행 에너지의 1/3밖에는 안 되기 때문이다. 그런데, 이때 지지의 오행 3개가 모여서 삼합(三合)을 만들면서 지지에서 새로운 오행을 만들게 되면, 이때는 자동으로 천간의 오행과 에너지적으로 똑같아지면서, 삼합의 오행은 천간의 오행과 에너지적으로 대적할 수 있게 된다. 그 결과로 해묘미라는 목(木)은 목국(木局)이 되면서, 천간에 있는 재성인 병화와 대적할 수 있게 되고, 이어서 목국(木)이 재성인 병화를 생(生)할 수 있게 된다. 이로써 계수는 정재격을 만들게 된다. 그래서 이 구문은 이 관계를 모르게 되면, 해석이 엉망진창이 되고 마는데, 이는 작금의 현실이기도 하다. 이는 자동으로 사주 명리를 미신으로 몰고 가고 만다. 다시 본문을 보자. 일간이 경금이고, 월지가 신금이어서 겁재가 되고(庚生申月), 추가로 계수를 투출하면서 계수는 자동으로 경금의 에너지를 설기하게 되고(透癸洩氣), 그러면 자동으로 경금은 월령인 신금과 에너지적으로 불통하게 되고(不通月令), 따라서 경금과 신금이라는 금(金)의 에너지(氣)는 서로 영적으로 중요한(甚) 관계를 맺을 수 없게 된다(而金氣不甚靈). 즉, 이때는 경금과 신금이 만나서 만들어지는 겁재가 만들어지지 않게 된다는 뜻이다. 이때 지지에서 자진이 나타나서 신자진이라는 삼합(會)을 만들고, 이어서 수국(水局)이라는 수(水)를 만들게 되면(子辰會局), 지지에 있던 신금(金)은 신자진이라는 삼합의 수(水)가 되고(則化金為水), 그러면, 천간에는 경금과 투출한 계수가 남게 되고, 지지에는 수국(水)이 남게 된다. 그러면, 이때는 천간의 경금(金)과 지지의 수국(水)이 서로 젖어(涵)들면서(而成金水相涵者), 상생의 관계를 맺게 되고, 이어서 좋은 격을 만들게 된다. 이는 지지에서 수국(水)이 만들어지면서 나온 결과이므로, 이 격은 전적으로 자진이라는 상신에 의지한 결과이다(全賴於子辰之相). 이런 종류의 경우는(如此之類), 모두 상신이 얼마나 중요한지를 말하고 있기도 하다(皆相神之緊要也).

相神無破, 貴格已成. 相神相傷, 立敗其格. 如甲用酉官, 透丁逢癸印, 制傷以護官矣, 而又逢戊, 癸合戊而不制丁, 癸水之相傷矣. 丁用酉財, 透癸逢己, 食制煞以生財矣, 而又透甲, 己合甲而不制癸, 己土之相傷矣. 是皆有情而化無情, 有用而成無用之格也.

그래서 상신의 파괴가 없게 되면(相神無破), 귀격은 자동으로 완성된다(貴格已成). 그래서 상신과 용신이 서로(相) 상처를 입히게 되면(相神相傷), 그(其) 격은 자동으로 패격을 만들고 만다(立敗其格). 예를 들어서 설명해보자면, 갑목이 유금을 정관으로 이용하고 있을 때(如甲用酉官), 정화가 투출되고, 계수라는 정인을 만나게 되면(透丁逢癸印), 정화와 계수는 서로 상극으로 제어되면서, 자동으로 정관은 보호된다(制傷以護官矣). 이때 다시 무토를 만나게 되면(而又逢戊), 이때는 무계라는 천간합(合)의 화가 나오게 되고, 그러면, 계수가 사라지면서 정화를 제어할 수 없게 되고(癸合戊而不制丁), 이어서 화와 정화는 자동으로 갑목을 괴롭히면서, 정관격은 자동으로 망하게 되는데, 이는 계수라는 상신(相)이 상처(傷)를 입었기 때문이다(癸水之相傷矣). 이번에는 정화가 유금을 편재로 이용하고 있을 때(丁用酉財), 편관인 계수가 투출해서 식신인 기토를 만나게 되면(透癸逢己), 식신인 기토는 편관으로서 재성을 생(生)하는 칠살인 계수를 상극으로 제어하게 된다(食制煞以生財矣). 이때 추가로 갑목을 천간으로 추출받게 되면(而又透甲), 갑기라는 천간합(合)으로서 토를 만들게 되고, 그러면 자동으로 기토는 계수를 상극으로 제어할 수 없게 된다(己合甲而不制癸). 그러면, 계수와 일간인 정화는 상극으로 만나게 되는데, 이는 기토라는 상신이 상해를 입은 결과이다(己土之相傷矣). 이런 모든 경우는 의미를 보유하고 있지만, 그 의미를 살리지 못한 경우이다(是皆有情而化無情). 이는 또한 용신을 보유하고 있지만, 용신으로 격을 만들지(成) 못한 경우이다(有用而成無用之格也).

凡八字排定, 必有一種議論, 一種作用, 一種棄取, 隨地換形, 難以虛擬, 學命者其可忽諸?

일반적으로 사주 여덟 글자의 용신을 배정할 때는(凡八字排定), 반드시 한 종류의 상의가 있게 되고(必有一種議論), 한 종류의 작용이 있게 되고(一種作用), 한 종류의 버림과 취함이라는 선택이 있게 되는데(一種棄取), 이는 자리(地)에 따라서 형태를 다양하게 바꾸게 되면서(隨地換形), 이를 하나의 의심도 없이 헤아리기(擬)란 상당히 어렵다(難以虛擬). 그래서 사주 명리를 공부하게 되면, 이때는 어떤 경우를 막론하고 어떻게 소홀히 다룰 수 있겠는가(學命者其可忽諸)?

제16장 잡기에서 용신을 어떻게 취하는지 논하다

(論雜氣如何取用)

제16장 잡기에서 용신을 어떻게 취하는지 논하다(論雜氣如何取用)

四墓者, 雜氣也. 何以謂之雜氣? 以其所藏者多, 用神不一, 故謂之雜氣也. 如辰本藏戊, 而又為水庫, 為乙餘氣, 三者俱有, 於何取用? 然而甚易也, 透幹會取其清者用之, 雜而不雜也.

지지의 토로서 축진미술인 사묘는(四墓者), 잡기이다(雜氣也). 이를 충기(沖氣)라고 부르기도 한다. 의미는 서로 같다. 그런데 왜 잡기라고 부르는가(何以謂之雜氣)? 즉, 사묘라는 기운은 자기가 보유한 지장간(藏)의 기운이 많아서 복잡(雜)하기 때문이다(以其所藏者多). 그러면, 이들이 만약에 천간으로 투출하게 되면, 자동으로 용신을 하나만 만들지 않고 복잡(雜)하게 만든다(用神不一). 그래서 이를 잡기(雜)라고 부른다(故謂之雜氣也). 즉, 지지의 토는 을정무기신계라는 6개의 지장간을 천간으로 투출할 수 있어서, 지지의 토는 용신을 아주 복잡(雜)하게 만든다. 예를 들자면, 양으로서 진토는 본래(本) 자기의 기운인 양인 무토를 품고(藏) 있다(如辰本藏戊). 그러나 또한 지장간의 중기에서 계수(水)를 품고 있는 창고(庫)이기도 하다(而又為水庫). 추가로 여기로 을목을 보유하고 있다(為乙餘氣). 그래서 이때 진토가 이런 3가지를 모두 보유하게 되면(三者俱有), 어떤 오행의 기운을 선택해서 용신으로 하면 될까요(於何取用)? 그러나 이는 아주 쉽다(然而甚易也). 즉, 지장간 중에서 천간으로 투출하고 있거나 삼합을 만들고 있으면, 이(其) 둘 중에서 좋은 것(淸)을 쓰면(用) 된다(透幹會取其淸者用之). 그래서 잡기는 복잡하게 보이지만, 실제로는 복잡하지 않다(雜而不雜也).

何謂透干? 如甲生辰月, 透戊則用偏財, 透癸則用正印, 透乙則用月劫是也. 何謂會支? 如甲生辰月, 逢申與子會局, 則用水印是也. 一透則一用, 兼透則兼用, 透而又會, 則透與會並用. 其合而有情者吉, 其合而無情者則不吉.

그러면, 투간은 뭘 말하는가(何謂透干)? 예를 들자면, 일간이 갑목이고, 월지가 진토일 때(如甲生辰月), 진토가 자기의 지장간인 무토를 투출해서 갑목의 편재를 용신으로 쓸 때이고(透戊則用偏財), 계수를 투출해서 갑목의 정인을 용신으로 쓸 때이고(透癸則用正印), 을목을 투출해서 갑목의 월겁을 용신으로 쓸 때이다(透乙則用月劫是也). 그러면, 지지의 삼합(會)은 무엇인가(何謂會支)? 예를 들자면, 일간이 갑목이고, 월지가 진토일 때(如甲生辰月), 진토가 신자를 만나서 신자진이라는 삼합(會)의 수국(局)을 만들 때이다(逢申與子會局). 이때 천간은 갑목이 되고, 지지는 수가 되면서, 갑목은 삽합의 수(水)인 인성(印)을 용신으로 쓰게(用) 된다(則用水印是也). 이때 투출이 하나만 있게 되면, 이 하나를 용신으로 쓰고(一透則一用), 많이 있게 되면, 이들 모두를 용신으로 쓰게 된다(兼透則兼用). 이때 투출이 있는 동시에 또한 삼합도 있다면(透而又會), 투출된 오행과 삼합이 만든 오행을 병용(並)해서 용신으로 쓰면 된다(則透與會並用). 이때 삼합이 일간에 의미(情)가 있게 쓰이면서 도움을 주게 되면, 이를 유정(有情)이라고 하며, 이는 자동으로 일간을 길하게 만든다(其合而有情者吉). 그러나 이때 만들어진 삼합이 일간에 도움이 안 되면서 의미(情)가 없게 되면, 이를 무정(無情)이라고 하며, 이는 자동으로 일간을 불길하게 만든다(其合而無情者則不吉).

何謂有情? 順而相成者是也. 如甲生辰月, 透癸為印, 而又會子會申以成局, 印綬之格, 清而不雜, 是透干與會支, 合而有情也. 又如丙生辰月, 透癸為官, 而又逢乙以為印, 官與印相生, 而印又能去辰中暗土以清官, 是兩乾並透, 合而情也. 又如甲生丑月, 辛透為官, 或巳酉會成金局, 而又透己財以生官, 是兩乾並透, 與會支合而有情也.

그러면 왜 유정이라고 부르는가(何謂有情)? 일간의 에너지를 순조롭게 해서 서로 완성되게 하는 것이다(順而相成者是也). 예를 들어서 설명하자면, 일간이 갑목이고, 월지가 진토일 때(如甲生辰月), 진토의 지장간인 계수를 투출해서 갑목과 정인을 만들 때나(透癸為印), 또한 자신을 만나서 신자진이 되면서 삼합으로서 수를 만들고, 이어서 수국(局)을 만들고(而又會子會申以成局), 갑목과 수국이 인수격을 만드는 경우이다(印綬之格). 이때는 천간과 지지에서 어느 경우도 문제를 만들지 않고 깨끗(淸)하므로, 복잡하지 않게 된다(淸而不雜). 즉, 이 경우는 천간으로 투출된 오행이나 지지에서 삼합으로 만들어진 오행 모두 문제를 만들지 않았고(是透干與會支), 서로 화합하면서 갑목의 에너지는 의미(情)가 있게 되었다(合而有情也). 추가로 예를 들어보자면, 일간이 병화이고, 월지가 진토일 때(又如丙生辰月), 진토가 계수를 투출해서 병화와 정관을 만들고 있을 때나(透癸為官), 추가로 지장간에서 올라온 을목을 만나서 병화와 정인을 만들 때는(而又逢乙以為印), 이때 정관을 만든 계수와 정인을 만든 을목은 서로 상생하게 되고(官與印相生), 이때 정인인 을목은 또한 진토의 지장간에 숨어있는 무토라는 토를 상극으로 제어해서, 이 무토가 계수인 정관을 상극으로 청소(淸)해버리는 일을 능히(能) 막게(去) 된다(而印又能去辰中暗土以清官). 그래서 이때는 계수와 을목의 투출이 천간에서 양립할 수 있게 된다(是兩乾並透). 그래서 이런 경우의 조합은 병화가 의미(情)를 보유하게 만든다(合而情也). 추가로 예를 들어보자면, 일간이 갑목이고, 월지가 축토일 때(又如甲生丑月), 축토의 지장간인 신금이 천간으로 투출하면서, 갑목과 정관을 만들 때나(辛透為官), 지지에서 사유를 만나서 사유축이라는 삼합으로 금국을 만들 때나(或巳酉會成金局), 또한 축토의 지장간에서 기토를 투출해서 갑목과 정재를 만들고, 이어서 신금이 만든 정관과 상생하게 되는 경우에는(而又透己財以生官), 이 두 개의 천간 투출이 양립할 수 있게 된다(是兩乾並透). 더불어 지지에서 삼합으로 만들어진 금도 갑목에게 의미(情)를 부여할 수 있게 된다(與會支合而有情也). 즉, 모두가 일간의 에너지를 순조(順)롭게 만든다.

何謂無情？ 逆而相背者是也. 如壬生未月, 透己為官, 而地支會亥卯以成傷官之局, 是透官與會支, 合而無情者也. 又如甲生辰月, 透戊為財, 又或透壬癸以為印, 透癸則戊癸作合, 財印兩失, 透壬則財印兩傷, 又以貪財壞印, 是兩乾並透, 合而無情也. 又如甲生戌月, 透辛為官, 而又透丁以傷官, 月支又會寅會午以成傷官之局, 是兩乾並透, 與會支合而無情也.

그러면, 여기에서 무정은 무엇을 말하는가(何謂無情)? 이는 순리를 역행(逆)해서 서로 등(背)을 지는 경우가 된다(逆而相背者是也). 예를 들어서 설명하자면, 일간이 임수이고, 월지가 미토일 때(如壬生未月), 미토의 지장간인 기토가 천간으로 투출해서 임수와 정관을 만들고 있을 때와(透己為官), 지지에서는 해묘를 만나서 해묘미가 되면서 삼합으로서 목국을 만들 때는 기토와 목국(局)이 만나서 상관(傷官)을 만들게 되면((而地支會亥卯以成傷官之局, 이 경우는 투출한 정관과 지지의 삼합이 서로 대적하게 되는데(是透官與會支), 이때 조합은 상관을 만들면서 임수의 에너지에 의미(情)를 부여하지 못하게 만들어버린다(合而無情者也). 여기서 주의할 점은 지지에서 만들어진 목국이 천간의 오행과 에너지적으로 대적할 수 있다는 사실이다. 추가로 예를 들어보자면, 일간이 갑목이고, 월지가 진토일 때(又如甲生辰月), 진토의 지장간에서 무토를 투출하면서 갑목과 편재를 만들고 있을 때와(透戊為財), 또한, 진토의 지장간에서 계수를 투출해서 이미 투출한 임수와 만나게 되면, 이들은 갑목과 인성(印)을 만들게 되고(又或透壬癸以為印), 또한 계수를 투출했을 경우에 무토를 만나게 되면, 무계라는 천간합으로서 화를 만들게 되고(透癸則戊癸作合), 그러면, 이때는 정인을 만드는 계수와 편재를 만드는 무토가 동시에 제거되면서, 편재와 정인을 동시에 잃고 만다(財印兩失). 이때 임수가 투출해 있어도, 정인을 만든 계수와 편재를 만든 무토가 임수와 동시에 반응하면서, 정인과 편재가 모두 상처를 입게 된다(透壬則財印兩傷). 이는 상극과 겁재를 살펴보면 된다. 이는 또한 임수가 편재(財)를 만든 무토의 에너지를 상극으로 탐(貪)하는 경우가 되고, 정인(印)을 만든 계수의 에너지를 겁재로 중화해서 붕괴(壞)시킨 경우가 된다(又以貪財壞印). 이 양쪽이 천간에서 병립하게 되면(是兩乾並透), 지금 보다시피, 이 조합은 갑목의 에너지에 의미(情)를 부여하지 못하게 된다(合而無情也). 추가로 예를 들어보자면, 일간이 갑목이고, 월지가 술토일 때(又如甲生戌月), 술토가 지장간에서 신금을 투출해서 갑목과 정관을 만들고 있을 때와(透辛為官), 또한 술토가 지장간에서 정화를 투출해서 갑목과 상관을 만들고(而又透丁以傷官), 추가로 월지의 오행인 술토와 인오가 만나서 인오술이라는 삼합으로서 화를 만들게 되면서, 이때 갑목과 화국이 상관을 만들게 되는 때는(月支又

會寅會午以成傷官之局). 자동으로 문제를 만들게 된다. 이때는 천간의 신금과 지지의 화국도 서로 상극으로 반응하면서 문제를 만든다. 그래서 신금의 투출과 정화의 투출이 천간으로 병립해서 투출하게 되는 경우에도 서로 상극으로 만나게 되고(是兩乾並透), 지지에서 만들어진 삼합으로서 화국이 만들어진 경우에도, 신금과 서로 상극으로 만나게 되면서, 갑목이라는 일간에 아무런 의미(情)를 부여하지 못하게 된다(與會支合而無情也).

又有有情而卒成無情者, 何也? 如甲生辰月, 逢壬為印, 而又逢丙, 印綬本喜洩身為秀, 似成格矣, 而火能生土, 似又助辰中之戊, 印格不清, 是必壬乾透而支又會申會子, 則透丙亦無所礙. 又有甲生辰月, 透壬為印, 雖不露丙而支逢戌位, 戌與辰衝, 二者為月衝而土動, 幹頭之壬難通月令, 印格不成, 是皆有情而卒無情, 富而不貴者也.

또한, 분명히 유정이었는데, 갑자기 무정이 되어버리는 경우가 있는데(又有有情而卒成無情者), 이는 무슨 이유인가(何也)? 예를 들어서 설명하자면, 일간이 갑목이고, 월지가 진토일 때(如甲生辰月), 천간에서 임수를 만나게 되면, 갑목은 임수와 편인을 만들고(逢壬為印), 추가로 병화를 만나게 되면(而又逢丙), 갑목은 병화와 신식을 만든다. 이때 갑목은 본래 인수인 수를 상생으로서 설기(洩)하기를 좋아하고, 그러면 수에서 에너지를 받은 일간(身)의 에너지는 자동으로 수려해지게 된다(印綬本喜洩身為秀). 그러면, 이는 성격과 유사해진다(似成格矣). 그리고 이때 천간에 있는 화는 자동으로 토를 생하게 되는데(而火能生土), 또한 유사하게 진토의 지장간에 있는 무토도 화가 도울(助) 수 있게 된다(似又助辰中之戊). 그러면, 이때 토와 화는 갑목과 인수격(印)을 만드는 수를 상극해서 깨끗(淸)하지 못하게(不) 만들어버린다(印格不清). 이때는 반드시 임수가 천간으로 투출하거나 지지에서 월지의 진토가 신자를 만나서 삼합으로서 수를 만들고(是必壬乾透而支又會申會子), 이어서 천간의 화와 토를 대적하면 된다. 그러면 이때는 토, 수, 화가 되면서 에너지는 안정된다. 이때는 수가 한가운데에서 에너지 중재자가 된다. 그래서 이때는 화가 병화로서 천간에 투출해도 역시 아무런 장애가 없게 된다(則透丙亦無所礙). 또 다른 예를 보자. 일간이 갑목이고, 월지가 진토일 때(又有甲生辰月), 임수가 투출해있게 되면, 갑목과 임수는 편인을 만들게 된다(透壬為印). 이때 비록 병화가 노출되지 않고 있더라도(雖不露丙), 진토가 지지에서 술토의 자리를 만나게 되면(而支逢戌位), 월지의 진토와 술토는 자동으로 서로 에너지적으로 충돌하는 충(衝)이 된다(戌與辰衝). 그 이유는 진토는 목의 에너지를 보유하고 있고, 술토는 금의 에너지를 보유하고 있으므로, 이 둘은 에너지적으로 상극으로 만나게 되기 때문이다. 그러면, 이 둘은 서로 충돌하면서, 월지의 진토를 공격(衝)하게 되고, 자동으로 토의 에너지는 요동(動)치게 된다(二者為月衝而土動). 그러면, 이때 천간에 임수가 존재하고 있어도, 월지에 있는 진토의 에너지는 이미 요동(動)을 친 상태이므로, 임수와 월지의 소통은 어렵게 되고 만다(幹頭之壬難通月令). 즉, 갑목, 진토, 임수라는 에너지 균형을 만들지 못하게 된다는 뜻이다. 그러면, 자동으로 일간의 갑목과 임수 간에 만들어지는 인수격은 깨지고 만다(印格不成). 그래서 이런 경우 모두는 일간에게 의미를 부여하고 있었지만, 갑자기(卒) 부여된 의미가 사라진 경우가 된다(是皆有情而卒無情). 이때는 부는 있을지라도 귀는 없게 된다(富而不貴者也). 에너지가 균형이 잡힐 때 나오는 귀(貴)는 성격(成格)의 문제이기 때문이다. 해석이 상당히 까다롭다.

又有無情而終有情者, 何也？ 如癸生辰月, 透戊為官, 又有會申會子以成水局, 透干與會支相克矣. 然所克者乃是劫財, 譬如月劫用官, 何傷之有？ 又如丙生辰月, 透戊為食, 而又透壬為煞, 是兩乾並透, 而相克也. 然所克者乃是偏官, 譬如食神帶煞, 煞逢食制, 二者皆是美格, 其局愈貴. 是皆無情而終為有情也. 如此之類, 不可勝數, 在卽此爲例傍悟而已.

또한, 무정한 상태가 결국에는 유정한 상태로 되는 경우가 있는데(又有無情而終有情者), 어떤 경우인가요(何也)？ 예를 들어서 설명하자면, 일간이 계수이고,

월지가 진토일 때(如癸生辰月), 진토의 지장간에서 무토를 투출받아서 계수와 무토가 정관이 되고(透戊為官), 또한, 지지에서 진토가 신자를 만나서 신자진이라는 삼합을 만들고, 이어서 수국을 만들면(又有會申會子以成水局), 이때는 천간으로 투간한 무토와 지지의 수국이 만나서 서로 상극하게 된다(透干與會支相克矣). 이때 지지에서 만들어진 수국은 3개의 지지가 모였으므로, 천간의 오행과 대적할 수 있는 에너지를 보유하고 있다는 사실을 상기해보자. 그러나 이 수국은 일간의 계수와 에너지적으로 상극(克)하는 이유(所)로 인해서 겁재가 될 수도 있다(然所克者乃是劫財). 겁재에서 상극의 개념은 똑같은 오행이 음양으로 만나서 서로의 에너지를 중화(中和)해버리는 경우를 말한다. 그러면, 이때는 정확히 겁재격이 만들어진다. 원래 겁재는 격을 만들 수가 없으나, 이를 상극(克)해서 제어해주는 오행이 있게 되면, 격이 완성되기 때문이다. 그래서 이를 비유적으로 말하자면, 월겁이 에너지 조절자로 자기를 상극하는 정관을 이용하고 있는데(譬如月劫用官), 이를 어찌 상극한다는 이유만으로 서로 상해를 입힌다고 말할 수 있겠는가(何傷之有)? 그러면, 이때는 자동으로 월겁이라는 무정이 유정으로 바뀌게 된다. 그래서 결국에는 월겁격이 완성되고, 계수는 의미(情)를 보유하게 된다. 또 다른 예를 보자. 일간이 병화이고, 월지가 진토일 때(又如丙生辰月), 진토의 지장간에서 무토를 투출받아서 병화와 무토가 식신이 되고(透戊為食), 추가로 임수를 투출받아서 병화와 임수가 칠살을 만들면서(而又透壬為煞), 이렇게 무토와 임수가 천간에서 동시에 투출하게 되면(是兩乾並透), 이 둘은 자동으로 서로 상극하게 된다(而相克也). 그러나 이때 병화와 임수는 서로 상극하므로, 편관이 된다(然所克者乃是偏官). 이를 비유적으로 말하자면, 식신이 칠살을 함께(帶) 투출받고 있는 상태가 된다(譬如食神帶煞). 병화와 식신을 만든 무토와 칠살을 만든 임수가 모두(帶) 투출받고 있다는 사실을 상기해보자. 그러면, 칠살인 임수는 식신인 무토를 만나서 상극으로 제어를 받게 되고(煞逢食制), 그러면, 자동으로 이는 편관격인 칠살격이 된다. 이때는 칠살인 임수가 식신인 무토를 통해서 상극으로 견제받으면서, 결국에 에너지의 균형이 잡히게 되고, 이어서 칠실격이 완성된다. 이때는 자동으로 무토, 임수, 병화라는 상극의 조합이 만들어지면서 에너지 균형이 잡히게 된다. 즉, 칠살인 임수를 가운데 두고 양쪽에서 견제하고 있다. 그래서 이 둘은 모두 이처럼 미격을 만들게 된다(二者皆是美格). 그러면, 이때는 진토(其)라는 국(局)의 에너지는 균형이 잡히게 되고, 이어서 진토는 더욱더 귀해지게 된다(其局愈貴). 지금까지 기술한 모두는 무정에서 결국에는 유정으로 바뀐 경우이다(是皆無情而終為有情也). 이런 종류의 예는(如此之類), 셀 수 없을 정도로 많다(不可勝數). 그리고 지금과 같이 존재하는 예시를 옆에 두고 사주 명리의 진리를 깨달아야만 할 것이다(在卽此爲例傍悟而已).

제17장 묘고와 형충의 이론을 논하다

(論墓庫刑沖之說)

제17장 묘고와 형충의 이론을 논하다(論墓庫刑沖之說)

辰戌丑未, 最喜刑衝, 財官入庫不衝不發, 此說雖俗書盛稱之, 然子平先生造命, 無是說也. 夫雜氣透幹會支, 豈不甚美? 又何勞刑衝乎? 假如甲生辰月, 戊土透豈非偏財? 申子會豈非印綬? 若戊土不透, 即辰戌相衝, 財格猶不甚清也. 至於透壬為印, 辰戌相衝, 將以累印, 謂之衝開印庫可乎?

진술축미는(辰戌丑未), 형충을 가장 많이 임신(喜) 즉, 보유하고 있다(最喜刑衝). 여기서 희(喜)는 "임신하다(妊娠 · 姙娠:아이나 새끼를 배다)"라는 뜻이다. 이는 진술축미가 사계절의 붙박이 신세라서 해당 계절의 에너지를 보유하고 있기 때문이다. 그래서 이때 진술축미라는 토는 토가 아닌 사계절 에너지의 대리자가 된다. 그러면, 자동으로 진술축미는 서로 간에 상극(克)의 관계를 맺는 경우가 생기면서, 자동으로 형충(刑衝)도 생기게 된다. 결국에 형충은 에너지적으로 서로 공격하는 상극(克)의 관계가 그 근간을 이루고 있다. 다시 본문을 보자. 재성과 관성이 함께 사고(庫:四庫:진술축미)에 들어가게 되면, 이때 토는 서로 상극해서 충돌(衝)하게 되므로, 이때는 형충(衝)이 발생(發)하지 않을 수가 없게 된다(財官入庫不衝不發). 이때는 진술축미가 형충으로 만나므로, 이는 너무나도 당연한 사실이 된다. 그 이유는 뒤에서 다시 설명된다. 그리고 이런 이론은 속세에서 너무나도 많이 회자되고 있다(此說雖俗書盛稱之). 그러나 자평 선생은 사주 명리를 쓸 때(然子平先生造命), 이런 이론을 말하지 않았다(無是說也). 일반적으로 토의 잡기가 천간으로 투출하고, 추가로 지지에서 삼합을 만들 때는(夫雜氣透幹會支), 어찌 아주 아름답지 않겠는가(豈不甚美)? 이때는 또한 어찌 형충을 만드는 수고로움을 말하겠는가(又何勞刑衝乎)? 즉, 지지에 있는 토가 투간과 삼합을 통해서 형충을 피한다는 사실을 말하고 있고, 동시에 그로 인해서 좋은(美) 격도 만든다는 사실을 말하고 있다. 예를 들어서 설명해보자면, 일간이 갑목이고, 월지가 진토일 때(假如甲生辰月), 진토의 지장간인 무토가 천간으로 투출하면, 이때 갑목과 무토가 만나서 편재를 만드는데, 이를 어찌 편재가 아니라고 하겠는가(戊土透豈非偏財)?

그리고 이때 지지의 진토가 자진을 만나서 신자진이 되면서 수국을 만들고, 이때 수국은 갑목과 인수격을 만드는데, 이를 어찌 인수격이 아니라고 하겠는가(申子會豈非印綬)? 지금은 지지의 토가 형충만 만들지 않는다는 사실을 강조하고 있다. 즉, 지지의 토를 열심히 변호하고 있다. 이때 만약에 진토의 지장간으로서 무토가 천간으로 투출하지 않는다면(若戊土不透), 진토는 지지에서 그대로 진토의 역할을 수행하게 되는데, 이때 진토가 술토를 만나게 되면, 진토는 목의 에너지를 보유(喜)하고 있고, 술토는 금의 에너지를 보유(喜)하고 있으므로, 이 둘은 서로 상극하는 에너지를 보유하게 되고, 이어서 이 둘은 자동으로 서로 상극으로 충돌(衝)하게 된다(即辰戌相衝). 이때는 토라는 재격이 아주 깨끗이 청소되지 못하고 만다(財格猶不甚淸也). 여기서 청소(淸)란 지지의 토가 지장간을 통해서 천간으로 투출하게 되면, 지지의 토는 깨끗이 청소(淸)되어서 무시되기 때문이다. 즉, 이때 지지의 토는 존재하고 있어도 보이지 않는 투명(透明)한 오행이 된다. 사람으로 말하자면, 투명 인간이 된 것이다. 다시 본문을 보자. 이때 갑목이 천간으로 투출한 임수를 만나게(至) 되면, 편인을 만들게 된다(至於透壬為印). 이때 만일에 지지에 있는 진토가 술토를 만나서 서로 상극으로 충돌하게 되면(辰戌相衝), 자동으로 갑목과 진토의 에너지 관계가 흔들리게 되면서, 갑목의 에너지가 변하게 되고, 이어서 이는 장차 천간에서 만들어진 편인의 관계에 자동으로 누(累)를 끼치게 된다(將以累印). 즉, 이때는 편인이 소멸(開)되고 만다. 즉, 이때는 편인격이 깨지고(開) 만다. 그러면, 이때는 사고가 만든 충이 편인을 소멸(開)시켰는데, 어찌 사고(庫)가 좋다고 말할 수 있겠는가(謂之衝開印庫可乎)? 사계절의 붙박이로서 토의 문제를 열심히 설명하고 있다. 계속해서 토의 변호를 들어보자.

況四庫之中, 雖五行俱有, 而終以土為主. 土衝則靈, 金木水火, 豈取勝以四庫之衝而動乎? 故財官屬土, 衝則庫啟, 如甲用戊財而辰戌衝, 壬用己官而丑未衝之類是也. 然終以戊己乾頭為淸用, 干既透, 即不衝而亦得也. 至於財官為水, 衝則反累, 如己生辰月, 壬透為財, 戌衝則劫動, 何益之有? 丁生辰月, 透壬為官, 戌衝則傷官, 豈能無害？ 其可謂之逢衝而壬水之財庫官庫開乎？

진술축미라는 사고 안에는(況四庫之中), 비록 6개의 오행이 모두 지장간으로 존재하고 있지만(雖五行俱有), 여기에는 4개의 토가 정기로 존재하고 있으므로, 결국에 사고를 주도하는 오행은 토가 된다(而終以土為主). 그리고 진술축미라는 토가 서로 에너지적으로 충돌하게 되면, 영묘한 힘을 발휘하지만(土衝則靈), 금목수화라는 사계절에서(金木水火), 사고의 충을 이용(以)해서 사계절을 뒤흔든다(動)고 해도, 어찌 토가 승기를 잡겠는가(豈取勝以四庫之衝而動乎)？ 사계절에서 토는 사계절에 붙어서 살아가는 붙박이 신세라는 사실을 상기해보자. 그래서 토가 사계절을 뒤흔들 수는 없다. 붙박이는 언제나 붙박일 뿐이고, 붙박이가 주인이 될 수는 없다. 다시 본문을 보자. 그래서 재성(財)이나 관성(官)이 토를 품고(屬) 있게 되면(故財官屬土), 토가 충이라는 힘을 발휘해서, 사고(庫)라는 토는 재관을 열어(啓)버리게 된다(衝則庫啟). 예를 들어서 설명하자면, 일간인 갑목이 천간에 있는 무토를 편재(財)로 이용할 때, 지지에서 진술이 상극으로 충돌(衝)하게 되면(如甲用戊財而辰戌衝), 이 충돌은 아무런 의미를 보유하지 못하고 만다. 즉, 이때는 봄의 에너지를 보유한 진토와 가을의 에너지를 보유한 술토는 서로 충돌(衝)하지 못한다. 그 이유는 천간에 진술(辰戌)의 지장간인 무토(戊)가 이미 투출해있기 때문이다. 그러면, 자동으로 지지의 진술은 무력화되고, 이어서 있어도 없는듯한 투명(透明)한 오행이 되고 만다. 이때는 자동으로 잔술의 충돌은 일어나지 않게 된다. 그러면, 갑목과 무토가 만든 재성(財)은 전혀 문제를 만들지 않게 된다. 다시 본문을 보자. 이번에는 일간인 임수가 천간에서 기토를 이용해서 정관을 만들고 있을 때, 지지에서 축미가 충돌(衝)하는 경우가 앞에서 본 경우와 같은 종류가 된다(壬用己官而丑未衝之類是也). 이때는 축미가 기토(己)를 천간으로 투출하고 있기 때문이다. 그러면, 지지의 축미는 자동으로 힘을 쓰지 못하는 투명(透明)한 오행이 되고 만다. 그래서 천간으로 투출한 무기(戊己)가 용신을 아주 깨끗하게 청소해주게 된다(然終以戊己乾頭為清用). 그래서 지지에 존재하고 있던 토는 천간으로 이미(既) 투출하고 있어서(干既透), 지지에서 토는 서로 충돌하지 않게 되고, 이어서 역시 천간에서는 깨끗한 용신을 얻게 된다(即不衝而亦得也). 물론 이때 토가 만든 재관이 수를 만나게 되면(至於財官為水), 이들은 상극으로 충돌하게 되면서, 반대로 용신에 누(累)를 끼치고 만다(衝則反累). 하나만 더 예를 들자면, 일간이 기토이고, 월지가 진토일 때(如己生辰月), 임수를 투출받게 되면, 기토와 임수는 정재를 만든다(壬透為財). 그러면, 이때는 자동으로 기토와 진토 사이에서 겁재격(劫財)이 완성된다. 이는 임수가 기토를 상극(克)으로 제어하면서 완성된다는 사실을 상기해보자. 즉, 이때 상극하는 임수가 없다면, 겁재격은 만들어지지 않게 된다는 뜻이다. 이때 진토가 지지에서 술토와 만나게 되면, 이 둘은 자동으로 상극으로 충돌하게 되고, 그러면, 월지의 진토가 보유한 에너지는 상극으로 인해서 누설되면서, 이미 만들어진 겁재격(劫)은 요동(動)치고 만다(戌衝則劫動). 그러면, 이때는 어떻게 토가 이익을 보유하고 있다고 하겠는가(何益之有)? 이는 결국에 천간으로 지장간을 투출해서 지지에서 토가 서로 충돌하는 일을 막는 일이 아주 중요해진다. 또 다른 예를 보자면, 일간이 정화이고, 월지가 진토일 때(丁生辰月), 정화는 임수를 투출받아서 정관을 만들 때(透壬為官), 지지에서 진토가 술토를 만나서 상극으로 충돌하면서, 진토의 에너지가 누설되면, 이때는 자동으로 정화와 진토 사이에 에너지 관계가 깨지면서, 정화의 에너지도 문제가 되고, 이어서 자동으로 정화가 만든 정관(官)에 상해(傷)를 입히게 된다(戌衝則傷官). 그러면, 이때는 어찌 토가 무해하다고 하겠는가(豈能無害)? 이때 토는 사주 전체를 뒤흔들게 된다. 이 경우는 토가 충돌하는 경우를 말하게 되는데(其可謂之逢衝), 그러면 임수가 만든 재성(財)이 사고(庫)를 만나고, 임수가 만든 관성(官)이 사고(庫)를 만나게 되면, 이 둘은 소멸(開)하게 된다고 말하는 것이 옳지(可) 않겠는가(而壬水之財庫官庫開乎)? 즉, 이때는 용신이 소멸되면서, 용신의 쓰임새가 막히고 만다.

今人不知此理, 甚有以出庫為投庫. 如丁生辰月, 壬官透干, 不以為庫內之壬, 幹頭透出, 而反為幹頭之壬, 逢辰入庫, 求戌以衝土, 不顧其官之傷. 更有可笑者, 月令本非四墓, 別有用神, 年月日時中一帶四墓, 便求刑衝. 日臨四庫不以為身坐庫根,而以為身主入庫, 求衝以解. 種種謬論, 令人掩耳.

그러나 지금 사람들은 이 원리를 모르고 있다(今人不知此理). 이는 지금도 마찬가지이다. 그래서 이 부분을 제대로 해석하는 사주쟁이는 없다. 그래서 심한 경우에는 사고와 함께 그냥 출현(出)하는 경우와 사고가 천간으로 지장간을 통해서 투출(投)하는 경우를 같다고 생각하기도 한다(甚有以出庫為投庫). 예를 들어서 설명하자면, 일간이 정화이고, 월지가 진토일 때(如丁生辰月), 임수가 천간으로 투출해서 정화와 정관을 이룰 때를 보게 되면(壬官透干), 사고의 지장간 안(內)에는 어떤 경우에도 임수가 없으므로, 이때 사고는 지장간으로 임수를 사용(以)할 수 없게(不) 된다(不以為庫內之壬). 이때 임수가 천간으로 투출(透)해서 나오게(出) 되면(幹頭透出), 이 임수는 사고에 속한 임수가 아니라 반대(反)로 천간에 속한 임수가 된다(而反為幹頭之壬). 오행이 지장간을 통해서 투출하게 되면, 이는 지지의 오행을 대표한다는 사실을 상기해보자. 그래서 지금의 임수는 사고의 대표가 아니고, 그냥 천간에 속하게 된다. 다시 본문을 보자. 이때 월지인 진토가 사고와 만나(入)게 되는 경우에(逢辰入庫), 술토를 만나게 되면, 이때 술토는 자동으로 진토와 충돌하는 토가 된다(求戌以衝土). 지금은 월지의 진토가 지장간으로 오행을 투출하지 못하고 있다는 사실을 상기해보자. 그러면, 이때는 자동으로 진토의 에너지가 누설되게 되고, 그러면, 일간인 정화의 에너지도 흔들리게 되고, 이어서 이 사실은 원하지 않게 정화와 임수가 만든 정관(官)에 상해(傷)를 입히게 된다(不顧其官之傷). 이때는 더욱더 가소로운 일도 벌어진다(更有可笑者). 즉, 월지에 사묘 중에서 하나가 존재하면서, 이 사묘가 지장간을 통해서 천간으로 오행을 투출하게 되면, 이 사묘는 원래(本) 사묘가 아니게(非) 된다(月令本非四墓). 즉, 이때 월지를 만든 사묘는 투명(透明)한 오행이 되고 만다. 그러면 자동으로 이때 투출한 오행은 일간과 별도의 용신을 만들어서 보유하게 된다(別有用神). 그래서 사주 중에서 월지의 사묘 외에 추가로 하나의 사묘를 끼고(帶) 있게 되면(年月日時中一帶四墓), 아주 편리(便)하게 형충을 구하고 만다(便求刑衝). 그러나 지금과 같은 경우에는 월지의 사묘가 이미 투명(透明)한 오행이 된 상태이다. 이는 이미 앞에서 예를 들어서 설명된 부분이다. 즉, 지지에서 두 개의 사고가 존재한다고 해도, 하나의 사고가 지장간을 통해서 천간으로 오행을 투출한 상태가 되면, 이 사고는 지지에서 투명(透明)한 존재가 되면서, 지지에 존재하는 다른 사고와 반응하지 못하게 된다. 그런 데도 불구하고, 이 둘을 반응시킨다는 것이다. 그러면, 자동으로 형충이 나올 것이다. 다시 본문을 보자. 즉, 이때 일간이 임하는 월지의 사고는 이미 천간으로 지장간을 통해서 투출된 상태가 되면서 투명화(透明化)되었으므로, 일간이 앉아있는 뿌리로서 사고로는 사용(以)할 수가 없게(不) 된다(日臨四庫不以為身坐庫根). 이 원리는 이미 설명했다. 그런 데도 불구하고 이를 일간(身)의 정상적인 사고로 이용(以)한다는 점이다(而以為身主入庫). 그러면, 자동으로 이때는 이를 충으로서 해결하게 된다(求衝以解). 그래서 이런 오류 이론의 종류가 너무 많아서(種種謬論), 사람들의 귀를 틀어막고 싶은 심정이다(令人掩耳).

然亦有逢衝而發者, 何也? 如官最忌衝, 而癸生辰月, 透戊為官, 與戌相衝, 不見破格, 四庫喜衝, 不為不足. 卻不知子午卯酉之類, 二者相仇, 乃衝克之衝, 而四墓土自為衝, 乃衝動之衝, 非衝克之衝也. 然既以土為官, 何害於事乎?

그러나 역시 충을 만나도 좋은 일이 만들어지는 때도 있는데(然亦有逢衝而發者), 이는 어떤 경우인가요(何也)? 앞에서는 사고가 지장간으로 투출되면서 충이 발생하지 않았다는 사실을 상기해보자. 예를 들어서 설명하자면, 일반적으로 관성은 토의 충을 만나게 되면, 관성이 깨지는 경우가 생기게 되므로, 충을 가장 꺼린다(如官最忌衝). 즉, 일간이 계수이고, 월지가 진토일 때(而癸生辰月), 진토가 지장간으로 무토를 투출하게 되면, 이때는 자동으로 계수와 무토가 정관을 만들게 된다(透戊為官). 이때 지지에 술토가 있게 되면, 술토와 진토가 만나서 서로 상극해서 충돌하게 되지만(與戌相衝), 이때 진토는 이미 투명화되어서 반응성을 잃은 상태이므로, 이때는 정관격이 파격되는 상태를 볼 수 없게 된다(不見破格). 잘 알다시피 사고는 충을 제일 많이 임신(喜) 즉, 보유하고 있어서(四庫喜衝), 충이 아주 풍족하다(不為不足). 그래서 자오 그리고 묘유와 같은 종류의 충은(卻不知子午卯酉之類), 서로 둘이 원수지간이 되면서(二者相仇), 충끼리 상극으로 충하는 충이 되지만(乃衝克之衝), 사묘에 들어있는 토는 자기들끼리 스스로 충돌하므로(而四墓土自為衝), 이때는 충이 충을 요동치게 해서 충을 만들므로(乃衝動之衝), 이때 만들어진 충은 엄격하게 말하자면, 자오나 묘유와 같이 서로 상극하는 충이 아니라는(非衝克之衝也) 사실을 모르고(不知) 있다. 그러나 이는 해석을 잘해야만 한다. 토가 토와 충돌하는 이유는 토가 붙박이로서 해당 계절의 에너지를 품고 있기 때문이다. 이는 자동으로 에너지적으로 상극(克) 관계를 만들고 만다. 그래서 이를 에너지로 해석하지 않게 되면, 토와 토가 왜 충돌(衝)하는지 모르게 된다. 그래서 자오나 묘유도 에너지로 상극(克)하는 것이다. 그러나 이때 토가 투출해서 일간과 이미 정관을 만들고 있다면(然既以土為官), 이때 토가 하는 일이 어찌 해가 되겠는가(何害於事乎)? 계속해서 토를 변호하고 있다.

是故四墓不忌刑衝, 刑衝未必成格. 其理甚明, 人自不察耳.

그래서 사묘가 형충을 싫어하지 않는 경우는(是故四墓不忌刑衝), 형충이 반드시 성격을 망치지는 않기 때문이다(刑衝未必成格). 그래서 이 원리는 아주 명확한데도 불구하고(其理甚明), 사람들이 스스로 살피지 않고 있을 뿐이다(人自不察耳).

제18장 사길신의 파격을 논하다(論四吉神能破格)

제18장 사길신의 파격을 논하다(論四吉神能破格)

財官印食, 四吉神也. 然用之不當, 亦能破格. 如食神帶煞, 透財為害, 財能破格也. 春木火旺, 見官則忌, 官能破格也. 煞逢食制, 透印無功, 印能破格也. 財旺生官, 露食則雜, 食能破格也.

재성, 정관, 인수, 식신은(財官印食), 4가지 길신이다(四吉神也). 즉, 이 넷은 일간의 에너지를 좋게 보전해주는 좋은 에너지 결합이다. 그러나 이도 역시 어떻게 쓰느냐에 따라서 상황이 변하게 되므로, 이를 부당하게 사용하게 되면((然用之不當), 역시 능히 격을 파괴할 수 있다(亦能破格). 예를 들어서 설명하자면, 식신이 칠살을 끼고(帶) 투출(帶)하고 있을 때(如食神帶煞), 동시에 재성을 투출하고 있게 되면, 해가 되면서(透財為害), 재성은 능히 격을 파괴할 수 있게 된다(財能破格也). 갑목을 예로 풀어보자. 갑목의 식신은 병화이고, 칠살은 경금이고, 재성은 토이다. 그러면, 이때는 칠살인 경금을 용신으로 쓰고, 이 칠살인 경금을 식신인 화로 상극해서 견제(制)해주게 되면, 일간의 에너지가 균형이 잡히게 된다. 즉, 이때는 병화, 경금, 갑목이 되면서, 경금이 갑목을 상극하려고 할 때, 병화가 경금을 상극으로 견제해서 에너지 균형을 잡아주게 된다. 그런데 이때 재성인 토가 나타나게 되면, 경금과 상극으로 만나게 되면서 에너지 균형이 깨지고 만다. 즉, 이때는 재성이 이 격을 파괴해버린 것이다. 이를 다르게 풀 수도 있다. 즉, 이때는 병화, 토, 경금이 되면서 상생의 조합이 만들어지게 되고, 이어서 에너지가 중화되고 이어서 일간인 갑목과 연결이 끊기고 만다. 그러면, 자동으로 일간인 갑목은 용신을 가질 수가 없게 된다. 즉, 이때는 재성인 토가 끼어들면서, 이 격을 파괴해버린 것이다. 다시 본문을 보자. 봄인 목이 화의 왕성함을 만나게 되면(春木火旺), 이때는 관성을 보는 일을 꺼리게 된다(見官則忌). 즉, 이때 관성은 능히 격을 파괴해버린다(官能破格也). 설명을 조금만 더 붙이자면, 목과 화는 식상이 되는데, 화가 왕성하므로, 이때는 식신이 된다. 즉, 이때 목은 식신격을 만든다. 그런데 이때 관성인 금이 나타나게 되면, 금은 식신인 화를 상극으로 제거해버린다. 그러면 자동으로 목은 관성을 보는 일을 꺼리게 되는데, 이는 관성이 식신을 상극해서 격을 파괴하기 때문이다. 다시 본문을 보자. 칠살이 식신을 만나서 상극으로 제어를 받게 될 때(煞逢食制), 이때 인수가 투출해서 나타나도 도움이 안 된다(透印無功). 이때 인수는 능히 격을 파괴해버린다(印能破格也). 즉, 이때 갑목은 경금과 칠살격을 만들게 되고, 이 칠살인 경금을 식신인 화가 견제해주게 되면, 칠살격은 완성된다. 그런데, 이때 견제해주는 화를 인수인 수가 나타나서 상극으로 제거해버리게 되면, 칠살격을 견제하는 에너지가 사라지면서 일간인 갑목은 경금에 상극 당해서 죽게 된다. 즉, 이때 사주는 망하게 된다. 그래서 이때 인수는 갑목에 전혀 도움이 되지 않을뿐더러 아예 이 격을 파괴해버린다. 다시 본문을 보자. 재성이 왕성하게 관성을 생하게 될 때(財旺生官), 식신이 노출되어있게 되면, 문제가 복잡해지게 되면서(露食則雜), 식신은 능히 격을 파괴해버린다(食能破格也). 설명을 조금만 덧붙이자면, 이때는 재격이 된다. 그래야 왕성(旺)한 재성이 과잉 에너지를 관성으로 보내서 에너지 균형이 만들어지게 된다. 그러면, 이때 관성이 이 격의 핵심이 된다. 그런데, 이때 관성을 상극하는 식신이 노출되게 되면, 이 격의 핵심인 관성이 상극으로 제거되면서, 이 격은 자동으로 깨지고 만다. 즉, 식신이 이 격을 파괴해버린 것이다. 이들은 결국에 길신도 나쁘게 작용할 수 있다는 사실을 말하고 있다. 그래서 상황이 길신을 흉신으로 만들게 된다. 거꾸로 흉신도 견제해주는 용신을 만나게 되면, 길신으로 변하게 된다.

是故官用食破, 印用財破, 譬之用藥, 參苓芪朮, 本屬良材, 用之失宜, 亦能害人.

그래서, 앞에서 보았듯이, 관성이 식신을 이용하게 되면 격이 파괴되기도 하고(是故官用食破), 인수가 재성을 이용하게 되면, 격이 파괴되기도 한다(印用財破). 이를 용약으로 비유해보면(譬之用藥), 인삼, 복령, 황기, 창출 등은(參苓芪朮), 원래는 좋은 약재에 속하지만(本屬良材), 이를 쓸 때 마땅함을 잃게 되면(用之失宜) 즉, 이들을 잘못 쓰게 되면, 역시 이들도 능히 사람을 해칠 수 있게 된다(亦能害人).

제19장 사흉신의 파격을 논하다(論四凶神能破格)

제19장 사흉신의 파격을 논하다(論四凶神能破格)

煞傷梟刃, 四凶神也. 然施之得宜, 亦能成格. 如印綬根輕, 透煞為助, 煞能成格也. 財逢比劫, 傷官可解, 傷能成格也. 食神帶煞, 露梟得用, 梟能成格也. 財逢七煞, 刃可解厄, 刃能成格也.

칠살, 상관, 효신(편인), 양인은(煞傷梟刃), 4개의 흉신이다(四凶神也). 즉, 이 4가지 조합은 일간에게 나쁜 에너지(神) 조합이 된다는 뜻이다. 그러나 이도 역시 때를 잘 맞춰서 이용하게 되면(然施之得宜), 역시 능히 격을 만들 수 있게 된다(亦能成格). 이는 이미 앞에서 살펴보았던, 길신의 경우와 똑같다. 문제는 상황의 문제이다. 예를 들어서 설명하자면, 인수의 뿌리가 약할 때(如印綬根輕), 칠살이 투출해서 인수를 상생으로 돕는다면(透煞為助), 칠살은 능히 격을 완성하는 데 도움이 된다(煞能成格也). 그리고 재성이 비겁을 만나게 되면(財逢比劫), 이때는 상관이 이를 해결할 수 있으며(傷官可解), 그러면, 자동으로 이때는 상관이 능히 격을 만들게 도운 것이다(傷能成格也). 즉, 이때는 비겁을 재성이 상극하게 되는데, 이 상극의 에너지를 상관이 막아주는 것이다. 그러면, 이때는 비겁, 상관, 재성이라는 상생의 조합이 만들어지면서, 에너지의 균형이 잡히게 된다. 즉, 이때는 상관이 한가운데서 비겁과 재성의 에너지를 조절해주게 된다. 다시 본문을 보자. 식신이 칠살을 투출(帶)하고 있고(食神帶煞), 천간에 노출된 편인(梟)을 이용할 수 있게 되면(露梟得用), 편인이 능히 격을 만들게 한다(梟能成格也). 즉, 이때는 식신은 지지에서 만들어지고, 칠살은 천간에서 만들어진다. 그러면, 천간의 칠살은 자동으로 일간을 상극해서 격을 방해한다. 이때 천간의 칠살을 천간에 노출(露)되어있는 편인이 상생으로 받아주게 되면, 칠살의 문제는 해결되고, 이때는 자동으로 식신격이 완성된다. 그러면, 이때는 자동으로 편인이 격이 완성되도록 돕는 경우가 된다. 다시 본문을 보자. 이번에는 재성이 칠살을 만나게 되면(財逢七煞), 칠살은 자동으로 재성을 상극하게 된다. 그러면, 재성이 만드는 격은 망하고 만다. 이때 양인이 나타나게 되면, 양인은 칠살을 상극으로 대항해서 제거하게 된다. 그래서 이때는 양인으로 이 위기를 해결할 수 있게 된다(刃可解厄). 이때는 당연히 양인이 격을 완성하게 도운 경우가 된다(刃能成格也).

是故財不忌傷, 官不忌梟, 煞不忌刃, 如治國長搶大戟, 本非美具, 而施之得宜, 可以戡亂.

그래서, 앞의 경우를 보게 되면, 재성은 자동으로 상관을 꺼리지 않게 되고(是故財不忌傷), 관성은 편인을 자동으로 꺼리지 않게 되고(官不忌梟), 칠살은 양인을 꺼리지 않게 된다(煞不忌刃). 이를 나라를 다스리는 일에 비유하게 되면, 긴 창과 큰 창은(如治國長搶大戟), 본래 다루기가 어려워서 좋은 전쟁 도구가 아니다(本非美具). 그러나 이도 역시 마땅한 때를 얻어서 사용하게 되면(而施之得宜), 혼란을 평정할 때 사용이 가능해진다(可以戡亂).

제20장 생극의 선후가 길흉을 구분할 때를 논하다
(論生剋先後分吉凶)

제20장 생극의 선후가 길흉을 구분할 때를 논하다 (論生剋先後分吉凶)

月令用神, 配以四柱, 固有每字之生克以分吉凶, 然有同此生克, 而先後之間, 遂分吉凶者, 尤談命之奧也.

월령이라는 용신을(月令用神), 사주와 배합하고 나면(配以四柱), 고유의 사주 여덟 글자는 상생과 상극을 만들게 되고, 이어서 길신과 흉신으로 구분된다(固有每字之生克以分吉凶). 그러나 이런 상생과 상극을 똑같이 보유하고 있을지라도(然有同此生克), 이들의 선후 차이에 따라서(而先後之間), 이들은 흉신과 길신으로 구분된다(遂分吉凶者). 그래서 이는 사주 명리의 담론을 더욱더 오묘하게 만든다(尤談命之奧也).

如正官同是財傷並透, 而先後有殊. 假如甲用酉官, 丁先戊後, 則以財為解傷, 即不能貴, 後運必有結局. 若戊先而丁后時, 則為官遇財生, 而後因傷破, 即使上運稍順, 終無結局, 子嗣亦難矣.

예를 들어서 설명하자면, 정관이 재성과 상관을 동시에 투출하고 있게 되면(如正官同是財傷並透), 이때는 선후 문제가 특별해진다(而先後有殊). 예를 들자면, 일간의 갑목이 월지의 유금을 만나서 정관을 이룰 때(假如甲用酉官), 상관인 정화가 먼저 있고, 재성인 무토가 뒤에 있게 되면(丁先戊後), 이때는 재성을 이용(以)해서 상관의 문제를 해결할 수 있게 된다(則以財為解傷). 즉, 이때는 갑목, 정화, 무토라는 상생의 조합이 만들어지면서 에너지의 균형이 잡히게 된다. 즉, 무토가 정화의 에너지를 상생으로 받아준 것이다. 그러면, 갑목과 정화 사이에서 만들어진 상관이라는 에너지 문제는 해결된다. 그래서 이때는 뒤에 나온 무토가 먼저 나온 정화를 받아주면서, 먼저(即) 나온 정화으로 인해서 즉각적(即)인 귀가 없다고 할지라도(即不能貴), 뒤(後)에 나온 무토로 인해서 후(後)에는 반드시 좋은 결말을 맞게 된다(後運必有結局). 그러나 이때 만약에 무토가 먼저 나오고 뒤에 정화가 나올 때에는(若戊先而丁后時), 정관이 재성을 만나서 생하는 관계가 만들어진다(則為官遇財生). 즉, 이때는 재성이 정관의 생을 받게 된다. 이때 뒤에 상관인 정화가 나오게 되면, 자동으로 상관은 갑목과 반응해서 격을 깨버린다(而後因傷破). 이때는 먼저 나온 재성으로 인해서 초년은 조금 좋으나(即使上運稍順), 뒤에 나온 상관으로 인해서 종국에는 좋지 않을 것이며(終無結局), 자손 역시 어려움을 겪을 것이다(子嗣亦難矣). 이때 선후 문제는 사주 연월일시 네 쌍의 선후를 말한다. 그러면, 상관이 뒤(後)에 나오게 되면서, 이는 자손(後)의 문제를 말하게 된다.

印格同是貪財壞印, 而先後有殊. 如甲用子印, 己先癸後, 即使不富, 稍順晚境. 若癸先而己在時, 晚景亦悴矣.

인수격에서 동시에 재성을 탐하게 되면, 인수격을 무너뜨리는 경우가 발생하면서(印格同是貪財壞印), 선후 문제가 특별해진다(而先後有殊). 예를 들자면, 일간인 갑목이 자수를 이용하면서 인수격이 만들어지게 되면서(如甲用子印), 동시에 기토가 앞서있고, 계수가 뒤에 있게 되면(己先癸後), 기토와 자수는 서로 상극하게 되고 즉, 자수가 기토를 탐(貪)하게 되고, 그러면, 이때는 재성인 기토의 에너지가 무너지면서, 자동으로 복이 없게 만들 것이고(即使不富), 뒤에 가서야 재성인 기토를 제어하는 계수가 등장하면서 운이 조금 순조로울 것이다(稍順晚境). 그러나 만약에 계수가 먼저 나오고 기토는 뒤에 나와서 시주에 존재하게 되면(若癸先而己在時), 뒤에 나온 기토가 자수와 문제를 만들면서 만년이 문제가 될 것이다(晚景亦悴矣). 이때는 자동으로 자식도 문제를 만들 것이다.

食神同是財梟並透, 而先後有殊. 如壬用甲食, 庚先丙後, 晚運必亨, 格亦富而望貴. 若丙先而庚在時, 晚運必淡, 富貴兩空矣.

식신이 재격과 편인을 동시에 투출하고 있으면(食神同是財梟並透), 이때도 재격과 편인의 선후 문제가 특별하게 나온다(而先後有殊). 예를 들어서 보자면, 임수가 갑목을 식신으로 이용하고 있을 때(如壬用甲食), 편인인 경금이 먼저 나오고, 편재인 병화가 뒤에 나오게 되면(庚先丙後), 재성이 뒤에 나왔으므로, 이 사주는 만년에 반드시 형통하게 되고(晚運必亨), 격도 역시 부귀가 따르게 되고, 추가로 귀함도 바랄 수 있을 것이다(格亦富而望貴). 만약에 이때 편재인 병화가 먼저 나오고 편인인 경금이 뒤에 나오면서 시주에 존재하고 있을 때는(若丙先而庚在時), 자동으로 뒤에 나온 편인인 경금 덕분에 만년에 반드시 부가 없을 것이고(晚運必淡), 그러면, 자동으로 부귀 양쪽 다 허상이 되고 만다(富貴兩空矣).

七煞同是財食並透, 而先後大殊. 如己生卯月, 癸先辛後, 則為財以助用, 而後煞用食制, 不失大貴. 若辛先而癸在時, 則煞逢食制, 而財轉食黨煞, 非特不貴, 後運蕭索, 兼難永壽矣.

칠살이 동시에 재성과 식신을 투출하고 있을 때는(七煞同是財食並透), 선후 문제가 아주 크게 대두된다(而先後大殊). 예를 들자면, 일간인 기토가 월지를 묘목으로 해서 칠살로 이용하고 있을 때(如己生卯月), 편재인 계수가 먼저 나오고, 식신인 신금이 뒤에 나오게 되면(癸先辛後), 이때는 자동으로 편재인 계수가 먼저 칠살로서 용신인 묘목을 생해서 돕게 되고(則為財以助用), 그러면, 이때는 자동으로 칠살인 묘목의 에너지가 너무 과하게 되는데, 뒤(後)에 칠살로서 용신인 묘목이 식신인 신금을 상극으로 만나서 제어를 받게 되면(而後煞用食制), 이때 칠살의 과도한 에너지는 균형을 얻게 되고, 이때는 일간인 기토를 중심으로 상생과 상극을 통해서 완벽한 에너지 균형이 이루어지면서, 자동으로 대귀를 잃지 않게 된다

(不失大貴). 그러나 이때 만약에 식신인 신금이 먼저 나오고, 편재인 계수가 뒤에 나오면서 시주에 존재하게 되면(若辛先而癸在時), 칠살인 묘목이 먼저 식신인 신금을 만나서 상극으로 제어되고(則煞逢食制), 그러면 묘목으로서 칠살인 재성이 식신인 신금에게 상극으로 제어되면서 에너지의 균형이 잡히게 되고, 이는 일간인 기토에게 좋은 일이 된다. 그러나, 뒤(後)에 나오는 편재인 계수는 식신인 신금으로부터 에너지를 전달(轉)받게 되면서, 곧바로 에너지 과부하(黨煞)에 걸리고 만다(而財轉食黨煞). 사주에서 핵심은 에너지의 균형이다. 그러면, 이때는 자동으로 특별히 귀가 없다고는 할 수 없겠지만(非特不貴), 뒤에 나온 과부하에 걸린 재성 덕분에 만년에 쓸쓸한 때가 올 것이고(後運蕭索), 추가로 과부하에 걸린 에너지 덕분에 수명에서도 문제가 발생할 것이다(兼難永壽矣). 수명도 에너지가 결정하는데, 과도한 에너지는 자동으로 건강을 해치게 되면서 수명도 단축시켜버린다.

丙生辛酉, 年癸時己, 傷因財間, 傷之無力, 間有小貴. 假如癸己產並而中無辛隔, 格盡破矣.

일간인 병화가 월주에서 신유를 만나고(丙生辛酉) 즉, 병화가 지지와 천간에서 동시에 정재를 얻고 있을 때, 연주에서 정관인 계수를 만나고, 시주에서 상관인 기토를 만나게 되면(年癸時己), 시주의 상관인 기토는 정재인 신금을 사이(間)에 놓게 되고(傷因財間), 그러면, 상관인 기토는 정재인 신금으로 에너지를 보내면서 무력화되고(傷之無力), 이때는 이 와중(間)에 소귀가 얻어진다(間有小貴). 이때 정재인 신금도 상관인 기토에게 에너지를 받은 상태여서 에너지 과부하 상태가 된다. 이는 절대로 좋은 에너지 상태가 아니다. 이는 자동으로 소귀로 귀결한다. 여기서 또 다른 문제를 보자면, 연주의 계수와 시주의 기토는 서로 함께(並) 태어(產)나기는 했지만, 일간에 신금이라는 장벽(隔)이 존재하게 되고, 이때는 자동으로 계수와 기토가 상극으로 만나서 문제(中)가 되지 않게(無) 한다(假如癸己產並而中無辛隔). 즉, 이때는 기토, 신금, 계수라는 상생의 조합이 만들어지면서, 신금이 한 가운데에서 에너지를 조절해주면서, 기토와 계수의 상극이 만들어지지 않게 된다는 뜻이다. 그러면, 이때 상관인 기토는 자동으로 연주에 존재하는 계수가 만든 정관이라는 격을 파괴(破)할 수가 없게(盡) 된다(格盡破矣). 이를 보통은 거리가 너무 멀다고 표현한다. 즉, 기토가 계수를 상극으로 파괴하려고 해도 거리가 너무 멀어서 연주까지 원정을 가기가 어렵다는 뜻이다. 이 부분은 해석이 쉽지 않아서 웬만한 책에서는 이 구문을 슬그머니 지워버린다.

辛生申月, 年壬月戊, 時上丙官, 不愁隔戊之壬, 格亦許貴. 假使年丙月壬而時戊, 或年戊月丙而時壬, 則壬能克丙, 無望其貴矣.

일간이 신금이고, 월지가 신금이 되면서 월겁이 되고(辛生申月), 연주에 상관인 임수가 있고, 월주에 정인인 무토가 있고(年壬月戊), 사주의 천간에 병화라는 정관이 있을 때(時上丙官), 무토와 임수는 월주와 연주에 존재하면서 서로 붙어있으므로, 가운데 존재하는 장벽은 걱정하지 않아도(不愁) 된다(不愁隔戊之壬). 그러면, 역시 격은 귀를 허용한다(格亦許貴). 상당히 복잡하다. 월겁격은 반드시 상극으로 견제가 필요하다. 그러면, 월겁인 금의 견제는 상극하는 무토가 한다. 그리고 이 무토의 견제는 상극으로 임수가 한다. 그러면, 이때는 무토, 금, 임수가 되면서, 월겁인 금의 에너지를 양쪽에서 견제하면서 균형을 잡아주게 된다. 그러면, 이때는 역시 자동으로 격은 귀를 허용하게 된다(格亦許貴). 이때 무토와 임수 사이에 거리가 너무 멀어서 장벽(隔)이 존재하고 있었다면, 무토와 임수의 상극으로 제어가 없었을 것이고, 그러면, 자동으로 무토, 금, 임수라는 에너지 균형도 없었을 것이고, 그러면, 귀도 역시 없었을 것이다. 이때 만일에 연주에 병화가 있고, 월주에 임수가 있고, 시주에 무토가 있었다거나(假使年丙月壬而時戊), 연주에 무토가 있고, 월주에 병화가 있고, 시주에 임수가 있었다면(或年戊月丙而時壬), 이때 임수는 능히 병화를 상극하게 될 것이고(則壬能克丙), 그러면, 임수의 견제 역할이 제거되면서, 무토, 금, 임수라는 에너지 균형도 없게 되고, 그러면 자동으로 이때 귀를 바라는 일은 허상이 되었을 것이다(無望其貴矣).

以上擧官星為例, 餘如印畏財破, 財懼比劫, 食傷忌梟印, 意義相同. 救應之法, 亦可例推矣.

이상 거론한 예는 관성의 예시이다(以上擧官星為例). 나머지 예시에서는 인성이 격이 파괴될까 봐서 재성을 두려워했다(餘如印畏財破). 또한, 재성은 비겁을 두려워했다(財懼比劫). 추가로 식상은 편인을 꺼려했다(食傷忌梟印). 그리고 이때 나타난 의의는 서로 똑같다(意義相同). 즉, 이들은 모두 상생과 상극으로 일간을 구해주는 구응의 법칙이다(救應之法). 그리고 나머지 예시에서도 역시 이처럼 추론이 가능하다(亦可例推矣).

如此之類, 不可勝數, 其中吉凶似難猝喩. 然細思其故, 理甚顯然, 特難為淺者道耳.

이와 같은 종류는(如此之類), 너무나도 많아서 셀 수가 없을 정도이다(不可勝數). 이(其) 중에는 길흉이 모두 유사한 어려움을 갑자기 깨닫게 하는 경우도 있게 된다(其中吉凶似難猝喩). 그러나 그(其) 이유를 상세히 사고해보게 되면(然細思其故), 그 이치는 자연스럽게 훤히(甚) 드러나게 된다(理甚顯然). 이때조차도 특별히 어려운 경우가 남게 되는데, 이도 역시 원리에 불과하다((特難為淺者道耳). 이 제20장에서 중요한 점은 격의 선후(先後) 문제가 사주를 해석할 때 아주 중요한 문제이며, 연주와 시주처럼 거리가 너무 멀 때는 성격(成格)을 이루지 못하게 한다는 사실이다. 결국에 이는 일간이 장벽으로 작용한다는 사실을 말한다.

제21장 성진과 무관한 격국을 논하다

(論星辰無關格局)

제21장 성진과 무관한 격국을 논하다(論星辰無關格局)

八字格局, 專以月令配四柱, 至於星辰好歹, 既不能為生克之用, 又何以操成敗之權? 況於局有礙, 即財官美物, 尚不能濟, 何論吉星? 於局有用, 即七煞傷官, 何謂凶神乎? 是以格局既成, 即使滿盤孤辰入煞, 何損其貴? 格局既破, 即使滿盤天德貴人, 何以為功? 今人不知輕重, 見是吉星, 遂致拋卻用神, 不觀四柱, 妄論貴賤, 謬談禍福, 甚可笑也.

사주 여덟 글자가 만드는 격국은(八字格局), 전적으로 사주에 월령을 배합하는 형태이다(專以月令配四柱). 그리고 이 배합이 사주 여덟 글자의 일부를 구성하고 있는 오행인 성진에서 호불호(好歹)에 이르게(至) 되면(至於星辰好歹) 즉, 일간과 다른 오행들이 격(格)을 만들게 되면, 이때는 자동으로 이미(既) 상생과 상극의 이용(用)은 불가하게 된다(既不能為生克之用). 그러면, 이때는 오행 간에 호불호인 격(格) 자체가 이미 상생과 상극을 말하기 때문이다. 그러면, 이때는 상생과 상극이 어떻게 격의 성패 권한(權)을 장악(操)할 수 있겠는가(又何以操成敗之權)? 사주 명리는 에너지의 조절을 탐구하는 일인데, 에너지의 조절에서 상생과 상극은 아주 중요한 에너지 조절 수단이라는 사실을 상기해보자. 그리고 격을 만드는 일 자체도 상생과 상극을 이용하는 일이라는 사실을 상기해보자. 즉, 격(格) 안에 이미 상생과 상극이 들어있다. 다시 본문을 보자. 만약에 지지가 만든 국(局)이 장애를 가지고 있는 상황이 되면(況於局有礙) 즉, 지지가 만든 국(局)이 일간이 만든 좋은 격을 만들지 못하게 장애물(礙)로 작용하게 되면, 이때는 재격과 관격이 서로 상생하면서 아름다운 미물(美物)을 만들지라도(即財官美物) 즉, 일간과 이들이 좋은 격을 만들지라도, 이때는 지지가 만든 국(局)이 장애물로 작용하면서 재성과 관성이 일간과 에너지를 주고받는(濟) 과정을 불가하게 만들게 되고 만다(尚不能濟). 이때 지지에서 만들어지는 국(局)은 보통 지지에서 3개의 오행이 모여서 만들어지면서 천간의 오행과 똑같은 에너지를 보유한 오행을 만드는 삼합(三合)을 말한다. 지지의 한 개 오행의 에너지는 한 개의 천간 오행 에너지의 1/3밖에 안 된다는 사실을 상기해보자. 그러면, 국(局)으로 만들어진 오행은 자동으로 천간의 오행과 똑같은 힘(權)으로 천간의 오행을 대적할 수 있게 된다. 그러면, 이들은 일간이라는 천간이 만드는 격을 파괴할 수 있게 된다. 즉, 이때 국은 천간인 일간이 만드는 격의 장애물(礙)로 작용할 수 있게 된다. 그러면, 이 상태에서는 어떻게 길신(吉星)을 논할 수 있겠는가(何論吉星)? 에너지(神)는 오행이라는 별(星)이 만든다는 사실을 상기해보자. 이번에는 거꾸로 지지에서 만들어진 국(局)이 유용(用)하게 쓰이게 되면(於局有用), 이때는 칠살과 상관이 서로 상극해서 격을 깨버리는 일을 막을 수 있게 된다(即七煞傷官). 이를 일간을 갑목으로 풀어보면, 이때 국(局)은 수국(水) 정도가 될 것이다. 그러면, 칠살인 금과 상관인 화 사이에서 수가 에너지 조절자가 된다. 즉, 수, 화, 금이라는 조합이 만들어진다. 그러면, 이때는 어떻게 칠살과 상관을 흉신이라고 말할 수 있겠는가(何謂凶神乎)? 앞의 예에서는 재격과 관격의 상생(生)을 말하고 있고, 지금은 칠살과 상관의 상극(克)을 말하고 있다는 사실을 상기해보자. 그러면, 재격과 관격이 상생해서 길신이 되려면, 이때는 반드시 월령이 속한 지지가 만든 국(局)의 도움이 요구되고, 칠살과 상관이 상극해서 흉신이 되려고 할 때도 반드시 월령이 속한 지지가 만든 국(局)의 도움이 요구된다. 물론 이 중에서 핵심은 월령이 된다. 즉, 월지가 아주 중요하다는 뜻이다. 이때 월지는 국(局)을 만들 수 있다는 사실도 상기해보자. 이는 일간에 태어난 인간(人間)은 월령(月令)이라는 에너지 위에 던져지기 때문이다. 이때 인간의 에너지 지문(指紋)이 완성된다. 그래서 사주 명리에서 일간과 월지의 관계는 아주 중요해진다. 그러면, 성진(星辰)이라는 천간의 오행이 만들어내는 격(格)은 지지가 만들어내는 국(局)의 영향을 받을 수밖에 없게 된다. 이때 국(局)은 천간의 오행과 똑같은 에너지를 보유하기 때문이다. 그러면, 이때 국은 천간의 성진과 무관하게 격을 조절해서 격국을 만들 수 있게 된다. 그래서 지금 설명의 골자는 국(局)의 기능을 설명하는 의도이다. 월령이 중요하기는 하지만, 이는 어디까지나 일간을 도와(用)주는 역할일 뿐이다. 그러나 이런 월령이 국(局)을 만들어서 천간의 오행만큼 에너지를 보유하게 되면, 이때는 서로 에너지가 같으므로, 국이 천간의 오행을 뒤흔들어버린다. 그런데, 지금의 사주쟁이들은 국(局)의 개념조차도 모르고 있다. 다시 본문을 보자. 이렇게 해서 격과 국이 만나서 이미 성격을 이루게 되면(是以格局既成), 이때는 아주(滿盤) 꺼려지는 격(孤辰)이 칠살(煞)로 들어간다고 해도(即使滿盤孤辰入煞) 즉, 기신을 두 개 만나더라도, 이때는 지지에서 만들어진 국(局)이 이들을 중재하게 되는데, 기존에 만들어진 귀함이 어떻게 손상을 입겠는가(何損其貴)? 국에서 만들어진 오행이 천간의 오행을 간섭해서 에너지를 중재(仲裁)하는 경우를 말하고 있다. 그러면, 기신(忌神)의 에너지는 국(局) 에너지의 중재로 인해서 일간의 에너지를 괴롭히지 못하게 된다. 지지의 한 개 오행은 에너지가 부족해서 천간 오행을 에너지적으로 간섭할 수 없다는 사실을 상기해보자. 다시 본문을 보자. 그래서 격과 국이 만나서 이미 파격이 된 상태에서는(格局既破), 덕이 가득한 천덕인 희신이 개입하더라도(即使滿盤天德貴人), 이때 국이 만든 오행이 방해하고 있는데, 이 희신인 천덕이 어떻게 공을 세울 수 있겠는가(何以為功)? 국이 만든 오행이 천간을 뒤흔드는 상황을 말하고 있다. 그런데, 요즘 사람들은 국의 경중을 모르고 있다(今人不知輕重). 즉, 국의 역할을 모르고 있다. 참고로 이는 현재 사주쟁이들의 현실이기도 하다. 그래서 이때는 국을 고려하지 않고서, 길신만 보았다 하면(見是吉星), 용신을 버리고 포기하기에 이르고(遂致拋卻用神), 사주 여덟 글자는 관찰해보지도 않으며(不觀四柱), 더불어 귀천을 함부로 논하고(妄論貴賤), 오류로 점철된 담론을 이용해서 화복을 논하고 있으니(謬談禍福), 심히 가소롭기가 그지없다(甚可笑也). 이 부분은 사주 명리를 에너지적으로 완벽하게 해석하지 못하게 되면, 아예 해석이 안 되는 부분이다. 그리고 이는 지금 사주 명리의 현실이기도 하다.

況書中所云祿貴, 往往指正官而言, 不是祿堂貴人. 如正財得傷貴為奇, 傷貴也. 傷官乃生財之具, 正財得之, 所以為奇, 若指貴人, 則傷貴為何物乎? 又若因得祿而避位, 得祿者, 得官也. 運得官鄉, 宜乎進爵, 然如財用傷官食神, 運透官則格條, 正官運又遇官則重. 凡此之類, 只可避位也. 若作祿堂, 不獨無是理, 抑且得祿避位, 文法上下相顧. 古人作書, 何至不通若是!

또한 책 안에서 말하는 녹귀는(況書中所云祿貴), 왕왕 상극 관계에서 만들어지는 정관을 가리키는 말이며(往往指正官而言), 이는 녹당귀인을 말하는 것이 아니다(不是祿堂貴人). 록당귀인의 원래 뜻은 일반적으로 고결하고 존경받는 사람을 말한다. 그런데 녹귀는 서로 죽이는 상극하는 관계에서 나오게 된다. 다시 본문을 보자. 예를 들어서 설명해보자면, 정재가 상귀를 얻으면, 기이하다고 하는데(如正財得傷貴為奇), 이때 상귀란(傷貴也), 상(傷)은 상관을 말하는 것으로서, 상관이 정재를 생하는 기능(具)을 말하는데(傷官乃生財之具), 정재가 상관의 생을 얻게 되면(正財得之), 이때는 서로 상생한다는 이유(所以)로 인해서 정재가 상관을 의지(奇:의지할 의)한다는 뜻이다(所以為奇). 그래서 이때는 상관이 정재를 도와주면서, 이를 정재의 입장으로 보게 되면, 상관(傷)이 귀(貴)해지게 된다. 그래서 상귀(傷貴)이다. 그래서 상귀를 귀인으로 지정한다면(若指貴人), 상귀는 어떤 귀한 물건이 된단 말인가(則傷貴為何物乎)? 즉 상귀는 상관이 귀해서 상귀가 아니라 정재를 도와주면서 귀하게 된 것일 뿐이다. 또한, 만약에 어떤 이유(因)로 녹(祿)을 얻게 되면, 나쁜 자리를 피할 수 있다는 이유로 인해서(又若因得祿而避位), 녹을 얻게 되면(得祿者), 관성에서 나쁜 칠살을 얻는 것이 아니라 좋은 정관을 얻게 된다(得官也). 여기서 녹(祿)은 복(福)이라는 뜻이다. 운에서 관의 중복(鄉)인 관향을 얻게 되면(運得官鄉), 이때는 마땅히 관직으로 나간다고 말한다(宜乎進爵). 그러면, 여기서 관의 중복(鄉)인 관향(官鄉)은 정관의 중복(鄉:重)을 말하게 된다. 녹을 얻게 되면 나쁜 자리는 피한다는 사실을 상기해보자. 그래서 자연(然)스럽게 재성이 자기를 생해주는 상관과 식신이라는 한 오행을 이용(用)하고 있게 되면(然如財用傷官食神), 이는 상귀(傷貴)가 된다. 그리고 운이 관성을 투출해서 격이 만들어지게 되고(運透官則格條), 이때 또 정관 운이 관성을 만나게 되면, 이때 관성은 자동으로 중복(重)되게 되고(正官運又遇官則重), 이는 관성의 중복(鄉)을 말하는 관향(官鄉)을 말하게 되고, 이때는 벼슬(爵)을 얻게 된다. 여기서 관의 중복(鄉)인 관향(官鄉)은 정관의 중복(鄉:重)을 말한다는 사실을 상기해보자. 그래서 일반적으로 이런 종류는(凡此之類), 단지(只) 현재의 나쁜 자리를 피했을 뿐이다(只可避位也). 그러나 만약에 이들이 녹당을 만든다고 말하게 되면(若作祿堂), 이때 말하는 녹당이라는 이(其) 원리(理)는 혼자서 아무렇게나 정의를 내린 전단(獨)한 원리가 되고 만다(不獨無是理). 즉, 녹과 녹당의 원리는 서로 다르다는 뜻이다. 또한, 녹을 얻게 되면, 나쁜 자리를 피해서 물러난다는 말을 억지(抑)라고 한다면(抑且得祿避位), 이는 앞에서 본 예시의 실제 문법에서 상하가 서로 물끄러미 바라보는 격이 되고 만다(文法上下相顧). 즉, 억지(抑)라도 주장하는 문법과 실제 예에서 나타난 문법이 서로 맞지 않는다는 뜻이다. 그래서 만약에 이를 그대로 인정한다고 하면, 우리 선조들이 책을 편찬할 때(古人作書), 어째서 이렇게 서로 통하지 않는 문법에 이르게 했을까요(何至不通若是)? 해석이 상당히 어렵다.

又若女命, 有雲"貴衆則舞裙歌扇". 貴衆者, 官衆也. 女以官為夫, 正夫豈可疊出乎? 一女衆夫, 舞裙歌扇, 理固然也. 若作貴人, 乃是天星, 並非夫主, 何礙於衆, 而必為娼妓乎?

또한 만약에 여성의 사주 명리를 보면(又若女命), 여성이 귀가 많으면, 치마를 휘날리고, 춤을 추면서 부채를 잡고 노래를 부른다는 말이 있다(有雲"貴衆則舞裙歌扇"). 여기서 귀가 많다는 말은(貴衆者), 관성이 많다는 뜻이다(官衆也). 여성에게 관성은 남편이다(女以官為夫). 그러면, 일부일처라는 제도 아래에서 어떻게 진짜 남편이 여럿 있단 말인가(正夫豈可疊出乎)? 여인이 한 명인데, 남편이 많으면서(一女衆夫), 치마를 휘날리고, 춤을 추면서 부채를 잡고 노래를 부른다(舞裙歌扇)는 말이 기생을 말하는 것이라면, 이는 일리가 있는 말일 것이다(理固然也). 만약에 귀인을 정의할 때(若作貴人), 이것이 천성술에서 부르는 말이라면(乃是天星) 즉, 이것이 사주 명리가 아닌 점성술에서 부르는 말이라면, 남편이 주인이 아니라는 뜻과 병립할 수 있으면서(並非夫主), 어찌 한 여인이 많은 남편을 거느리는 데 장애가 있겠는가(何礙於衆)? 여성을 뜻하는 별은 많은 작은 별을 거느릴 수가 있다. 그러나, 이를 사주 명리로 보게 되면, 이는 반드시 창기를 부르는 말이 아니겠는가(而必為娼妓乎)?

然星辰命書, 亦有談及, 不善看書者執之也, 如"貴人頭上帶財官, 門充駟馬", 蓋財官如人美貌, 貴人如人衣服, 貌之美者, 衣服美則現. 其實財官成格, 即非貴人頭上, 怕不門充駟馬！ 又局清貴, 又帶二德, 必受榮封. 若專主二德, 則何不竟雲帶二德受兩國之封, 而必先曰無煞乎？ 若云命逢險格, 柱有二德, 逢凶有救, 有免於危, 則亦有之, 然終無關於格局之貴賤也.

오행을 만들어내는 오성이라는 별(星辰)을 중심으로 기술된 사주 명리의 책에서도(然星辰命書), 역시 이와 비슷한 담론이 있다(亦有談及). 그리고 책을 진정으로 깨닫지 못하고 눈으로만 보고서(看) 이에 집착하는 일은 좋은 일이 아니다(不善看書者執之也). 책을 눈으로만 보고서 책이 말하는 진정한 뜻은 이해하지 못하는 사람을 간서치(看書癡)라고 한다는 사실을 상기해보자. 예를 들어서 보자면, 귀인의 사주 명리의 천간(頭上)에 재성과 관성을 두르고 있다면, 문을 여러 마리 말로 채운다는 말이 있다(如"貴人頭上帶財官, 門充駟馬"). 이를 풀어보자면, 재관은 사람의 아름다운 외모와 같은 것이고(蓋財官如人美貌), 귀인은 사람의 의복과 같은 것이다(貴人如人衣服). 이는 외모가 아름다운 사람이(貌之美者), 의복까지 아름답게 갖추게 되면, 이 사람은 더욱더 도드라지게 보일(現) 것이라는 뜻이다(衣服美則現). 이때 재관이 실제로 성격을 이루고 있게 되면(其實財官成格), 귀인의 사주 명리의 천간에서 말하지 않더라도(即非貴人頭上), 아마도(怕不) 문을 여러 마리 말로 채우지 않겠는가(怕不門充駟馬)！ 또한, 지지에서 만들어진 국이 천간에서 만들어진 귀를 깨끗이 해주게 되면(又局清貴), 이는 또한 천간에서 덕과 지지에서 덕인 두(二) 개의 덕(德)을 끼고(帶) 있는 것으로서(又帶二德), 이때는 자동으로 반드시 부귀영화를 얻게 된다(必受榮封). 너무나도 당연한 말이다. 만약에 지지와 천간에서 전적으로 두 가지 덕을 주도하게 되면(若專主二德), 넘어가지 않은 구름처럼 2개의 덕을 두르고 있는데, 어찌 두 나라에서 책봉을 받지 않겠는가(則何不竟雲帶二德受兩國之封)? 여기서 두 나라라는 뜻은 천간과 지지를 은유적으로 표현한 것이다. 그러면, 이는 천간과 지지에 반드시 칠살(煞)이 없다(無)는 뜻이 아니겠는가(而必先曰無煞乎)? 만약에 이런 사주 명리를 만나게 되면, 사주 명리가 나쁜 격을 만나더라도(若云命逢險格), 사주는 천간과 지지에서 두 개의 덕을 보유하고 있으므로(柱有二德), 만난 흉격을 구제할 수 있게 된다(逢凶有救). 그러면, 위험을 피할 수 있게 되면서(有免於危), 역시 사주도 좋게 유지된다(則亦有之). 그러면, 이는 결국에 격국의 각각 귀천과는 무관한 일이 된다(然終無關於格局之貴賤也). 즉, 사주 명리는 격국 각각만 보는 일이 아니라 종합적인 측면을 보는 일이다.

제22장 외격의 용사를 논하다(論外格用舍)

제22장 외격의 용사를 논하다(論外格用舍)

八字用神既專主月令, 何以又有外格乎? 外格者, 蓋因月令無用, 權而用之, 故曰外格也.

사주 여덟 글자에서 용신은 원래(旣) 전적으로 월령을 위주로 진행된다(八字用神既專主月令). 그런데 어떻게 또 외격이 있을 수 있는가(何以又有外格乎)? 여기서 외격이라는 것은(外格者), 대개 어떤 원인으로 인(因)해서 월령이 무용지물(無用)이 될 때(蓋因月令無用), 다른 오행의 에너지(權)를 이용하는 경우를 말한다(權而用之). 그래서 월령 외(外)에 다른 오행을 용신으로 이용한다고 해서 외격(外格)이라고 부른다(故曰外格也).

如春木冬水, 土生四季之類, 日與月同, 難以作用, 類象, 屬象, 衝財, 會祿, 刑合, 遙迎, 井欄, 朝陽諸格, 皆可用也. 若月令自有用神, 豈可另尋外格? 又或春木冬水, 幹頭已有財官七煞, 而棄之以就外格, 亦太謬矣. 是故乾頭有財, 何用衝財? 乾頭有官, 何用合祿? 書云"提綱有用提綱重", 又曰"有官莫尋格局", 不易之論也.

예를 들어서 설명하자면, 봄과 겹치는 목, 겨울과 겹치는 수(如春木冬水), 일간이 토이고, 사고의 종류가 월지일 때 등등(土生四季之類), 일간과 월지가 같은 오행일 때(日與月同), 이때는 자동으로 용신을 적용하기가 어렵게 된다(難以作用). 지지가 국(局)을 만들어서 천간과 같은 오행이 되는 류상(類象), 지지가 방합(方合)을 만들어서 천간과 같은 오행이 되는 속상(屬象), 충재(衝財), 건록격(祿)이 지지의 삼합(會)으로 인해서 지지의 오행이 사라지는 회록(會祿), 지지와 천간이 같은 오행일 때 지지의 오행이 육합(六合)이 되어서 사라지는 형합(刑合), 요영(遙迎), 일간이 지지에서 삼합(會)을 가지는 정란(井欄), 조양 등등의 모든 격은(朝陽諸格), 모두 이 경우에 쓰일 수 있다(皆可用也). 이 경우는 모두 일간과 월지가 같은 오행으로 엮이게 되는 경우가 많다. 이때는 외격을 쓸(用) 수 있다는 것이다. 여기에 나온 격의 문제는 뒤에 나오는 잡격(雜格)에서 설명된다. 만약에 월령이 스스로 용신을 보유하고 있다면(若月令自有用神), 뭐 하러 외격을 찾겠는가(豈可另尋外格)? 즉, 월령에서 용신을 찾지 못할 때 외격을 찾는다는 뜻이다. 또한, 봄을 낀 목과 겨울을 낀 수는(又或春木冬水), 자동으로 에너지의 과다 문제로 골치를 앓게 되는데, 이때는 이 과다 에너지를 견제해서 제어해줄 오행을 갖게 되어야만 문제가 없게 된다. 그래서 천간에서 이미 재성, 정관, 칠살이라는 견제 장치가 있다면(幹頭已有財官七煞), 외격을 취해서 이들을 버리는 일은(而棄之以就外格), 큰 오류가 되고 만다(亦太謬矣). 사주 명리의 핵심은 과다 에너지의 균형을 잡아주기 위해서 상생과 상극을 통해서 에너지를 조절한다는 사실을 상기해보자. 그래서 견제 장치가 있다면, 외격을 쓸 이유가 없어진다. 그래서 천간에 견제 장치인 재격이 있다면(是故乾頭有財), 뭐 하러 충재라는 외격을 쓰겠는가(何用衝財)? 또한 천간에 견제 장치인 관성이 있다면(乾頭有官), 뭐 하러 합록을 쓰겠는가(何用合祿)? 그래서 책에서 말하기를 제강이란 요점의 끌어당김(提)을 이용(用)해서 중요(重)한 내용을 다스린다(綱)고 했다(書云"提綱有用提綱重"). 즉, 외격을 끌어당겨서 중요한 용신으로 쓰는 경우를 말하고 있다. 또 다른 말도 있는데, 견제 장치인 관성이 있다면, 외격이라는 격국을 찾지 않는다고 했다(又曰"有官莫尋格局"). 이런 이론 들은 쉽게 변하지 않는 이론들이다(不易之論也).

然所謂月令無用者, 原是月令本無用神, 而今人不知, 往往以財被劫官被傷之類. 用神已破, 皆以為月令無取, 而棄之以就外格, 則謬之又謬矣.

그래서 월령이 무용지물이 되었다는 말을 보게 되면(然所謂月令無用者), 원래 이 말이 뜻하는 바는 본래(本)부터 월령에 용신이 없다는 말이다(原是月令本無用神). 그런데, 요즘 사람들은 이런 뜻을 헤아리지 못하고(而今人不知), 왕왕 재성이 겁재에게 당하고, 관성이 상관에게 당하는 종류로 취급한다(往往以財被劫官被傷之類). 이는 실제로는 과도한 에너지를 견제하는 과정인데, 이를 모르고 있다는 뜻이다. 즉, 피습(被)을 당하는 것이 아니라 과부족의 에너지를 견제하는 것이다. 그러나 이를 모르게 되면, 용신이 이미 파괴되었으니(用神已破), 모두 월령을 이용할 수 없는 것으로 취급해서(皆以為月令無取), 이를 버리고 외격을 취한다고 생각하게 된다(而棄之以就外格). 이는 오류 중에 또다시 오류를 범하는 일이 되고 만다(則謬之又謬矣).

제23장 궁에서 용신을 구분해서 육친에 배분을 논하다
(論宮分用神配六親)

제23장 궁에서 용신을 구분해서 육친에 배분을 논하다 (論宮分用神配六親)

人有六親, 配之八字, 亦存於命. 其由宮分配之者, 則年月日時, 自上而下, 祖父妻子, 亦自上而下. 以地相配, 適得其宜, 不易之位也.

사람의 친인척 관계에는 육친이 있는데(人有六親), 이를 사주 여덟 글자에 배속시키게 되면(配之八字), 역시 사주 명리에서도 육친이 존재하게 된다(亦存於命). 이런 이유로 사주 여덟 글자의 자리에 따라서 이들을 배분하게 되면(其由宮分配之者), 연월일시에 배분되며(則年月日時), 자동으로 상하 관계도 정립되고(自上而下), 부모 그리고 처자의 관계도 정립되고(祖父妻子), 역시 이도 자동으로 상하 관계도 정립된다(亦自上而下). 이때 지지를 이용해서 서로 배합하게 되면(以地相配), 그 마땅함이 적당하게 얻어진다(適得其宜). 이 자리는 변하지 않는다(不易之位也).

其由用神配之者, 則正印爲母, 身所自出, 取其生我也. 若偏財受我克制, 何反為父? 偏財者, 母之正夫也, 正印為母, 則偏財為父矣. 正財為妻, 受我克制, 夫為妻綱, 妻則從夫. 若官煞則克制乎我, 何以反為子女也? 官煞者, 財所生也, 財為妻妾, 則官煞為子女矣. 至於比肩為兄弟, 又理之顯然者.

이런 이유로 용신을 배합하게 되면(其由用神配之者), 정인은 어머니가 되고(則正印爲母), 이는 자동으로 일간(身)인 내가 나오는 장소이다(身所自出). 그리고 이(其)는 나를 태어나게(生) 해준다(取其生我也). 정인은 상생(生) 관계라는 사실을 상기해보자. 만약에 편재가 나를 받아서 상극하고 제어하게 된다면(若偏財受我克制), 어찌 반대로 부모가 되는가(何反為父)? 편재는(偏財者), 어머니의 정식 남편이 되고(母之正夫也), 정인은 어머니가 되고(正印為母), 그래서 편재는 부모가 된다(則偏財為父矣). 그리고 정재는 처가 되는데(正財為妻), 이는 나를 받아서 상극하고 제어하는 행위를 하며(受我克制), 남편은 처를 다스리는(綱) 사람이므로(夫為妻綱), 당연히 처가 되면 남편을 따르게 된다(妻則從夫). 지금 여기에 나오는 사고방식은 이미 몇천 년 전에 존재하는 사고방식이다. 그래서 이는 그대로 받아들이면 된다. 즉, 지금은 사주 명리의 규칙을 말하고 있다. 만약에 관살이 되면, 이는 나를 상극해서 제어하게 되는데(若官煞則克制乎我), 이것이 어찌 반대로 자녀가 되는가(何以反為子女也)? 즉, 자는 원칙상 부모를 상극해서 제어하지는 못한다. 관살이라는 것은(官煞者), 재성이 생해주는 장소이므로(財所生也), 받는다는 의미에서 처첩이 된다(財為妻妾). 그러면, 받는다는 의미로 보면, 관살은 자동으로 자녀가 된다(則官煞為子女矣). 처첩은 자녀를 낳는다는 사실도 상기해보자. 그리고 동등의 힘을 보유한 비견은 형제에 해당하며(至於比肩為兄弟), 또한 형제는 동등한 지위를 보유하고 있으므로, 이의 이치는 자명하게 된다(又理之顯然者).

其間有無得力, 或吉或凶, 則以四柱所存或年月或日時財官傷刃, 系是何物, 然後以六親配之用神. 局中作何喜忌, 參而配之, 可以了然矣.

이때 육친(其)이 이런 와중(間)에 힘을 얻었는가 유무나(其間有無得力), 또는 길했는가 흉했는가 유무는(或吉或凶), 사주의 오행이 존재하는 자리에 따르거나(則以四柱所存), 혹은 연월일시라는 사주에(或年月或日時), 재성, 관성, 상관, 양인 등등의 계통이(財官傷刃), 어떤 종류의 물건을 만드느냐에 달려있으며(系是何物), 이를 살펴본 연후에 육친을 이용해서 용신으로 배합하면 된다(然後以六親配之用神). 또한 지지에서 만들어지는 국(局) 안(中)에서 어떤 희신과 기신이 만들어지느냐에 따라서(局中作何喜忌), 이를 참여시켜서 용신을 배합하면 된다(參而配之). 그러면, 육친과 용신의 모든 것이 명료하게 될 것이다(可以了然矣).

제24장 처자를 논하다(論妻子)

제24장 처자를 논하다(論妻子)

大凡命中吉凶, 於人愈近, 其驗益靈. 富貴貧賤, 本身之事, 無論矣, 至於六親, 妻以配身, 子為後嗣, 亦是切身之事. 故看命者, 妻財子提綱得力, 或年乾有用, 皆主父母身所自出, 亦自有驗. 所以提綱得力, 或年乾有用, 皆主父母雙全得力. 至於祖宗兄弟, 不甚驗矣.

일반적으로 사주 명리 중에서 길흉은(大凡命中吉凶), 더욱더 가까운 사람일수록(於人愈近), 그 효험은 더욱더 영묘해진다(其驗益靈). 여기서 부귀와 빈천은(富貴貧賤), 본래 자기 자신의 문제이므로(本身之事), 일단 여기서는 논하지 말자(無論矣). 육친에 이르게 되면(至於六親), 처는 자동으로 자기 자신의 배필이므로, 자기에게 배합되고(妻以配身) 즉, 자신의 문제와 연결되고, 자식은 처하고 결혼하고 나서 생긴 후사이므로(子為後嗣), 역시 이 문제도 완벽(切)하게 자기 자신의 일이 된다(亦是切身之事). 그러므로 사주 명리를 살필 때는(故看命者), 처와 재성, 자식과 사주의 개요들이 힘을 얻었는지를 보고(妻財子提綱得力), 또는 연간에 용신이 있게 되면(或年乾有用), 이는 모두 부모와 자신이 나온 정인을 주도하게 되고(皆主父母身所自出), 역시 자동으로 영험이 있게 된다(亦自有驗). 연주는 부모를 말하므로, 당연한 일이다. 이렇게 해서 사주의 큰 줄기인 개요(提綱)에서 힘을 얻게 되거나(所以提綱得力), 또는 연간에서 용신을 보유하게 되면(或年乾有用), 이 모두는 부모로부터 완전한 힘을 얻는 일이 되고(皆主父母雙全得力), 그러나 이때는 조상이나 형제와 관련해서는(至於祖宗兄弟), 큰 영험이 없다(不甚驗矣).

以妻論之, 坐下財官, 妻當賢貴. 然亦有坐財官而妻不利, 逢傷刃而妻反吉者, 何也? 此蓋月令用神, 配成喜忌. 如妻宮坐財, 吉也, 而印格逢之, 反為不美. 妻坐官, 吉也, 而傷官逢之, 豈能順意? 妻坐傷官, 凶也, 而財格逢之, 可以生財, 煞格逢之, 可以制煞, 反主妻能內助. 妻坐陽刃, 凶也, 而或財官煞傷等格, 四柱已成格局, 而日主無氣, 全憑日刃幫身, 則妻必能相夫. 其理不可執一.

처의 문제를 살펴보자(以妻論之). 일간이 앉아있는 아래가 재관이면(坐下財官) 즉, 일지(日支)가 일간과 재관을 만들면, 당연히 처는 현명하고 귀하다(妻當賢貴). 처는 자신(身)과 배합(配)하고 있다는 사실을 상기해보자. 그러나 역시 일간이 일지와 재관을 만들었는데도 불구하고, 처가 불리한 경우도 있고(然亦有坐財官而妻不利), 상관이나 양인을 만들었는데도 불구하고, 처가 반대로 길한 경우가 있는데(逢傷刃而妻反吉者), 이유는 뭔가요(何也)? 이는 대개 월령이 용신을 만들면서(此蓋月令用神), 희신과 기신이라는 에너지와 배합을 만들었기 때문이다(配成喜忌). 예를 들면, 처라는 궁에 재성을 보유하고 있게 되면(如妻宮坐財), 길한 경우가 되고(吉也), 이때 인성을 만나게 되면(而印格逢之), 이 둘은 상극으로 만나게 되면서, 반대로 불미스러운 일이 되고 만다(反為不美). 또한 처가 있는 자리에 정관이 있게 되면(妻坐官), 길한 경우인데(吉也), 이때 상관을 만나게 되면(而傷官逢之), 이 둘은 서로 상극으로 만나게 되면서, 어찌 능히 좋은 뜻을 따를 수 있겠는가(豈能順意)? 그리고 처가 있는 자리에 상관이 있게 되면(妻坐傷官), 이때는 자동으로 흉하게 되는데(凶也), 이때 재성을 만나게 되면(而財格逢之), 상관은 재성을 생할 수 있게 되나(可以生財), 칠살을 만나게 되면(煞格逢之), 상관과 칠살은 상극으로 만나게 되고, 이때는 자동으로 상관이 칠살을 상극으로 제어하게 된다(可以制煞). 이때는 반대로 처가 능히 내조를 주도하게 될 것이다(反主妻能內助). 이는 전형적인 남존여비의 사상이다. 처를 말하는 일지가 양인을 만들고 있으면(妻坐陽刃), 이때는 처가 너무나 힘이 강해져서, 흉하게 되는데(凶也), 이때 혹시 재성, 관성, 상관 등등을 만나게 되면(而或財官煞傷等格), 양인이 제어를 받게 되면서, 양인의 에너지는 균형을 잡게 되고, 이쯤 되면, 사주는 이미 성격을 만드는 국면에 접어들게 되고(四柱已成格局), 그러면, 일간은 자동으로 양인이라는 문제가 되는 기운(氣)이 문제가 되지 않게(無) 되면서(而日主無氣), 일간은 거꾸로 양인이 일간(身)을 돕는 경우로 바뀌게 되고, 이어서 인간은 이에 기대어서 힘을 얻게 되고(全憑日刃幫身), 그러면, 강한 힘을 보유했던 처는 에너지가 균형을 잡게 되면서 순해지게 되고, 그러면 자동으로 반드시 남편을 도와서 내조를 잘하는 처가 될 것이다(則妻必能相夫). 이는 전형적인 남존여비의 사상이다. 그리고 이런 원리는 하나로 모아지지 않고 다양하게 나오게 된다(其理不可執一).

既看妻宮, 又看妻星. 妻星者, 幹頭之財也. 妻透而成局, 若官格透財, 印多逢財, 食傷透財為用之類, 即坐下無用, 亦主內助. 妻透而破格, 若印輕財露, 食神傷官, 透煞逢財之類, 即坐下有用, 亦防刑克. 又有妻透成格, 或妻宮有用而坐下刑衝, 未免得美妻而難偕老. 又若妻星兩透, 偏正雜出, 何一夫而多妻? 亦防刑克之道也.

이미 지지에 있는 처궁을 살폈다면(既看妻宮), 이번에는 또한 천간에 있는 처성을 살펴볼 필요가 있다(又看妻星). 여기서 처성이란(妻星者), 천간에 있는 재성을 말한다(幹頭之財也). 참고로 궁(宮)은 지지를 말하고, 성(星)은 천간을 말한다. 궁(宮)은 사람이 머무르는 집(宮)을 말하는데, 이는 성(星)이라는 오성이 만든 에너지인 오행이 머무는 집(宮)이기 때문이다. 오성이 보내는 계절이라는 오행의 에너지는 지구의 대기(大氣)라는 집(宮)에 머무르면서 계절을 만들어내기 때문이다. 그래서 대기는 오행의 담체가 된다. 즉, 대기는 오행의 실행자가 된다. 그래서 자동으로 지장간(支藏干)이라는 개념이 나오게 되고, 지장간(支藏干)의 개념이 완벽한 과학(科學)이 되는 이유가 된다. 이를 대표하는 지표가 엘니뇨이다. 즉, 엘니뇨는 오행이 지구의 대기를 덥히기도 하고, 식히기도 하면서 나타나는 현상이라는 뜻이다. 이는 자동으로 기록적인 홍수라는 물 폭탄과 기록적인 폭염인 초고온을 만들어내게 된다. 문제는 최첨단 현대 과학이 이를 모르고 있다는 사실이다. 이는 지구의 온난화(溫暖化)로 귀결하고 있다. 그리고 이 온난화의 주범을 이산화탄소(二酸化炭素)로 규정하고 있다. 물론 이산화탄소도 지구 온난화에 일부는 기여하게 된다. 그러나 지구의 거대한 대기와 거대한 기후 완충장치인 강과 바다 그리고 거대한 우림이 지구 온난화의 변수임을 고려해볼 때, 이산화탄소는 아주 작은 변수에 불과하다. 그리고 이 주범은 바로 오행(五行)의 에너지이다. 최근에 폭우를 만드는 토성과 폭염을 만드는 화성이 지구에 근접하고 있다는 사실에 주목해보자. 다시 본문을 보자. 처성이 투출하게 되면, 지지에서 국을 만든 것처럼, 천간에서 하나의 오행이 된다(妻透而成局). 만약에 관격이 재격을 투출받고 있게 되는 경우나(若官格透財), 인수가 많은데 재성을 만나는 경우나(印多逢財), 식상이 재성을 투출받아서 용신으로 쓰는 경우이면(食傷透財為用之類), 이 경우는 모두 처성의 에너지를 제어(制)하는 경우가 되므로, 이때는 처성의 에너지가 안정화되면서, 처의 문제를 말하는 일지가 무용지물이 되더라도(即坐下無用), 이때도 역시 처의 에너지는 안정화되면서, 처는 남편을 잘 내조할 수 있게 된다(亦主內助). 이번에는 처성이 투출해서 거꾸로 파격을 만드는 경우이다(妻透而破格). 만약에 약한 인성이 재성의 노출을 받게 되는 경우나(若印輕財露), 식상이(食神傷官), 칠살을 투출받고, 이어서 재성을 만나는 경우이다(透煞逢財之類). 이때는 처성의 에너지를 제어(制)하지 못하는 경우가 되면서, 아무리 일지에서 용신을 보유하고 있다고 하더라도(即坐下有用), 이때는 역시 형극을 방어해야만 하는 처지가 되고 만다(亦防刑克). 또한 처성이 투출해서 성격을 이룬 경우나(又有妻透成格), 혹은 처궁이 용신을 보유하고 있는데, 갑자기 형충으로 공격받게 되는 경우에는(或妻宮有用而坐下刑衝), 이 경우는 모두 형충으로 공격받게 되면서 일주의 천간 에너지나 지지 에너지가 혼란을 겪게 되므로, 처의 에너지는 자동으로 혼란을 겪게 되고, 이는 자동으로 좋은 처는 얻을 수 없다는 뜻으로 해석되고, 이어서 남편은 처와 해로가 어려울 것이다(未免得美妻而難偕老). 또한 만약에 처성이 두 개가 투출했는데(又若妻星兩透), 이때 정재와 편재가 혼잡하게 투출되게 되면(偏正雜出), 어찌 일부가 다처를 통제할 수 있겠는가(何一夫而多妻)? 이때도 역시 형극을 방어해야만 되는 원리는 똑같게 된다(亦防刑克之道也). 지장간의 문제를 말하고 있다.

至於子息, 其看宮分與星所透喜忌, 理與論妻略同. 但看子息, 長生沐浴之歌, 亦當熟讀, 如"長生四子中旬半, 沐浴一雙保吉祥, 冠帶臨官三子位, 旺中五子自成行, 衰中二子病中一, 死中至老沒兒郎, 除非養取他之子, 入墓之時命夭亡, 受氣為絕一個子, 胎中頭產養姑娘, 養中三子只留一, 男女宮中子細詳"是也.

자식의 문제를 살필 때도(至於子息), 자식궁을 분리해서 살피면서도 동시에 자성이 희신을 투출했는지 아니면 기신을 투출했는지도 살펴야만 한다(其看宮分與星所透喜忌). 즉, 이때도 원리나 이론은 처의 것과 대략 같다(理與論妻略同). 단지 자식의 문제를 살필 때는(但看子息), 장생목욕이라는 가사를(長生沐浴之歌), 역시 당연히 숙독해야만 한다(亦當熟讀). 지지와 천간이 만나서 만들어내는 12운성을 잘 숙지하라는 뜻이다. 장생은 아들이 넷인 경우이고, 중순이면 절반이고(如長生四子中旬半), 목욕은 둘인 경우이고, 보존되면, 길하고 상서롭게 된다(沐浴一雙保吉祥). 관대나 임관은 자식이 셋인 자리이고(冠帶臨官三子位), 제왕은 자식이 다섯인 경우이고, 스스로 잘 성장한다(旺中五子自成行). 쇠는 아들이 둘인 경우이고, 병은 아들이 하나인 경우이다(衰中二子病中一). 사는 늙어서까지 자식이 없는 경우로서(死中至老沒兒郞), 이때는 남의 자식을 양자로 들여서 키우는 경우도 배제할 수 없게 된다(除非養取他之子). 시가 묘에 들어가게 되면, 수명은 요절해서 죽게 되고(入墓之時命夭亡), 받은 기가 12 운성의 절(絶)에 걸리게 되면, 자식이 하나에 불과하고(受氣為絕一個子), 태에 걸리게 되면, 먼저 딸을 낳아서 양육하게 되고(胎中頭產養姑娘), 양에 걸리게 되면, 자녀 셋 중에서 단지(只) 하나만 남는다(養中三子只留一). 그래서 남녀 궁 중에서 상세히 살펴야 할 것이(男女宮中子細詳), 바로 이들이다(是也).

然長生論法, 用陽而不用陰. 如甲乙日只用庚金長生, 巳酉丑順數之局, 而不用辛金逆數之子申辰. 雖書有官為女煞為男之說, 然終不可以甲用庚男而用陽局, 乙用辛男而陰局. 蓋木為日主, 不問甲乙, 總以庚為男辛為女, 其理為然, 拘於官煞, 其能驗乎?

그러나 장생의 논법은(然長生論法), 양간은 쓸모가 있으나 음간은 쓸모가 없다는 점이다(用陽而不用陰). 예를 들면, 갑을 일간은 단지(只) 경금에 해당하는 지지의 장생을 이용한다는 점이다(如甲乙日只用庚金長生). 여기서 갑을은 아버지를 말하고, 자식은 아버지에게 관살(官)의 존재이므로, 자성(子星)은 당연히 갑을의 관성(官)인 경금(庚)과 신금(辛)이라는 금(金)이 된다. 참고로 어머니에게 자식은 식상(食傷)이 된다. 그래서 자성(子星)으로 지지의 오행 3개가 모여서 만들어내는 사유축(巳酉丑)이라는 천간의 오행과 똑같은 에너지를 보유한 금국(金局)을 이용하게 되는데, 이때 금(金)은 갑을이라는 목을 기준으로 보게 되면, 물이 순리(順)대로 흐르는 것처럼, 앞으로 나가는 경우의 수(數)가 된다(巳酉丑順數之局). 여기서 순수(順數)란 순서대로 흐르는 현상을 말한다. 그리고 여기서 사(巳)는 경금(庚)의 장생(長生)이다. 그래서 사(巳)가 포함되는 지지의 금국(金)을 만들려면, 지지에서 3개의 오행이 모여야 하므로, 사유축(巳酉丑)이라는 3개의 오행을 모아야 한다. 그래야, 삼합(三合)으로서 갑을에 대적할 수 있는 에너지를 보유한 금(金)을 만들 수 있게 된다. 그리고 이는 갑을을 기준으로 보게 되면, 앞으로 나아가는 순수(順數)가 된다. 그런데, 신금에서 장생은 자수(子)가 된다. 그래서 자수(子)를 포함하고 있는 천간과 대적할 수 있는 국(局)을 지지에서 만들려면, 삼합(三合)으로서 신자진(子申辰)이라는 수국(水局)이 된다. 이때, 이 수국(水)을 갑을이라는 목(木)의 입장으로 보게 되면, 뒤로 역행(逆)하는 역수(逆數)가 된다. 이를 다르게 해석할 수도 있다. 즉, 갑을이라는 아버지의 입장으로 자식은 관성(官)이므로, 금국(金)이 나와야지 수국(水)이 나와서는 안 된다는 것이다. 이는 자식이라는 금(金)이 만드는 관성에 역행(逆)하는 일이다. 그러면, 자동으로 신금이 만들어내는 신자진이라는 수국(水)은 역수가 되면서 동시에 관성이 아닌 인성이 되면서 쓸모도 없게 된다(而不用辛金逆數之子申辰). 그러면, 자동으로 12 운성의 장생에서는 양(陽)으로서 경금(庚)이 만들어내는 금국(金)만 쓸모가 있지, 음(陰)으로서 신금(辛)이 만들어내는 수국(水)은 자동으로 쓸모가 없어지고 만다. 그래서 장생의 논법에서는(然長生論法), 양간은 쓸모가 있으나 음간은 쓸모가 없다(用陽而不用陰)고 한 것이다. 이때 주의할 점은 원래는 투출한 천간의 오행으로 자성(子星)을 삼지만, 지지에서 만들어지는 국(局)으로도 자성을 삼을 수 있다는 사실이다. 궁(宮)은 지지를 의미하고, 성(星)은 천간을 의미한다는 사실을 상기해보자. 이때는 지지에서 3개의 오행이 만나게 되면, 국(局)을 만들면서 천간의 오행과 똑같은 에너지를 보유할 수 있기 때문이다. 그러면, 자동으로 지지의 국(局)도 자성(子星)의 역할을 할 수 있게 된다. 이를 12 운성에 맞춰서 다른 방식으로 해석해도 된다. 사주 명리는 에너지의 흐름을 쫓는 과정이므로, 이도 에너지로 풀어보자는 것이다. 이는 지장간 그리고, 삼합의 문제로 연결된다. 특히 지장간에서 중기(中氣)의 문제로 연결된다. 중기의 원리는 삼합의 원리와 똑같다는 사실을 상기해보자. 그러면, 삼합인 사유축(巳酉丑)과 자신진(子申辰)을 에너지로 분석해보자. 사유축은 12 운성에서 사(巳)는 생(生)이 되고, 유(酉)는 왕(旺)이 되고, 축(丑)은 묘(墓)가 된다. 이를 지장간의 중기로 풀게 되면, 사(巳)의 중기에 경금(庚)이 있다. 이 의미는 전에 이미 설명했다. 사(巳)는 분명히 초여름이다. 그런데, 이 초여름(巳)에 이미 가을(庚)의 기운이 모여지기 시작한다는 뜻이다. 이는 지구의 대기가 오성의 에너지인 오행을 받아서 쉽게 달궈지지도 않으며, 쉽게 식지도 않는다는 사실을 말하고 있다. 그래서 초여름(巳)에 이미 가을(庚)의 기운이 만들어지기 시작(生)한다는 것이다. 그래서 사화(巳)의 지장간에서 중기를 보게 되면, 경금(庚)이 나오게 된다. 그리고 유금(酉)은 말 그대로 가을의 전성기(旺)이다. 그리고 축(丑)은 토로서 겨울에 속하므로, 마지막 겨울의 기운을 품고 있다. 또한 이때 가을의 기운이 완전히 소멸(墓)되는 시기이기도 하다. 그래서 축토의 지장간을 보게 되면, 자동으로 가을의 약한 기운인 신금(辛)이 중기에 자리하고 있게 된다. 이 세 가지를 에너지적으로 정리해보게 되면, 유금(酉)이라는 가을의 에너지는 사화(巳)라는 초여름에 생겨(生)나기 시작해서, 유금(酉)에서 제일 왕성(旺)하게 되고, 축토(丑)라는 겨울의 끝자락에서 완벽하게 사라진다(墓)는 것이다. 그래서 12 운성 도표에서 사유축을 찾아보게 되면, 사(巳)는 생(生)이 되고, 유(酉)는 왕(旺)이 되고, 축(丑)은 묘(墓)가 된다. 이는 지장간의 원리를 순수(順數)하게 따르고 있다. 즉, 이 경우에서는 에너지가 흐르는 원리를 순수(順數)하게 따르고 있다. 그리고 이 삼합(三合)은 양간(陽干)인 경금(庚)의 12 운성에서도 생(生), 왕(旺), 묘(墓)로 나오게 된다. 이제 음간(陰干)인 신금(辛)의 12 운성에서 생(生), 왕(旺), 묘(墓)를 찾게 되면, 자신진(子申辰)이 나오게 된다. 이를 에너지로 풀어보자면, 자수(子)에서 생(生)하고, 신금(申)에서 왕(旺), 진토에서 묘(墓)가 된다. 이는 신금(申)인 가을이 자수(子)에서 시작(生)하고, 신금(申)에서 왕성(旺)해지고, 진토에서 없어지게(墓) 된다는 뜻이다. 이때 자수의 지장간에서 중기를 보게 되면, 겨울의 최전성기인 왕(旺)이 된다. 그리고 봄의 끝자락인 진토(辰)의 지장간 중기를 보게 되면, 계수(癸)가 있게 된다. 이를 가을의 에너지로 따져 보게 되면, 바로 앞에서 본 에너지의 정상적인 흐름을 역행하고 있다. 즉, 신금(辛)의 12 운성에서는 지장간 중기의 에너지 원리를 역행하고 있다. 즉, 이 경우는 역수(逆數)가 나오고 있다. 그래서 장생의 논법에서는(然長生論法), 양간은 쓸모가 있으나, 음간은 쓸모가 없다(用陽而不用陰)고 한 것이다. 이는 지장간, 중기, 12 운성, 관성의 아들 관계 등등의 원리를 모르게 되면, 이 부분의 해석은 물 건너가고 만다. 그래서 이 부분은 해석이 상당히 어려워서 대부분 사주쟁이는 이 부분을 은근슬쩍 넘어가고 만다. 덕분에 이 부분의 해석도 중구난방(衆口難防)이 되고 만다. 다시 본문을 보자. 그러나 책에서 보면, 똑같은 관성에서도, 음이 만드는 정관은 딸이고, 양이 만드는 칠살은 남자라는 이론에 집착해서(雖書有官為女煞為男之說), 결국에는 양으로서 갑목을 이용할 때는 양으로서 경금과 양으로서 아들 때 이용하고, 추가로 국도 양국을 이용해야만 하며(然終不可以甲用庚男而用陽局), 음으로서 을목을 이용할 때는 음으로서 신금을 양으로서 아들에게 이용하므로 음국을 이용해야만 한다는 이론은 절대로 써서는 안 되는(不可以) 경우가 된다(乙用辛男而陰局). 이 구절은 앞부분의 해석을 보면, 이해가 갈 것이다. 대개 지금처럼 목이 일간을 주도하게 되면(蓋木為日主), 갑을을 불문하고(不問甲乙), 일반적으로 경금은 양이므로, 아들 때 이용하고, 신금은 음이므로, 딸 때 이용하게 된다(總以庚為男辛為女). 이 원리는 음양의 원리로 보게 되면, 너무나도 자연스러운 일이다(其理為然). 그래서 이때 관살에 너무 의존하게 되면(拘於官煞), 사주 명리의 영험함을 얻을 수 있겠는가(其能驗乎)? 이 부분은 해석이 만만하지 않다.

所以八字到手, 要看子息, 先看時支. 如甲乙生日, 其時果系庚金何宮. 或生旺, 或死絕, 其多寡已有定數, 然後以時干子星配之. 如財格而時乾透食, 官格而時乾透財之類, 皆謂時幹有用, 即使時逢死絕, 亦主子貴, 但不甚繁耳. 若又逢生旺, 則麟兒繞膝, 豈可量乎? 若時幹不好, 子透破局, 即逢生旺, 難為子息. 若又死絕, 無所望矣. 此論妻子之大略也.

그래서 사주 여덟 글자를 입수해서(所以八字到手), 자식의 사주 명리를 살피고자 할 때는(要看子息), 먼저 자식을 말하는 시주의 시지를 살핀다(先看時支). 예를 들자면, 일간이 갑을이 되면(如甲乙生日), 이때는 아버지와 아들의 관계는 칠살로서 경금이 되므로, 경금과 시지가 만나는 궁(宮)이 어떤 12 운성인가를 본다(其時果系庚金何宮). 그러면, 이때는 자동으로 12 운성에서 때로는 생과 왕을 만날 수도 있고(或生旺), 때로는 사와 절을 만날 수도 있게 되면서(或死絕), 여기에서 12 운성의 다과가 나오게 될 것이고, 이때 경우의 수가 정해지게 된다(其多寡已有定數). 이렇게 경우의 수를 찾은 다음에, 이들을 시주 천간의 자성과 배합하면 된다(然後以時干子星配之). 예를 들자면, 시주의 지지에서는 재격인데, 천간에서는 식신을 투출하고 있는 경우나(如財格而時乾透食), 시지에서는 관격인데, 시주의 천간에서는 재격을 투출하고 있는 경우이다(官格而時乾透財之類). 그러면, 이 두 경우는 모두 상극 관계가 아닌 상생 관계가 된다. 그래서 이 경우는 모두 시주의 천간에서 용신을 보유하게 된다(皆謂時幹有用). 이 상태에서 시지에서 사와 절을 만난다면(即使時逢死絕), 이는 역시 자식의 귀함을 주도하나(亦主子貴), 단지 사와 절의 특성으로 인해서 자식의 번성은 없게 된다(但不甚繁耳). 만약에 또한 이때 생과 왕을 만나게 되면(若又逢生旺), 생과 왕의 특성으로 인해서, 재주가 많은 아이가 슬하에 가득해서(則麟兒繞膝), 이를 어떻게 헤아릴 수 있으리오(豈可量乎)? 만약에 이때 시주의 천간 상태가 좋지 않고(若時幹不好), 투출하고 있는 자성도 국을 깨고 있다면(子透破局), 이때는 상과 왕을 만난다고 해도(即逢生旺), 격국이 모두 좋지 않아서 자식에게 어려움이 있을 것이다(難為子息). 만약에 또한 이때 사와 절을 만나게 되면(若又死絕), 사와 절의 특성으로 인해서, 아예 자식에 대한 희망을 접는 것이 현명할 것이다(無所望矣). 지금까지 기술한 이런 내용들이 처자론의 개요이다(此論妻子之大略也).

제25장 행운을 논하다(論行運)

제25장 행운을 논하다(論行運)

論運與看命無二法也. 看命以四柱干支, 配月令之喜忌, 而取運則又以運之乾, 配八字之喜忌. 故運中每運行一字, 即必以此一字, 配命中干支而統觀之, 為喜為忌, 吉凶判然矣.

오행의 운행을 논하는 일과 사주 명리는 살피는 일은 서로 나누어져서 2가지로 분류되지 않는다(論運與看命無二法也). 그 이유는 오행도 에너지 문제를 다루고, 사주 명리도 에너지 문제를 다루기 때문이다. 사주 명리를 살필 때는 사주의 천간과 지지를 이용하게 되는데(看命以四柱干支), 먼저 월령의 희신과 기신을 배합하고(配月令之喜忌), 이어서 일간을 통해서 운을 취하게 되는데, 이때는 또한 천간의 오행을 이용한다(而取運則又以運之乾). 그러고 나서 사주 여덟 글자의 기신 그리고 희신을 배합하게 된다(配八字之喜忌). 여기서 기신과 희신은 결국에는 상생과 상극을 기본으로 하므로, 지지에서도 월지를 중심으로 상생과 상극을 찾는 일이 되고, 천간에서도 인간을 중심으로 상극과 상생을 찾는 일이 된다. 다시 본문을 보자. 그래서 에너지의 흐름이 매번 어느 한 글자로 흐르게 되면(故運中每運行一字), 이때는 반드시 이(此) 한 글자를 이용해서(即必以此一字), 사주 명리에 나오는 간지와 배합해서 총체적으로 관찰하면 된다(配命中干支而統觀之). 이때 나오는 배합이 희신인지 기신인지를 알게 되면(為喜為忌), 드디어 사주의 길흉 판단이 가능해진다(吉凶判然矣).

何為喜？ 命中所喜之神, 我得而助之者是也. 如官用印以制傷, 而運助印. 財生官而身輕, 而運助身. 印帶財以為忌, 而運劫財. 食帶煞以成格, 身輕而運逢印, 煞重而運助食. 傷官佩印, 而運行官煞. 陽刃用官, 而運助財鄉. 月劫用財, 而運行傷食. 如此之類, 皆美運也.

그러면, 어느 경우가 희신이 되는가(何為喜)? 사주 명리 중에서 희신이 되는 이유는(命中所喜之神), 내가 이 오행을 얻었을 때, 이 오행이 나는 돕기 때문이다

(我得而助之者是也). 예를 들어서 설명하자면, 관성이 인성을 용신으로 이용해서 상관을 제압해주는 경우이다(如官用印以制傷). 이를 갑목으로 보게 되면, 관성은 금이고, 인성은 수이고, 상관은 화이다. 그러면, 이때 상관인 화는 자동으로 관성인 금을 상극해서 제거해버린다. 그러면, 이런 상관인 화를 인성인 수가 상극으로 제거해주게 되면, 관성은 무사히 살아나게 된다. 그러면, 이때 관성의 입장으로 상관은 꼴도 보기 싫은 기신이 되고, 인성은 한 번이라도 더 보고 싶은 희신이 된다. 이는 일간의 입장에서도 똑같다. 그래서 이 에너지 운행에서는 인성이 관성을 도우면서 동시에 일간을 돕게 된다(而運助印). 또한, 재성이 관성을 생하고 있어서, 자동으로 일간이 약해질 때(財生官而身輕), 에너지 흐름이 일간을 도와줄 때이다(而運助身). 재성과 관성은 신약(身弱)의 구성 요소이고, 비겁과 인성은 신강(身强)의 구성 요소라는 사실을 상기해보자. 이때 재성과 관성은 일간과 상극으로 만나기 때문에, 자동으로 신약을 만들고, 비겁과 인성은 일간에게 에너지를 보태주므로, 자동으로 신강을 만든다. 즉, 이때 인성 정도가 나오게 되면, 재성, 관성, 인성이라는 상생의 조합이 나오게 되면서 에너지 균형이 잡히게 된다. 이때 양인 정도가 나오게 되면, 관성, 양인, 재성이라는 상극의 조합이 나오게 되면서, 양인이 한가운데에서 에너지를 조절해주면서 에너지 균형이 잡히게 된다. 여기서 핵심은 상호 견제(制)이다. 다시 본문을 보자. 인수가 재성을 끼고(帶) 있게 되면, 이 둘은 서로 상극 관계가 되므로, 자동으로 서로 기신이 되고 만다(印帶財以為忌). 이때 겁재가 나오게 되면(而運劫財), 이때는 겁재, 재성, 인수라는 상극의 조합이 만들어지게 되고, 에너지 균형이 잡히게 된다. 그러면, 이때는 자동으로 에너지 균형을 잡아준 겁재가 희신이 된다. 다시 본문을 보자. 식신이 칠살을 끼고 있게 되면, 이때는 칠살을 식신이 상극으로 제어해주면서 칠살격이 성격을 이루게 되는데(食帶煞以成格), 그러면, 식신과 칠살 덕분에 일간(身)은 자동으로 약(輕)해지게 되고, 이때 인수를 만나게 되면(身輕而運逢印), 인수, 식신, 칠살이라는 상극 관계의 조합이 만들어지면서, 에너지의 균형이 잡히게 되고, 이어서 이 덕분에 인수가 일간의 희신이 되어준다. 다시 본문을 보자. 칠살이 중복(重)되면서 일간이 약해질 때, 식신이 나타나서 칠살을 상극으로 제어해주면서 일간을 도울 때는(煞重而運助食),

식신이 일간의 희신이 된다. 또한, 상관이 인수를 끼고 있을 때는(傷官佩印), 자동으로 이 둘은 서로 상극해서 문제를 만들게 되는데, 이때 에너지 흐름이 관살로 흐르게 되면(而運行官煞), 이때는 인수, 상관, 관살이라는 상극의 조합이 만들어지면서 에너지가 균형을 잡게 되고, 이어서 일간은 안정되고, 이때는 자동으로 에너지 균형을 잡아준 관살이 희신이 된다. 다시 본문을 보자. 양인이 관성을 이용하고 있게 되면(陽刃用官), 이 둘은 서로 상극 관계가 되는데, 이때 에너지의 흐름이 재성이 중복(鄕)해서 나오게 되면(而運助財鄕), 하나의 재성은 관성을 생하게 되고, 나머지 하나의 재성은 양인의 에너지를 상극을 통해서 받아주게 되면서, 이때는 자동으로 중복(鄕)해서 나온 재성이 일간의 희신이 된다. 이때는 물론 양인이 관성을 만나게 되면, 관성의 제어로 인해서 양인격이라는 성격을 이루게 된다. 그러나 이때 재성이 다시 에너지 균형을 잡아주게 되면, 이 양인격은 더욱더 좋은 상태가 된다. 다시 본문을 보자. 월겁이 재성을 이용하게 되면(月劫用財), 이때도 월겁을 재성이 상극으로 제어해주면서 월겁격을 이루게 된다. 그러나 이때 식상이 나타나게 되면(而運行傷食), 이때는 월겁, 식상, 재성이라는 상생의 조합이 만들어지면서, 에너지가 더욱더 균형을 잡게 되고, 이 월겁격은 더욱더 윤택해지게 되면서, 이때 식상은 일간의 희신이 된다. 다시 본문을 보자. 지금까지 설명한 이런 종류의 경우는(如此之類), 모두 아름다운 오행(運)의 에너지가 된다(皆美運也)

.

何謂忌？ 命中所忌, 我逆而施之者是也. 如正官無印, 而運行傷. 財不透食, 而運行煞. 印綬用官, 而運合官. 食神帶煞, 而運行財. 七煞食制, 而運逢梟. 傷官佩印, 而運行財. 陽刃用煞, 而運逢食. 建祿用官, 而運逢傷. 如此之類, 皆敗運也.

그러면 어느 경우가 기신이 되는가(何謂忌)? 사주 명리 중에서 꺼리게 되는 이유는(命中所忌), 나에게 역효과를 내고, 이를 시행하게 되면 역효과가 나기 때문이다(我逆而施之者是也). 예를 들자면, 정관이 인수가 없을 때(如正官無印), 상관을 만나게 되면(而運行傷), 이때는 상관을 인수로 상극해서 제거하지 못하게 되면서, 자동으로 상관이 정관을 상극으로 제거해버린다. 그러면, 자동으로 정관격은 깨지고 만다. 그래서 이때는 상관이 꼴도 보기 싫은 기신이 된다. 또한, 재성이 식신을 투출하고 있지 않은 상태에서(財不透食), 칠살을 만나게 되면(而運行煞), 칠살은 상극으로 식신의 제어를 받지 않게 되면서, 자동으로 재성을 상극해버린다. 그러면 재격은 깨지게 되면서, 칠살은 기신이 되고 만다. 또한, 인수가 상생 관계인 관성을 용신으로 쓰고 있을 때(印綬用官), 관성이 육합을 만들어서 사라지는 경우이다(而運合官). 이때는 육합이 기신이 된다. 또한, 식신이 칠살을 끼고 있을 때는(食神帶煞), 식신이 칠살을 상극으로 견제하면서 칠살격을 이루게 되는데, 이때 재성이 나타나게 되면(而運行財), 재성은 칠살과 상극으로 만나서 제거하게 되면, 이때 칠살격은 깨지고 만다. 그래서 이때는 재성이 기신이 된다. 또한, 칠살이 상극으로 식신의 제어를 받고 있을 때(七煞食制), 편인을 만나게 되면(而運逢梟), 편인이 식신을 상극으로 제거해버리면서, 칠살격은 깨지고 만다. 그래서 이때는 편인이 기신이 된다. 또한, 상관이 인성을 끼고 있을 때는(傷官佩印), 상관을 인수가 상극으로 제어하면서, 상관격이 만들어지는데, 이때 재성을 만나게 되면(而運行財), 인성과 재성이 상극으로 만나게 되고, 이때 상관격은 깨지고 만다. 그래서 이때는 재성이 기신이 된다. 또한, 양인이 칠살을 용신으로 이용하게 되면(陽刃用煞), 칠살은 양인의 에너지를 견제해주면서, 양인격이 완성된다. 그런데 이때 식신을 만나게 되면(而運逢食), 식신은 자동으로 견제 장치인 칠살을 상극으로 제거해버린다. 그러면, 이때 양인격은 자동으로 깨지면서, 식신은 기신이 되고 만다. 또한, 건록이 관성을 용신으로 사용하게 되면(建祿用官), 관성은 상극으로 건록의 에너지를 견제하면서, 건록격이 만들어진다. 이때 상관을 만나게 되면(而運逢傷), 상관은 자동으로 견제 장치인 관성을 상극으로 제거하면서, 건록격은 깨지게 되고, 이때는 자동으로 상관이 기신이 된다. 지금 설명한 종류의 예시는(如此之類), 모두 성격을 패격으로 만들어버리는 오행들이다(皆敗運也).

其有似喜而實忌者, 何也? 如官逢印運, 而本命有合, 印逢官運, 而本命用煞之類是也. 有似忌而實喜者, 何也? 如官逢傷運, 而命透印, 財行煞運, 而命透食之類是也.

이때 희신과 유사한데, 실제로는 기신이 되는 경우가 있는데(其有似喜而實忌者), 어떤 경우인가요(何也)? 예를 들면, 관성이 인성을 만나고 있는 상태에서는(如官逢印運), 관성과 인성이 상생하면서 인성은 희신이 된다. 이때 일간이 희신인 인성을 포함하는 합(合)을 보유하고 있게 되면(而本命有合), 희신인 인성은 자동으로 사라지면서, 다른 오행으로 바뀌게 되고, 그러면, 이때 합으로 새로 만들어진 오행은 관성과 다른 관계를 맺게 되고, 이때 합은 자동으로 기신이 될 수도 있게 된다. 이를 갑목을 예로 풀어보게 되면, 아주 쉽게 이해가 간다. 갑목의 관성은 금이고, 인성은 임계라는 수이다. 그리고 임계(壬癸)라는 인성을 포함하는 오행의 합(合)은 정임(丁壬)이라는 목(木)과 무계(戊癸)라는 화(火)가 있다. 그러면, 천간합으로 만들어진 목과 화는 자동으로 관성이라는 금과 서로 상극으로 엮이게 된다. 그러면, 이때 천간합은 관성과 상극으로 엮이면서 어떤 경우가 되었든지 간에 기신이 되고 만다. 다시 본문을 보자. 인성이 천간(運)에서 관성을 만나고 있는 상태에서는(印逢官運), 인성과 관성이 상생하면서, 관성이 희신이 된다. 이때 일간이 칠살을 용신으로 쓰게 되면, 칠살은 자동으로 인성과 상생하게 되는데, 이때는 자동으로 관성이 끼어들게 된다. 그러면, 이때는 격이 깨지고 만다. 그러면 희신이었던 관성은 기신이 되고 만다. 그래서 이 경우의 종류도 희신이 되었다가 기신이 된 경우가 된다(而本命用煞之類是也). 이번에는 기신과 유사한데, 실제로는 희신이 되는 경우가 있는데(有似忌而實喜者), 이는 어떤 경우인가(何也)? 예를 들면, 관성이 상관을 천간에서 만나게 되면(如官逢傷運), 이때는 관성과 상관이 서로 상극하게 되면서, 상관은 기신이 된다. 그러나 이때 일간이 인성을 투출하게 되면(而命透印), 이 인성은 관성과 상관 사이에서 에너지 중재자가 된다. 즉, 인성, 상관, 관성이라는 상극의 조합이 만들어지면서 에너지가 균형을 잡게 된다. 즉, 인성이 상관을 상극으로 제어해주게 되면서, 상관은 관성을 제대로 상극하지 못하게 되고, 이어서 실제(實)로는 희신과 같은 존재로 변하게 된다. 다시 본문을 보자. 재성이 칠살로 흘러가게 될 때(財行煞運), 칠살을 용신으로 쓰게 되면, 재성은 칠살과 상생(生)으로 엮이게 되고, 거꾸로 칠살을 돕게 된다. 원래 칠살을 용신으로 쓰게 되면, 이때는 이를 누군가가 나서서 상극(克)으로 제어해줘야만 칠살격이 완성된다는 사실을 상기해보자. 그러면, 이때 재성은 기신이 되고 만다. 그런데, 이때 일간이 식신을 투출하게 되면, 식신, 재성, 칠살이라는 상생의 조합이 만들어지면서 에너지가 균형을 잡게 된다. 그러면, 이때 재성은 실제(實)로는 희신처럼 된다. 그래서, 이 경우의 종류도 기신에서 희신이 된 경우가 된다(而命透食之類是也).

又有行干而不行支者, 何也? 如丙生子月亥年, 逢丙丁則幫身, 逢巳午則相衝是也. 又有行支而不行乾者, 何也? 如甲生酉月, 辛金透而官猶弱, 逢申酉則官植根, 逢庚辛則混煞重官之類是也.

또한, 천간에서 수행(行)되는 것과 지지에서 수행(行)되지 않는 것이 있는데(又有行干而不行支者), 이유는 뭔가요(何也)? 예를 들자면, 일간이 병화이고, 월지가 자수이고, 연주가 해수일 때(如丙生子月亥年), 병정이라는 화를 투출하고 있게 되면, 일간을 돕는 경우이나(逢丙丁則幫身), 사오라는 화를 만나면 서로 상충하는 경우이다(逢巳午則相衝是也). 일단 일간의 병화(丙)와 월지의 자수(子)가 만나게 되면, 정관이 되고, 해수와는 편관이 된다. 그리고 이 둘을 합치게 되면 관성이 나오게 된다. 이는 일간인 병화와 상극(克) 관계를 말하고 있다. 이때는 당연히 상극당하는 병화를 도와줘야만 한다. 이때 천간에서 병정을 만나게 되면, 병정은 일간의 병화와 비겁을 만든다. 그러면, 상황은 달라지게 된다. 즉, 천간에서 비겁이 만들어지게 되면, 이 비겁은 자동으로 상극(克)으로 제어해줘야만 한다. 그런데, 지금은 지지에서 자수와 해수가 일간을 상극(克)하고 있다. 그러면, 이때는 완벽한 비겁격(比劫格)이 완성된다. 그러면, 상황은 이상하게 흘러가고 만다. 즉, 이때 비겁을 만든 병정은 원래 일간의 에너지를 뒤엉키게 해서 일간을 망치는 존재이다. 그런데, 지금은 일간이 상극(克)을 당하고 있는 바람에 거꾸로 구원 투수(幫)가 되고 있다(逢丙丁則幫身). 이제 천간에서 지지로 눈길을 옮겨보자. 지지에서는 병정이라는 화(火) 대신에 사오라는 화(火)를 도입해보자. 그러면, 이는 겉으로 보게 되면, 똑같은 화(火)처럼 보이게 된다. 즉, 병화 일간과 자해가 만든 관격(官格)에 천간에서도 병정이라는 화(火)로 대응했고, 지지에서도 사오라는 화(火)로 대응하고 있다는 뜻이다. 그런데, 이들 화(火)의 반응은 전혀 다르게 나오게 된다. 즉, 천간에서 병정이라는 화는 비겁이 되면서 오히려 상극(克) 당하는 일간의 병정을 돕고(幫) 있다. 그러나 지지에서 자해라는 수(水)와 사오라는 화(火)는 서로 충(衝)으로 반응한다(逢巳午則相衝是也). 그러면, 천간에서나 지지에서나 화(火)는 똑같은 화(火)인데, 천간의 화는 일간을 돕고(幫) 있고, 지지의 화는 자해와 충(衝)으로 만나면서, 거꾸로 일간을 망치(衝)고 있다. 그래서 천간(干)의 화(火)는 일간을 돕는(幫) 일을 수행(行)하고 있으나, 지지(支)의 화(火)는 거꾸로 일간을 망치는 충(衝)을 만들면서, 일간을 돕는 일을 수행(行)하지 못(不)하고 있다(有行干而不行支者). 이 부분은 해석이 상당히 어려워서 지금까지 어떤 주석가도 이 부분을 제대로 풀지 못했다. 이는 격(格)의 문제를 정확히 이해하지 못하고 있기 때문이다. 여기서 핵심은 비겁(比劫)이 되면, 이를 반드시 상극(克)으로 제어해줘야만 한다는 사실이다. 이 사실을 모르게 되면, 이 구문은 절대로 풀리지 않게 된다. 다시 본문을 보자. 이번에는 거꾸로 지지에서는 수행(行)되나 천간에서는 수행(行)이 되지 않는(不) 경우이다(又有行支而不行乾者). 이유는 뭘까(何也)? 예를 들자면, 일간이 갑목이고, 월지가 유금일 때(如甲生酉月), 천간에서 신금이 투출하게 되면, 관성이 비록 약할지라도(辛金透而官猶弱), 지지에서 신유라는 금을 만나게 되면, 관성이라는 뿌리를 심게 되지만(逢申酉則官植根), 천간에서 경신이라는 금을 만나게 되면, 관살이 혼잡하게 존재해서 관성이 중복되고 만다(逢庚辛則混煞重官之類是也). 먼저 갑목과 유금에서 음양으로 에너지를 중화하면서 정관(正官)이 나온다. 이는 자동으로 에너지가 적은 힘이 약(弱)한 관성이 된다. 이때 천간에서 신금(辛)을 만나게 되면, 갑목과 신금에서 음양으로 에너지를 중화하면서 정관(正官)이 나온다. 이때도 역시 자동으로 에너지가 적은 힘이 약(弱)한 관성이 된다. 이때 일간인 갑목이 지지에서 신유(申酉)라는 금(金)을 만나게 되면, 이때는 자동으로 일간은 자기의 뿌리(根)인 금(金)을 만나게 된다. 그러나 천간에서 경신이라는 금(金)을 만나게 되면, 갑목은 경금이나 신금과 반응해서 칠살이나 정관을 만들면서, 기존에 신금(辛)과 만든 정관과 함께 자동으로 관성이 중복(重)되게 만든다. 이는 갑목을 상극하는 존재가 많아졌다는 사실을 말하고 있다. 그러면, 지지에서나 천간에서나 모두 똑같은 금(金)인데, 무엇이 지지에서는 실행(行)되고, 무엇이 천간에서는 실행(行)되지 않는다(不)는 말인가? 이 구문은 상당히 어려워서가 아니라 엄청나게 어려워서 어떤 사주쟁이도 아예 손을 대지 못하는 곳이다. 이 구문을 정확히 알기 위해서는 지지와 지장간의 관계를 아주 잘 알아야만 한다. 이는 자동으로 천간과 지지의 관계도 정확히 알기를 요구하고 있다. 그러면, 왜 지지는 일간의 뿌리(根)가 될까? 이는 사주 명리가 에너지 문제라는 사실을 말하고 있다. 지장간(支藏干)이라는 용어가 나온 이유는 지지가 대표하는 지구의 대기(大氣) 에너지의 특성 때문이다. 지구의 대기(大氣)는 천간에 존재하는 오행(五行)인 오성(五星)이 만든 에너지가 달궈주기도 하고, 식혀주기도 한다. 그리고 이런 대기는 쉽게 달궈지지도 않고, 쉽게 식혀지지도 않는다. 그래서 이때는 자동으로 앞선 계절의 여분(餘)의 에너지인 여기(餘氣)가 존재하게 만들고, 어느 한 계절 에너지의 생성, 왕성, 제거라는 중기(中氣)가 존재하게 만들고, 정상적인 계절의 에너지인 정기(正氣)가 존재하게 만든다. 사주쟁이가 이 사실을 모르면, 사주쟁이를 해서는 안 된다. 그래서 지장간의 개념을 정확히 알고 있게 되면, 사주 명리의 90%는 통달한 셈이 된다. 이만큼 지장간은 사주 명리에서 중요하다. 그래서 자동으로 지구의 대기는 다양(多樣)한 오행의 에너지를 품고(藏) 있게 된다. 그래서 지장간(藏)이다. 그러나 이런 지지의 오행은 에너지가 천간 오행 에너지의 1/3밖에는 안 되므로, 지지는 에너지가 약해서 천간과 직접 에너지로 맞짱을 뜰 수가 없다. 그러나 지지는 천간의 에너지를 품고 있는 천간 에너지의 뿌리(根)는 될 수 있게 된다. 즉, 지지는 천간 에너지의 근본(根)이 된다. 즉, 지지는 천간 에너지의 담체(擔體)가 된다. 즉, 지구에 사는 인간들은 천간 오행(五行)의 에너지를 직접 받는 것이 아니라 대기(大氣)를 통해서 받는다는 뜻이다. 그리고 이런 대기에 인간이 태어날 때 받는 일간의 에너지가 던져지게 된다. 그래서 사주 명리에서 대기의 에너지를 표시하는 지장간은 당연히 중요한 존재가 될 수밖에 없다. 이는 자동으로 사주 명리를 살펴볼 때 왜 일간과 월지를 제일 먼저 보는지도 설명해주고 있다. 이는 완벽한 과학이다. 단, 이때는 인간의 눈에 보이지 않는 에너지를 연구하는 양자역학이라는 전제가 따라붙게 된다. 지장간의 에너지는 인간의 눈에 보이지 않는 에너지이기 때문이다. 이는 거꾸로 눈에 보이는 에너지의 허상만 좇으면서 지금 우리의 일상을 지배하고 있는 고전물리학으로 사주 명리를 살펴보게 되면, 사주 명리는 자동으로 미신(迷信)이 되고 만다. 즉, 양자역학으로 살펴보면, 미신(美神)이던 사주 명리가 고전물리학으로 살펴보면, 자동으로 미신(迷信)이 된다는 뜻이다. 이게 우리가 직면하고 있는 참담(慘澹:慘憺)한 현실이다. 다시 본문을 보자. 그래서 이때 지지에서 유금(酉)에 신유(申酉)라는 금(金)이 추가되면, 이때 금(金)은 갑목의 관성(官)으로서 기능은 하지만, 에너지가 약해서 천간을 구성하고 있는 일간인 갑목과 맞짱을 뜨지는 못하고, 일간의 뿌리(根)가 될 뿐이다(逢申酉則官植根). 그러나 이때 천간에서 경신(庚辛)이라는 금(金)이 추가되면, 상황은 달라지게 되고, 이어서 이들은 일간의 갑목과 똑같은 에너지를 보유하고 있으므로, 갑목과 자동으로 맞짱을 뜨게 된다. 이는 자동으로 칠살의 개념과 정관의 개념으로 가게 되고, 이어서 관살 혼잡(混)의 문제로 가면서, 자동으로 관성이 중복(重)되게 만든다(逢庚辛則混煞重官之類是也). 그러면, 이때는 천간이나 지지에서 똑같은 금(金)이 일간인 갑목과 반응했지만, 전혀 다른 결과를 만들고 있다. 그래서 이를 종합해보게 되면, 지지의 금(金)은 일간의 뿌리로서 기능을 수행(行)할 수 있지만, 천간의 금(金)은 명목상 똑같은 금(金)임에도 불구하고 일간의 뿌리로서 기능을 수행(行)하지 못하고(不) 있다(又有行支而不行乾者).

又有乾同一類而不兩行者, 何也? 如丁生亥月, 而年透壬官, 逢丙則幫身, 逢丁則合官之類是也. 又有支同一類而不兩行者, 何也? 如戊生卯月, 巳年, 逢申則自坐長生, 逢酉則會巳以傷官之類是也.

또한, 천간에 동일한 종류의 오행이 있지만, 양쪽이 다른 기능을 수행하게 되는 경우가 있는데(又有乾同一類而不兩行者), 그 이유가 뭔가요(何也)? 예를 들자면, 일간이 정화이고, 월지가 해수일 때(如丁生亥月), 연간에서 임수를 투출하고 있게 되면, 이는 정화와 만나서 정관이 되고(而年透壬官), 병화를 만나게 되면, 일간을 돕게 된다(逢丙則幇身). 그러나 이때 정화를 만나게 되면, 합관의 종류가 된다(逢丁則合官之類是也). 조금만 설명을 덧붙여보자. 일단 정화와 해수가 만나게 되면, 정관(正官)이 된다. 그리고 지지에서 지장간을 통해서 천간으로 투출(透)한 임수도 정관(正官)이 된다. 이때 천간에서 병화(丙)를 만나게 되면, 정화와 병화가 만나면서 겁재(劫財)가 된다. 그러면, 이는 에너지가 엉켜있는 상태이므로, 자동으로 상극으로 제어해줘야만 한다. 그런데, 천간에서 정화와 임수가 만든 정관은 사실은 상극 관계를 말해주고 있다. 그래서 이때는 음인 정화가 양인 임수를 에너지적으로 상대하기가 버겁게 되어있다. 그래서 이때 나타난 병화는 자동으로 에너지적으로 힘이 약한 일간(身)인 정화를 돕게(幇) 된다(逢丙則幇身). 그러면서 동시에 겁재격을 완성하게 된다. 그런데 이때 천간에 또 다른 정화(丁)가 나타나게 된다. 즉, 이때는 일간에 자리하고 있는 정화(丁)와 다른 사주에 자리한 정화(丁)가 공존하게 된다. 그런데, 이때 임수(壬)도 공존하고 있다. 그러면, 자동으로 천간에서 정관(官)인 임수와 정화가 만나면서 정임(丁壬)이라는 천간합(天干合)으로서 목(木)이 만들어진다(逢丁則合官之類是也). 그런데, 이때 일간에 자리하고 있는 정화(丁)는 근본적으로 즉, 천간합을 만드는 원칙에 따라서 합을 만들 수 없게 된다. 그러면, 이때는 자동으로 두 개의 정화가 천간에서 똑같은(同) 종류(類)로 존재하고 있지만, 일간의 정화와 다른 사주에 존재하는 정화는 다른(不) 기능을 수행(行)하게 된다(又有乾同一類而不兩行者). 이는 천간합(天干合)을 만드는 원칙(原則)을 묻고 있다. 즉, 일간은 어떤 경우에도 천간합을 만들지 않는다는 뜻이다. 다시 본문을 보자. 이번에는 이 경우가 지지에서 일어나는 경우인데(又有支同一類而不兩行者), 어떤 경우일까요(何也)? 물론 해답도 똑같다. 예를 들어보자면, 일간이 무토이고, 월지가 묘목일 때(如戊生卯月), 연지에 사화가 있고(巳年), 이때 사화가 신금(申)을 만나게 되면, 자동으로 장생으로서 기능하게 되고(逢申則自坐

長生), 이어서 자동으로 사신(巳申)은 육합(六合)으로서 수(水)가 되고, 다시 유금을 만나게 되면, 일간인 무토와 유금은 상관이 되면서, 이런 종류가 된다(逢酉則會巳以傷官之類是也). 이는 지지에서 신금(申)과 유금(酉)의 다른 기능을 말하고 있다. 이 둘은 분명히 같은(同) 종류(類)의 금(金)이지만, 신금은 사화와 만나서 육합을 만들 수 있는 금이 되고, 유금은 육합을 만들지 못하는 금이 되고 있다. 그래서 신금과 유금은 지지에서 같은 종류의 금이지만, 서로(兩) 다른(不) 기능을 수행(行)하게 된다(又有支同一類而不兩行者). 즉, 같은 종류의 지지에 있는 금이지만, 유금은 상관이 되고, 신금은 육합이 된다. 이 문제는 육합의 문제이다.

又有同是相衝而分緩急者, 何也? 衝年月則急, 衝日時則緩也. 又有同是相衝而分輕重者, 何也? 運本美而逢衝則輕, 運既忌而又衝則重也.

또한, 똑같은 상충인데, 완급이 구분되는 경우가 있는데(又有同是相衝而分緩急者), 어떤 경우인가(何也)? 즉, 서로 인접해 있는 연주와 월주가 충돌(衝)하게 되면, 이 둘은 거리가 아주 가까우므로, 그 효과도 당연히 빨리(急) 오게 되나(衝年月則急), 첫 사주인 연주와 마지막 사주인 시주가 서로 충돌하게 되면, 이 둘은 거리가 너무 멀어서, 그 효과도 당연히 늦게(緩) 오게 된다(衝日時則緩也). 또한, 똑같은 상충인데, 그 경중이 구분되는 경우가 있는데(又有同是相衝而分輕重者), 이는 어떤 경우인가(何也)? 즉, 일간이 격을 잘 만나서 운세가 좋을 때는 상충을 만난다고 해도 좋은 격이 이를 완충해주게 되면서, 그 여파가 가볍게 되지만(運本美而逢衝則輕), 운세가 이미 기신을 만나서 좋지 않을 경우에는 추가로 상충을 만나게 되면, 설상가상이 되면서, 자동으로 그 여파는 가중된다(運既忌而又衝則重也).

又有逢衝而不衝, 何也? 如甲用酉官, 行卯則衝, 而本命巳酉相會, 則衝無力. 年支亥未, 則卯逢年會而不衝月官之類是也. 又有一衝而得兩衝者, 何也? 如乙用申官, 兩申並而不衝一寅, 運又逢寅, 則運與本命, 合成二寅, 以衝二申之類是也. 此皆取運之要法, 其備細則於各格取運章詳之.

또한, 충을 만났는데, 불충이 되는 경우가 있는데(又有逢衝而不衝), 어떤 경우인가(何也)? 예를 들자면, 일간의 갑목이 월지의 유금을 이용해서 정관을 만들고 있을 때(如甲用酉官), 지지에서 묘목이 있게 되면, 이때는 묘목과 유금이 만나면서 자동으로 서로 충돌하고 만다(行卯則衝). 이때 사화가 등장하면서, 일간과 정관을 만들고 있는 유금이 사화와 서로 만나서 사유(巳酉)라는 삼합을 만들게 되면(而本命巳酉相會), 이때는 자동으로 묘목과 충돌할 수 있는 유금이 제거되면서, 충돌은 무력화되고 만다(則衝無力). 이때는 원래 사유축(巳酉丑)이라는 3개의 지지가 만나야만, 금(金)으로서 삼합이 만들어진다. 그러나 일반적으로 삼합에서 토를 제외해도 삼합은 만들어진다고 본다. 이 구문은 이 문제를 시험하고 있는듯하다. 다시 본문을 보자. 이번에는 연지(年)와 다른 지지(支)에 각각 해수와 미토가 있고(年支亥未), 이때 묘목이 나타나서, 묘목이 연주의 해수와 다른 지지의 미토를 만나게 되면, 이때는 해묘미라는 삼합의 목을 만들게 되고, 그러면, 자동으로 묘목이 제거되고 이어서 월지에서 정관을 만들던 유금과 묘목이 만드는 충돌은 없어지게 되고, 이런 종류가 충돌이 불충으로 끝나는 경우가 된다(則卯逢年會而不衝月官之類是也). 또한, 하나의 충돌이 있을(有) 때, 두 개의 충돌을 얻는(得) 경우가 있는데(又有一衝而得兩衝者), 이때는 어떻게 되는가(何也)? 예를 들자면, 일간의 을목이 월지의 신금을 만나서 정관을 만들 때(如乙用申官), 이때 다른 지지에 신금이 추가로 존재해서, 신금(申)이 양립하고 있고, 추가로 다른 지지에서 인목이 하나 존재하게 되면, 이때는 2개의 신금과 1개의 인목은 서로 충돌하지 않게 된다(兩申並而不衝一寅). 이는 충돌의 법칙이다. 이때는 에너지가 균형을 잃기 때문에 서로 에너지적으로 충돌이 불가하게 된다. 그러나 이때 또 인목을 하나 더 만나게 되면(運又逢寅), 일간에 있는 신금과 더불어(則運與本命), 2개의 신금과 2개의 인목이 합쳐지면서(合成二寅), 2개의 인목이 2개의 신금과 충돌하는 경우가 만들어지는데, 이런 종류가 하나의 충이 두 개의 충을 만나는 경우이다(以衝二申

之類是也). 이런 모두가 취운을 하는 개략적인 법칙이다(此皆取運之要法). 그리고 이에 대한 상세한 내용은 뒤에 준비해두었고, 이들은 각각의 격에서 취운하는 장(章)에서 상세히 설명된다(其備細則於各格取運章詳之).

제26장 행운에서 성격과 변격을 논하다

(論行運成格變格)

제26장 행운에서 성격과 변격을 논하다(論行運成格變格)

命之格局, 成於八字, 然配之以運, 亦有成格變格之要權. 其成格變格, 較之喜忌禍福尤重.

사주 명리에서 만들어지는 격국은(命之格局), 사주 여덟 글자를 통해서 만들어 진다(成於八字). 그러고 나서 이들은 자연스럽게 운으로 배합된다(然配之以運). 그리고 이때 역시 성격과 변격을 만드는 중요(要)한 에너지(權)를 보유하게 된다(亦有成格變格之要權). 그리고 이때 만들어진 성격과 변격은(其成格變格), 희신과 기신 그리고 화복과 겨루(較)게 되면서, 더욱더 중요해진다(較之喜忌禍福尤重).

何為成格? 本命用神, 成而未全, 從而就之者是也. 如丁生辰月, 透壬為官, 而運逢申子以會之. 乙生辰月, 或申或子會印成局, 而運逢壬癸以透之. 如此之類, 皆成格也.

그러면, 성격은 어떻게 만들어지는가(何為成格)? 일간이 용신을 얻어서(本命用神), 격을 만들기는 했으나 불완전한 상태였는데(成而未全), 다시 다른 상신을 얻어서 격의 완성을 성취한 경우이다(從而就之者是也). 예를 들자면, 일간이 정화이고 월지가 진토일 때는(如丁生辰月), 상관으로서 용신이 얻어지기는 하지만, 상관은 좋은 용신이 아니어서 불완전한 상태가 된다. 그런데 이때 임수를 투출받아서 정화와 임수가 만나서 정관이 되면(透壬為官), 이때는 임수와 진토가 상극 관계가 되면서, 임수가 진토를 제어하게 되고, 그러면, 자동으로 상관격이 완성된다. 추가로 신자가 지지에서 존재하게 되면, 이때는 신자진(申子辰)이라는 삼합(會)으로서 수(水)가 만들어지면서(而運逢申子以會之), 자동으로 상관을 만든 진토가 제거되고, 이어서 임수가 만든 정관이 용신으로 쓰이게 되면서 정관격이 완성된다. 이번에는 일간이 을목이고, 월지가 진토일 때는(乙生辰月), 을목과 진토가 만나서 정재가 만들어지는데, 지지에서 신자를 만나서 신자진이라는 삼합으로서 수국(水)이 완성되고, 이어서 인수가 만들어질 때(或申或子會印成局), 이 수국(水)이 지지에서 천간으로 임계를 투출할 때는(而運逢壬癸以透之), 월지의 진토가 제거되면서 을목은 수와 인수격을 만들게 된다. 그러면, 드디어 용신이 안정된다. 지금까지 살펴본 이런 종류들이(如此之類), 모두 성격을 만드는 경우이다(皆成格也).

何為變格？ 如丁生辰月, 透壬為官, 而運逢戊, 透出辰中傷官. 壬生戌月, 甲己並透, 而支又會寅會午, 作財旺生官矣, 而運逢戊土, 透出戌中七煞. 壬生亥月, 透己為用, 作建祿用官矣, 而運逢卯未, 會亥成本, 又化建祿為傷. 如此之類, 皆變格也.

그러면 변격은 어떻게 만들어지는가(何為變格)? 예를 들면, 일간이 정화이고, 월지가 진토일 때는(如丁生辰月), 상관으로서 용신이 만들어지고, 이어서 임수를 투출하게 되면, 정화와 임수가 만나서 정관을 만드는데(透壬為官), 이때 천간에서 무토를 만나게 되면(而運逢戊), 이 무토는 월지의 진토가 지장간을 통해서 투출한 오행이 되면서, 일간의 정화와 무토가 만나서 변형된 상관을 만들게 되는데(透出辰中傷官), 이 경우가 변격이 된다. 즉, 상관격이라는 격은 똑같은데, 오행이 진토에서 무토로 변(變)한 상태이다. 이번에는 일간이 임수이고, 월지가 술토일 때는(壬生戌月), 편관(官)인 칠살이 나오게 되는데, 이때 천간에서 갑기(甲己)가 병립해서 투출하고 있으면(甲己並透), 이때는 자동으로 갑기라는 천간합으로서 토(土)가 만들어지게 되고, 이는 자동으로 일간의 임수와 관성(官)을 만들게 되고, 또한 지지에서는 인오가 나타나서, 월지의 술토와 함께 인오술이라는 화국(火)의 삼합이 만들어지게 되면(而支又會寅會午), 이 화국은 일간인 임수와 재격을 만들게 되고, 그러면, 이때는 자동으로 재격이 왕성(旺)한 관성을 생하게 된다(作財旺生官矣). 그러면, 이때는 자동으로 일간인 임수를 화인 재격과 토인 관격이 상극하게 된다. 그러면, 이때는 아주 좋은 성격이 나오게 된다. 즉, 일간인 임수가 화인 재격을 용신으로 선택하게 되면, 이는 둘이서 서로 상극하므로, 이때는 화인 재격을 누군가가 나서서 제어해줘야만 한다. 또한, 일간인 임수가 토인 관격을 용신으로 쓰게 되면, 이때도 역시 둘이서 서로 상극하므로, 이때는 토인 관격을 누군가가 나서서 제어해줘야만 한다. 그러면, 토인 관격, 일간인 임수, 화인 재격이 나오게 되는데, 이를 재정렬하게 되면, 토, 수, 화라는 상극의 조합이 만들어지게 된다. 그러면, 이때는 용신으로 관격을 쓰게 되면, 재격이 상신이 되면서 격이 완성되고, 거꾸로 용신으로 재격을 쓰게 되면, 관격이 상신이 되면서 격이 완성된다. 그런데, 지금은 변격(變格)이라는 조건이 붙어있다. 그러면, 자동으로 임수와 술토가 만들었던 관격(官)은 합이 만든 관격(官)으로 변해야만 한다. 그러면, 이때는 자동으로 합으로 만들어진 토인 관격이 용신이 되고, 화국이 만든 재격이 상신이 되면서, 드디어 격은 완성된다. 그리고 참고로 천간합으로서 토가 만든 관격이 왕성(旺)한 이유는 천간합은 2개의 천간이 모이기 때문이다. 다시 본문을 보자. 이때 천간에서 무토를 만나게 되면(而運逢戊土), 이는 월지의 술토가 지장간을 통해서 무토인 칠살을 투출한 상태가 된다(透出戌中七煞). 그러면, 이는 임수와 진토가 만든 칠살이 임수와 무토가 만든 칠살로 변(變)한 상태가 된다. 즉, 변격(變格)을 말하고 있다. 이번에는 일간이 임수이고, 월지가 해수가 되면(壬生亥月), 이때는 자동으로 비견이 되고, 이때 기토가 투출해있게 되면, 기토와 일간인 임수가 만나서 정관이 되면서 용신으로 쓰게 되면(透己為用), 기토가 임수를 상극으로 제어하면서, 에너지는 균형을 잡게 된다. 즉, 이때는 건록이 정관을 용신으로 쓴 것이다(作建祿用官矣). 그러면, 이때는 자동으로 건록격이 완성된다. 이때 묘미를 만나게 되면(而運逢卯未), 이 묘미는 월지의 해수와 삼합으로서 해묘미인 목국(木)을 만든다. 그러면, 이 목국은 일간(本)의 임수와 식신을 만든다(會亥成本). 또한, 이는 건록을 만들었던 해수가 삼합으로 중화(化)되면서 식상을 만든 것이다(又化建祿為傷). 즉, 이때는 건록격이 식신격으로 변한 것이다. 지금까지 설명한 이런 종류가(如此之類), 모두 변격에 해당한다(皆變格也).

然亦有逢成格而不喜者, 何也？ 如壬生午月, 運透己官, 而本命有甲乙之類是也. 又有逢變格而不忌者, 何也？ 如丁生辰月, 透壬用官, 逢戊而命有甲. 壬生亥月, 透己用官, 運逢卯未, 而命有庚辛之類是也.

그러나 역시 성격을 만나도 좋지 않은 경우가 있는데(然亦有逢成格而不喜者), 이는 뭔가요(何也)? 예를 들면, 일간이 임수고, 월지가 오화일 때는(如壬生午月), 임수와 오화가 상극 관계를 만들면서, 정재가 만들어지고, 이어서 천간(運)에서 기토를 투출받게 되면, 일간인 임수와 기토가 만나면서 정관이 만들어진다(運透己官). 그러면, 이 기토는 임수를 상극으로 견제하면서, 임수와 오화의 상극 에너지를 중화해주게 되고, 드디어 토, 수, 화라는 상극의 조합이 만들어지고, 이어서 에너지는 균형을 잡게 되고, 이어서 정재격이 만들어진다. 그런데, 이때 이 사주(本命)의 다른 오행에 갑을(甲乙)이라는 목이 존재하게 되면, 목은 자동으로 기토라는 견제 장치를 상극으로 무너뜨리고 만다. 그러면, 이때 성격은 좋지 않게 끝나고 만다. 즉, 이 경우가 성격을 만나도, 좋지 않게 되는 경우가 된다(而本命有甲乙之類是也). 이번에는 변격을 만나서도 나쁘지 않은 경우가 있는데(又有逢變格而不忌者), 어떤 경우인가(何也)? 예를 들자면, 일간이 정화이고, 월지가 진토일 때는(如丁生辰月), 상관이 만들어지고, 이때 임수를 투출받아서 일간인 정화와 임수가 정관을 이용하게 되면(透壬用官), 토, 수, 화라는 상극의 조합이 만들어지면서 상호 견제가 되고, 이어서 좋은 격을 만들게 된다. 그런데 이때 추가로 무토(戊)를 만나게 되면, 이때는 임수와 무토가 만나서 상관이 되면, 상관이 2개가 되면서 토, 수, 화라는 에너지 균형을 깨버리게 된다. 이때는 진토에서 무토로 오행이 변(變)했다는 사실을 상기해보자. 즉, 변격(變格)이 나오고 있다는 사실을 상기해보자. 그러면, 이때는 자동으로 무토를 상극으로 제어할 오행이 요구된다. 그래서 이때는 이 사주(命)의 오행에서 무토를 상극으로 제어해줄 갑목이 나오게 되면, 무토도 나쁜(忌) 오행이 되지 않게(不) 된다(逢戊而命有甲). 이번에는 일간이 임수이고, 월지가 해수여서(壬生亥月), 건록이 나오고, 이때 기토를 투출받아서 일간인 임수와 기토가 정관을 만들 때는(透己用官), 임수를 기토가 상극으로 제어하면서, 건록격이 완성된다. 건록은 에너지가 엉킨 상태이므로, 상극으로 제어해줘야만 한다는 사실을 상기해보자. 이때 지지에서 묘미가 나타나고(運逢卯未), 이 묘미가 월지의 해수와 만나게 되면, 삼합으로서 해묘미라는 목국(木)이 나오게 된다. 그러면, 이때는 월지의 해수가 자동으로 제거된다. 그러면, 이때 목국은 3개의 지지를 포함하고 있으므로, 자동으로 에너지 상태가 천간의 오행과 똑같아지게 되고, 이제 목국은 천간의 오행과 일대일로 직접 대적할 수 있게 된다. 그러면, 목국은 자동으로 천간에 있는 기토를 상극으로 제거해버린다. 그러면, 일간인 임수는 용신이 없이 홀로 남게 된다. 즉, 사주가 망한 것이다. 그래서 이때는 목국을 상극으로 제어해줄 경신(庚辛)이라는 금이 요구된다. 그러면, 이때 목국은 경신이라는 금이로 인해서 나쁜 오행이 되지 않게 된다. 그래서 이런 종류가 이 경우와 일치한다(而命有庚辛之類是也). 이때 변격은 건록에서 목국으로 변(變)한 상태가 된다.

成格變格, 關系甚大, 取運者其細詳之.

그래서 성격과 변격에서 보면(成格變格), 에너지 관계가 대단히 복잡하게 엉키게 되므로(關系甚大), 취운을 할 때는 이 관계를 아주 상세하게 알아야만 한다(取運者其細詳之).

제27장 희기를 간지에서 구별함을 논하다
(論喜忌支干有別)

제27장 희기를 간지에서 구별함을 논하다(論喜忌支干有別)

命中喜忌, 雖支干俱有, 而干主天, 動而有為, 支主地, 靜以待用, 且乾主一而支藏多, 為福為禍, 安不得殊?

사주 중에 기신과 희신이 있는데(命中喜忌) 즉, 에너지로 구성된 사주에는 일간을 돕는 좋은 에너지도 있고, 나쁜 에너지도 있는데, 이들이 비록 천간과 지지에 모두 있다고 해도(雖支干俱有), 오행이 만들어내는 천간의 에너지는 하늘의 에너지를 주도하고(而干主天), 이는 오행이 움직이면서 만들어내게 되며(動而有為), 지지의 에너지는 지구라는 땅의 에너지를 주도하게 되고(支主地), 이때 지구라는 땅이 보유한 에너지는 지구를 구성하고 있는 대기에 갇혀서 존재하므로, 이를 지구 밖에서 보게 되면, 정적이면서 사용되기를 기다리는 에너지가 된다(靜以待用). 또한 천간은 오행 각각 하나(一)의 에너지가 구별되어서 존재하지만, 이런 오행의 에너지를 받아서 대기에 존재시키는 지지는 자동으로 오행이 준 여러 가지 에너지를 품고 있게 된다(且乾主一而支藏多). 이는 지장간을 말하고 있다. 그리고 이렇게 지구의 대기가 보유한 에너지는 인간에게 복을 주기도 하고, 화근을 주기도 한다(為福為禍). 이는 엘니뇨와 같은 대기 현상과 폭염과 홍수와 같은 기상 문제를 말하고 있다. 그래서 천간과 지지의 에너지 문제는 어찌 특수성이 없겠는가(安不得殊)? 즉, 천간 에너지와 지지 에너지는 성질이 서로 다르다(殊)는 뜻이다.

譬如甲用酉官, 逢庚辛則官煞雜, 而申酉不作此例. 申亦辛之旺地, 辛坐申酉, 如府官又掌道印也. 逢二辛則官犯重, 而二酉不作此例. 辛坐二酉, 如一府而攝二郡也, 透丁則傷官, 而逢午不作此例. 丁動而午靜, 且丁己並藏, 安知其為財也?

이를 비유적으로 예를 들자면, 일간이 갑목이고, 월지가 유금이어서 유금을 정관으로 이용하고 있을 때(譬如甲用酉官), 천간에서 경신이라는 금을 만나게 되면,

갑목과 경신이라는 금은 관살 혼잡이라는 관성으로 엮이게 된다(逢庚辛則官煞雜). 그런데 이때 지지에서 신유라는 금을 만나게 되면, 이때는 갑목과 신유라는 금이 만나서 천간에서처럼 관살 혼잡을 만드는 것이 아니라 그냥, 갑목의 뿌리를 얻은 셈이 되고 만다. 이 문제는 전에 이미 설명했었다. 그래서 이는 지지에서 신유라는 금은 천간에서 경신이라는 금과 똑같이 작동하지 않는 예가 된다(而申酉不作此例). 그리고 양인 지지의 신금(申)은 역시 음인 천간의 신금(辛)의 뿌리로서 양이므로, 신금(辛)의 왕성(旺)한 지지(地) 기반이 된다(申亦辛之旺地). 그래서 천간의 신금이 지지의 신유를 뿌리로서 깔고 앉을(坐) 수 있으므로(辛坐申酉), 이는 마치 신금(辛)이라는 부(府)의 관리(官)가 더 작은 행정 단위인 군(郡)의 모든 일을 허가해주는 인장을 보유한 상태와 같게 된다(如府官又掌道印也). 즉, 천간의 신금(辛)은 비록 에너지가 적은 음일지라도 한 계절을 대표할 수 있으나. 지지의 신금(申)은 비록 에너지가 많은 양일지라도 한 계절의 1/3밖에는 대표할 수가 없다. 그래서 천간의 오행과 지지의 오행은 에너지로 살펴보았을 때 원래부터 등급(級)이 다르다는 뜻이다. 즉, 천간 에너지와 지지 에너지는 성질이 서로 다르다(殊)는 뜻이다. 그래서 천간에서 음인 신금이 2개가 존재하게 되면, 이 둘은 갑목과 관성으로 엮이면서, 신금은 음일지라도 양인 갑목을 상극해서 이중(重)으로 범(犯)할 수 있으나(逢二辛則官犯重), 지지에 음인 유금이 2개가 있다고 해도, 지지의 오행은 근본적으로 천간 오행 에너지의 1/3밖에는 안 되므로, 지지의 유금은 천간의 신금처럼, 갑목을 범할 수는 없는 예가 되고 만다(而二酉不作此例). 이때 천간의 신금 하나가 지지의 2개 유금을 깔고 앉게 되면(辛坐二酉), 이는 마치 상급 기관인 하나의 부(府)가 하급 기관인 2개의 군(郡)을 다스리는 것과 같다(如一府而攝二郡也). 이때 정화가 천간으로 투출해서 갑목과 상관을 만들고(透丁則傷官), 일간인 갑목이 지지에서 오화를 만나게 되면, 형식상으로는 똑같이 상관을 만들지만, 이때 작용은 서로 다른 예가 된다(而逢午不作此例). 즉, 천간의 정화는 천간의 동적인 에너지이므로, 이때 정화는 동적인 에너지가 되지만, 지지의 오화는 지구라는 정적인 에너지를 안고 있으므로, 이때 오화는 정적이 되고 만다(丁動而午靜). 그러나 또한, 오화는 지장간에서 정화와 기토라는 에너지를 품고 있으므로

(且丁己並藏), 이 오화(其)가 기토를 천간으로 투출해서 언제(安) 갑목과 정재를 만들 수 있을지 안단 말인가(安知其為財也)? 묘한 여운을 주고 있다. 즉, 오화가 정화와 기토라는 에너지를 품고는 있지만, 이 에너지를 발산하지 못하면, 오화는 그냥 오화로 끝나게 되지만, 발산하게 되면, 이때는 일간인 갑목과 직접 대적할 수 있는 아바타를 보유하게 된다는 뜻이다. 이 부분은 천간의 에너지와 지지의 에너지가 어떤 형태인지를 모르게 되면, 아예 순을 댈 수가 없는 곳이다. 그리고 이는 현재 진행형이다. 그래서 이 구절의 해석도 중구난방이 되고 있다.

然亦有支而能作禍福者, 何也? 如甲用酉官, 逢午酉未能傷, 而又遇寅遇戌, 不隔二位, 二者合而火動, 亦能傷矣. 即此反觀, 如甲生申月, 午不制煞, 會寅會戌, 二者清局而火動, 亦能傷矣. 然必會有動, 是正與乾有別也. 即此一端, 餘者可知.

그러나 역시 지지에 있는 오행도 능히 화복을 만들 수 있는데(然亦有支而能作禍福者), 어떤 경우인가(何也)? 예를 들면, 일간이 갑목이고, 월지가 유금일 때, 이 둘은 정관을 만들게 되고(如甲用酉官), 이때 지지에서 유금이 오화를 만나게 되면, 이때는 오유(午酉)가 지지에서 어떤 합(合)도 만들 수가 없어서, 에너지 부족 때문에 천간의 오행을 상(傷)하게 할 수는 없지만(逢午酉未能傷), 추가로 인술이 나타나게 되면(而又遇寅遇戌), 이 인술이라는 2개의 지지는 국(局)으로 융합될 수가 없게 되나(不隔二位), 이 둘이 오화를 만나서 인오술이라는 삼합으로서 화국(火)을 만들게 되면, 이 화국은 천간의 동적인 에너지로 변하게 되고(二者合而火動) 즉, 이때 만들어진 화국은 천간의 오행과 직접 일대일로 대적할 수 있게 되고, 그러면 이때 화국은 역시 능히 천간을 상하게 할 수 있게 된다(亦能傷矣). 이는 지지에서 만들어진 화국이 3개의 지지로 구성되면서, 천간과 똑같은 에너지를 보유하고 있으므로, 너무나도 당연한 일이 된다. 그리고 이 부분은 해석의 오류가 나오는 전형적인 곳이다. 이는 사주 명리를 에너지로 풀지 못하기 때문이다. 다시 본문을 보자. 이번에는 음양 측면에서 반대의 관점으로 보자(即此反觀). 예를 들면, 일간이 갑목이고, 월지가 신금일 때는(如甲生申月), 칠살을 만들게 되는데, 이 때 오화가 지지에서 나타나게 되면, 이 오화는 신금을 상극으로 제어할 수는 있지만, 일간의 갑목과 신금이 만든 칠살격(煞) 자체는 제어(制)하지 못(不)하게 된다(午不制煞). 이는 오화가 천간 에너지의 1/3밖에는 안 되므로, 너무나도 당연한 일이 된다. 그러나 이때 오화가 인술을 만나게 되면(會寅會戌), 인술이라는 두 지지는 오화를 만나서 깨끗하게 화국(火)을 만들 수 있게 되고, 이 화국은 천간의 동적인 에너지로 변하게 되고(二者淸局而火動) 즉, 이 화국은 천간의 화와 똑같은 힘을 보유하게 되고, 그러면 이때 화국은 역시 갑목과 신금이 만든 칠살격 자체를 완전히(能) 상하게 할 수 있게 된다(亦能傷矣). 그러나 이때는 반드시 3개의 지지가 모여서 삼합(會)을 만들어서 천간과 똑같은 동적(動)인 에너지를 보유해야만 한다(然必會有動). 그래서 이때는 지지에서 정합(正合)을 만들어서 천간(乾)과 에너지적으로 맞짱(與)을 뜰 수 있어야만, 합을 만들지 못한 평범한 지지와 구별이 된다(是正與乾有別也). 지금 기술한 예시는 단지 하나의 단초만 제시하고 있지만(即此一端), 나머지 경우도 이를 참고로 해서 추정하게 되면, 모두 알게 될 것이다(餘者可知). 이 구절은 사주 명리를 에너지로 접근하지 못하게 되면, 아예 손을 댈 수가 없는 곳이다. 그리고 이는 지금도 진행형이다.

제28장 지지의 희기가 운을 만나서 투출되고 청소됨을 논하다
(論支中喜忌逢運透淸)

제28장 지지의 희기가 운을 만나서 투출되고 청소됨을 논하다 (論支中喜忌逢運透淸)

支中喜忌, 固與乾有別矣, 而運逢透淸, 則靜而待用者, 正得其用, 而喜忌之驗, 於此乃見. 何謂透淸？ 如甲用酉官, 逢辰未即為財, 而運透戊, 逢午未即為傷, 而運透丁之類是也.

지지에 존재하는 희기는(支中喜忌), 분명히 천간과는 다른 특성을 보유한다(固與乾有別矣). 그래서 지지가 어떤 천간의 오행(運)을 만나서, 자기 지장간의 오행을 천간으로 투출(透)하게 되면, 이때 지장간으로 오행을 투출한 지지는 깨끗이 청소(淸)되어서 제거되고(而運逢透淸), 그러면, 지지의 정적인 에너지는 천간의 동적인 에너지로 변해서 자기의 쓰임새를 기다리게(待) 되는데(則靜而待用者), 이때 정상적으로 그(其) 쓰임새를 얻게 되면(正得其用), 이때 지지의 희기는(而喜忌之驗), 지장간을 통해서 드디어 자기의 에너지를 발현(見)하기에 이른다(於此乃見). 그러면 여기서 투청은 무엇을 말하는가(何謂透淸)？ 예를 들자면, 일간의 갑목이 월지의 유금을 만나서 정관을 이루고 있을 때(如甲用酉官), 추가로 지지에서 진토를 만나게 되면, 일간의 갑목과 진토는 즉시 편재를 만들게 되는데, 이때 진토의 지장간이 있다면, 즉시 편재를 만들지 못(未)하게 되는 이유는(逢辰未即為財), 이때 마침 진토가 천간으로 무토를 투출하게 되면(而運透戊), 지지의 진토는 자동으로 청소(淸)되어서 제거되기 때문이다. 이는 진토가 이미 자기의 아바타로 무토를 천간으로 투출(透)해서 올려보냈기 때문에, 자기는 자동으로 사라지게(淸) 된다. 추가로 오화가 나타났을 때도 갑목과 오화가 즉시 상관을 만들지 못하는 경우가 있는데(逢午未即為傷), 이때는 오화의 지장간으로 정화를 투출해서 지지의 오화가 제거되는 경우가 이런 종류에 속한다(而運透丁之類是也). 알이 아닌 새끼로 자기의 분신을 낳는 독사는 자기의 새끼가 자기의 몸을 먹도록 허용하면서 장렬히 죽게 된다. 즉, 지지인 독사는 천간으로 지장간을 통해서 자기의 분신으로서 새끼인 오행을 투출하면서 장렬히 전사하면서 사라지게 된다.

若命與運二支會局, 亦作清論. 如甲用酉官, 本命有午, 而運逢寅戌之類. 然在年則重, 在日次之, 至於時生於午, 而運逢寅戌會局, 則緩而不急矣. 雖格之成敗高低, 八字已有定論, 與命中原有者不同, 而此五年中, 亦能炒(爲)其禍福. 若月令之物, 而運中透清, 則與命中原有者, 不甚相懸, 即前篇所謂行運成格變格是也.

만약에 일간과 다른 사주에서 2개의 지지가 만나서 국을 만들게 되면(若命與運二支會局), 이때도 역시 해당하는 지지가 청소(淸)되어서 제거되는 이론이 작동하게 된다(亦作清論). 예를 들자면, 일간인 갑목이 월지인 유금을 만나서 정관을 이룰 때(如甲用酉官), 일간이 오화를 보유하고 있고(本命有午), 다른 사주에서 인술의 종류를 만나게 되면, 인오술이라는 화국을 만드는 경우가 된다(而運逢寅戌之類). 이는 이미 앞에서 설명했다. 이때는 자동으로 오화(午)는 청소(淸)되어서 제거된다. 물론 다른 인술도 청소(淸)되어서 제거되기는 마찬가지이다. 이때 오화가 연지에 존재하게 되면, 성패고저의 원리에 따라서, 상당히 중요한 오화가 되고(然在年則重), 오화가 일지에 존재하게 되면, 그다음으로 중요하게 된다(在日次之). 그러나 오화가 시지에 존재하게 되면, 성패고저의 원리에 따라서, 중요성의 정도가 떨어지면서, 생하는 수준으로 떨어질 것이다(至於時生於午). 그래서 오화가 인술을 만나서 인오술이라는 화국을 만들 때도(而運逢寅戌會局), 그 효과의 완급이 있게 된다. 그러면, 시지의 도움을 받아서 만들어진 지지의 국(局)은 자동으로 그 효과가 느리지 빠르지는 않게 된다(則緩而不急矣). 즉, 오화가 사주의 어떤 지지에 존재하느냐에 따라서 그 효과의 완급이 정해지게 된다. 비록 격의 성패와 고저는(雖格之成敗高低), 사주 여덟 글자에서 이미 정해진다는 것이 정론이지만(八字已有定論), 화복을 만드는 오행의 근원(原)이 어떤 사주에 속하느냐에 따라서 그 효과도 다르게 된다(與命中原有者不同). 즉, 연주에 나타난 오행이 제일 효과가 크고, 시주에 나타난 오행의 효과가 제일 떨어진다는 뜻이다. 그러나 이 경우에도 5년을 기준으로 보게 되면(而此五年中), 이런 오행도 역시 능히 화복을 만들 수 있는 것은 너무나도 당연한 일이다(亦能炒(爲)其禍福). 단지 효과의 차이가 있을 뿐이다. 만약에 월령을 통해서 만들어지는 격국에서(若月令之物), 지지가 지장간을 통해서 천간으로 투출해서 청소되면서 사라지게 되면(而運中透清), 이때 천간으로 투출한 오행은 당연히 천간의 오행과 서로 대적할 수 있게 되므로, 일간에 근원을 둔 오행과(則與命中原有者), 에너지 측면에서 서로 현격한 차이를 보이지는 않게 된다(不甚相懸). 이는 지장간의 개념을 알아야만 정확하게 이해가 될 것이다. 지장간은 지지의 에너지를 대표하므로, 에너지의 크기가 천간과 비교해서 1/3 수준이다. 그러면, 이를 대표해서 천간으로 투출한 오행의 에너지도 당연히 약한 에너지가 되고 만다. 그러나 이는 이미 천간의 오행으로 변했으므로, 에너지의 현격(懸)한 차이를 보이지는 않는다(不)는 뜻이다. 이런 이론들은 앞에서 행운, 성격, 변격에서 논했던 이론들이다(即前篇所謂行運成格變格是也).

故凡一八字到手, 必須逐乾逐支, 上下統看. 支為乾之生地, 乾為支之發用. 如命中有一甲字, 則統觀四支, 有寅亥卯未等字否, 有一字, 皆甲木之根也. 有一亥字, 則統觀四支, 有壬甲二字否. 有壬, 則亥為壬祿, 以壬水用. 用甲, 則亥為甲長生, 以甲木用. 用壬甲俱全, 則一以祿為根, 一以長生為根, 二者並用. 取運亦用此術, 將本命八字, 逐干支配之而已.

그래서 일반적으로 하나의 사주 명리를 입수하게 되면(故凡一八字到手), 반드시 천간과 지지를 동시에 추적해서(必須逐乾逐支), 지지와 천간이라는 상하의 관계를 통합적으로 살펴봐야 하며(上下統看). 일반적으로 지지는 천간의 뿌리로서 천간을 살게 해주는 지지 기반이 되고(支為乾之生地), 천간은 지지가 지장간을 통해서 지지의 쓰임새(用)를 발현(發)하게 해준다(乾為支之發用). 예를 들어서 일간이 보유한 갑이라는 하나의 글자는(如命中有一甲字), 사지(四支) 전체를 통합적으로 보게 만든다(則統觀四支). 즉, 이때는 갑목이나 을목을 지장간으로 보유한 인해묘미 등등이 지지에 있는지 없는지를 살펴야만 하며(有寅亥卯未等字否), 이때 만일에 한 개의 글자라도 보유하고 있다면(有一字), 이들은 모두 갑목의 뿌리가 된다(皆甲木之根也). 사주의 분석이 엄청나게 어렵다는 사실을 은유적으로 표현하고 있다. 이렇게 되면, 사주를 분석할 때 변수가 엄청나게 많아지기 때문이다. 과 연 지금의 사주쟁이들은 이렇게 많은 변수를 고려해서 사주를 분석할까? 예를 들면, 지지에서 갑목의 뿌리가 될 수 있는 해수라는 하나의 글자가 있게 되면(有一亥字), 이를 포함해서 사지 전체를 통찰해야만 한다(則統觀四支). 또한 천간에서 임갑이라는 두 글자의 존재 여부에 따라서(有壬甲二字否), 임수가 존재하고 있다면(有壬), 해수는 임수의 건록이 된다(則亥為壬祿). 그러면, 해수는 임갑의 뿌리를 동시에 겸하고 있게 된다. 그래서 이때는 임수가 해수를 이용하게 된다(以壬水用). 이때 갑목이 해수를 이용하게 되면(用甲), 해수는 자동으로 갑목의 장생이 된다(則亥為甲長生). 즉, 이때는 갑목이 해수를 이용하고 있다(以甲木用). 이때 임수와 갑목이 모두 온전하게 존재되면(用壬甲俱全), 이때 해수는 임수와 갑목 양쪽의 이용 대상이 되면서, 하나의 해수가 임수에서는 건록이 되면서 임수의 뿌리가 되고(則一以祿為根), 갑목에서는 장생이 되면서 갑목의 뿌리가 된다(一以長生為根). 즉, 지지가 천간의 뿌리(根)가 된다는 말은 지지에 천간의 연결고리가 숨어있다는 뜻이다. 물론 이는 12 운성에서 통하는 이야기이다. 여기서 12는 지지를 말하고, 운성은 하늘에서 운행되는 5개의 천간이라는 오성으로 구성된 천간을 말한다. 이렇게 해수 하나를 가지고 임수와 갑목이라는 둘이서 병립해서 해수를 이용하게 되면(二者並用), 취운을 할 때 역시 이런 기술을 이용할 수밖에 없게 된다(取運亦用此術). 그래서 장차 사주라는 여덟 글자를 분석할 때는(將本命八字), 지금처럼 간지를 배합하게 되면, 사부의 분석은 완료된다(逐干支配之而已).

제29장 시설에서 구니 격국을 논하다

(論時說拘泥格局)

제29장 시설에서 구니 격국을 논하다(論時說拘泥格局)

八字用神專憑月令, 月無用神, 徐尋格局. 月令, 本也. 外格, 末也. 今人不知輕重, 拘泥格局, 執假失真. 故戊生甲寅之月, 時上庚申, 不以為明煞有制, 而以為專食之格, 逢甲減福.

사주 여덟 글자에서 처음에 용신을 정할 때는 전적으로 월지에 의존하게 된다(八字用神專憑月令). 그래서 이때 월지에서 용신이 나오지 않게 되면(月無用神), 다른 지지를 모두(徐) 동원해서 격국을 찾아야만 한다(徐尋格局). 즉, 용신을 찾을 때는 월지가 근본이고(月令, 本也), 월지 외에서 나온 외격은 마지막(末) 선택이라는 것이다(外格, 末也). 그런데 요즘 사람들은 월지가 만든 용신과 외격이 만든 용신의 경중을 모르고 있으므로 인해서(今人不知輕重), 격국 자체에만 얽매이게(拘泥) 되고(拘泥格局), 이어서 가짜에 집착하고, 진실은 잃어버리는 실수를 범하고 있다(執假失真). 그래서 일간이 무술이고, 월주에서 천간이 갑목이고, 지지가 인목일 때는(故戊生甲寅之月), 무토와 인목이 만나서 칠살(煞)을 만들게 되고, 추가로 무토와 갑목도 만나서 칠살(煞)을 만들게 되고, 이때 시주의 천간이 경금이나 신금이 되면(時上庚辛), 이는 금(金)을 말하게 되고, 이때는 천간의 금이 칠살을 만든 천간의 갑목을 상극으로 제어할 수 있게 되나, 지지의 인목이 만든 칠살은 상극으로 제어할 수 없게 되면서, 이때는 모든 칠살을 명확히(明) 제어할 수는 없게(不) 된다(不以為明煞有制). 만일에 이때 갑목이 없었다면, 무토는 경신이라는 금과 만나서 전적으로 식상이라는 격을 만들었을 것이다(而以為專食之格). 그래서 이때는 결과적으로 갑목이 나타나서 무토와 칠살을 만들면서, 2개의 칠살이 존재하게 만들게 되고, 이어서 갑목이 복을 망쳐버린 것이다(逢甲減福). 즉, 이때 갑목이 없이 금만 있었다면, 지지의 인목과 칠살격을 만든 무토는 식상을 만든 금을 통해서 칠살의 기운을 제어할 수 있게 된다. 이때 금이라는 천간은 에너지가 풍부해서 인목이라는 지지를 제어할 수 있게 된다. 그러면, 이때는 금, 인목, 무토라는 상극의 조합이 만들어지면서, 에너지는 서로 견제하게 되고, 이어서 에너지는 균형을 잡게 된다. 그러면, 사주는 좋아지게 되고, 복은 자동으로 들어오게 된다.

丙生子月, 時逢巳祿, 不以為正官之格, 歸祿幫身, 而以為日祿歸時, 逢官破局. 辛日透丙, 時遇戊子, 不以為辛日得官逢印, 而以為朝陽之格, 因丙無成. 財逢時煞, 不以為生煞攻身, 而以為時上偏官.

이번에는 일간이 병화이고, 월지가 자수일 때는(丙生子月), 서로 상극하면서 정관이 되고, 이때 시지에서 사화를 만나면서 사화는 병화의 건록이 되고(時逢巳祿), 이어서 병화의 뿌리(根)가 되어주면서, 사화가 자수를 상극으로 만나서 제어하게 되고, 이어서 병화는 서로 상극하는 정관의 격을 만들지 않아도 된다(不以為正官之格). 즉, 이때는 사화라는 병화의 건록이 돌아와서 일간을 도운 것이다(歸祿幫身). 즉, 이때는 자수와 사화가 형(刑)이 되면서. 일간이 시주에 돌아온 사화라는 건록의 도움을 받게 되고(而以為日祿歸時), 이어서 정관을 만나서 파격이 된 것이다(逢官破局). 이제 월지에서 격을 만들지 못했으므로, 외격을 찾아야만 한다. 이번에는 신금이라는 일주가 월지를 통해서 병화를 투출받고 있게 되면(辛日透丙), 이때는 신금과 병화가 만나서 서로 상극하면서 정관이 되고, 추가로 시주에서 천간은 무토가 되고, 지지는 자수가 되면(時遇戊子), 이때는 일간인 신금과 무토가 만나면서 정인이 되고, 신금과 자수가 만나면서 식신이 되는데, 이때는 일간인 신금이 병화와 만든 정관을 얻은 상태에서 무토와 만든 정인을 만나지 못하게 된다(不以為辛日得官逢印). 이는 상당한 이해력을 요구하고 있다. 즉, 어떤 격이 더 좋은 격인지를 말하고 있다. 지금 문제는 일간인 신금과 병화 그리고 무토의 대결이다. 이때 신금과 병화의 대결은 병화가 신금을 상극으로 죽이는 관계이고, 신금과 무토의 관계는 신금이 무토를 죽이는 관계이다. 즉, 지금은 상극 관계의 의미를 묻고 있다. 그러면, 이때는 자동으로 후자를 선택할 것이다. 즉, 이때는 신금과 병화가 만든 정관보다는 신금과 무토가 만든 정인을 용신으로 선택할 것이라는 뜻이다. 그러면, 왜 이때 병화가 만든 정관을 버리지 못하고, 무토가 만든 정인을 선택할 수 없을까? 답은 용신을 만들 때 무조건 월지가 만든 용신을 최우선으로 하기 때문이다. 그래서 이 구문의 해답은 이 문장(辛日透丙)에 있게 된다. 즉, 이때 신금이 투출받은 병화는 월지가 투출시킨 월지의 분신이라서 무조건 제1 용신으로 써야만 하기 때문이다. 그러면 숙명적(宿命的)으로 더 좋은 정인을 두고도 상대적으로 불리한 정관을 용신으로 쓸 수밖에 없게 된다. 그러면, 이때는 자동으로 정관과 정인의 관계를 살펴봐야만 한다. 즉, 병화와 무토의 관계를 살피라는 뜻이다. 그러면 병화와 무토는 식신을 만든다. 이는 병화가 무토로 에너지(神)를 먹여(食)줬다는 뜻이다. 그런데, 둘 다 양이라서 에너지가 아주 많아서 힘이 엄청나게 세다. 그래서 이 격은 조양격을 만들게 된다(而以為朝陽之格). 여기서 조양(朝陽)의 뜻은 새벽에 동(動)하는 남자(男子)의 성적(性的)인 양기(陽氣)가 아주 강하다는 뜻이다. 즉, 둘 다 양(陽)으로서 병화와 무토의 양기(陽氣)가 아주 강하다는 뜻이다. 즉, 에너지가 아주 강한 격을 조양격(朝陽格)이라고 부른다는 뜻이다. 다시 본문을 보자. 그래서 이때는 월지가 투출한 병화로 인(因)해서 정인과 제1 용신을 만들지 못하고 만다(因丙無成). 이 조양격도 정확히 이해하지 못하게 되면서, 해석이 엉망진창이 되고 만다. 이는 사주 명리를 에너지로 풀지 못하기 때문이다. 이 구문은 월지가 제1 용신이 되어야만 하는 경우를 강조하고 있다. 대신에 문제를 매우 어렵게 만들어 놓았다. 덕분에 해석도 무척이나 어렵게 되고 말았다. 이 정도는 쉽게 풀 수 있어야만 진정한 사주쟁이가 아닐까! 다시 본문을 보자. 재성이 시주에서 칠살을 만나게 되면(財逢時煞), 이때는 재성이 칠살을 생하게 되므로, 칠살이 일간을 공격할 수 없게 된다(不以為生煞攻身). 그래서 이때 시주의 천간에서 만들어진 편관(官)인 칠살(煞)은 일간을 죽이지(煞) 못하는 반신불수(偏:半身不隨)가 되고 만다(而以為時上偏官). 즉, 이때 만들어진 칠살(煞)은 일간을 죽일(煞) 수 없는 반신불수인 편관(偏官)이 된다.

癸生巳月, 時遇甲寅, 不以為暗官受破, 而以為刑合成格. 癸生冬月, 酉日亥時, 透戊坐戌, 不以為月劫建祿, 用官通根, 而以為拱戌之格, 填實不利. 辛日坐丑, 寅年, 亥月, 卯時, 不以為正財之格, 而以為填實拱貴. 乙逢寅月, 時遇丙子, 不以為木火通明, 而以為格成鼠貴. 如此謬論, 百無一是, 此皆由不知命理, 妄為評斷.

이번에는 일간이 계수이고, 월지가 사화일 때는(癸生巳月), 계수와 사화는 자동으로 정재가 되고, 시주에서 천간은 갑목이고, 지지는 인목이 되면(時遇甲寅), 일간인 계수와 갑목은 상관이 되고, 계수와 인목도 상관이 된다. 그런데, 지지의 사화와 인목이 공통으로 만들어내는 지장간으로 무토(戊)라는 암관(暗官:지장간과 만든 정관)을 천간으로 투출하지 못하고 있어서, 계수는 무토를 통해서 상극 당하지 않게 되면서, 암관인 무토가 만들어내는 파격을 받지 않게 되지만(不以為暗官受破), 사화와 인목은 형합(刑合)이 되므로, 이때는 형합이 성격을 좌우하게 된다(而以為刑合成格). 이번에는 계수인 일간이 겨울의 달에 태어난다면(癸生冬月), 이때는 비겁건록격이 나올 수 있게 되고, 일지가 유금이고, 시지가 해수일 때(酉日亥時), 무토를 투출해서 술토를 깔고 앉아있을 때는(透戊坐戌), 계수와 무토가 만나서 정관(正官)이 나오고, 동시에 해수의 지장간에 무토가 있게 되므로, 이때 해수는 지지에서 청소되어서 제거되고, 그러면, 지지에서 유금과 술토가 남게 되는데, 그러면, 유금과 술토는 서로 해(害)가 되어서 합쳐지면서 제거되게 되고, 그러면, 월겁건록격을 만들기 위해서는 겨울(冬)인 수를 상극해서 견제하는 토가 필요한데, 지금은 지지에서 술토가 제거된 상태가 되므로, 이때는 자동으로 월겁건록격을 만들 수 없게 된다(不以為月劫建祿). 그러나 이때는 천간에서 이를 상극해줘도 된다. 그런데, 마침 지지에서 천간으로 투출된 무토(戊)라는 토가 있다. 그리고 계수는 이를 정관(官)으로 이용(用)하고 있는데, 이는 또한 월지(冬)의 지장간과 통근(通根)한 결과물이기도 하다(用官通根). 즉, 겨울을 지지로 보게 되면, 해자축(亥子丑)이 되는데, 해(亥)의 지장간에서 무토가 발현되고 있다. 통근(通根)은 일간과 똑같은 오행을 보유할 수 있는 지지의 지장간이면 된다는 사실을 상기해보자. 그러면 일간인 계수는 월겁건록격을 만들면서 견제 장치로서 천간에서는 무토를 정관(官)으로 이용(用)하게 되고, 뿌리로서는 해수의 통근(通根)을 이용할 수 있게 된다. 해수에서는 임수와 무토가 모두 지장간으로 발현된다는 사실을 상기해보자. 그리고 월겁건록격은 에너지가 엉킨 상태이므로, 이때는 반드시 상극으로 제어해줘야만 한다는 사실도 상기해보자. 그러면, 이때 계수는 자동으로 월겁건록의 견제 장치인 무토(戊)를 끌어안고서(拱) 월겁건록격이라는 격을 만들 수 있게 된다(而以為拱戊之格). 이때 전실(填實)은 상황을 불리하게 만들었으나(填實不利), 천간으로 투출한 무토와 통근이 유리하게 만들어주었다. 그래서 결국에는 월겁건록격을 완성하게 된다. 여기서 전실(填實)은 합(合)을 말한다. 즉, 이 구문에서 전실(填實)은 유금과 술토가 서로 해(害)가 되어서 합쳐진(合) 경우를 말한다. 즉, 월겁건록격의 실세(實)인 술토가 합을 만들면서 합에 메워진(填) 것이다. 그 결과로 유금과 술토는 서로 해(害)가 되어서 합쳐지면서 제거되게 되고, 그러면, 월겁건록격을 만들기 위해서는 겨울(冬)인 수를 상극해서 견제하는 토가 필요한데, 지금은 지지에서 술토가 제거된 상태가 되므로, 이때는 자동으로 월겁건록격을 만들 수 없게 된다(不以為月劫建祿)는 결론에 이르게 된다. 이 부분은 해석이 상당히 어려워서 대부분 사주쟁이는 거의 손도 대지 못하는 곳이다. 다시 본문을 보자. 일주에서 천간이 신금이고, 지지가 축토이고(辛日坐丑), 연지가 인목이고(寅年), 월지가 해수이고(亥月), 시지가 묘목이 되면(卯時), 일간인 신금은 월지인 해수와 상관(傷官)을 만들고, 일지인 축토와 편인(偏印)을 만들고, 연지인 인목과 정재(正財)를 만들고, 시지인 묘목과 편재(偏財)를 만들게 된다. 그러면, 이때 쓸만한 격은 신금과 인목이 만든 정재격뿐이다. 그러나 이때 불행히도 인목과 해수가 만나서 파(破)를 만들고 만다. 그러면, 이때는 자동으로 정재격은 물 건너가게 된다(不以為正財之格). 이는 결국에 파(破)라는 전실(填實)이 정재라는 귀격(貴)을 끌어안고(拱) 죽어버린 것이다(而以為填實拱貴). 이를 다른 측면으로 해석도 가능하게 된다. 즉, 여기서 인목과 해수는 육합으로서 목국(木)을 만든다. 그러면, 이 목국(木)은 에너지가 천간과 똑같아지면서, 천간에 있는 신금을 상극으로 공격하게 된다. 그러면, 정재격은 두 번의 공격으로 인해서 망쳐지고 만다. 여기서 전실(填實)은 육합(六合)이 된다. 이 구문은 어느 쪽으로 해석해도 상관없이 똑같은 결과가 나오게 된다. 물론 해석도 똑같게 된다. 다시 본문을 보자. 이번에는 일간인 을목이 월지인 인목을 만나서(乙逢寅月), 월겁(月劫)이 되고, 시주에서는 천간이 병화이고, 지지는 자수이면(時遇丙子), 일간인 을목은 병화와는 상관(傷官)을 만들고, 자수와는 편인(偏印)을 만들게 된다. 이들을 일간인 을목의 입장으로 보게 되면, 이 셋은 모두 상태가 불량하다. 그리고 월겁은 에너지가 엉킨 상태이므로, 이는 반드시 상극으로 제어해줘야만 한다. 그런데 지금은 목을 상극으로 제어해줄 에너지가 어디에도 없다. 추가로 월지의 인목 지장간에서 병화가 시주로 투출하고 있다. 그러면, 자동으로 월지의 인목은 제거되고 만다. 이제 일간의 을목은 다른 지지를 찾아야만 하는데, 시주에 자수 있어서, 자수와는 편인을 만들고 있다. 그러면, 인목의 아바타인 병화는 인목이라는 지지의 에너지를 대표하므로, 천간에 원래 있던 병화 에너지의 1/3밖에는 보유하지 못한 상태가 된다. 그러면 이때는 자동으로 천간에서 을목과 병화가 만나서 상관을 만들고는 있지만, 인목의 아바타인 병화의 에너지가 너무 약해서 을목과 병화는 목화통명(木火通明)을 제대로 할 수가 없게 된다(不以為木火通明). 이는 상당히 어려운 해석이라서 대부분 사주쟁이는 이 부분을 제대로 해석하지 못하고 있다. 그래서 이때는 다시 격을 만들 조건을 찾아야만 하는데, 을목과 자수가 만나서 편인을 만들면서 그나마 불안(鼠)한 동거를 하고 있다. 그래서 이때는 불안(鼠)한 귀격(貴)을 만들고 있다(而以為格成鼠貴). 이때 서(鼠)를 쥐로 해석하고, 자수(子)를 쥐띠로 해석해서, 이때 을목과 자수가 만든 편인(偏印)을 서귀(鼠貴)로 해석하기도 하는데, 어느 쪽으로 해석해도 큰 문제는 없다. 이는 월지가 만든 격이 아닌 외격(外格)이라는 사실도 상기해보자. 그러면 서(鼠)의 의미가 좋은 의미는 아닐 것이다. 더군다나 성패고저의 원리에 따르면, 자수(子)를 지지로 쓰고 있는 시주(時柱)는 힘이 제일 약하다. 지금까지 살펴본 이론들은 해석의 오류가 너무나도 많이 나오는 경우로서(如此謬論), 심할 경우에는 백 가지 주제에서 하나도 진실이 없는 경우도 존재하게 되며(百無一是), 이 모든 경우로 말미암을 때는 사주 명리를 제대로 알 수 없게 된다(此皆由不知命理). 그러면, 자동으로 사주 명리를 자기 맘대로 평가하고 단언하는 망언을 일삼게 된다(妄為評斷). 앞의 해석을 보면 알겠지만, 이 부분은 해석이 상당히 어렵다. 특히 사주 명리를 에너지로 접근하지 못하게 되면, 이 부분은 아예 손도 대지 못하게 된다. 그리고 이는 지금도 진행형이다.

제30장 세속에서 쓰이는 와전을 논하다

(論時說以訛傳訛)

제30장 세속에서 쓰이는 와전을 논하다(論時說以訛傳訛)

八字本有定理, 理之不明, 遂生異端, 妄言妄聽, 牢不可破. 如論干支, 則不知陰陽之理, 而以俗書體象歌訣為確論. 論格局, 則不知專尋月令, 而以拘泥外格為活變. 論生克, 則不察喜忌, 而以傷旺扶弱為定法. 論行運, 則不問同中有異, 而以干支相類為一例.

사주 여덟 글자에는 본래 적용되는 정확한 이론이 있는데(八字本有定理), 이 이론을 명확하게 알지 못하게 되면(理之不明), 자동으로 이단을 따르게 되고(遂生異端), 망언을 일삼고 망언을 듣게 되고(妄言妄聽), 결국에는 이 틀을 깨지 못하고, 이 틀에 갇히고 만다(牢不可破). 간지를 예로 들어서 말하자면(如論干支), 사주 명리에서 최고의 핵심인 음양이라는 에너지 이론을 모르게 되면(則不知陰陽之理), 속세에서 떠도는 이상한 비결만 체득해서, 이를 자기의 이론으로 확립하게 된다(而以俗書體象歌訣為確論). 이번에는 격국을 논하자면(論格局), 용신을 찾을 때는 전적으로 월지에서 먼저 찾아야 함에도 불구하고, 이를 몰라서(則不知專尋月令), 외격에 얽매여서 외격을 변칙적으로 활용하게 된다(而以拘泥外格為活變). 이번에는 생극을 논하자면(論生克), 생극의 원리가 기본인 희기를 살피지 못하고(則不察喜忌), 억부법만 정확한 법칙이라고 여긴다(而以傷旺扶弱為定法). 이번에는 행운을 논하자면(論行運), 같은 것 중에서도 다름이 있다는 사실을 따지지도 않고(則不問同中有異), 간지가 똑같은 오행일 때는 서로 같은 종류로 취급해버리는 경우가 그 예이다(而以干支相類為一例). 이들은 모두 전에 설명된 부분들이다.

究其緣由, 一則書中用字輕重, 不知其意, 而謬生偏見. 一則以鴿書無知妄作, 誤會其說, 而深入迷途. 一則論命取運, 偶然湊合, 而遂以己見為不易, 一則以古人命式, 亦有誤收, 即收之不誤, 又以己意入外格, 尤為害人不淺.

사주 명리가 이렇게 흘러가는 연유를 추적해보게 되면(究其緣由), 하나는 사주 명리의 책 중에 나오는 글자를 이용할 때 각 문자의 경중의 문제도 모르고(一則書中用字輕重), 이 뜻도 제대로 모르게 되면(不知其意), 이는 자동으로 오류를 만들게 되고, 이어서 편견으로 발전한다(而謬生偏見). 또 하나는 사주 명리의 책을 제대로 이해하지 못하고 사람의 말을 맹목적으로 따라서 하는 구관조(鴝)처럼 읊어만 대는 책을 믿는 무지가 결국에는 망작으로 이어지게 되고(一則以鴝書無知妄作), 이는 자동으로 그 이론에 있어서 오류로 만나게 되며(誤會其說), 그러면 자동으로 빠져나올 수 없는 미궁으로 깊이 빠지고 만다(而深入迷途). 또 하나는 사주 명리를 논하면서 취운할 때는(一則論命取運), 자연스럽게 합을 만나게 되는데(偶然湊合), 이를 무시하고 자기의 견해를 이용해서 따름으로서 사주를 제대로 번역하지 못하게 되는 경우이다(而遂以己見為不易). 또 하나는 옛날 사람들의 사주 명리 풀이의 방식에도(一則以古人命式), 역시 오류가 있기 마련인데, 이 오류를 눈치채지 못하고 그대로 수용하는 경우인데(亦有誤收), 이를 수용하면서도 오류인지를 모른다는 사실이다(即收之不誤). 또한 자기의 생각을 외격에 집어넣으면서(又以己意入外格), 더욱더 모든 사람을 남김없이 해치게 된다(尤為害人不淺).

如壬申, 癸丑, 己丑, 甲戌, 本雜氣財旺生官也. 而以為乙亥時, 作時上偏官論, 豈知旺財生煞, 將救死之不暇, 於何取貴? 此類甚多, 皆誤收格局也. 如己未, 壬申, 戊子, 庚申, 本食神生財也, 而欲棄月令, 以為戊日庚申合祿之格, 豈知本身自有財食? 豈不甚美? 又何勞以庚合乙, 求局外之官乎? 此類甚多, 皆硬入外格也.

예를 들어서 보자면, 연주가 임신이고(如壬申), 월주가 계축이고(癸丑), 일주가 기축이고(己丑), 시주가 갑술일 때(甲戌), 일간(本)인 기토(己)를 중심으로 보게 되면, 다양한 지지와 천간이 섞이면서 잡기(雜氣)가 나오고 있다. 이때 천간을 중심으로 보게 되면, 임수와 계수에서 재성(財)이 나오고, 갑목에서 정관(官)이 나오게 된다. 그러면, 자동으로 왕성한 재성은 정관을 생하게 된다(本雜氣財旺生官也). 그러나 이때 시주를 을해로 다시 교정하게 되면(而以為乙亥時), 시주의 천간인 을목은 일간의 기토와 편관(煞)을 만든다는 논리이다(作時上偏官論). 그러면, 이때도 역시 왕성한 재성은 편관인 칠살을 생하게 되는데(豈知旺財生煞), 그러면 장차 죽음을 구제할 겨를이 없게 되고(將救死之不暇), 이때는 어찌 귀를 취했다고 할 수 있을까(於何取貴)? 생(生)을 똑같은 생(生)으로 보지 말라는 뜻이다. 즉, 재성이 정관을 생해서 정관에 에너지를 더 추가하게 되고, 이어서 정관을 더 좋게 하는 상황과 재성이 칠살을 생해서 칠살에 에너지를 더 추가하게 되고, 이어서 칠살을 더 나쁘게 만드는 상황을 구별하라는 뜻이다. 이는 그냥 상식이다. 그러면, 이때는 에너지를 잔뜩 끌어안은 칠살은 더욱더 힘이 세져서 구할 겨를도 주지 않고 상대를 죽이게 된다(將救死之不暇). 그러면, 이는 재성이 관성을 생한다고 해서 항상 귀를 말하는 것이 아니게 되는데, 이를 어찌 귀를 얻었다(於何取貴)고 말할 수 있겠는가 말이다. 이때는 또한 월지를 버리고 있다는 사실도 주목할 필요가 있다. 다시 본문을 보자. 이런 종류의 오류들은 너무나도 많으며(此類甚多), 이런 모든 오류는 결국에 격국에 그대로 수용된다(皆誤收格局也). 이때는 자동으로 사주 명리의 해석을 망치고 만다. 또 다른 예를 보자면, 연주가 기미이고(如己未), 월주가 임신이고(壬申), 일주가 무자이고(戊子), 시주가 경신일 때(庚申), 일간(本)인 무토(戊)를 기준으로 보자면, 월지의 신금(申)과는 식신(食神)을 만들고, 일주의 자수와는 편재(偏財)를 만든다. 그러면, 이때는 자동으로 식신이 편재를 생하게 된다(本食神生財也). 그런데, 이때 용신을 만들 때 기본 원칙인 월지를 내팽개치고 싶은 마음에(而欲棄月令), 일간인 무토가 시주인 경신이 만든 건록과 합쳐지면서 격을 만들려고 한다면(以為戊日庚申合祿之格), 차라리 일간(本身)이 애초(自)에 보유한 식신과 편재를 이용하는 편이 더 낫지(知) 않는가(豈知本身自有財食)? 이 격도 어찌 매우 아름답지 않겠는가(豈不甚美)? 즉, 무토가 건록과 만든 격을 비판하고 있다. 이는 용신을 만들 때 원칙인 월지를 개무시하고 있기 때문이다. 참고로 이때 경신(庚申)이 만든 양인(陽刃)은 똑같은 에너지가 엉켜있어서, 이때는 반드시 상극의 에너지가 필요하다. 그러면, 경금은 무토를 상극하므로, 무토와 경금은 견제하는 사이가 되고, 이어서 양인격이라는 에너지가 아주 좋은 격이 만들어지게 된다. 다시 본문을 보자. 또한 이때는 천간에서 을경(乙庚)이 만나서 만드는 천간합인 금(金)을 이용하는 수고를 할 수도 있는데(又何勞以庚合乙), 이는 월지에서 만든 용신이 아니라 월지 밖에서 만든 국외 용신(官)에서 원래 월지가 만든 용신을 구하려고 하는 때이다(求局外之官乎). 그러면, 이때는 자동으로 시주인 경신(庚申)에서 경금을 제거하게 되면서, 건록격은 무산된다. 그러면 자동으로 원래 월지가 만든 격으로 복귀할 수밖에 없게 된다. 이런 종류의 예는 아주 많으며(此類甚多), 이들 모두는 억지(硬)로 외격을 도입하려고 할 때 나타나게 된다(皆硬入外格也). 이는 사주 명리의 원칙을 지키기보다는 자기의 잘못된 이론을 억지로 꿰맞추면서 일어나게 된다. 이 부분도 해석이 만만하지 않다.

人苟中無定見, 察理不精, 睹此謬論, 豈能無惑? 何況近日貴格不可解者, 亦往往有之乎? 豈知行術之人, 必以貴命為指歸, 或將風聞為實據, 或探其生日, 而即以己意加之生時, 謬造貴格, 其人之八字, 時多未確, 即彼本身, 亦不自知. 若看命者不究其本, 而徒以彼既富貴遷就其說以相從, 無惑乎終身(無)解日矣!

사주쟁이에게 진실로 확정된 이론의 배경이 없다면(人苟中無定見), 사주 명리를 살필 때 핵심을 살필 수가 없게 되고(察理不精), 앞에서 본 것처럼, 이론의 오류를 구분할 때(睹此謬論), 어찌 능히 의혹이 없게 할 수 있을까(豈能無惑)? 또한 최근의 상황을 보면, 귀격의 해석이 불가하다는 일이(何況近日貴格不可解者), 역시 왕왕 있다고 말하고 있지 않은가(亦往往有之乎)? 술수를 발휘해서 행하는 사람들을 따라서 행동하면서(豈知行術之人), 그 결과로 반드시 사주 명리가 귀격으로 돌아오도록 만들고 있고(必以貴命為指歸), 혹은 풍문이 현실적인 근거가 되는 것처럼 만들고 있고(或將風聞為實據), 혹은 사주 당사자의 생일을 탐구해서(或探其生日), 여기에 즉시 자기의 의사를 가미해서(而即以己意加之生時), 귀격을 억지로 만들어내고 있다(謬造貴格). 사실 사주 당사자의 사주 여덟 글자 중에서(其人之八字), 태어난 시간을 모르는 경우가 태반이어서(時多未確), 일간인 태어난 날은 제외하면(即彼本身), 역시 태어난 시간은 스스로 잘 모른다(亦不自知). 만약에 사주 명리를 살필 때, 이런 기본적인 사실을 탐구하지 않게 되면(若看命者不究其本), 사주 당사자의 부귀 등등 현재 상황을 참고해서 이리저리 꿰맞춰서 사주를 해설하게 되면서(而徒以彼既富貴遷就其說以相從), 사주쟁이는 영원히 사주 명리에 대한 의혹을 풀 수도 없을뿐더러 이를 진실로 이해할 날이 오기나 할까요(無惑乎終身(無)解日矣)!

제31장 정관을 논하다(論正官)

제31장 정관을 논하다(論正官)

官以克身, 雖與七煞有別, 終受彼制, 何以切忌刑衝破害, 尊之若是乎? 豈知人生天地間, 必無矯焉自尊之理, 雖貴極天子, 亦有天祖臨之. 正官者分所當尊, 如在國有君, 在家有親, 刑衝破害, 以下犯上, 烏乎可乎?

사주 명리에서 정관(官)은 일간(身)을 상극(克)할 때 이용(以)하게 된다(官以克身). 정관은 비록 칠살과 더불어 구별되지만(雖與七煞有別), 결국에는 일간이 상대방(彼)인 정관의 제어를 받는(受) 경우가 된다(終受彼制). 이런 정관은 형충파해를 죽도록 싫어하는데(何以切忌刑衝破害), 왜 이런 상태를 존중해야만 하는가(尊之若是乎)? 광활한 우주에서 사람을 살펴보게 되면, 티끌만도 못한 하찮은 존재인데, 이런 천지에서 태어난 사실을 사람들은 알면서도(豈知人生天地間), 반드시 상하 규범을 무시하고 자기가 잘났다고 하는 습성을 교정하지 못하고 있다(必無矯焉自尊之理). 비록 지독하게 귀한 천자라고 할지라도(雖貴極天子), 천자를 다스리는 하늘의 조상이 있는데도 말이다(亦有天祖臨之). 정관은 이유(所)를 분석(分)해보면, 당연히 존중해야만 한다(正官者分所當尊). 즉, 한 국가가 존재할 때는 임금이 존재하게 되고(如在國有君), 한 가정이 존재할 때는 부모(親)가 존재하게 되는데(在家有親), 형충파해는(刑衝破害), 아랫사람이 윗사람을 범하는 경우인데(以下犯上), 이를 어찌 옳다고 하겠는가(烏乎可乎)?

以刑衝破害為忌, 則以生之護之為喜矣, 存其喜而去其忌則貴, 而貴之中又有高低者, 何也? 以財印並透者論之, 兩不相礙, 其貴也大. 如薛相公命, 甲申, 壬申, 乙巳, 戊寅, 壬印戊財, 以乙隔之, 水與土不相礙, 故為大貴. 若壬戌, 丁未, 戊申, 乙卯, 雜氣正官, 透幹會支, 最為貴格, 而壬財丁印, 二者相合, 仍以孤官無輔論, 所以不上七品.

정관은 형충파해를 이용(以)하게 되면 자동으로 꺼려하게 되는데(以刑衝破害為忌), 그래서 이때 정관을 생하고 보호해주는 경우를 좋아하게 된다(則以生之護之為喜矣). 즉, 이런 경우가 존재하게 되면, 좋아하게 되고, 이를 제거되게 되면, 꺼리게 되는데, 그러면 자동으로 귀격이 된다(存其喜而去其忌則貴). 즉, 정관에 형충파해가 없어야만, 정관이 귀격이 된다는 뜻이다. 그러면, 귀격이 된 상태에서 추가로 고저를 보유하면(而貴之中又有高低者), 어떻게 되는가요(何也)? 재성과 인성이 병립해서 투출하고 있는 경우를 예시로 논해보자면(以財印並透者論之), 재성과 인성은 원래 상극으로 만나므로, 이 둘은 서로 장애(礙)가 되고 만다. 그러나 이때는 양쪽이 서로 장애(礙)가 되지 않아야만(兩不相礙), 이 격은 귀격이 되고 크게 된다(其貴也大). 지금은 용신의 성패고저를 논하고 있다는 사실을 상기해보자. 이는 자동으로 용신을 만드는 사주가 서로 거리상 멀리 떨어져 있다는 사실을 말하고 있다. 예를 들어서 설명해보자면, 설상공의 명리에서 그 해답을 찾을 수 있다(如薛相公命). 연주가 갑신이고(甲申), 월주가 임신이고(壬申), 일주가 을사이고(乙巳), 시주가 무인일 때를 보게 되면(戊寅), 일간의 을목과 월간의 임수는 정인을 만들고, 일간의 을목과 시간의 무토는 정재를 만들게 되는데(壬印戊財), 이때는 겉으로만 보게 되면, 자동으로 정인과 정재가 상극으로 부딪히게 된다. 그러나 사주 명리의 성패고저의 원리에 따라서 살펴보게 되면, 이 둘 사이에는 일간이라는 을목이 존재하면서 이 둘의 접촉을 막고(隔) 있는 상태가 된다(以乙隔之). 이때 임수가 있는 월주는 시주의 기준으로 보면, 고(高)가 되고, 무토가 있는 시주는 월주의 기준으로 보게 되면, 저(低)가 된다. 물론 이때 기준을 일간으로 해도 문제는 없다. 그런데, 이 둘은 을목이라는 중재자를 통해서 격을 만들고 있다. 그래서 이때는 일간에 존재하는 을목이 양쪽이 만날 수 없게 자동으로 막게 된다. 이는 아주 재미있는 현상을 만들어낸다. 즉, 을목, 무토, 임수라는 상극의 조합이 만들어지게 되는데, 이때는 무토가 임수를 상극하려고 하면, 무토를 을목이 상극으로 막고 있는 상태가 된다. 그러면, 무토는 힘이 빠져서 임수를 상극하지 못하게 된다. 이를 보고 무토가 을목을 넘어서지(越) 못하고 있다고 말하게 된다. 그러면, 이때는 자동으로 에너지 균형이 잡히게 된다. 그러면, 이때는 자동으로 귀격(貴)이 만들어진다. 다시 본문을 보자. 즉, 지금은 임수와 무토가 을목 덕분에 서로 장애(礙)가 되지 않게 되고(水與土不相礙), 결국에 이는 대귀를 만들게 된다(故為大貴). 즉, 이때는 에너지 균형이 잡힌 것이다. 최고의 사주는 에너지 균형이라는 사실을 상기해보자. 또 다른 예를 들어보자. 연주가 임술이고(若壬戌), 월주가 정미이고(丁未), 일주가 무신이고(戊申), 시주가 을묘이면(乙卯), 사주의 오행과 지지가 다양하게 나오면서 자동으로 잡기를 만들고 있다. 그래서 잡기와 정관이 나오고 있다(雜氣正官). 그리고 묘목과 미토(未)에서 지장간으로 을목을 투출하고, 묘술(卯戌)이 육합이 되면서 화를 만들고 있게 되면(透幹會支), 지지에서는 묘목, 미토, 술토가 제거되고, 신금만 남게 되는데, 그러면, 무토와 신금은 식신이 된다. 그리고 지금 이 상태로만 본다는 당연히 최고의 귀격이 된다(最為貴格). 그러나 천간에서 무토와 임수가 만나서 편재가 되고, 무토와 정화가 만나서 정인이 되면 좋으련만(而壬財丁印), 불행히도 임수와 정인은 천간에서 서로 만나서 합쳐지면서(二者相合), 정임으로 천간합인 목(木)을 만들고 만다. 즉, 순식간에 편재와 정인이 날아가 버린 것이다. 그러면, 천간에서는 정관만 덩그러니 남아서 고립무원이 되고 만다(仍以孤官無輔論). 그래서 이때는 정관이 좋은 격이므로, 칠품까지는 벼슬을 하겠지만, 더는 조력자가 없어서 그 이상은 불가하게 된다(所以不上七品). 이때는 천간합으로 만들어진 목이 일간인 무토를 상극한다는 사실도 상기해보자.

若財印不以兩用, 則單用印不若單用財, 以印能護官, 亦能洩官, 而財生官也. 若化官為印而透財, 則又為甚秀, 大貴之格也. 如金狀元命, 乙卯, 丁亥, 丁未, 庚戌, 此並用財印, 無傷官而不雜煞, 所謂去其忌而存其喜者也.

만약에 재성과 인성 양쪽을 동시에 용신으로 사용할 수 없다면(若財印不以兩用), 단독으로 인성을 용신으로 사용하는 경우는 단독으로 재성을 용신으로 사용하는 경우와 같지(若) 않게(不) 된다(則單用印不若單用財). 격의 관계에서 보게 되면, 인성을 이용해서 능히 정관을 보호할 수 있다(以印能護官). 즉, 인성과 정관은 상생 관계이다. 그래서 역시 인성은 능히 정관의 에너지를 설기할 수 있게 된다(亦能洩官). 설기는 자기를 생해주는 오행에서 에너지를 뺏는 경우를 말한다. 그래서 지금은 정관이 인성을 생해주므로, 인성은 정관의 에너지를 설기시킬 수 있게 된다. 이는 정관이 에너지가 과하거나 적을 때 이용할 수 있게 된다. 다시 본문을 보자. 그리고 재성은 당연히 정관을 생해주게 된다(而財生官也). 그런데, 이때 만약에 정관과 인성이 서로 화합하고 있는 상태에서, 재성이 투출하게 되면(若化官為印而透財), 이때는 또한 정관의 에너지를 아주 수려하게 만들어준다(則又為甚秀). 왜? 이때는 재성, 정관, 인성이 서로 상생하는 조합을 만들어내면서, 에너지 균형이 정확히 잡히기 때문이다. 그래서 최고의 사주는 완벽한 에너지 균형이므로, 이 격은 대귀의 격이 될 수밖에 없게 된다(大貴之格也). 이는 금장원의 사주 명리를 통해서 살펴보자(如金狀元命). 연주가 을묘이고(乙卯), 월주가 정해이고(丁亥), 일주가 정미이고(丁未), 시주가 경술이 되면(庚戌), 여기에서 일간의 정화와 시간의 경금이 만나게 되면, 정재가 되고, 일간의 정화와 연간의 을목이 만나게 되면, 편인이 되면서, 이 둘은 서로 상극하는 관계가 되지만, 일간의 정화가 가운데서 장애물(礙)이 되면서 막아(隔)주고 있으므로, 이때는 자동으로 재성과 인성을 병립해서 사용할 수 있게 되는데(此並用財印), 이때 추가로 상관도 없고, 관살이 혼잡해서 존재하는 것도 아니니(無傷官而不雜煞), 이 경우는 소위 격이 꺼리는 오행은 제거(去)가 된 상태이고, 격이 좋아하는 오행은 존재(存)하는 상태가 된다(所謂去其忌而存其喜者也). 그래서 이격은 자동으로 귀격이 된다.

然而遇傷在於佩印, 混煞貴乎取清. 如宣參國命, 己卯, 辛未, 壬寅, 辛亥, 未中己官透乾用清, 支會木局, 兩辛解之, 是遇傷而佩印也. 李參政命, 庚寅, 乙酉, 甲子, 戊辰, 甲用酉官, 庚金混雜, 乙以合之, 合煞留官, 是雜煞而取清也.

그러나 이때 정관이 상관을 만난 상태에서 인수격이 존재하거나(然而遇傷在於佩印), 관살 혼잡이 존재하게 되면(混煞), 정관이 상관을 만난 상태는 상관이 정관을 상극하게 되므로, 이때 정관을 도와주기 위해서는 상관을 상극(克)으로 제어해줘야만 한다. 그런데 이때 인수도 상관을 상극으로 제어할 수 있게 되고, 관살 혼잡도 상관을 상극으로 제어할 수 있게 된다. 그러면, 이때는 정확히 에너지의 균형이 잡히게 되면서, 귀격이 완성된다. 그래서 이때는 이를 귀격으로 부를 수 있게 되고, 추가로 정관이 꺼리는 격은 깨끗이 처리(取)한 상태가 된다(貴乎取淸). 이번에는 선참국의 사주 명리를 이용해서 문제를 풀어보자(如宣參國命). 연주는 기묘이고(己卯), 월주는 신미이고(辛未), 일주는 임인이고(壬寅), 시주는 신해일 때는(辛亥), 일간인 임수와 연간인 기토가 정관을 만들게 된다. 그런데 이때 지지의 미토는 지장간으로 기토를 보유하고 있으므로, 지지의 미토는 천간으로 정관을 투출해서 용신으로 쓰고 있는 상태가 되면서, 미토 또한 지지에서 깨끗이(淸) 사라지게 된다(未中己官透乾用淸). 그런데 이때 해묘미는 지지에서 삼합으로서 목국을 만든다(支會木局). 그러면, 이제 목국은 천간의 오행과 똑같은 에너지를 얻은 상태가 되면서, 자동으로 천간을 공격하게 된다. 즉, 이때 목국은 천간의 목이 된다. 그러면, 이때는 자동으로 목국이 천간의 오행을 괴롭혀서 격을 파괴하기 시작한다. 그러면, 이때는 자동으로 이를 상극(克)으로 제어해줘야만 한다. 그런데, 지금 천간에서는 행운이 따르면서 목국을 상극할 수 있는 신금이 두 개나 존재하고 있다. 그래서 이 문제는 두 개의 신금이 깨끗이 해결하게 된다(兩辛解之). 그리고 이때 일간인 임수는 목국을 만나므로, 둘이 식상의 관계를 만들 수 있게 되면서, 상관을 만날 수도 있게 되는데, 마침 임수와 신금이 정인을 만들게 되면서, 신금이 만든 정인이 목국을 상극할 수 있으므로, 이 경우도 상관을 만나서 인수로 해결하는 경우가 된다(是遇傷而佩印也). 이번에는 이참정의 사주 명리를 보자(李參政命). 연주는 경인이고(庚寅), 월주는 을유이고(乙酉), 일주는 갑자이고(甲子), 시주는 무진일 때(戊辰), 일간인 갑목은 월지의 유금을 이용해서 정관을 만들게 되고(甲用酉官), 경금과는 관살 혼잡을 만들게 되는데(庚金混雜), 이때 마침 월간의 을목과 연주의 경금이 만나서 천간합으로서 을경이 되고(乙以合之), 그러면, 자동으로 관살 혼잡을 만든 경금은 천간합으로 인해서 자동으로 사라지게 되고, 월지의 유금과 만든 정관은 남게 된다(合煞留官). 이 경우는 관살 혼잡이 문제를 만들고 있었는데, 천간합으로 깨끗이(淸) 정리되는 경우에 해당한다(是雜煞而取清也). 이 부분도 해석이 만만하지 않다.

至於官格透傷用印者, 又忌見財, 以財能去印, 未能生官, 而適以護傷故也. 然亦有逢財而反大貴者. 如範太傅命, 丁丑, 壬寅, 己巳, 丙寅, 支具巳丑, 會金傷官, 丙丁解之, 透壬豈非破格? 卻不知丙丁並透, 用一而足, 以丁合壬而財去, 以丙制傷而官清, 無情而愈有情. 此正造化之妙, 變幻無窮, 焉得不貴?

정관격이 상관을 투출받고 있는 상태에서 인성을 이용하게 되면(至於官格透傷用印者), 정관이 싫어하는 상관과 인수가 상극으로 대응하므로, 상관은 제어되게 되고, 이때 추가로 재성을 보는 일은 꺼리게 된다(又忌見財). 이때는 재성이 상관의 견제 장치인 인성을 상극으로 제거(去)해버리기 때문이다(以財能去印). 그러면 이때는 자동으로 정관을 살리는 일을 할 수 없게 된다(未能生官). 그러면, 즉시 상관을 보호하는 일이 되고 만다(而適以護傷故也). 그러나 역시 재성을 만나서 반대로 크게 귀한 경우도 있다(然亦有逢財而反大貴者). 범태부의 사주 명리를 보자(如範太傅命). 연주가 정축이고(丁丑), 월주가 임인이고(壬寅), 일주가 기사이고(己巳), 시주가 병인일 때(丙寅), 지지에서 사축이 모두 만나게 되면(支具巳丑), 삼합(會)이 되면서 금이 되고, 이어서 일간인 기토와는 자동으로 상관이 된다(會金傷官). 이때 원래 삼합의 금국은 사유축이 되는데, 삼합은 2개만 있어도 된다. 그러면, 정관이 꺼리는 금국이 만든 상관은 누군가가 나서서 상극으로 제어해줘야만 한다. 그런데, 마침 병정이 존재하고 있어서, 이 문제는 병정이 상극으로 해결해준다(丙丁解之). 그러나 이때 병정을 상극하는 임수가 월간에 투출해 있어서, 이 어찌 파격이 아니라고 하겠는가(透壬豈非破格)? 그러나 이는 모르는 소리인데, 연간과 시간에서 병정이 병립해서 투출하고 있으므로(卻不知丙丁並透), 이때는 병화 하나만 이용해서 금국을 상극으로 제어하면 족하고(用一而足), 나머지 정화는 천간합으로서 정임이 되면서 목이 되고, 그러면, 자동으로 일간인 기토와 임수가 만든 재성은 제거(去)되게 되고(以丁合壬而財去), 이로써 병화는 금국이 만든 상관을 상극으로 제어하게 되고, 기토와 인목이 만든 정관은 자동으로 깨끗해지게 된다(以丙制傷而官清). 이로써 이때 일간인 기토는 의미(情)가 없어지려다가 다시 의미(情)를 보유하게 된다(無情而愈有情). 이것이 오행 간에 만들어지는 바른 조화의 묘미이며(此正造化之妙), 환상적인 변화로서 무궁무진한 묘미를 만들어 내게 된다(變幻無窮). 이때는 어찌 귀하다고 하지 않겠는가(焉得不貴)?

至若地支刑沖, 會合可解, 已見前篇, 不必再述, 而以後諸格, 亦不談及矣.

그런데, 이때 만약에 지지에서 형충이 방해하고 있다면(至若地支刑沖), 이는 삼합을 만들어서 해결이 가능하게 된다(會合可解). 이는 이미 전편에서 설명했으므로(已見前篇), 다시 기술은 불필요하다(不必再述). 이는 이후에 나오는 여러 격에서도(而以後諸格), 역시 언급이 없을 것이다(亦不談及矣).

제32장 정관의 취운을 논하다(論正官取運)

제32장 정관의 취운을 논하다(論正官取運)

取運之道, 一八字則有一八字之論, 其理甚精, 其法甚活, 只可大略言之. 變化在人, 不可泥也.

취운의 법칙에서 보면(取運之道), 하나의 팔자에는 하나의 팔자 이론이 나타나게 되고(一八字則有一八字之論) 즉, 팔자마다 각각 하나의 이론이 나타나게 되고, 그 원리는 아주 심오하며(其理甚精), 그 법칙 또한 아주 심오하게 응용(活)되면서(其法甚活), 사주 명리에서 취운법을 말할 때는 단지(只) 대략(大略)인 큰 줄기만 말할 수 있을 뿐이다(只可大略言之). 그리고 사주 명리에서 나오는 변화(變化)라는 것은 해당 사주를 가진 사람에게 존재하는 것이고(變化在人), 이는 인위적으로 조작해서 풀로 덧붙일(泥) 수 있기에는 불가한 일이 된다(不可泥也).

如正官取運, 即以正官所統之格分而配之. 正官而用財印, 身稍輕則取助身, 官稍輕則助官. 若官露而不可逢合, 不可雜煞, 不可重官. 與地支刑衝, 不問所就何局, 皆不利也.

예를 들자면, 정관을 가지고 취운할 때는(如正官取運), 정관을 이용(以)해서 나머지 격들을 통합하고 구분해서 배합하게 된다(即以正官所統之格分而配之). 이는 너무나도 당연한 말이다. 정관이라는 격이 나온 상태에서 재성과 인성을 이용할 때는(正官而用財印), 정관을 만든 일간(身)이 다소 약하게 되면, 이때는 당연히 일간을 돕는 격을 취하게 된다(身稍輕則取助身). 즉, 지금 상황에서는 이때는 정관과 상생(生)하는 인성을 택하게 된다는 뜻이다. 또한 정관이 다소 약할 때는 당연히 정관을 돕는 오행을 취하게 된다(官稍輕則助官). 즉, 지금 상황에서는 정관을 생(生)해주는 재성을 취하게 된다는 뜻이다. 그리고 이때 만약에 정관이 지금처럼 노출된 상태에서 합을 통해서 정관을 만드는 오행을 만나도 안 되며(若官露而不可逢合), 정관과 같은 종류인 관살 혼잡을 만나도 안 되는데(不可雜煞), 그 이유는 관성이 중복되면, 에너지가 폭증하면서, 사주를 망치게 되므로, 관성의 중복은 불가하기 때문이다(不可重官). 더불어 지지에서 형충을 만난다면(與地支刑衝), 이때는 어떤 국을 성취하고 있느냐를 불문하고(不問所就何局), 일간의 뿌리를 망쳐버리므로, 이들 모두는 자동으로 불리하게 된다(皆不利也).

正官用財, 運喜印綬身旺之地, 切忌食傷. 若身旺而財輕官弱, 即仍取財官運可也. 正官佩印, 運喜財鄉, 傷食反吉. 若官重身輕而佩印, 則身旺為宜, 不必財運也. 正官帶傷食而用印制, 運喜官旺印旺之鄉, 財運切忌. 若印綬疊出, 財運亦無害矣.

용신인 정관이 재성을 상신으로 이용할 때는(正官用財), 정관은 재성과 상생하는 관계도 되지만, 서로 상극하는 관계도 되므로, 이때는 자동으로 재성을 상극해 줄 격이 필요하게 되고, 이어서 재성과 상극으로 만나는 인수가 희운이 되면서, 일간(身)은 자동으로 인수라는 왕성한 지지 기반을 보유하게 된다(運喜印綬身旺之地). 그러나 이때 식상은 정관을 그대로 상극해서 제거해버리므로, 정관은 식상을 죽도록 싫어하게 된다(切忌食傷). 만약에 이때 일간이 양으로서 왕성한 에너지를 보유하고 있고, 재성이나 관성이 음으로서 약한 에너지를 보유하고 있다면(若身旺而財輕官弱), 이때는 자동으로 정재와 정관이 나오게 되므로, 이때는 자동으로 정관과 정재를 취운하는 일이 가능하게 된다(即仍取財官運可也). 이때 정관이 인성을 끼고 있을 때(正官佩印), 강한(鄉) 재성이 희운으로 나타나게 되면(運喜財鄉), 이때 재성이 강(鄉)하지 않고 정상이라면, 재성, 정관, 인수가 상생 관계를 만들면서 말 그대로 재성은 희운이 된다. 그러나 지금은 재성이 강(鄉)하다. 여기서 향(鄉)은 치우치다는 뜻으로서, 에너지가 치우쳐서 많다는 뜻이다. 그러면, 셋이 만든 상생의 조합은 깨지고 만다. 그러면, 지금 문제는 에너지가 과도한 재성이 문제이므로, 이때는 자동으로 식상이 반대로 길한 존재가 되고 만다(傷食反吉). 즉, 이때는 재성이 아니라 식상이 정관에게 도움이 된다는 뜻이다. 그러면, 이때는 인수, 식상, 정관이라는 상극의 조합이 만들어지면서 에너지의 균형이 잡히게 되기 때문이다. 이때는 정관과 식상이 먼저 짝을 맺고, 이어서 식상을 인수가 견제해주게 된다. 그러면, 자동으로 에너지의 균형이 잡히게 된다. 다시 본문을 보자. 이때 만약에 정관이 강하고 일간이 약한데 인수를 끼고 있다면(若官重身輕而佩印), 강한 정관 덕분에 일간이 왕성해지는 일은 너무나도 당연한 일이고(則身旺為宜), 그러면, 이때는 일간은 왕성한 에너지를 인수로 보내서 조절하면 되므로, 이때는 자동으로 정관과 인성 사이에서 에너지를 조절해주는 재성은 불필요해진다(不必財運也). 그리고 이때 정관이 상관을 끼고 있다면, 이 둘은 상극으로 엮이게 되므로, 이때는 자동으로 상관을 상극으로 제어해줄 인수는 필수가 되므로, 이때는 자동으로 인수를 상관의 제어 용도로 사용하게 된다(正官帶傷食而用印制). 이때 정관과 인성이 모두 왕성해서 강(鄕)한 희운이 될 때는(運喜官旺印旺之鄕), 자동으로 이 둘에 에너지를 추가해주는 재성은 죽어도 싫어하게 된다(財運切忌). 사주 명리는 에너지의 균형이다. 그러나 지금은 정관도 인수도 모두 에너지 과다(旺)이다. 그래서 이 둘의 에너지를 합치게 되면, 에너지는 엄청나게 강(鄕)하게 될 수밖에 없다. 그런데 이때 재성을 추가하게 되면, 재성, 정관, 인성이라는 상생의 조합이 만들어지면서, 에너지가 많아서 미칠 지경인 둘에게 재성이 에너지를 추가해주니, 이 둘이 재성을 죽도록 싫어하게 될 수밖에 없게 된다. 다시 본문을 보자. 만약에 이때 에너지가 왕성한 인수가 중복해서 나타나게 되면(若印綬疊出), 이때 인수의 에너지는 아예 폭발하게 될 것이고, 그러면 이때는 자동으로 인수를 상극으로 제어할 격이 필요하게 되고, 그러면 이때 나타난 인수를 상극하는 재성은 해롭지 않게 된다(財運亦無害矣). 이는 너무나도 당연한 일이 된다.

正官而帶煞, 傷食反為不礙. 其命中用劫合煞, 則財運可行, 傷食可行, 身旺, 印綬亦可行, 只不過複露七煞. 若命用傷官合煞, 則傷食與財俱可行, 而不宜逢印矣.

정관이 칠살을 끼고 있게 되면(正官而帶煞), 이 둘은 중복되면서 문제를 만들므로, 이때는 칠살을 상극으로 제어해줄 식상은 정관에게 장애(礙)가 되지 않게 된다(傷食反為不礙). 이때 사주 중에 칠살과 합을 만들어서 비겁이 되는 지지를 용신으로 쓴다면(其命中用劫合煞), 이때는 지지에서도 칠살과 똑같은 현상이 만들어지므로, 칠살을 견제하기 위해서는 에너지의 조절이 필요하다. 비겁은 음양이 서로 다를 뿐이라는 사실을 상기해보자. 그러면, 칠살과 상생하는 재성도 지지(行)에서 이용이 가능하게 되고(則財運可行), 칠살을 상극하는 식상도 지지에서 이용이 가능하게 된다(傷食可行). 또한 일간의 에너지가 왕성할 때는(身旺), 지지에서 인수격을 만드는 지지도 이용이 가능하게 된다(印綬亦可行). 단지, 이때 칠살이 중복되어서 나타나게 되면, 당연히 인수 하나만으로는 이 칠살이라는 벽을 넘기가(過) 어렵게(不) 된다(只不過複露七煞). 만약에 사주 중에 상관이 있다면, 상관은 칠살을 상극으로 합해버리므로, 이때는 상관을 용신으로 쓰면 된다(若命用傷官合煞). 이때는 물론 상관과 재성도 모두 지지에서 쓸 수 있다(則傷食與財俱可行). 그러면, 상관, 재성, 칠살이라는 상생의 조합이 만들어지면서 에너지가 균형을 잡게 된다. 그러나 이때 뜬금없이 인성을 만나게 되면, 인성은 상관과 재성을 상극으로 제어하게 되므로, 마땅한 대안이 못 된다(而不宜逢印矣).

此皆大略言之, 其八字各有議論. 運中每遇一字, 各有研究, 隨時取用, 不可言形. 凡格皆然, 不獨正官也.

지금까지 기술한 내용들은 모두 큰 줄기인 개략을 말한 것이다(此皆大略言之). 그래서 팔자 각각에는 각각에서 논의해야만 하는 이론이 존재하게 된다(其八字各有議論). 그래서 운 중에서 매번 한 글자를 만날 때마다(運中每遇一字), 각각은 자동으로 연구 대상이 된다(各有研究). 그래서 때에 따라서 용신을 취할 때는(隨時取用), 하도 복잡해서 이를 모두 말로 표현해서 형용하기는 불가하게 된다(不可言形). 일반적으로, 격은 모두 다 이런(然) 식이므로(凡格皆然), 유독 정관격에서만 이런 이론을 적용하는 것은 아니다(不獨正官也).

제33장 재를 논하다(論財)

제33장 재를 논하다(論財)

財為我克, 使用之物也, 以能生官, 所以為美. 為財帛, 為妻妾, 為才能, 為驛馬, 皆財類也.

재성이라는 격은 내(我)가 상대방을 상극하는 경우로서(財為我克), 내가 상대를 상극할 때 사용하는 물건(物)이 된다(使用之物也). 이를 이용(以)해서 당연히 정관을 생할 수 있으며(以能生官), 이런 이유로 인해서 정관과 아름다운 격을 완성할 수 있게 된다(所以為美). 재성은 재산을 만들고(為財帛), 처첩을 만들고(為妻妾), 재능을 만들고(為才能), 역마를 만드는데(為驛馬), 이 모두는 재산의 일종이다(皆財類也). 내가 내 맘대로 휘두를 수 있으면, 이는 모두 재산이라는 뜻이다.

財喜根深, 不宜太露, 然透一位以清用, 格所最喜, 不為之露. 即非月令用神, 若寅透甲, 卯透甲之類, 一亦不為過, 太多則露矣. 然而財旺生官, 露亦不忌, 蓋露不忌, 蓋露以防劫, 生官則劫退, 譬如府庫錢糧, 有官守護, 即使露白, 誰敢劫之? 如葛參政命, 壬申, 壬子, 戊午, 乙卯, 豈非財露? 唯其生官, 所以不忌也.

재성은 당연히 뿌리가 깊은 상태를 좋아하게 된다(財喜根深). 이는 모든 격이 마찬가지이다. 그러나 뿌리가 너무나 많이 노출되는 경우는 마땅하지 않다(不宜太露). 이는 뿌리를 보유하고 있는 지장간을 말하고 있다. 그래서 지장간을 통해서 지지에서 천간으로 한 개의 자리 정도는 투출(透)해서 용신(用)을 깨끗(清)하게 해주게 되면(然透一位以清用), 이때 격은 최고로 좋아하게 되는 이유(所)가 된다(格所最喜). 여기서 청(清)의 의미는 복잡(複雜)의 반대 표현이다. 즉, 지장간이 최고로 많을 경우는 3개의 천간을 만들어낼 수 있게 된다. 그러면, 만약에 월지가 3개의 오행을 천간으로 투출하고 있게 되면, 일간은 이 3개의 오행과 관계를 "반드시" 따져봐야만 한다. 그러면, 이때는 상생과 상극의 관계가 일간과 서로 엉키게 되면서 문제가 깨끗(清)해지지 않고, 아주 복잡(複雜)해지게 된다. 이는 전에 이미 살펴보았던 내용이다. 그러면, 격을 만드는 일간은 자동으로 하나의 오행만 천간으로 투출된 경우를 더 좋아하게 될 것이다. 다시 본문을 보자. 그리고 월지가 지장간을 통해서 오행을 천간으로 노출하지 않았을 때(不為之露), 노출되어서 만들어진 용신은 당연히 월지가 만든 용신이 아니다(即非月令用神). 이는 지장간이 월지의 아바타이기 때문이다. 추가로 월지만 지장간을 천간으로 노출하는 것은 아니기 때문이다. 다시 본문을 보자. 만약에 인목이 갑목을 투출하고 있고(若寅透甲), 묘목이 갑목을 투출하고 있는 종류의 경우를 보면(卯透甲之類) 즉, 인목의 지장간은 무병갑인데, 지금은 인목이 갑목만 투출하고 있고, 묘목의 지장간은 갑을인데, 지금은 갑목만 투출하고 있는 경우를 보면, 이때는 역시 하나(一) 정도이므로, 과(過)하지 않게(不) 된다(一亦不為過). 그리고 태과는 너무 많다(露)는 뜻이다(太多則露矣). 노(露)는 많다는 뜻도 보유하고 있다. 그래서 재성이 겹치면서 재성의 에너지가 왕성하게 될 때, 이런 재성이 정관을 생하게 되면서(然而財旺生官), 에너지가 정관으로 과잉 전달되게 되면, 이때 정관은 에너지 과잉으로 인해서 거의 초주검이 되므로, 이때는 왕성한 재성을 견제해줘야만 한다. 그러려면, 재성의 에너지를 왕성하게 한 재성 중에서 하나를 제거해줘야만 한다. 그리고 이때 지지를 제거하는 방법 중에서 하나가 지장간이다. 지지는 지장간을 통해서 오행을 천간에 투출하게 되면, 깨끗이(淸) 사라지게 되기 때문이다. 그러면 자동으로 지지에서 만들어진 재성은 사라지게 되면서, 자동으로 왕성한 재성은 정상으로 복귀한다. 그러면, 이때는 역시 지장간에서 천간으로 오행이 투출해서 노출(露)되어도 꺼릴 이유가 없게 된다(露亦不忌). 이는 꺼릴 이유가 아닌 에너지 균형을 잡아주는 천사이다. 그래서 이때는 대개 지장간의 노출이 꺼려지지 않게 되는데(蓋露不忌), 이는 대개 천간으로 오행을 노출시킴으로서, 이 격을 망치는(劫) 격에 맞설(防) 수 있기 때문이다(蓋露以防劫). 즉, 지장간을 이용해서 에너지를 왕성하게 한 지지를 제거할 수 있기 때문이다. 이렇게 되면, 관성을 생하던 왕성한 재성은 망치는(劫) 격이 물러(退)나게 되면서(生官則劫退), 자동으로 힘이 빠지게 되고, 이어서 정상 에너지로 복귀하게 된다. 이를 비유적으로 설명하자면, 관청의 창고에 돈과 식량이 있을 때(譬如府庫錢糧), 이를 지키는 관리가 있다면(有官守護), 관청의 창고에 있는 돈과 식량이 외부로 훤히 노출되어있더라도(即使露白), 누가 감히 이를 약탈해가겠는가(誰敢劫之)? 여기서 관리는 지장간이다. 이 문제를 갈참정의 사주 명리로 풀어보자(如葛參政命). 연주가 임신이고(壬申), 월주가 임자이고(壬子), 일주가 무오이고(戊午), 시주가 을묘이면(乙卯), 어찌 재성의 노출이 아니라고 하겠는가(豈非財露)? 여기서 노(露)는 많다는 뜻이다. 단지 이것이 정관을 생하고 있으니(唯其生官), 꺼리지 않는 이유가 된다(所以不忌也). 이를 분석할 때 편의상 앞의 예시를 설명하는 쪽으로만 가보자. 그래야 설명이 단순해지니까! 일간인 무토와 월지인 자수는 정재(正財)를 만들고, 일간인 무토와 월간인 임수가 편재(偏財)를 만들게 되면, 자동으로 재성의 에너지는 왕성(旺)하게 된다. 그러면 재성이 강하므로, 재성을 하나 제거해줘야만 한다. 그런데, 이때 무토와 자수가 정재(正財)를 만들고 있지만, 자수의 지장간인 임수(壬)가 천간에 투출하고 있으므로, 여기서 자수의 지장간을 쓰게 되면, 자수는 자동으로 제거되면서, 동시에 자수가 만든 정재(正財)도 자동으로 제거된다. 그러면, 이때는 자동으로 편재만 남는다. 그러면 이때는 재성의 에너지가 자기 에너지만 보유하게 되면서 정상이 된다. 그러면, 이때는 재성이 관성을 생(生)해도 문제가 없게 된다. 그러면 월지인 자수가 없어지면서, 이때는 별수 없이 외격(外格)을 써야만 한다. 그러면, 이때는 일간인 무토와 시간의 을목이 만든 정관(正官)을 용신으로 쓰면 된다. 그러면 자동으로 재성은 관성을 생하게 된다. 즉, 임수는 을목을 생하게 된다. 그러면, 이 생하는 관계를 왜 꺼리지 않게 될까? 여기서 무토와 임수가 서로 상극 관계를 맺고 있기 때문이다. 그래서 이때 을목인 정관이 등장하게 되면, 을목, 무토, 임수라는 상극 관계의 조합이 만들어지면서 에너지는 균형을 잡게 된다. 즉, 이때 무토가 임수를 상극하려고 하면, 을목이 나타나서 무토를 상극해서 힘을 빼버리게 되면, 무토는 힘이 부족해서 임수를 상극하지 못하게 되고, 이어서 이 셋은 에너지가 균형을 잡게 된다. 이를 보고 무토가 을목의 벽을 넘지(越) 못했다고 말한다. 이 부분은 해석이 상당히 어려워서 사주쟁이들의 무덤이다. 덕분에 대부분 사주쟁이는 이 부분의 해석을 어물쩍 넘어가고 만다.

財格之貴局不一, 有財旺生官者, 身強而不透傷官, 不混七煞, 貴格也. 有財用食生者, 身強而不露官, 略帶一位比劫, 益覺有情, 如壬寅, 壬寅, 庚辰, 辛巳, 楊待郎之命是也. 透官身弱, 則格壞矣.

재격이 귀국을 만드는 경우는 하나가 아니다(財格之貴局不一). 예를 들자면, 앞에서 살펴본 것처럼, 재성이 두 개여서 왕성하게 된 재성이 정관을 생하게 되면(有財旺生官者), 이때는 누군가가 나서서 재성을 제어해줘야만 한다. 그러나 이때 일간이 강하게 되면, 일간과 재성은 서로 상극하는 경우가 되므로, 강한 일간이 자동으로 왕성한 재성을 억제하게 되면서, 이때는 왕성한 재성을 통제하기 위해서 상관을 투출받지 않아도 되고(身強而不透傷官), 관살 혼잡도 투출받지 않아도 된다(不混七煞). 그러나 일간의 에너지가 정상이라면, 왕성한 재성을 쉽게 통제하지 못하게 된다. 그러면, 이때는 자동으로 왕성한 재성을 통제할 수 있는 추가 에너지가 요구된다. 그래서 이때 상관이 나타나게 되면, 상관, 재성, 정관이 되면서 상생의 조합으로 인해서 에너지가 균형을 잡게 되고, 추가로 관성이 나오게 되면, 이때는 관성이 재성을 상극으로 제어하게 된다. 그러면, 일간은 에너지 균형을 얻게 된다. 그러나 지금은 강한 재성을 강한 일간이 제어하면서, 자동으로 귀격이 된다(貴格也). 지금은 재성의 에너지가 강함에도 불구하고, 귀격을 만들어주고 있다. 이번에는 재성이 식신을 이용하면서 일간을 생하게 되면(有財用食生者), 이때는 자동으로 일간, 식신, 재성이라는 상생의 조합이 만들어지면서, 자동으로 일간의 에너지는 균형을 이루고, 이어서 일간은 자동으로 강(强)해지게 된다. 그래서 이런 식으로 일간이 강(强)해지게 되면, 이때는 에너지를 제어하기 위해서 관성을 노출시킬 필요도 없게 되고(身強而不露官), 일간의 에너지를 강화하기 위해서 비겁을 하나 정도 투출(帶)시킬 필요도 생략(略)할 수 있게 된다(略帶一位比劫). 그러면, 이때는 더욱더 일간이 의미(情)를 보유한다는 사실을 깨닫게 된다(益覺有情). 예를 들자면, 연주가 임인이고(如壬寅), 월주도 임인이고(壬寅), 일주가 경진이고(庚辰), 시주가 신사일 때가 있는데(辛巳), 이는 양시랑의 사주이다(楊待郎之命是也). 이때 관성이 투출(透)했다면, 신약이 되면서(透官身弱), 격은 깨졌을 것이다(則格壞矣). 이번에도 역시 위에 기술된 예시를 그대로 따라서 해보자. 그래야 풀이가 단순해지니까! 즉, 다른 격은 제외하고 위의 설명에 맞추자는 뜻이다. 하나씩 보자. 일간인 경금과 월지인 인목이 만나게 되면, 편재가 되고, 일간인 경금과 임수가 만나게 되면, 식신이 된다. 그러면, 이때는 자동으로 일간인 경금, 식신인 임수, 편재인 인목이라는 상생(生)의 에너지 조합이 만들어지면서, 일간인 경금의 에너지는 균형을 잡게 되고, 이어서 일간은 강(强)해지게 되고, 이어서 일간인 경금은 의미(情)를 보유하게 된다. 이런 상태에서 관성(官)을 만드는 병화를 지장간을 통해서 천간으로 투출(透)하게 되면, 이때는 자동으로 일간인 경금과 편관(官)을 만들게 된다. 그런데, 이런 병화(丙)를 투출할 수 있는 지지는 월지의 인목(寅)이다. 인목은 지장간으로 무병갑을 보유하고 있다는 사실을 상기해보자. 그러면, 자동으로 월지인 인목이 청소(淸)되어서 사라져 버리면서, 동시에 경금, 임수, 인목의 상생 조합이 깨지게 되고, 갑자기 월지가 만든 용신도 사라져 버린다. 그러면, 일간의 균형 잡힌 에너지 조합도 깨지면서, 격(格)도 깨지게(壞) 되고, 이어서 일간(身)은 자동으로 약(弱)해진다.

有財格佩印者, 蓋孤財不貴, 佩印幫身, 即印取貴. 如乙未, 甲申, 丙申, 庚寅, 曾參政之命是也. 然財印宜相並, 如乙未, 己卯, 庚寅, 辛巳, 乙與己兩不相能, 即有好處, 小富而已.

재격이 정인을 끼고 있는 경우를 보게 되면(有財格佩印者), 이 둘은 서로 상극하는 관계여서, 대개는 재성이 일간의 도움을 받지 못하게 되면, 재성은 외로워서 귀하지 않게 된다(蓋孤財不貴). 여기서 패인(佩印)은 정인을 말한다. 그러나 이때 정인이 일간의 도움을 받게 되면(佩印幫身), 당연히 정인이 귀를 취하게 해준다(即印取貴). 이는 예를 들어서 설명해보면, 쉽게 이해가 갈 것이다. 연주가 을미이고(如乙未), 월주가 갑신이고(甲申), 일주가 병신이고(丙申), 시주가 경인일 때(庚寅), 이 사주는 증참정의 것이다(曾參政之命是也). 이때는 재성과 인성이 마땅하게 서로 병립하고 있다(然財印宜相並). 여기서 보게 되면, 일간의 병화와 시간의 경금이 편재를 만들고 있다. 추가로 일간의 병화와 연간의 을목이 정인을 만들고 있다. 이를 원칙적으로 보게 되면, 편재를 만든 경금이 정인을 만든 을목을 상극하게 된다. 그러나 일간을 보게 되면, 이때 일간이 가운데에서 장애물(礙)로 등장해서, 이 둘의 교류를 막고서(隔) 방해하고 있다. 그래서 이 둘은 서로 만날 수가 없게 되고, 이어서 서로 상극할 수도 없게 된다. 그래서 이때는 자동으로 이 둘은 좋은 관계로 병립할 수가 있게 되고, 자동으로 귀격을 만들 수 있게 된다. 이는 전에 설명했던 경우이다. 이때는 에너지의 균형이 잡히게 된다. 즉, 병화, 경금, 을목이라는 상극의 조합이 만들어지면서, 에너지의 균형이 잡히게 된다. 이때는 경금이 을목을 상극하려고 하면, 병화가 상극을 통해서 경금의 에너지를 제어하게 되면서, 경금은 힘이 빠져서 을목을 상극할 수 없게 된다. 다시 본문을 보자. 또 다른 예를 보자. 연주가 을미이고(如乙未), 월주가 기묘이고(己卯), 일주가 경인이고(庚寅), 시주가 신사일 때를 보게 되면(辛巳), 이때는 연주(年)에서 만들어진 정재인 을목과 월주(月)에서 만들어진 정인인 기토는 서로 붙어있으므로, 이때는 자동으로 서로 상극하게 되고, 이어서 서로 병립이 불가하게 된다(乙與己兩不相能). 즉, 이때는 일간이 장벽으로 작용해서 둘을 떼어놓는 일을 하지 못하게 되면서, 이 둘은 일간의 도움(幇)을 받지 못하고 있는 상태가 된다. 그러나 이 둘이 좋은(好) 장소(處) 즉, 좋은 자리(位)를 얻고 있었다면 즉, 둘이 일간의 도움을 받아서 서로 떨어져 있었다면(即有好處), 이때는 소복이라도 얻었을 것이다(小富而已).

有用食而兼用印者, 食與印兩不相礙, 或有暗官而去食護官, 皆貴格也. 如吳榜眼命, 庚戌, 戊子, 戊子, 丙辰, 庚與丙隔兩戊而不相克, 是食與印不相礙也. 如平江伯命, 壬辰, 乙巳, 癸巳, 辛酉, 雖食印相克, 而欲存巳戊官, 是去食護官也. 反是則減福矣.

이번에는 식신을 용신으로 쓰고 있으면서 겸해서 인성을 용신으로 쓰게 될 때는(有用食而兼用印者), 식신과 인성은 자동으로 상극으로 만나게 된다. 그러나 식신과 인성이 일간이 만드는 장벽의 도움을 받아서 서로 상극이라는 장애(礙)를 보유하지 않게(不) 되면(食與印兩不相礙) 즉, 서로 상극하지 못하게 되면, 이때는 자동으로 이 둘은 서로 병립해서 존재하면서 일간을 돕게 되고, 이어서 귀격을 만들게 된다. 혹은 지장간의 투출을 받아서 만들어진 암관(暗官)인 정관이 있는 상태에서, 이 정관을 상극으로 제거하는 식신을 인수를 통해서 상극으로 제거(去)한다면, 이때는 자동으로 정관은 보호된다(或有暗官而去食護官). 그러면, 귀격은 자동으로 따라오게 된다. 그래서 앞에서 예시로 든 두 경우 모두는 귀격이 된다(皆貴格也). 이를 오방안의 명리로 풀어보자(如吳榜眼命). 연주가 경술이고(庚戌), 월주가 무자이고(戊子), 일주도 무자이고(戊子), 시주가 병진일 때(丙辰), 연주(年)에서 만들어진 식신인 경금과 시주(時)에서 만들어진 편인인 병화는 일간의 무토라는 장벽(隔)이 있어서 서로 상극하지 못한다(庚與丙隔兩戊而不相克). 그래서 이때는 경금의 식신과 병화의 편인이 일간이 만드는 장벽의 도움을 받아서 서로 상극이라는 장애(礙)를 보유하지 않게(不) 된다(是食與印不相礙也). 그래서 이때도 귀격을 만든다. 이번에는 평강백의 사주를 예로 보자(如平江伯命). 연주가 임진이고(壬辰), 월주가 을사이고(乙巳), 일주가 계사이고(癸巳), 시주가 신유일 때(辛酉), 비록 월주(月)의 을목이 만든 식신과 시주(時)의 신금이 만든 편인이 서로 상극한다고 하지만(雖食印相克), 이때는 일간이 장벽(隔)을 만들어주면서 서로 상극하지 못하게 된다. 그러면, 이때도 자동으로 귀격이 만들어진다. 그러나 이때 일간의 장벽이 없어서 월주(月)의 을목이 만든 식신과 시주(時)의 신금이 만든 편인이 서로 상극하게 되는 상황에서(雖食印相克), 이때 만약(欲)에 일지에 존재(在)하는 사화(巳)가 지장간을 통해서 무토(戊)를 투출해서 정관(官)을 만든다고 하면(而欲存巳戊官), 이때는 자동으로 신금의 편인이 을목의 식신을 상극으로 만나서 제거하게 되고, 그러면, 자동으로 무토가 만든 정관은 보호된다(是去食護官也). 그러면, 이때도 자동으로 귀격이 된다. 그러나 이 경우가 반대로 되면, 복은 모자라게 된다(反是則減福矣). 즉, 식신인 을목이 정관인 무토를 상극으로 만나서 제거하게 되면, 이때는 신금이 만든 편인이 격을 만들게 되면서, 자동으로 복은 감소하게 된다는 뜻이다.

有財用傷官者, 財不甚旺而比強, 略露一位傷官以化之. 如甲子, 辛未, 辛酉, 壬辰, 甲透未庫, 逢辛為劫, 壬以化劫生財, 汪學士命是也. 財旺無劫而透傷, 反為不利, 蓋傷官本非美物, 財輕透劫, 不得已而用之. 旺而露傷, 何苦用彼? 徒使財遇傷而死生官之具, 安望富貴乎?

재성이 상관을 이용하고 있을 때(有財用傷官者), 재성이 아주 강하지 않고, 비겁이 강하게 되면(財不甚旺而比強), 지장간에서 하나의 천간을 노출하지 않고도(略), 상관을 이용해서 화합할 수 있다(略露一位傷官以化之). 예를 들어서 살펴보자. 연주가 갑자이고(如甲子), 월주가 신미이고(辛未), 일주가 신유이고(辛酉), 시주가 임진일 때는(壬辰), 갑목은 사고(庫)를 통해서 지장간을 투출받고 있지 않고(未) 있으며(甲透未庫), 일간인 신금이 월간의 신금을 만나게 되면, 비겁을 만들고(逢辛為劫), 이때 시주의 임수를 이용(以)해서 비겁을 만든 월주의 신금과 상생으로 화합(化)하고, 이어서 연주의 갑목이 만든 재성을 생하게 된다(壬以化劫生財). 위의 예시에 따라서 조금만 설명을 덧붙이자면, 이때는 일간의 신금은 연간의 갑목과 강하지 않은(不甚旺) 정재를 만들고 있고, 일간의 신금과 시간의 임수가 상관을 만들게 되면, 이때는 정재(財)가 상관(傷官)을 이용(用)하게 되는 상태가 되고, 추가로 일간의 신금과 월간의 신금이 비견(比)을 만들면서, 강(强)하게 되고, 추가로 갑목은 사고(庫)를 통해서 지장간을 투출받지 않고(未) 있다. 이를 종합해보게 되면, 신금, 임수, 갑목이라는 상생의 조합을 만들고 있고, 이어서 에너지의 균형을 만들고 있다. 이는 지장간에서 하나의 천간을 노출하지 않고도(略), 상관인 임수를 이용해서 신금과 갑목이라는 상극의 관계를 상생의 관계로 화합(化)시키고 있다(略露一位傷官以化之). 해석이 상당히 어렵다. 이 사주는 왕학사의 것이다(汪學士命是也). 그리고 이때 신금이 만든 재성이 약한 정재가 아닌 편재를 만들어서 왕성하고, 신금이 만든 비견이 없고, 임수가 만든 상관을 투출하고 있게 되면(財旺無劫而透傷), 이때는 동등한 에너지를 통해서 서로 상생으로 화합하지 못하게 되면서 반대로 불리하게 된다(反為不利). 즉, 이때는 신금과 목이 만든 에너지가 강한(旺) 편재(偏財)와 신금과 임수가 만든 에너지가 강한 상관(傷官)은 서로 많은 에너지로 만나서 충돌하게 되면서, 이때는 겉으로는 서로 상생하고 있지만, 에너지 상황은 반대로 불리하게 돌아가고 있게 된다反為不利). 다시 본문을 보자. 그래서 이때 상관은 일반적으로 본래(本)부터 미물(美物)이 될 수가 없게 된다(蓋傷官本非美物). 그래서, 이미 앞에서 살펴본 것처럼, 재성이 약하고 비겁을 투출하고 있는 상태에서만(財輕透劫), 에너지 균형을 잡기 위해서 부득이하게 상관을 이용하고 있지(不得已而用之), 재성이 완성한 상태에서 상관을 노출해서(旺而露傷), 상관(彼)을 이용할 수고를 어찌하겠는가(何苦用彼)? 이는 앞의 예시 두 개를 비교해보면 된다. 재성과 관성이 만나서 서로 상생하면서 좋은 조건을 만들고 있을 때, 갑자기 재성이 상관을 불러들여서, 자기와 상생하고 있는 관성을 상관이 상극으로 죽이게(死) 할 이유가 있겠는가? 이때 상관은 자동으로 재성과 상생하고 있는 관성을 죽이는 도구(具)로 작용하게 된다(徒使財遇傷而死生官之具). 그러면, 이때는 어떻게 부귀를 바라볼 수 있겠는가(安望富貴乎)?

有財帶七煞者, 或合煞存財, 或制煞生財, 皆貴格也. 如毛狀元命, 乙酉, 庚辰, 甲午, 戊辰, 合煞存財也. 李御史命, 庚辰, 戊子, 戊寅, 甲寅, 制煞生財也.

재성이 칠살을 보유(帶)하고 있을 때는(有財帶七煞者), 칠살이 재성을 상극으로 몰게 되므로, 이때는 칠살을 합으로 제거해서 재성만 존치시키면(或合煞存財), 재성은 귀격을 만든다. 또는 이때 칠살을 상극으로 제어해서 재성과 상생의 관계를 만들게 되면(或制煞生財) 즉, 이때는 칠살을 상극으로 제어하는 식상을 만나게 되면, 식상, 재성, 칠살이라는 상생의 조합이 만들어지면서 에너지는 균형을 잡게 되고, 이어서 이때도 귀격이 만들어지게 된다. 그래서 이 둘 다 모두 귀격을 만들게 된다(皆貴格也). 모장원의 사주를 예로 들어서 살펴보자(如毛狀元命). 연주가 을유이고(乙酉), 월주가 경진이고(庚辰), 일주가 갑오이고(甲午), 시주가 무진일 때를 보게 되면(戊辰), 이때는 일간의 갑목과 월간의 경금이 만나서 칠살을 만들게 되는데, 마침 연간에 을목이 있어서 을경(乙庚)이라는 천간합(合)을 만들면서, 칠살을 만든 경금을 합(合)으로 제거하게 되고, 이어서 갑목과 시간의 무토가 만든 재성만 존치시키게 된다(合煞存財也). 이번에는 이어사의 사주를 보자(李御史命). 연주가 경진이고(庚辰), 월주가 무자이고(戊子), 일주가 무인이고(戊寅), 시주가 갑인일 때를 보면(甲寅), 일간의 무토와 시간의 갑목이 칠살을 만들고, 연주의 경금과는 식신을 만들고, 월지의 자수와는 정재를 만들게 되는데, 그러면, 이때는 자동으로 식신인 경금은 칠살인 갑목을 상극으로 제어하게 되고, 그러면, 월지가 만든 용신인 자수가 만든 정재와 상생(生)하게 된다(制煞生財也). 즉, 이때는 경금, 자수, 갑목이라는 상생(生)의 조합이 만들어지면서, 에너지는 균형을 잡게 된다.

有財用煞印者, 黨煞為忌, 印以化之, 格成富局, 若冬土逢之亦貴格. 如趙侍郎命, 乙丑, 丁亥, 己亥, 乙亥, 化煞而即以解凍. 又不露財以雜其印, 所以貴也. 若財用煞印而印獨, 財煞並透, 非特不貴, 亦不富也.

이번에는 월지가 만든 재성이 칠살과 인성을 동시에 이용할 때를 보게 되면(有財用煞印者), 당살이 기신을 만든다고 해도(黨煞為忌), 이때는 인성이 나서서 상생으로 화합(化)시키게 되면(印以化之), 이때는 자동으로 격이 완성되면서 부국을 만들게 된다(格成富局). 즉, 이때는 재성을 칠살이 상극으로 공격하게 되는데, 이때 인성이 끼어들게 되면, 재성, 칠살, 인성이라는 상생(生)의 조합이 만들어지면서 화합(化)하게 된다. 또한 이때 재성이 겨울의 토를 끼고 있는 경우를 만나게 되어도, 이 토는 인성의 역할을 하게 되면서, 재성, 칠살, 인성이라는 상생(生)의 조합이 만들어지면서 화합(化)하게 되고, 이어서 역시 귀격을 만들게 된다(若冬土逢之亦貴格). 이는 갑목을 예로 생각해보면, 쉽게 이해가 될 것이다. 이번에는 조시랑의 사주를 예로 살펴보자(如趙侍郎命). 연주가 을축이고(乙丑), 월주가 정해이고(丁亥), 일주가 기해이고(己亥), 시주가 을해일 때를 보게 되면(乙亥), 일간인 기토와 을목은 편관인 칠살이 되고, 정화와는 편인이 되는데, 이를 정리해보게 되면, 을목, 정화, 기토라는 상생의 조합을 만들면서, 에너지는 화합(化)하게 되고,

기토와 을목이 만든 상극으로서 칠살(煞)은 정화라는 편인을 만나면서, 상극이라는 공꽁 언 관계를 해빙시키고 있다(化煞而即以解凍). 마침 지지를 보게 되면, 해수 3개에 축토가 하나 붙어있어서, 땅이 꽁꽁 얼고 있다. 그러나 이를 천간에서 상생의 조합을 만들어서 에너지의 균형을 만들게 되고, 이어서 해빙시키고 있다. 그래서 이때는 재성을 노출시켜서 이를 인성과 혼합해서 복잡하게 만들 필요가 없다(又不露財以雜其印). 왜? 지금은 재성이 없어도 에너지 균형이 잡혀있기 때문이다. 그래서 에너지 균형이라는 이런 이유로 귀격을 만들고 있다(所以貴也). 이때 만약에 재성이 칠살을 이용하고 있고, 추가로 인성을 이용하게 되면, 이때 인성은 외톨이가 되고 만다(若財用煞印而印獨). 즉, 원래 균형이 잡힌 에너지 조합은 을목, 인성의 정화, 기토라는 상생의 조합이었는데, 이때 수(水)인 재성이 끼어들게 되면, 이 상생의 조합은 상극의 조합으로 바뀌어서, 을목, 기토, 수라는 상극의 조합이 만들어지게 되고, 그러면, 인성인 정화는 갑자기 쫓겨나서 외톨이(獨)가 되고 만다. 그러나 지금처럼 재성과 칠살이 함께 투출했을 때도(財煞並透), 상극의 조합을 만들면서, 에너지의 균형은 잡히게 되므로, 이때도 특별히 귀하지 않은 것도 아니고, 특별히 부가 없는 것도 아니다(非特不貴, 亦不富也). 즉, 이때도 부귀가 있다. 이 부분도 해석이 만만하지 않다.

至於壬生午月, 癸生巳月, 單透財而亦貴, 又月令有暗官也. 如丙寅, 癸巳, 癸未, 壬戌, 林尚書命是也. 又壬生巳月, 單透財而亦貴, 以其透丙藏戊, 棄煞就財, 美者存在贈者棄也. 如丙辰, 癸巳, 壬戌, 壬寅, 王太僕命是也.

이번에는 일간이 임수이고, 월지가 오화일 때는(至於壬生午月), 임수와 오화가 정재를 만들고, 일간이 계수이고, 월지가 사화일 때도(癸生巳月), 계수와 사화가 정재를 만들게 된다. 이때 재격이 지금처럼 하나만 투출하게 되어도, 역시 귀격이 된다(單透財而亦貴). 또한 월령이 지장간을 통해서 정관을 만들 때도 마찬가지가 된다(又月令有暗官也). 이는 지장간을 통해서 천간으로 투출한 오행은 월지의 아바타이기 때문이다. 예를 들어보자. 연주가 병인이고(如丙寅), 월주가 계사이고(癸巳), 일주가 계미이고(癸未), 시주가 임수인(壬戌), 이 사주는 임상성의 것인데(林尚書命是也), 이 사주가 이에 해당한다. 월지인 사화(巳)의 지장간에 일간의 계수와 만나서 정재를 만드는 병화(丙)가 있다는 사실을 상기해보자. 즉, 암관(暗官)이 투출하고 있다. 다시 본문을 보자. 또한 일간이 임수이고, 월지가 사화일 때는(又壬生巳月), 임수와 사화가 만나서 편재를 만든다. 그러나, 이 경우도 단(單) 하나의 재성을 투출(透)해서 역시 귀하게 될 수 있다(單透財而亦貴). 즉, 이때 사화의 지장간을 보면, 무경병인데, 이때는 지장간(其)을 이용(用)해서 병화를 투출하게 되면, 임수와 병화가 편재(財)를 만들게 되나, 무토를 투출하게 되면, 임수와 무토가 만나서 칠살(煞)을 만들고 만다. 그래서 이때는 지장간을 통해서 병화는 투출시키고 무토는 묻어버리게 되면(以其透丙藏戊), 이때는 자동으로 칠살은 버리고, 재성은 취하는 셈이 된다(棄煞就財). 즉, 이때는 미운 놈은 내치고, 좋은 놈은 잡아두는 격이다(美者存在贈者棄也). 이를 예로 보게 되면, 연주가 병진이고(如丙辰), 월주가 계사이고(癸巳), 일주가 임술이고(壬戌), 시주가 임인일 때인데(壬寅_, 이 사주는 왕태복의 사주이다(王太僕命是也). 여기서 보면, 월지에 사화가 있고, 이 사화는 지장간을 통해서 편재를 만드는 병화를 연간에 투출하고 있다. 그리고 칠살을 만드는 무토는 투출하지 않고 있다.

至於劫刃太重, 棄財就煞, 如一尚書命, 丙辰, 丙申, 丙午, 壬辰, 此變之又變者也.

이번에는 겁재나 양인이 지나치게 많을 경우에는(至於劫刃太重), 일간이 너무나 많은 에너지를 보유하게 되면서 문제를 만들게 되므로, 이때는 자동으로 일간을 상극으로 제어해줘야만 한다. 그러면, 일간을 상극하는 칠살은 자동으로 좋은 용신이 된다. 그래서 이때는 거꾸로 재성은 버리고, 칠살을 취하게 된다(棄財就煞). 그래야 에너지가 균형이 잡히게 된다. 이의 예는 일상서의 사주인데(如一尚書命), 연주가 병진이고(丙辰), 월주가 병신이고(丙申), 일주가 병오이고(丙午), 시주가 임진인 경우이다(壬辰). 이는 변화에 변화를 거듭하는 사주이다(此變之又變者也). 이때는 격을 따질 필요도 없이 천간에서 보면, 일간의 병화가 연간과 월간의 병화 에너지를 동시에 받고 있다. 그러면, 이때는 자동으로 병화를 임수를 통해서 상극으로 견제하는 일은 그냥 상식이 된다. 사주 명리의 핵심은 에너지의 균형이라는 사실을 상기해보자.

제34장 재격의 취운을 논하다(論財取運)

제34장 재격의 취운을 논하다(論財取運)

財格取運, 即以財格所就之局, 分而配之. 其財旺生官者, 運喜身旺印綬, 不利七煞傷官. 若生官而後透印, 傷官之地. 不甚有害. 至於生官而帶食破局, 則運喜印綬, 而逢煞反吉矣.

재격을 이용해서 취운을 할 때는(財格取運), 재격을 이용(以)해서 국을 성취하기 위해서(即以財格所就之局), 상황을 구분해서 배합하게 된다(分而配之). 이때 재격이 왕성하게 관성을 생하게 되면(其財旺生官者), 에너지가 왕성한 재격을 통제하기 위해서 당연히 일간의 에너지도 왕성해야만 하며, 이런 재격의 에너지를 추가로 완벽하게 견제하기 위해서는 자동으로 재격을 상극으로 견제하는 인수가 희신이 된다. 그래서 이때 운은 왕성한 일간과 인수를 좋아하게 된다(運喜身旺印綬). 그러나 이때 일간을 상극하는 칠살과 인수를 상극으로 제거해버리는 상관은 격에 불리한 조건을 제공하게 된다(不利七煞傷官). 만약에 재성이 관성을 생하고 있을 때, 뒤에 인성을 투출하고 있다면(若生官而後透印), 이때는 오히려 인성이 재성을 상극할 수 있으므로, 이때는 인성을 상극할 수 있는 상관은 일간의 지지 기반이 되며(傷官之地). 그다지 해롭지 않게 된다(不甚有害). 그러면, 이 상태가 왜 심히 해롭지는 않다고 했을까? 해답은 재성, 관성, 인성이 상생의 조합을 만들 수도 있기 때문이다. 이때 상관을 개입시키게 되면, 상관, 재성, 관성, 인성이 되면서, 어느 조합으로 만들어야 할지를 모르게 만들기 때문이다. 4개로 구성된 조합은 나올 수가 없기 때문이다. 이는 사주가 4개이기 때문이다. 다시 본문을 보자. 재성이 관성을 생하고 있고, 추가로 식신을 끼고(帶) 있게 되면, 이때는 자동으로 식신이 관성을 상극으로 제거하게 되면서, 이 격은 깨지고 만다(至於生官而帶食破局). 그러면, 이 운에서는 자동으로 식신을 상극으로 제거해줄 인수를 좋아하게 된다(則運喜印綬). 물론 이때는 인수 대신에 식신을 상극으로 대적할 수 있는 칠살도 반대로 좋은 에너지가 된다, 그래서 이때는 운이 칠살을 만나도 평상시와는 반대(反)로 길하게 된다(而逢煞反吉矣).

財用食生, 財食重而身輕, 則喜助身. 財食輕而身重, 則仍行財食. 煞運不忌, 官印反晦矣. 財格佩印, 運喜官鄕, 身弱逢之, 最喜印旺.

이번에는 재성이 식신을 이용하면서 서로 상생하고 있을 때(財用食生), 이 둘의 에너지가 과도하게 되면, 이때는 자동으로 일간의 에너지는 상대적으로 약해진다(財食重而身輕). 그러면, 이때는 자동으로 일간을 도와주면 좋아하게 된다(則喜助身). 그리고 이 둘이 거꾸로 약해빠지게 되면, 자동으로 일간의 에너지는 상대적으로 강하게 되므로(財食輕而身重), 이때는 이 둘이 임무를 제대로 수행(行)하도록 해야만 하므로(則仍行財食). 에너지가 과도한 일간을 상극하는 칠살도 꺼리는 존재가 아니게 된다(煞運不忌). 그러나 이때 관성과 인수는 반대로 별로 도움이 안 된다(官印反晦矣). 지금은 에너지가 강한 일간을 직접적으로 상극해서 견제해야만 하기 때문이다. 그리고 재격이 인수를 끼고 있게 되면(財格佩印), 이 둘은 서로 상극하는 관계이므로, 이때 운은 이 둘을 가운데서 중재해 줄 수 있는 강(鄕)한 관성을 좋아하게 된다(運喜官鄕). 그러면, 재성, 관성, 인수라는 상생의 조합이 만들어지면서, 상극하던 에너지는 드디어 균형을 잡게 된다. 그러나 이때 신약을 만나게 되면(身弱逢之), 이때는 약(弱)한 일간에 에너지를 전달해주는 강(旺)한 인수를 최고로 좋아하게 된다(最喜印旺). 인수는 일간에 에너지를 전달해주는 상생관계를 만든다는 사실을 상기해보자.

財用食印, 財輕則喜財食, 身輕則喜比印, 官運有礙, 煞反不忌也. 財帶傷官, 財運則亨, 煞運不利, 運行官印, 未見其美矣.

이번에는 월지가 만든 재성이 식신과 인성을 동시에 이용하고 있을 때(財用食印), 재성의 에너지가 약해빠지게 되면, 이때 재성은 자기한테 에너지를 보내주는 식신을 좋아하게 된다(財輕則喜財食). 그러나 이때 일간이 약해 빠져있게 되면, 일간은 이런 일간에 에너지를 보태주는 비견과 인수를 좋아하게 된다(身輕則喜比

印). 그리고 이때 관성이 장애(礙)를 보유하고 있다면(官運有礙) 즉, 관성을 상극해서 관성에게 장애(礙)를 만드는 에너지가 있다면, 이때는 칠살이 나온다고 해도, 칠살은 상극되어서 견제가 되므로, 칠살을 꺼릴 이유가 없게 된다(煞反不忌也). 이때는 일간이 장벽(隔)으로 존재해도 마찬가지가 된다. 이번에는 재성이 상관을 끼고(帶) 있을 때는(財帶傷官), 자동으로 이 둘은 상생으로 만나게 되고, 이어서 상관이 재성으로 에너지를 보내주면서, 상관이 재성을 도와주므로, 이때 재성은 만사형통하게 되나(財運則亨), 이때 칠살을 만나게 되면, 재성을 도와주는 상관과 칠살은 상극으로 만나게 되므로, 재성은 이때 불리하게 된다(煞運不利). 또, 관성과 인성도 모두 상관과 상극으로 만나게 되므로, 이때 관성과 인성을 만나게 되면(運行官印), 이때 재성은 좋은 꼴을 보지 못하게 된다(未見其美矣).

財帶七煞. 不論合煞制煞, 運喜食傷身旺之方. 財用煞印, 印旺最宜, 逢財必忌. 傷食之方, 亦任(順)意矣.

이번에는 재성이 칠살을 끼고 있게 되면(財帶七煞). 이 둘은 상극으로 만날 수도 있으므로, 이때 칠살이 합으로 제거되거나 상극으로 제어되는 경우는 논외로 하면(不論合煞制煞), 이때는 칠살을 상극으로 제어해줄 식상을 방어하는 방법(方)으로 삼거나, 아예 일간의 에너지를 왕성하게 만들어서, 왕성한 일간의 에너지를 상극하는 용도로 칠살을 이용하는 방법을 찾아야만 좋게 된다(運喜食傷身旺之方). 그리고 재성이 칠살과 인성을 이용하고 있을 때는(財用煞印), 인성이 왕성해지는 일이 최고로 마땅하게 된다(印旺最宜). 왜? 지금 상황을 정리해보게 되면, 재성, 칠살, 인성이 상생하는 관계가 된다. 그러면, 이때는 재성이 보낸 에너지가 잘 소통한다면, 그 에너지는 칠살을 거쳐서 인성에 가 있을 것이다. 그러면, 이때 인성의 에너지는 자동으로 왕성하게 된다. 이는 에너지의 소통이 아주 잘 되고 있다는 뜻이 된다. 그러면, 이때는 자동으로 인성이 왕성해지는 일이 최고로 마땅하게 될 수밖에 없게 된다(印旺最宜). 그러나 이때 다시 재성을 만나게 되면, 재성의 에너지는 너무 과하게 되고, 이는 자동으로 반드시 꺼리는 일이 된다(逢財必忌). 차라리 이때는 재성을 생해주는 식상의 처방이(傷食之方), 역시 순리일 것이다(亦順意矣).

제35장 인수를 논하다(論印)

제35장 인수를 논하다(論印)

印綬喜其生身, 正偏同為美格, 故財與印不分偏正, 同為一格而論之. 印綬之格局亦不一, 有印而透官者, 正官不獨取其生印, 而即可以為用, 與用煞者不同. 故身旺印強, 不愁太過, 只要官星清純, 如丙寅, 戊戌, 辛酉, 戊子, 張參政之命是也.

인수는 자기(其)가 일간(身)을 생해주는 일을 좋아한다(印綬喜其生身). 이 둘은 상생 관계이므로 당연한 일이다. 그러면, 이때는 정인이 되었건 편인이 되었건 간에 미격을 만들게 된다(正偏同為美格). 그래서 재격과 인수격에서는 정(正)과 편(偏)을 구분하지 않는다(故財與印不分偏正). 즉, 이 둘은 똑같은 하나의 격으로 논하자는 것이다(同為一格而論之). 그리고 인수의 격국 역시 하나가 아니다(印綬之格局亦不一). 월지가 만든 인수를 보유한 상태에서 관성을 투출받게 되면(有印而透官者), 정관은 자기(其)가 인수를 생해주므로, 외톨이 취급을 받지 않게 된다(正官不獨取其生印). 그래서 이 둘은 서로 잘 어울리므로, 인수는 정관을 용신으로 쓸 수 있게 된다(而即可以為用). 이때 관성 중에서 더불어 칠살을 용신으로 쓰고 있다면, 이때는 정관을 용신으로 쓰는 때와는 다르게 된다(與用煞者不同). 그리고 일간의 에너지가 왕성하고 인수의 에너지가 강하게 되면(故身旺印強), 이때는 이 둘의 에너지 균형이 맞춰지면서 동시에 인수를 생하는 관성이 가운데서 에너지를 조절해줘야만 하므로, 이때는 관성이 태과해도 근심할 필요는 없게 된다(不愁太過). 그러면, 이때는 관성, 인수, 일간이라는 상생의 조합이 만들어지면서, 에너지도 셋이 모두 태과하고 있으므로, 에너지의 균형도 잡히게 된다. 이때 단지 중요한 일은 관성의 청순이다(只要官星清純). 즉, 이때는 관성이 정관으로서 청순(清純) 하느냐 칠살로서 관살 혼잡(混雜)이냐가 중요하다는 뜻이다. 이는 다음 사주를 보면 된다. 연주가 병인이고(如丙寅), 월주가 무술이고(戊戌), 일주가 신유이고(辛酉), 시주가 무자일 때가 있는데(戊子), 이는 장참정의 사주이다(張參政之命是也). 여기서는 일간의 신금과 연간의 병화가 만나서 청순(清純)한 정관을 만들고 있다.

然亦有帶傷食而貴者, 則如朱尚書命, 丙戌, 戊戌, 辛未, 壬辰, 壬為戊制, 不傷官也. 又如臨淮侯命, 乙亥, 己卯, 丁酉, 壬寅, 己為乙制, 己不礙官也.

또한 역시 인수가 서로 상극하는 식상을 끼고(帶) 있을 때도 귀하게 되는 경우가 있는데(然亦有帶傷食而貴者), 이는 주상서의 사주를 보면 알 수 있다(則如朱尚書命). 연주는 병술이고(丙戌), 월주는 무술이고(戊戌), 일주는 신미이고(辛未), 시주는 임진일 때를 보게 되면(壬辰), 일간인 신금과 만나서 상관을 만드는 임수는 일간인 신금과 만나서 정인을 만드는 무토를 통해서 자동으로 상극으로 제어를 받게 된다(壬為戊制). 그러면, 이때는 일간인 신금이 연간인 병화와 만나서 정관을 만든 병화를 상관(傷官)인 임수가 상극으로 제거하지 못하게(不) 된다(不傷官也). 그러면 자동으로 정관격은 유지된다. 이는 결국에 무토, 임수, 병화라는 상극의 조합이 만들어지면서 에너지 균형을 만들어낸다. 즉, 이때는 임수가 병화를 상극하려고 하면, 무토가 상극으로 임수의 힘을 빼버린다. 그러면, 힘이 빠진 임수는 병화를 상극하지 못하게 되고, 이어서 에너지 균형이 잡히게 된다. 사주의 최고 형태는 에너지 균형이라는 사실을 상기해보자. 이번에는 임회후의 사주를 보자(又如臨淮侯命). 연주는 을해이고(乙亥), 월주는 기묘이고(己卯), 일주는 정유이고(丁酉), 시주는 임인일 때를 보게 되면(壬寅), 일간인 정화와 식신을 만드는 기토는 일간인 정화와 편인을 만드는 을목을 통해서 상극으로 제어받게 된다(己為乙制). 그러면, 식신인 기토는 일간인 정화와 시간인 임수가 만든 정관(官)의 장애(礙)가 되지 못(不)하고 만다(己不礙官也). 이어서 정관격은 완성된다. 이때도 역시 을목, 기토, 임수라는 상극의 조합이 만들어지면서 에너지가 균형을 잡는다.

有印而用傷食者, 身強印旺, 恐其太過, 洩身以為秀氣. 如戊戌, 乙卯, 丙午, 乙亥, 李狀元命也. 若印淺身輕, 而用層層傷食, 則寒貧之局矣.

인수를 보유한 상태에서 인수와 상극하는 식상을 이용하게 되면(有印而用傷食

者), 이때는 식상이 인수를 상극하면서 인수로 에너지를 보내게 되고, 이어서 자동으로 인수의 에너지가 왕성하게 되고, 이때 인수는 일간(身)을 생해주므로, 이때는 일간도 인수의 에너지를 받게 되면서 자동으로 일간의 에너지는 강(强)하게 된다. 그러면, 이때는 자동으로 신강과 인왕이 나오게 된다(身強印旺). 이때 일간은 모든 에너지를 최종적으로 끌어안고 있게 되므로, 공포(恐) 그 자체가 된다. 그래서 이때 이런(其) 에너지 태과에 일간이 공포(恐)를 느끼게 되면(恐其太過), 이때는 자동으로 누군가가 나서서 일간의 에너지를 설기(洩)시켜주게 되면, 이때 일간의 에너지는 수려해지면서 균형을 잡게 된다(洩身以為秀氣). 예를 보자. 연주가 무술이고(如戊戌), 월주가 을묘이고(乙卯), 일주가 병오이고(丙午), 시주가 을해인 이 사주는(乙亥), 이장원의 사주이다(李狀元命也). 이때 일간인 병화는 을목과 정인을 만든다. 이는 분명히 강한 에너지가 아닌 약(淺)한 에너지 상태이다. 이는 을목이라는 음과 병화라는 양이 만나서 에너지가 중화(中和)된 상태이므로, 너무나도 당연한 일이다. 그러면, 이렇게 에너지가 약한 정인은 자동으로 상생하는 일간인 병화로 에너지를 보내게 되므로, 이때 일간인 병화도 자동으로 에너지가 약(輕)해지게 된다(若印淺身輕). 그런데 이때 연주에서 식상을 만드는 에너지가 강한 양인 토를 간지에서 층층(層層)으로 이용하고 있으므로(而用層層傷食), 양으로서 강한 무술이라는 토는 을목이 만든 정인과 상극으로 강하게 부딪히게 된다. 그러면, 이때는 음인 을목이 강한 토를 상극하면서 토에게 에너지를 뺏기고 만다. 즉, 이때 일간은 에너지가 너무 약한 한빈의 국면을 만들고 만다(則寒貧之局矣).

有用偏官者, 偏官本非美物, 藉其生印, 不得已而用之. 故必身重印輕, 或身輕印重, 有所不足, 始為有性. 如茅狀元命, 己巳, 癸酉, 癸未, 庚申, 此身輕印重也. 馬参政命, 壬寅, 戊申, 壬辰, 壬寅, 此身重印輕也. 若身印並重而用七煞, 非孤則貧矣.

일간이 칠살을 이용하고 있을 때를 보게 되면(有用偏官者), 칠살은 일간을 상극하므로, 칠살은 원래 아름다운 종류(物)의 용신은 아니다(偏官本非美物). 그러나 이때도 칠살을 용신으로 쓰는 경우가 있게 된다. 이는 일간의 에너지가 너무 과한 때이다. 예를 들자면, 일간이 똑같은 오행을 만나서 비견을 만들고 있다면, 이때는 이 비견을 상극으로 짓밟아서(藉:짓밟을 적) 견제해줘야만 한다. 그래서 이때는 비견(其)을 짓밟아서(藉:짓밟을 적) 인수를 생하게 해주게 되면(藉其生印), 칠살, 인수, 비견이라는 상생의 조합이 나오게 되면서, 에너지는 균형을 잡게 된다. 그래서 비견에서는 부득이(不得已)하게 칠살을 용신으로 쓰게 된다(不得已而用之). 그래서 이때는 자동으로 반드시 일간은 비견으로서 에너지가 너무 과중(重)하고, 인수는 에너지가 너무 약하거나(故必身重印輕), 또는 일간의 에너지가 너무 약하고, 인수의 에너지가 너무 과중(重)할 경우에(或身輕印重), 이들의 에너지를 견제해주기 위해서 부득이하게 칠살을 용신으로 쓰게 된다. 즉, 견제가 부족하다는 이유(所)가 있을 때(有所不足), 비로소 칠살은 차별화(有性)되어서 이용된다(始為有性). 모장원의 사주를 예로 풀어보자(如茅狀元命). 연주가 기사이고(己巳), 월주가 계유이고(癸酉), 일주가 계미이고(癸未), 시주가 경신일 때는(庚申), 일간인 계수와 연간의 기토는 칠살(煞)을 만들고, 시간의 경금은 정인을 만들고, 월간의 계수는 비견을 만들고, 연지의 사화는 지장간을 통해서 경금을 투출하면서 제거되고, 일지의 미토도 지장간을 통해서 기토를 투출하면서 제거되고, 그러면, 지지에서 유금과 신금만 남게 되고, 이는 자동으로 일간의 계수와 각각 편인과 정인을 만들게 된다. 그러면 자동으로 인성이 3개가 된다. 그리고 일간의 계수와 월간의 계수가 만나서 비견을 만드는데, 이는 에너지가 없는 음과 음이 만나는 경우이므로, 에너지가 전혀 없는 비견이다. 이를 종합해보게 되면, 일간인 계수는 약(輕)한 상태가 되고, 인성은 아주 강(重)한 상태가 된다(此身輕印重也). 그래서 지금은 너무 에너지가 강(重)한 인성인 금(金)을 상극으로 제어해줘야만 하므로, 이때는 칠살을 만드는 기토라는 토(土)를 이용해서 인성인 금(金)을 상극으로 제어해줘야만 한다. 다시 본문을 보자. 이번에는 마참정의 사주를 보자(馬參政命). 연주는 임인이고(壬寅), 월주는 무신이고(戊申), 일주는 임진이고(壬辰), 시주는 임인일 때는(壬寅), 신금(申)의 지장간에서 임수가 투출하면서, 신금은 제거되고, 진토의 지장간에서 무토가 투출하면서, 진토도 제거된다. 그리고 일간인 임수와 월간의 무토는 칠살을 만들고, 임수와 비견을 만드는데, 이 둘은 모두 양이라서 에너지가 엄청나게 크다. 그런데, 이런 임수가 연주와 시주에서 2개나 나오고 있다. 그러면 자동으로 일간(身)의 힘은 엄청(重)나게 커진다. 추가로 일간의 임수와 월지의 신금(申)은 편인을 만들기는 하지만, 불행히도 신금은 지장간으로 임수를 투출하면서 투명화되면서 거의 에너지를 보유하지 못해서 극도로 약한 상태가 된다(此身重印輕也). 그래서 이때는 비견인 임수를 칠살인 무토가 상극으로 견제하게 된다. 아니, 이는 반드시 상극으로 견제해야만 한다. 그리고 이때 일간과 인수가 함께 에너지가 과도할 때도 역시 칠살을 이용해서 견제하면 된다(若身印並重而用七煞). 이때는 칠살인 무토가 비견인 임수 그리고 편인인 신금과 서로 상극 관계를 만들기 때문이다. 그러나, 이 사주는 일간의 에너지가 너무 강해서 문제가 많다. 그래서 이 사주는 외롭지 않다면, 빈곤할 것이다(非孤則貧矣).

有用煞而兼帶傷食者, 則用煞而有制, 生身而有洩, 不論身旺印重, 皆為貴格.

일간이 자기를 상극하는 칠살을 이용하고 있는데, 겸해서 식상을 끼고(帶) 있을 때(有用煞而兼帶傷食者), 칠살을 용신으로 이용하게 되면, 이때는 식상이 칠살을 상극으로 제어하게 되므로, 칠살은 식상이라는 제어(制) 장치를 보유(有)하게 된다(則用煞而有制). 즉, 이때는 에너지가 균형을 잡게 된다. 이때 인성이 일간을 생하면서, 일간이 인수의 에너지를 설기하게 되면(生身而有洩), 이때는 자동으로 인수, 식상, 칠살이라는 상극의 조합이 만들어지면서 에너지가 균형을 잡게 된다. 이때는 인수가 일간을 생하게 되고, 일간은 인수의 에너지를 설기하게 된다. 그러면, 이때는 자동으로 귀격이 나오게 된다. 그래서, 앞에서 이미 보았던 신왕인중을 논외로 하게 되면(不論身旺印重), 지금 살펴본 경우는 모두 귀격을 만들게 된다(皆為貴格).

有印多而用財者, 印重身強, 透財以抑太過, 權而用之, 不要根深, 無防財破. 如辛酉, 丙申, 壬申, 辛亥, 汪侍郎命是也. 若印輕財重, 又無劫財以救, 則為貪財破印, 貧賤之局也.

일간이 인성을 많이 보유하고 있는 상태에서 재성을 이용하게 되면(有印多而用財者), 인성이 에너지를 자기가 생하는 일간으로 보내면서, 인성의 에너지도 과중하게 되고, 일간의 에너지도 강해지게 되는데(印重身強), 이때는 일간이 상극하는 재성을 이용해서 일간 에너지의 태과를 억제할 수 있다(透財以抑太過). 이때는 일간이 에너지를 자기가 상극하는 재성으로 보낼 수 있기 때문이다. 즉, 이때 일간은 재성을 상극할 수 있는 권력(權)을 이용(用)한 것이다(權而用之), 이때는 일간이 재성을 가지고 놀게 되므로, 일간의 뿌리가 깊을 필요도 없고(不要根深), 재성이 일간의 격을 깨뜨리지 못하게 방어할 필요도 없다(無防財破). 즉, 이때는 일간, 재성, 인성이라는 상극의 조합이 만들어진다. 이때는 에너지가 이 세 개의 오행을 차례대로 순환하게 되므로, 걱정할 필요가 없게 된다. 예를 들어서 보자. 연주가 신유이고(如辛酉), 월주가 병신이고(丙申), 일주가 임신이고(壬申), 시주가 신해인 이 사주는(辛亥), 왕시랑의 사주이다(汪侍郎命是也). 이때 일지의 신금(申)은 지장간을 통해서 임수를 투출하면서 제거된다. 그리고 일간의 임수와 신금(辛)은 편인을 만드는데, 이 신금이 두 개이다. 즉, 편인이 2개로서 많다. 게다가 지지에서도 유금과 신금이 있다. 그러면, 인성이 4개나 된다. 그리고 일간의 임수와 월간의 병화는 편재를 만든다. 그러면, 이때는 자동으로 편인을 만드는 신금(辛)을 편재를 만드는 병화(丙)가 상극해서 제어하게 된다. 그러면, 일간은 천간에서는 하나의 편인을 이용해서 용신으로 쓰면 된다. 이때 만약에 인성의 에너지가 약하고, 재성의 에너지가 과중하게 되면(若印輕財重), 재성은 인성을 상극하게 되므로, 강한 재성은 약한 인성을 죽여버리게 된다. 이 경우에는 너무 에너지가 강한 재성을 일간과 똑같은 오행인 일간의 겁재를 이용해서, 재성을 상극하는 방법으로, 인성을 구할 수 있게 된다. 그런데, 이때 겁재가 없어서 인성을 구할 수 없게 되면(又無劫財以救), 이때는 자동으로 욕심(貪)이 많아서 에너지를 엄청나게 보유한 재성(財)이 인성을 상극하면서, 인성으로 에너지를 몽땅 보내서 인성(印)을 파괴(破)해버린다

(則為貪財破印). 그러면, 이 사주는 완벽하게 망하게 된다. 이것은 자동으로 빈천의 국면을 만들고 만다(貧賤之局也).

即或印重財輕而兼露傷食, 財與食相生, 輕而不輕, 即可就富, 亦不貴矣. 然亦有帶食而貴者, 何也? 如庚寅, 乙酉, 癸亥, 丙辰, 此牛監薄命. 乙合庚而不生丙, 所以為貴, 若合財存食, 又可類推矣. 如己未, 甲戌, 辛未, 癸巳, 此合財存食之貴也.

혹은 인성의 에너지가 과중하고, 재성의 에너지가 약하고, 추가(兼)로 식상을 노출하고 있을 때는(即或印重財輕而兼露傷食), 에너지가 약한 재성은 에너지가 강한 인성을 상극해서 제어하지 못하게 되고, 그러면, 이때는 자동으로 재성과 식상은 서로 상생하게 되고(財與食相生), 그러면, 이때는 식상이 재성으로 에너지를 보내게 되면서, 재성의 에너지가 약하든 약하지 않든 간에(輕而不輕), 재성으로 인해서 즉시 부를 취하는 일이 가능해진다(即可就富). 그러나 역시 이 상태에서는 인성의 과도한 에너지를 통제하지 못해서 귀는 없다(亦不貴矣). 그리고 식상은 본래 인성을 상극해서 제어한다는 사실도 상기해보자. 그러나 역시 식상을 끼고 있을 경우에도 귀한 경우가 있는데(然亦有帶食而貴者), 어떤 경우인가(何也)? 사주로 살펴보자. 연주가 경인이고(如庚寅), 월주가 을유이고(乙酉), 일주가 계해이고(癸亥), 시주가 병진인 이 사주는(丙辰), 우감부의 사주이다(此牛監薄命). 이때 천간에서 을경(乙庚)이라는 천간합을 만들게 되면서 금(金)을 만들게 되고, 이어서 일간인 계수와 만들어내는 식신(乙)과 정인(庚)이 자동으로 사라지게 되고, 이어서 식신인 을목은 정재인 병화를 생하지 못하게 된다(乙合庚而不生丙). 이런 이유로 귀가 만들어진다(所以為貴). 이때 만약에 정재인 병화가 천간합으로 인해서 사라지고, 식상인 을목이 남게 되면(若合財存食), 이때 또한 같은 종류에 해당하므로, 추론이 가능해진다(又可類推矣). 이를 사주로 살펴보자. 연주가 기미이고(如己未), 월주가 갑술이고(甲戌), 일주가 신미이고(辛未), 시주가 계사일 때(癸巳), 일간인 신금과 재성을 만드는 갑목이 인성을 만드는 연간의 기토와 만나서,

갑기라는 천간합의 토를 만들게 되면, 시주의 계수와 일간의 신금이 만든 식신만 존재하게 되면서, 귀를 얻게 된다(此合財存食之貴也). 이 구절은 해석이 상당히 어렵다. 이를 조금만 더 간략하게 설명해보자. 앞에서 본 두 사주에서 공통은 재성, 인성, 식신이 공통으로 나오게 된다. 그리고 재성과 식신이 상생하면 귀는 없게 되고, 상생하지 않게 되면, 귀는 있게 된다. 이는 이 조합의 특성에 있다. 즉, 재성, 인성, 식신은 상극의 조합을 만들면서 에너지의 균형을 맞추게 된다. 그러나 이때 재성과 식신이 상생해버리게 되면, 이 상극의 조합이 만들어지지 않게 된다. 그러면, 에너지의 균형이 깨지게 되면서 귀는 없게 된다. 이를 사주에 맞춰서 해석하게 되면, 일간이 계수인 첫 사주에서는 정재를 만드는 시간(時)의 병화는 정인을 만드는 연간(年)의 경금을 상극해서 제거할 수가 있다. 그러나 이때는 연주와 시주 사이에 있는 일간이라는 장벽(隔)을 넘을 수가 없어서, 이 둘은 상극할 수 없게 된다. 이 말을 다른 측면으로 살펴서, 재성과 식신이 상생(生)할 수 있느냐 없느냐로 말하게 된다. 즉, 재성이 시주라는 너무 먼 거리에 있으면서 일간이라는 장벽을 치고 있는 상황이다. 그리고 일간이 신금인 두 번째 사주에서도, 연주에서 편인을 만드는 기토가 시주에서 식신을 만드는 계수를 일간이라는 장벽(隔)으로 인해서 상극할 수가 없게 된다. 그러면, 첫 번째 사주에서는 재성이 시주에 남으면서(在), 귀격이 만들어지고, 두 번째 사주에서는 식신이 시주에 남으면서(在), 귀격이 만들어진다. 여기서는 남는다(在)는 표현을 하는 이 문장(若合財存食)의 해석이 아주 중요하다. 결국에 이 둘 다 일간이라는 장벽(隔)의 문제와 상극(克)의 문제가 된다. 그러나 해석을 어렵게 문장을 응용하고 있다. 즉, 상극(克)의 문제를 상생(生)의 문제로 응용해서 문제를 제시하고 있다. 그래서 이 문제는 상당한 내공을 요구하고 있다. 그래서, 이때 재성이 남아도(在) 귀격이 되고, 식신이 남아도(在) 귀격이 된다. 그런데, 이때 천간합이라는 변수가 나오게 된다. 그러면 천간합의 역할이 있을 것이다. 그리고 천간합을 만들게 되면, 새로운 오행이 탄생하게 된다. 그래서 첫 번째 사주에서는 천간에서 을경(乙庚)이라는 천간합을 만들게 되면서 금(金)이라는 새로운 오행을 만들게 되고, 이는 자동으로 일간인 계수와 만들어내는 식신(乙)과 정인(庚)이 자동으로 사라지게 만들어버린다. 이제 남은 격은 시주(時)에서 병화가 만든 정재뿐이다. 추가로 재성, 인성, 식신의 조합도 없어져 버린다. 그리고 이때는 병화가 만든 정재가 귀격(貴)을 만든다. 왜? 이는 정재인 병화(丙)가 천간합으로 만들어진 금(金)을 상극해서 자기 맘대로 주무를 수가 있기 때문이다. 그리고 두 번째 사주에서는 갑기라는 천간합이 새로운 토(土)를 만들게 되면, 재성(甲)과 인성(己)이 제거된다. 그러면 자동으로 시주(時)에서 계수(癸)가 만든 식신만 존재하게 된다. 그러면 식신인 계수(癸)는 자동으로 천간합에서 새로 만들어진 토(土)를 상극으로 제어하면서, 귀(貴)를 만들게 된다. 그래서 이를 종합해보게 되면, 재성만 남아도(在) 귀격을 만들 수 있게 되고, 식신만 남아도(在) 귀를 만들 수 있게 된다. 이는 결국에 상극을 통한 에너지의 조절에 있다. 이 구절은 해석이 상당히 어려워서 대부분 사주쟁이는 이곳을 어물쩍 넘어가 버린다. 이 정도는 쉽게 풀 수 있어야만 진정한 사주쟁이일 것이다.

又有印而兼透官煞者, 或合煞, 或有制, 皆為貴格. 如辛亥, 庚子, 甲辰, 乙亥, 此合煞留官也. 壬子, 癸卯, 丙子, 己亥, 此官煞有制也.

또한, 인수를 보유한 상태에서 추가로 관살을 투출받고 있을 때(又有印而兼透官煞者), 혹은 칠살을 합으로 제거하고 있거나(或合煞), 혹은 칠살이 상극을 통해서 제어받고 있거나 하면(或有制), 이 모두는 귀격을 만든다(皆為貴格). 이는 너무나 당연한 사실이다. 이때 칠살은 일간에 방해만 될 뿐이다. 그래서 이런 칠살이 합을 통해서 제거되거나, 또는 상극을 통해서 제어받게 되면, 일간은 칠살의 부담에서 벗어나게 된다. 그러면 자동으로 관살 중에서 정관만 남게 된다. 이를 사주를 통해서 살펴보자. 연주가 신해이고(如辛亥), 월주가 경자이고(庚子), 일주가 갑진이고(甲辰), 시주가 을해일 때(乙亥), 일간의 갑목은 월간의 경금과 칠살을 만들고 있는데, 이때 을경이라는 천간합으로 칠살을 만드는 경금을 제거하게 되면, 연간의 신금과 만든 정관만 남게 된다(此合煞留官也). 이때 정관은 자동으로 일간에게 해를 끼치지 않게 된다. 그런데, 이때 합이 없게 되면, 아주 재미있는 상황이 벌어지게 된다. 이는 다음에 나오는 예를 통해서 보자. 연주가 임자이고(壬子), 월주가 계묘이고(癸卯), 일주가 병자이고(丙子), 시주가 기해일 때는(己亥), 격을 따지지 말고 보더라도, 기토는 임수나 계수를 상극으로 제어할 수 있을 것 같으나, 문제는 가운데에 일간이 장벽(隔)으로 버티고 있어서, 이도 무산되고 만다. 그러나 다행히도 임수와 계수는 서로 만나게 되면, 겁재가 되면서 양쪽이 상대방의 에너지를 뺏어서 에너지가 중화되어버린다. 그래서 이때 일간인 갑목은 관살(官煞)에 대한 제어를 보유하게 된다(此官煞有制也). 즉, 관과 살이 서로 중화된 것이다.

至於化印為劫. 棄之以就財官, 如趙知府命, 丙午, 庚寅, 丙午, 癸巳, 則變之又變者矣.

일간이 인수와 상생으로 화합(化)하고 있을 때, 일간이 겁재를 만들게 되면(至於化印為劫), 이때는 일간의 에너지가 뒤엉키게 되므로, 일간을 상극으로 제어해줘야만 한다. 그러면, 이때는 자동으로 일간과 상생(化)하는 인수를 버릴 수밖에 없다. 그러면, 이때는 자동으로 일간을 상극하는 관성을 찾게 되고, 이때는 자동으로 인수를 버리고, 재성이나 관성을 취해서 에너지의 균형을 잡아주면 된다(棄之以就財官), 이를 조지부의 사주를 통해서 알아보자(如趙知府命). 연주가 병오이고(丙午), 월주가 경인이고(庚寅), 일주가 병오이고(丙午), 시주가 계사일 때는(癸巳), 변화가 또 변화를 부르고 있다(則變之又變者矣). 일단 일간의 병화를 기준으로 보게 되면, 연간의 병화와는 비견(比肩)을 만들고, 월간의 경금과는 편재(偏財)를 만들고, 시간의 계수와는 정관(正官)을 만든다. 그리고 지지에서 인오(寅午)는 삼합이라는 화(화)를 만든다. 지지에서 두 개의 지지가 만나도 삼합이 된다는 사실도 상기해보자. 추가로 오화와 사화는 병화를 투출하고 있다. 그래서 일단은 병화가 만든 비견을 상극(克)으로 제어(制)하기 위해서는 자동으로 경금이 만든 편재를 이용할 수밖에 없다. 물론 시간의 계수가 만든 정관이 있기는 하지만, 이는 일간의 장벽(隔)에 막혀있다. 그러면, 이때는 자동으로 세 개의 격이 자기들 뜻과는 무관하게 공존하게 된다. 즉, 일간인 병화를 기준으로 보게 되면, 병화는 경금이 만든 편재와 계수가 만든 정관을 상극하고 있는데도 불구하고, 서로 공존하고 있다. 그러면, 이 사주는 여기서 끝날까? 당연히 아니다. 문제는 지지의 삼합으로 만들어진 새로운 오행은 천간의 오행 에너지와 똑같은 에너지를 보유하게 되므로, 이때 새로운 오행은 자동으로 천간의 오행을 공격할 수 있게 된다. 그런데, 지금 새로 만들어진 오행이 화(火)이다. 그러면, 이는 자동으로 일간의 병화와 비겁을 만든다. 이도 역시 당연히 상극(克)으로 제어(制)해줘야만 한다. 그러면, 이때는 시주에서 만들어진 계수의 정관을 새로 만들어진 비겁을 상극하는 상극의 오행으로 이용하면 된다. 이때는 일간의 장벽 문제가 생기지 않게 된다. 그 이유는 지금 만난 화(火)는 천간의 화가 아니라 지지의 화이기 때문이다. 그래서 이 화는 천간의 규칙을 따르지 않게 된다. 그래서 이 사주는 삼합이라는 변화가 천간에서 또 다른 변화를 부르고 있다(則變之又變者矣).

更有印透七煞, 而劫財以存煞印, 亦有貴格. 如庚戌, 戊子, 甲戌, 乙亥是也. 然此格畢竟難看, 宜細詳之.

또 다른 경우를 보자면, 월지가 만든 인수를 보유한 상태에서 칠살을 투출받고 있을 때(更有印透七煞), 마침 겁재가 만들어져서 이를 상극으로 견제해야만 하는 상황을 접하게 되면, 이때는 자동으로 칠살과 인수가 공존해도 된다(而劫財以存煞印). 그러면, 이때도 역시 자동으로 귀격을 만들 수 있게 된다(亦有貴格). 이도 역시 사주를 통해서 살펴보자. 연주가 경술이고(如庚戌), 월주가 무자이고(戊子), 일주가 갑술이고(甲戌), 시주가 을해인 사주를 보자(乙亥是也). 그러나 여기서 나온 격들은 필경 어려워서 살피기가 쉽지 않으므로(然此格畢竟難看), 마땅히 상세하게 살펴보아야만 한다(宜細詳之). 일단 일간인 갑목을 기준으로 보게 되면, 갑목은 연간의 경금과는 칠살을 만들고, 월간의 무토와는 편재를 만들고, 시간의 을목과는 겁재를 만든다. 그러면, 일단 갑목이 을목과 만드는 겁재를 상극으로 견제해줘야 한다. 이는 자동으로 연간에서 만들어진 경금의 칠살을 이용하게 된다. 그러나 이때는 불행히도 겁재가 시간에 존재하므로, 일간이 장벽으로 막고 있다. 그러면 자동으로 칠살을 겁재의 견제 장치로 이용하지 못하고 만다. 물론 이때 무토의 편재로도 겁재를 상극으로 견제할 수도 있지만, 이도 역시 너무 멀어서 일간의 장벽에 막히고 만다. 그러면, 이때는 자동으로 연간의 경금과 만든 칠살과 월간의 무토와 만든 편재 그리고 시간의 을목이 만든 겁재는 서로 공존하게 된다. 그러면, 이때는 자동으로 겁재를 무시하고서 칠살과 편재를 이용해서 격을 만들어야 한다. 그러면, 이때는 자동으로 일간인 갑목은 무토의 편재를 용신으로 쓰고, 이 용신을 제어해줄 상신으로 경금의 칠살을 쓰면 된다. 그러면, 이때는 경금, 갑목, 무토라는 상극의 조합이 만들어지면서 서로의 에너지를 견제하면서 에너지는 균형을 잡게 된다. 그래서 이 구절은 이런 복잡한 문제로 만들고 있으므로, 저자는 다음과 같이 말하고 있다. 여기서 나온 격들은 필경 어려워서 살피기가 쉽지 않으므로(然此格畢竟難看), 마땅히 상세하게 살펴보아야만 한다(宜細詳之).

제36장 인수의 취운을 논하다(論印取運)

제36장 인수의 취운을 논하다(論印取運)

印格取運, 即以印格所成之局, 分而配之. 其印綬用官者, 官露印重, 財運反吉, 傷食之方, 亦為最利. 若用官而帶傷食, 運喜官旺印綬之鄉, 傷食為害, 逢煞不忌矣.

인수격을 이용해서 취운을 할 때는(印格取運), 인수격을 이용(以)해서 국을 완성할 수 있을 때를(即以印格所成之局), 구분해서 배합하게 된다(分而配之). 그리고 이런 인수가 관성을 이용하고 있을 때(其印綬用官者), 관성이 강한 인수를 노출받고 있게 되면(官露印重), 이때는 자동으로 에너지의 균형을 맞추기 위해서 에너지가 강한 인성을 상극으로 제어해줘야 한다. 그러면, 이때는 반대로 인성을 상극하는 재성의 운이 길하게 된다(財運反吉). 즉, 원래 인성은 자기를 상극하는 재성을 싫어하기 때문이다. 그리고 이때는 인성이 상극하는 식상의 처방도(傷食之方), 역시 최고의 이익을 만든다(亦為最利). 즉, 인성을 상극하는 재성도 좋은 처방이지만, 이왕이면, 인성이 상극하는 식상의 처방이 더 좋다는 뜻이다. 그러나 에너지의 균형이라는 측면으로 보게 되면, 두 경우 모두 좋게 된다. 이때 만약에 정관을 이용하고 있을 때, 식상을 투출(帶)받게 되면(若用官而帶傷食), 이때는 식상이 정관을 상극하게 되므로, 이때는 자동으로 식상을 상극으로 제어해줘야만 한다. 그러면, 이때는 자동으로 정관의 에너지가 강해야만 식상의 에너지를 대적할 수 있게 되고, 추가로 인수를 이용해서 식상을 대적할 때도 강(鄉)한 인수를 요구한다(運喜官旺印綬之鄉). 이는 식상이 식신과 상관으로서 하나의 오행 전체 에너지를 말하고 있기 때문이다. 그래서 이런 때는 당연히 식상은 해로운 존재가 된다(傷食為害). 그래서 이럴 때는 칠살을 만나서 칠살이 식상과 서로 상극하는 경우도 일간에게는 나쁘지 않게 된다(逢煞不忌矣).

印綬而用傷食, 財運反吉, 傷食亦利. 若行官運, 反見其災, 煞運則反能為福矣.

일간이 인수를 보유하고 있으면서, 용신으로 식상을 이용하게 되면(印綬而用傷食), 이 둘은 서로 상극으로 만나게 되므로, 자동으로 서로 견제가 된다. 즉, 식상을 인수가 견제해주게 된다. 그런데 이때 인수를 용신으로 이용하게 되면, 이때는 식상이 인수를 상극하게 되므로, 에너지의 균형이 맞지 않게 된다. 그러면, 이때는 반대로 재성을 이용하게 되면 길하게 된다(財運反吉). 즉, 이때는 재성, 인수, 식상이라는 상극의 조합이 만들어지면서 에너지의 균형이 잡히게 된다. 그러면, 이때는 자동으로 식상도 역시 이익이 된다(傷食亦利). 이때는 인수가 식상을 상극하려고 하면, 재성이 인수를 진정시켜주게 된다. 즉, 이때는 재성이 에너지 견제 장치로 등장하게 된다. 이때 만약에 지지(行)에서 천간(運)으로 정관이 투출하게 되면(若行官運), 이 정관은 반대로 재앙을 불러오게 된다(反見其災). 즉, 이때는 재성, 인수, 식상이라는 에너지 균형을 정관이 깨버리게 된다. 이때 정관은 재성과 식상을 상극으로 대적하게 된다. 그러면, 이때는 이 정관과 칠살을 서로 만나게 하면, 이 둘의 에너지는 서로 중화되면서, 에너지 균형은 원래 상태로 복귀하게 되고, 이때는 원수와 같은 칠살이 반대로 복을 만들게 된다(煞運則反能為福矣).

印用七煞, 運喜傷食, 身旺之方, 亦為美地, 一見財鄉, 其凶立至. 若用煞而兼帶傷食, 運喜身旺印綬之方, 傷食亦美, 逢官遇財, 皆不吉也.

인수가 칠살을 이용하고 있을 때는(印用七煞), 식상을 만나면 좋아한다(運喜傷食). 이때는 식상이 칠살을 상극해주기 때문이기도 하지만, 또 다른 에너지 측면으로 보게 되면, 인수, 식상, 칠살이라는 상극의 에너지 균형 조합 때문이다. 이때 식상이 없다면, 일간을 비견과 같은 신왕으로 만들어서 이를 상극하는 용도로 칠살을 이용해도 되므로, 이때는 신왕이 또 다른 처방이 될 수 있다(身旺之方). 그러면 이때 칠살은 거꾸로 도움이 된다. 즉, 이때는 역시 칠살이 일간의 아름다운 지지 기반이 되어준다(亦為美地). 이때 만일에 칠살을 생해서, 칠살에 에너지를 보태주는 강(鄉)한 재성이 나타나게 되면(一見財鄉), 이때 엄청난 힘을 보유한 칠살(其)의 흉악함은 극에 달하게 된다(其凶立至). 만약에 일간이 칠살을 용신으로 쓰고 있으면서, 겸대(兼帶)로 동시에 식상도 쓸 수 있다면(若用煞而兼帶傷食) 즉, 일간이 용신으로 칠살도 쓸 수 있고, 식상도 쓸 수 있는 상황이라면, 이때는 자동으로 칠살에 대응되는 에너지 균형 처방(方)과 식상에 대응되는 에너지 균형 처방(方)이 다르게 되면서, 두 가지 처방이 동시에 나와야 한다. 그러면, 자동으로 칠살의 처방은 칠살의 상극을 이용하는 신왕의 처방(方)이 되고, 식상의 처방은 식상을 상극하는 인수의 처방(方)이 된다(運喜身旺印綬之方). 이때 신왕의 조건으로 최고 좋은 조건은 에너지가 강(旺)한 양인이나 비견이다. 그러면, 이때 식상도 역시 좋은 격을 만들게 된다(傷食亦美). 그러나 이때 관성이나 재성을 만나게 되면(逢官遇財), 재성은 칠살을 생해서 칠살에 강한 에너지를 공급하게 되고, 식상은 관성에 에너지를 공급하게 되면서, 동시에 에너지 균형을 깨버리게 된다. 그래서 이때 두 경우는 모두 에너지 균형을 불길하게 만든다(皆不吉也).

印綬遇財, 運喜劫地, 官印亦亨, 財鄉則忌. 印格而官煞競透, 運喜食神傷官, 印旺身旺, 行之亦利. 若再透官煞, 行財運, 立見其災矣. 印用食傷, 印輕者亦不利見財也.

인수가 재성을 만나게 되면(印綬遇財), 이 둘은 서로 상극하게 된다. 이때는 겁재가 만든 지지 기반을 좋아하게 된다(運喜劫地). 그러면, 재성, 인수, 겁재라는 상극의 조합이 만들어지면서 에너지 균형이 잡히게 된다. 그리고 관성과 인성이 서로 함께 자리한다면, 이 둘은 상생하므로, 역시 형통하게 된다(官印亦亨). 이때 갑자기 강(鄉)한 재성이 끼어들게 되면, 이 강한 재성은 관성과 인수와는 상극으로 대적하게 되면서, 관성과 인성이 만든 에너지 균형은 깨지고 만다, 그래서 이때는 강(鄉)한 재성은 자동으로 꺼리게 된다(財鄉則忌). 그러나 이때 재성이 정상적인 에너지를 보유하고 있다면, 재성, 관성, 인성이라는 상생의 조합을 만들면서 에너지 균형을 잡을 수 있게 된다. 이번에는 인수격이 정관과 칠살을 동시에 경쟁적으로 투출받고 있다면(印格而官煞競透), 이때는 이 둘을 상극으로 동시에 통제해야 하므로, 각각 식신과 상관을 만나게 되면, 에너지가 상극으로 통제되면서, 당연히 좋아하게 된다(運喜食神傷官). 이때 인수의 에너지도 왕성하고, 일간의 에너지도 왕성하게 되면(印旺身旺), 왕성한 인수의 에너지는 정관으로 대응시켜서 에너지의 흐름(行)을 유리(利)하게 해주고, 양인이나 비견과 같은 신왕의 조건은 자동으로 상극의 조건을 요구하므로, 이때는 일간을 상극하는 칠살을 이용하게 되면, 에너지의 흐름(行)을 유리(利)하게 해줄 수 있게 된다. 그래서 이처럼 대응시켜주게 되면, 역시 에너지의 흐름(行)을 유리(利)하게 돌아간다(行之亦利). 이때 만약에 관살이 다시(再) 등장했는데(若再透官煞), 지지(行)에서 재성이 천간(運)으로 투출하게 되면(行財運), 이 재성은 관살로 에너지를 추가해주게 되면서, 재성(其)의 재앙을 볼 수 있게 된다(立見其災矣). 그리고 인성이 서로 상극하는 식상을 이용하고 있을 때(印用食傷), 인성이 약하게 되면, 역시 인성은 재성을 보는 상황이 불리하게 작용한다(印輕者亦不利見財也). 그러면, 이때 인성은 재성과 식상이라는 두 개의 상극을 받게 되는데, 에너지조차도 약(輕)하다면, 인성은 즉시 사라져 버릴 것이다.

제37장 식신을 논하다(論食神)

제37장 식신을 논하다(論食神)

食神本屬洩氣, 以其能生正財, 所以喜之. 故食神生財, 美格也. 財要有根, 不必偏正疊出, 如身強食旺而財透, 大貴之格. 若丁未, 癸卯, 癸亥, 癸丑, 梁丞相之命是也. 己未, 壬申, 戊子, 庚申, 謝閣老之命是也.

식신은 원래 상생의 과도한 에너지를 누설하는 기운에 속한다(食神本屬洩氣). 그래서 식신은 이런(其) 기운을 사용(以)해서 능히 정재를 생할 수 있다(以其能生正財). 그래서 이런 이유로 사주에서 식신은 좋게 여겨진다(所以喜之). 이런 이유로 식신은 재격을 생해서(故食神生財), 미격을 만들게 된다(美格也). 그리고 재격에서 중요한 일은 자기에게 에너지는 보태주는 식신과 같은 뿌리를 보유하는 것이지(財要有根), 정재나 편재가 많이 투출하는 일은 불필요하다(不必偏正疊出). 그래서 신강이면서 식신이 왕성하면, 재격의 에너지는 수려해진다(如身強食旺而財透). 그러면 자동으로 격은 큰 귀격이 된다(大貴之格). 사주를 예로 들어보자. 연주가 정미이고(若丁未), 월주가 계묘이고(癸卯), 일주가 계해이고(癸亥), 시주가 계축인 이 사주는(癸丑), 양승상의 사주이다(梁丞相之命是也). 일간인 계수를 기준으로 보게 되면, 연간의 정화와는 편재(偏財)를 만들고, 월간의 계수와 시간의 계수와는 2개의 비견(比肩)을 만들고 있다. 이때 비견은 에너지가 너무 강해서 상극으로 견제가 필요하다. 이때 편재인 정화가 비견인 계수와 상극으로 만나서 비견의 에너지를 견제해준다. 또 다른 예를 보자. 연주가 기미이고(己未), 월주가 임신이고(壬申), 일주가 무자이고(戊子), 시주가 경신인 이 사주는(庚申), 사각로의 사주이다(謝閣老之命是也). 일간인 무토를 기준으로 보게 되면, 연간의 기토와는 겁재를 만들고, 월간의 임수와는 편재를 만들고, 시간의 경금과는 식신을 만든다. 그러면, 기토가 만든 겁재는 에너지가 엉킨 상태이므로, 이도 역시 상극으로 견제가 필요한데, 때마침 편재인 임수가 있어서, 겁재를 상극으로 통제할 수 있고, 이런 편재인 임수에 식신인 경금이 에너지를 보태주면서 서로 상생하게 된다. 즉, 지금은 큰 귀격이 만들어졌다.

藏食露傷, 主人性剛, 如丁亥, 癸卯, 癸卯, 甲寅, 沈路分命是也. 偏正疊出, 富貴不巨, 如甲午, 丁卯, 癸丑, 丙辰, 龔知縣命是也.

암장된 식신이 식상을 노출하고 있게 되면(藏食露傷), 이때 사주 당사자의 사주 성격은 강하게 된다(主人性剛). 사주로 예를 들어보자. 연주가 정해이고(如丁亥), 월주가 계묘이고(癸卯), 일주도 계묘이고(癸卯), 시주가 갑인인 이 사주는(甲寅), 심로분의 사주이다(沈路分命是也). 이를 일간인 계수를 기준으로 보게 되면, 연간의 정화와는 편재를 만들고, 월간의 계수와는 비견을 만들고, 시간의 갑목과는 상관을 만들고 있다. 이때 지지에서 지장간을 살펴보게 되면, 해수, 묘목, 인목에 모두 상관을 만드는 갑목이 자리하고 있다. 즉, 천간에서 만들어진 상관이 아주 강력한 뿌리를 보유하고 있는 상태가 된다. 추가로 계수의 비견이 있으므로, 이는 상극으로 제어를 요구하고 있고, 이때는 정화인 편재를 통해서 상극하면 되고, 이런 정화의 편재를 갑목의 상관이 생해서 에너지를 보태주고 있다. 이는 아주 좋은 사주이다. 게다가 식상의 뿌리가 엄청나게 견고하다. 이러니 이 사람의 사주 성격이 강할 수밖에 없게 된다. 즉, 이는 에너지 균형이 완벽하게 이루어지고 있다. 다시 본문을 보자. 또한 편재와 정재가 너무 많이 투출되어 있어도(偏正疊出), 서로 에너지를 중화하면서, 에너지가 약해지므로, 이때는 자동으로 부귀가 크지 않게 된다(富貴不巨). 사주로 예를 들어보자. 연주가 갑오이고(如甲午), 월주가 정묘이고(丁卯), 일주가 계축이고(癸丑), 시주가 병진인 이 사주는(丙辰), 공지현의 사주이다(龔知縣命是也). 일간인 계수를 기준으로 보자면, 연간의 갑목과는 상관을 만들고, 월간의 정화와는 편재를 만들고, 시간의 병화와는 정재를 만든다. 여기에서 보면, 일간의 계수는 갑목의 상관으로 에너지를 건네준다. 그리고 상관은 이 에너지를 편재로 건네주게 되고, 이어서 이 에너지는 정재로 가면서 중화된다. 즉, 재성의 에너지가 줄어든다. 즉, 이때는 부귀가 크지 않다는 사실을 말하고 있다.

夏木用財, 火炎土燥, 貴多就武. 如己未, 己巳, 甲寅, 丙寅, 黃都督之命是也.

여름에 태어난 목이 토의 재성을 이용하게 되면(夏木用財), 이때는 목이 화로 에너지를 보내고, 화는 다시 토로 에너지를 보내게 되면서, 엄청나게 뜨거운 화염은 토를 건조시키게 된다(火炎土燥). 즉, 이때 토의 에너지(武)는 엄청나게 커진다. 그래서 이때는 귀도 많아지지만, 힘(武)을 엄청나게 얻게 된다(貴多就武). 사주로 예를 들어보자. 연주가 기미이고(如己未), 월주가 기사이고(己巳), 일주가 갑인이고(甲寅), 시주가 병인인, 이 사주는(丙寅), 황도독의 사주이다(黃都督之命是也). 여기서 보면, 일간인 갑목이 월지의 사화를 만나고 있다. 즉, 갑목이 여름에 태어난 것이다. 그리고 일간의 갑목과 기토는 정재를 만들고, 병화는 식신을 만들고 있다. 그러면, 갑목과 기토는 서로 상극하므로, 이때 식신인 병화가 끼어들게 되면, 갑목, 병화, 기토라는 상생의 조합이 만들어지면서, 기토는 많은 에너지를 받게 된다. 또한 기토가 만든 정재가 2개나 존재한다. 이때는 자동으로 귀도 많아지지만, 힘(武)을 엄청나게 얻게 된다(貴多就武). 이때 월지의 사화는 지장간을 통해서 천간으로 병화를 투출하면서 제거된다는 사실도 상기해보자.

若不用財而就煞印, 最為威權顯赫. 如辛卯, 辛卯, 癸酉, 己未, 常國公命是也. 若無印綬而單露偏官, 只要無財, 亦為貴格. 如戊戌, 壬戌, 丙子, 戊戌, 胡會元命是也.

만약에 일간이 재성을 이용하지 않고, 칠살과 인성을 이용한다면(若不用財而就煞印), 이때는 칠살을 용신으로 이용하고, 칠살의 에너지를 빼앗아서 설기하는 인성을 견제하는 도구로 삼게 되면, 이때는 자동으로 권위가 최고조에 다다르게 될 것이다(最為威權顯赫). 식상의 설기 기능을 상기해보자. 사주를 예로 들어보자. 연주가 신묘이고(如辛卯), 월주도 신묘이고(辛卯), 일주가 계유이고(癸酉), 시주가 기미이인, 이 사주는(己未), 상국공의 사주이다(常國公命是也). 일간인 계수를 중심으로 보자면, 연간과 월간의 신금과는 2개의 편인을 만들고, 시간의 기토와는 칠살을 만든다. 이때 일간인 계수가 기토의 칠살을 용신으로 쓰고, 이를 신금의 편인으로 제어하고 있다. 이는 상당히 복잡하다. 그 이유는 일간의 장벽으로 인해서, 신금의 편인이 시주에 있는 칠살인 기토의 에너지를 설기할 수 없게 되기 때문이다. 그러나 이때는 칠살인 기토가 일간인 계수를 상극하면서 에너지를 계수로 보내게 되면, 이때 이 계수는 편인인 신금을 설기해서 에너지를 중화하게 된다. 이때 편인인 신금이 2개라는 사실이 엄청나게 중요하다. 칠살인 기토도 음이고, 일간인 계수도 음이라서, 이때 계수는 기토의 음과 함께 음을 2개 품고 있다. 그러면, 이때는 이를 중화하기 위해서 2개의 음이 요구된다. 그리고 이 2개의 음을 신금이라는 음이 제공해준다. 이를 다시 풀 수도 있다. 즉, 이번에는 신금의 편인을 용신으로 쓰게 되면, 지금은 편인이 2개라서 일간은 편인으로부터 많은 에너지를 받으면서, 일간의 에너지는 자동으로 왕성(旺)하게 된다. 이는 자동으로 상극으로 견제를 요구한다. 사주는 에너지의 균형이라는 사실을 상기해보자. 그러면, 이때는 일간을 칠살로 견제해주면 된다. 물론 이때는 일간이 장벽이 되지 않는다. 다시 본문을 보자. 이때 만약에 인수 하나가 없고, 하나(單)의 인수가 칠살을 노출받고 있다면(若無印綬而單露偏官), 이때는 재성이 없는 것이 중요하다(只要無財). 이때 재성은 인수와 상극으로 만나기 때문이다. 그러면, 이 격은 깨지고 만다. 그러나 인수가 2개이면, 하나의 인수는 하나의 재성을 상극으로 제거할 수 있게 된다. 다시 본문을 보자. 그러면, 이때도 역시 자동으로 귀격을 만들 수 있게 된다(亦為貴格). 사주를 하나만 더 보자. 연주가 무술이고(如戊戌), 월주가 임술이고(壬戌), 일주가 병자이고(丙子), 시주가 무술인, 이 사주는(戊戌), 호회원의 사주이다(胡會元命是也). 일간인 병화를 기준으로 보게 되면, 연간과 시간에 있는 무토와는 식신을 2개 만들고, 월간의 임수와는 칠살을 만든다. 이때 일간인 병화가 임수라는 칠살을 용신으로 쓰게 되면, 이 둘은 서로 상극하므로, 이때는 칠살인 임수를 상극으로 제어해줘야만 한다. 그런데 지금은 칠살인 임수를 상극으로 제어해줄 식신인 무토가 2개나 있다. 그러나 이때 시간의 무토와 만들어진 식신은 일간의 장벽으로 인해서 쓸 수 없게 된다. 그러면, 일간의 에너지는 완벽하게 균형을 잡게 되면서, 추가로 식신이 하나 더 추가된다. 이는 자동으로 일간인 갑목의 과도한 에너지를 설기해 줄 수도 있는 여유를 보유하게 된다.

若金水食神而用煞, 貴而且秀, 如丁亥, 壬子, 辛巳, 丁酉, 舒尚書命是也. 至於食神忌印, 夏火太炎而木焦, 透印不礙. 如丙午, 癸巳, 甲子, 丙寅, 錢參政命是也. 食神忌官, 金水不忌, 即金水傷官可見官之謂.

만약에 금과 수가 만나서 식신을 만들고 있을 때, 칠살을 용신으로 쓰게 되면(若金水食神而用煞), 이때는 칠살인 금의 에너지를 식신인 수가 설기해서 에너지의 균형을 잡아주기 때문에, 이때 격은 자동으로 귀격이 되면서, 동시에 에너지도 균형을 잡으면서 수려해지게 된다(貴而且秀). 이를 사주로 보자. 연주가 정해이고(如丁亥), 월주가 임자이고(壬子), 일주가 신사이고(辛巳), 시주가 정유인, 이 사주는(丁酉), 서상서의 사주이다(舒尚書命是也). 일간인 신금을 기준으로 보게 되면, 연간의 정화와는 칠살(煞)을 만들고 있고, 월간의 임수와는 상관을 만들고 있고, 시간의 정화와는 칠살(煞)을 만들고 있다. 그러면, 일간인 신금은 정화가 만든 칠살을 용신으로 사용하고, 이어서 이 칠살을 임수가 만든 상관으로 상극해주면 된다. 문제는 시주에 버티고 있는 칠살이 문제가 되고 만다. 다시 본문을 보자. 식신격이 있을 때는 식신을 상극하는 인수를 자동으로 꺼리게 되는데(至於食神忌印), 만약에 여름에 화를 만나게 되면, 이때 화는 지독한 화염으로 인해서 태과하게 되고, 추가로 일간으로 목이 있다면, 이 목은 완벽하게 불태워질 것이다(夏火太炎而木焦). 즉, 식신인 왕성한 화는 일간인 목의 에너지를 완벽하게 설기할 것이다. 이때는 자동으로 화를 상극으로 제어할 인수가 요구된다. 그래서 이때는 인수를 투출하고 있어도, 인수가 식신에 장애(礙)로 작용하지 않게(不) 된다(透印不礙). 이를 사주로 보자. 연주가 병오이고(如丙午), 월주가 계사이고(癸巳), 일주가 갑자이고(甲子), 시주가 병인인, 이 사주는(丙寅), 전참정의 사주이다(錢參政命是也). 일간인 갑목을 기준으로 보게 되면, 연간의 병화와는 식신을 만들고, 월간의 계수와는 정인을 만들고, 시간의 병화와는 식신을 만든다. 그러면, 이때 일간인 갑목을 기준으로 보게 되면, 병화라는 식신이 2개여서 일간인 갑목이 에너지를 너무나 많이 뺏기고 있다. 그래서 이때는 월간의 계수가 만든 정인을 이용해서 연간의 병화가 만든 식신을 상극으로 제어해주면 된다. 시간의 식신은 정인이 이용할 수 없다는 사실을 상기해보자. 다시 본문을 보자. 식신은 상극으로 만나는 관성을 꺼리지만(食神忌官), 금과 수는 서로 만나서 식신을 만들므로, 서로 꺼리지 않는다(金水不忌). 이때 금수가 서로 상관을 만들고 있다면, 이때는 관성을 보아도 된다(即金水傷官可見官之謂). 이때는 상관이 수가 된다. 그리고 상관은 관성을 상극으로 만나므로, 꺼리게 된다. 그러면, 수의 상극 오행은 화나 토가 된다. 이제. 금수와 이 둘을 조합하면 된다. 그러면, 토, 금, 수라는 상생의 조합이 만들어지면서 에너지의 균형을 만들므로, 이때는 당연히 꺼리지 않게 된다. 또한, 수, 화, 금이라는 상극의 조합이 만들어지면서 에너지의 균형을 만들므로, 이때도 역시 당연히 꺼리지 않게 된다. 이는 에너지의 균형이라는 사실을 모르면, 풀 수 없는 문제이다.

至若單用食神, 作食神有氣, 有財運則富, 無財運則貧. 更有印來奪食, 透財以解, 亦有富貴, 須就其全局之勢而斷之. 至於食神而官煞競出, 亦可成局, 但不甚貴耳.

만약에 식신을 홀로 이용할 경우에는(至若單用食神), 식신을 작동시킬 에너지를 보유해야만 한다(作食神有氣). 이때 재운을 보유하게 되면, 이때는 재성을 용신으로 쓰고, 이 재성으로 식신이 에너지를 보내주게 하면, 이때는 자동으로 복이 있게 된다(有財運則富). 사실 식신의 최대 장점이 이 부분이다. 그래서 식신이 있는 상태에서 재성을 보유하지 못하게 되면, 자동으로 복은 없게 된다(無財運則貧). 이때 다시 인수가 나타나서 식신의 에너지를 상극으로 탈취해가게 되면(更有印來奪食), 이때는 자동으로 인수를 상극하는 재성을 투출시켜서 해결하면 된다(透財以解). 그러면 역시 부귀는 다시 복구된다(亦有富貴). 모름지기, 이런 상황이 오게 되면, 해당(其) 사주 전체의 기세를 보고 판단해서 처리하면 된다(須就其全局之勢而斷之). 그리고 식신이 있는 상태에서 관살이 경쟁적으로 나타나게 되면(至於食神而

官煞競出), 식신과 관살은 상극으로 엮이므로, 이때도 역시 국을 만들 수는 있겠지만(亦可成局), 이때는 단지 아주 많은 부가 있을 수는 없을 뿐이다(但不甚貴耳).

更有食神合煞存財, 最為貴格. 至若食神透煞. 本忌見財, 而財先煞後, 食以間之, 而財不能黨煞, 亦可就貴. 如劉提台命, 癸酉, 辛酉, 己卯, 乙亥是也. 其餘變化, 不能盡述, 類而推之可也.

만약에 식신을 보유한 상태에서, 식신을 상극하던 칠살이 합을 만들면서 사라지게 되고, 이어서 식신이 도와주는 재성이 존재하는 상태라면(更有食神合煞存財), 이는 식신이 자기가 수행하는 최고의 임무를 수행한 결과이므로, 이때는 자동으로 최고의 귀격을 만들게 된다(最為貴格). 만약에 식신이 자기를 상극하는 칠살을 투출받고 있다면(至若食神透煞), 이때는 원래 재성의 출현을 반기지 않는다(本忌見財). 이때는 투(透)라는 글자에 해답이 있다. 여기서 투출(透)은 월지의 지장간으로 오행을 투출(透)받고 있으므로 인해서, 칠살을 반드시 제1 용신으로 이용해야만 한다. 그러면, 이때 일간은 칠살을 용신으로 이용하고 있게 되고, 이 칠살을 식신이 상극으로 견제해주게 되면, 에너지는 균형을 잡게 된다. 그런데 이때 재성이 나타나서 식신의 에너지를 설기해버리거나, 칠살과 상생으로 만나게 되면, 자동으로 문제는 복잡해지게 된다. 즉, 순식간에 에너지 균형이 깨지면서, 격이 망하고 만다. 그러나 재성이 먼저 나올 수 있고, 칠살이 뒤에 나올 수 있게 되면(而財先煞後), 이때는 식신이 가운데(間)서 중재자가 될 수 있게 된다(食以間之). 즉, 이때는 식신, 재성, 칠살이라는 상생의 조합이 만들어진다. 그러면, 이때는 자동으로 재성이 칠살과 상극으로 만나지(黨) 못하게 된다(而財不能黨煞). 그러면 이때도 역시 자동으로 귀를 취할 수 있게 된다(亦可就貴). 이를 유제태의 사주로 살펴보자(如劉提台命). 연주가 계유이고(癸酉), 월주가 신유이고(辛酉), 일주가 기묘이고(己卯), 시주가 을해인 사주이다(乙亥是也). 일간인 기토를 기준으로 보게 되면, 연간의 계수와는 편재를 만들고, 월간의 신금과는 식신을 만들고, 시간의 을목과는 칠살을 만든다. 추가로 지지에서 해묘가 삼합으로서 목국(木)을 만든다. 또한 월지의 유금에서 신금을 투출하고 있다. 그러면, 이때는 자동으로 신금을 제1 용신으로 써야만 한다. 즉, 이때는 의무적으로 신금의 식신을 제1 용신으로 써야만 한다. 그러면, 이때는 자동으로 계수와 만든 편재를 이용하게 되는데, 그러면, 편재의 계수가 식신의 신금 에너지를 설기해버리고 만다. 지금은 월지인 유금이 신금을 지장간으로 투출하면서, 문제가 꼬여버린 것이다. 문제는 또 있다. 즉, 지지에서 삼합으로 만들어진 목국(木)이 일간의 기토와 만나서 관살을 만들고 만다. 그러면, 이 관살은 식신과 상극으로 부딪히게 된다. 그러면, 일간이 제1 용신으로 쓰고 있는 식신은 엉망진창이 되고 만다. 그런데, 다행히도, 신금의 식신, 계수의 편재, 목국의 관살이 서로 상생하는 조합을 만들게 된다. 그러면, 여기까지는 아주 좋다. 이는 좋은 정도가 아니라 아주 환상적이다. 그런데 문제는 또 있다. 즉, 시간의 을목과 만든 칠살이 아직도 눈을 시퍼렇게 뜨고 버티고 있다. 이는 외따로 떨어져 있어서 상극하기도 어렵다. 그래서 저자도 다음과 같이 말하고 있다. 이 사주의 나머지 변화는(其餘變化), 모두 기술하기가 불가하므로(不能盡述), 유추하게 되면, 추론이 가능할 것이다(類而推之可也). 망했다.

제38장 식신의 취운을 논하다(論食神取運)

제38장 식신의 취운을 논하다(論食神取運)

食神取運, 即以食神所成之局, 分而配之. 食神生財, 財食輕, 則行財食, 財食重則喜幫身. 官煞之方. 俱為不美.

식신을 이용해서 취운을 할 때는(食神取運), 식신을 이용해서 어떻게 국을 완성할지를 살펴보고(即以食神所成之局), 이를 구분해서 배합하면 된다(分而配之). 그리고 식신이 재성을 생할 때(食神生財), 이 둘의 에너지가 약하게 되면(財食輕), 이때는 재성과 식신이 자기들의 임무를 수행하게 그대로 두면 된다(則行財食). 그러나 이 둘의 에너지가 과중(重)하게 되면, 이때는 자동으로 문제가 되므로, 그러면, 이때는 일간의 에너지를 도와서 왕성하게 해주면 된다(財食重則喜幫身). 그러면, 에너지가 동등해지면서, 일간, 식신, 재성의 에너지가 상생의 조합을 만들게 되고, 이어서 서로 상생할 수 있게 된다. 이때 관살을 처방하게 되면(官煞之方), 관살은 일간, 식신, 재성의 에너지를 모두 상극할 수 있게 되면서, 관살은 모두 불미스러운 일을 만들고 만다(俱為不美). 이는 모두 에너지의 균형을 말하고 있다.

食用煞印, 運喜印旺, 切忌財鄉. 身旺, 食傷亦為福運, 行官行煞, 亦為吉也.

식신이 자기와 상극하는 관살과 인수를 이용하고 있을 때(食用煞印), 운은 인수가 왕성할 때를 좋아하게 된다(運喜印旺). 그 이유는 식신이 용신으로 쓰일 때, 관살은 자동으로 식신을 상극으로 제어하기 때문이다. 그러면, 이때는 누군가가 나서서 관살의 에너지를 빼앗아(洩)주기를 바란다. 그래서 이때 강(旺)한 인수가 있게 되면, 강한 인수는 칠살의 에너지를 강하게 빳어(洩)오게 되면서, 칠살은 식신을 상극하지 못하게 된다. 이를 에너지로 말하자면, 인수, 식신, 칠살이 되면서 상극의 조합을 만들게 되고, 그러면, 인수로 인해서 식신과 칠살이 상극으로 만나지 못하게 된다. 그러나 이때 재성이 강(鄉)하게 되는 일은 죽도록 싫어하게 된다(切

忌財鄕). 그러면, 재성은 식신의 에너지를 강하게 빼어(洩)오기 때문이다. 지금 식신은 제1 용신이라는 사실을 상기해보자. 이번에는 신왕이라면(身旺) 즉, 일간이 에너지가 과도한 양인이나 비겁이 되어서 일간의 에너지가 왕성하게 되면, 이때는 자동으로 일간의 에너지를 설기(洩)시켜 주거나 상극(克)으로 제어해줘야만 한다. 그러면 자동으로 일간의 에너지를 설기(洩)하는 식상은 역시 복을 만드는 운이 된다(食傷亦為福運). 추가로 강한 일간을 상극으로 제어하는 관살도(行官行煞), 역시 자동으로 길하게 만든다(亦為吉也). 이는 그냥 상식이다.

食傷帶煞, 喜行印綬, 身旺, 食傷亦為美運, 財則最忌. 若食太重而煞輕, 印運最利, 逢財反吉矣.

이번에는 식상이 자기를 상극하는 칠살을 투출(帶)하고 있을 때(食傷帶煞), 칠살의 에너지를 빼어(洩)갈 수 있는 인수를 만나게 되면, 식상은 칠살의 상극 부담에서 벗어날 수 있으므로, 이를 자동으로 좋아하게 된다(喜行印綬). 이번에는 일간의 에너지가 왕성할 때는(身旺), 식상이 왕성한 일간의 에너지를 빼어(洩)올 수 있으므로, 이때 식상은 설사 일간의 에너지를 빼어올지라도 역시 아름다운 운을 만들게 된다(食傷亦為美運). 그러면, 일간의 에너지는 균형을 잡게 된다. 사주의 핵심은 에너지 균형이라는 사실을 상기해보자. 이때 재성이 나타나게 되면, 재성은 일간의 에너지를 조절하는 식상의 에너지를 빼어(洩)오면서, 식상이 일간의 에너지를 빼어(洩)오지 못하게 만들어버리므로, 이때 일간은 당연히 재성을 최고로 싫어하게 된다(財則最忌). 이때 만약에 식신의 에너지가 엄청나게 강하고, 칠살의 에너지가 아주 약하게 되면(若食太重而煞輕), 칠살은 식신을 상극하기는 하지만, 칠살의 에너지가 너무 약해서 엄청나게 강한 식신을 견제하기에는 역부족이 되고 만다. 그러면, 자동으로 식신을 상극으로 제어할 오행을 바라게 된다. 그래서 이때 식신을 상극할 수 있는 인수는 최고의 이로운 오행이 된다(印運最利). 그러면, 엄청나게 강한 식신을 칠살과 인수가 공동으로 공격하게 된다. 그러면, 자동으로 에너지의 균형이 잡히게 된다. 그리고 이때 재성을 만나도 반대로 길하게 된다(逢財反吉矣). 즉, 재성은 아주 강한 식신의 에너지를 설기(洩)할 수 있기 때문이다.

食神太旺而帶印, 運最利財, 食傷亦吉, 印則最忌, 官煞皆不吉也. 若食神帶印, 透財以解, 運喜財旺, 食傷亦吉, 印與官煞皆忌也.

이번에는 식신이 엄청나게 강한 에너지를 보유하고 있으면서 인수를 투출(帶)받고 있다면(食神太旺而帶印), 이때 인수가 비록 식신을 상극해서 식신의 에너지 일부를 억제할 수는 있지만, 너무 강한 식신을 완전하게 제압하기에는 역부족이므로, 이때는 자동으로 너무 강한 식신의 에너지를 설기(洩)할 수 있는 재성을 만나게 되면, 최고의 이익을 취할 수 있게 된다(運最利財). 이때는 자동으로 너무 강한 식신을 인수와 재성이 공동으로 공격하게 되면서, 에너지의 균형이 잡히게 된다. 그러면, 이때는 식상의 에너지가 정상으로 돌아오게 되면서, 자동으로 식상도 역시 길한 에너지로 변하게 된다(食傷亦吉). 그리고 이렇게 에너지가 균형을 잡고 있는 상태에서 인수가 나타나게 되면, 이는 이제 겨우 정상으로 돌아온 식상을 인수가 상극으로 공격하게 되므로, 이때 인수는 최고로 꺼리는 오행이 된다(印則最忌). 추가로 관살도 식상과 상극으로 만나게 되므로, 모두 불길한 오행이 된다(官煞皆不吉也). 이때 만약에 식신이 자기를 상극하는 인수를 투출(帶)받고 있다면(若食神帶印), 이때는 자동으로 인수를 상극으로 제어할 수 있는 재성을 최고로 좋아하게 된다. 그래서 이때는 재성이 해결책이 된다(透財以解). 그래서 이때는 재성이 왕성해서(運喜財旺), 인수를 완벽하게 상극할 수 있게 되면, 식상 역시 길한 오행이 된다(食傷亦吉). 그래서 이때 식신은 자기를 상극하는 인수와 관성 모두를 꺼리게 된다(印與官煞皆忌也).

제39장 편관을 논하다(論偏官)

제39장 편관을 논하다(論偏官)

煞以攻身, 似非美物, 而大貴之格, 多存七煞. 蓋控制得宜, 煞為我用, 如大英雄大豪傑, 似難駕馭, 而處之有方, 則驚天動地之功, 忽焉而就. 此王侯將相所以多存七煞也.

편관인 칠살은 사주의 주인공인 일간을 공격하므로(煞以攻身), 아름다운 물건이 아닌 것처럼 보이지만(似非美物), 아이러니하게도, 대귀의 격을 보게 되면(而大貴之格), 의외로 칠살을 많이 보유하고 있다(多存七煞). 일반적으로 칠살도 적절한 제어만 얻을 수 있게 되면(蓋控制得宜), 나한테 쓸모가 있는 존재가 된다(煞為我用). 예를 들면, 큰 영웅호걸도(如大英雄大豪傑), 겉으로 보기에는 다스리기가 어려워 보여도(似難駕馭), 이들을 대처할 방법만 보유하고 있게 되면(而處之有方), 이들을 이용해서, 이들이 경천동지할 공을 세우게 만들 수 있는 것처럼 말이다(則驚天動地之功, 忽焉而就). 그래서 이런 왕후장상의 사주를 보게 되면, 칠살을 많이 보유하고 있다(此王侯將相所以多存七煞也). 이는 너무나 당연한 일이다. 칠살은 나를 죽이는 존재인데, 이를 이겨냈으니, 뭔들 이겨내지 못할까!

七煞之格局亦不一. 煞用食制者, 上也. 煞旺食強而身健, 極為貴格. 如乙亥, 乙酉, 乙卯, 丁丑, 極等之貴也.

그리고 다른 격국처럼 칠살의 격국도 하나가 아니라 다양하게 나타나게 된다(七煞之格局亦不一). 칠살이 식신을 이용하면서 식신을 상극으로 제어할 수 있게 되면(煞用食制者), 이는 최고의 상태가 된다(上也). 그리고 칠살의 에너지도 강하고, 식신의 에너지도 강한데, 일간의 에너지까지 강한 건록격과 비슷한 에너지를 보유하고 있다면(煞旺食強而身健), 이때는 식신, 칠살, 일간이라는 상극의 조합이 만들어지면서, 에너지 균형이 잡히게 되고, 이어서 귀격을 만들게 된다. 그런데, 이 셋의 에너지 균형이 아주 강한 상태이다. 이는 자동으로 극강의 귀격을 말하게 된다(極為貴格). 사주로 예를 들어보자. 연주가 을해이고(如乙亥), 월주가 을유이고(乙酉), 일주가 을묘이고(乙卯), 시주가 정축일 때(丁丑), 이 사주는 최상급의 귀격이 된다(極等之貴也). 일간인 을목을 기준으로 보게 되면, 을목과 을목이 만나서 만드는 비견이 2개이고, 을목과 정화가 식신을 만들고, 지지에서 해묘가 삼합으로서 목국(木)을 만들면서, 일간의 을목과 비겁을 만들고, 유축이 삼합으로서 금국(金)을 만들면서, 일간의 을목과 관성을 만든다. 이를 정리해보게 되면, 일간은 2개의 비견과 1개의 비겁을 보유하면서 엄청나게 강하다. 그리고 을목과 정화가 만든 식신도 음과 음이 만나면서 음의 기운이 아주 강하고, 일간의 을목과 강한 금국이 만나면서 만든 관성도 엄청나게 강하다. 즉, 지금은 식신인 정화, 관살을 만드는 금국, 일간인 을목이 상극으로 만나면서 에너지 균형을 이루면서, 동시에 모두 에너지가 강하다. 이를 에너지로 다시 표현하자면, 엄청나게 강한 일간을 강한 식신과 강한 관성이 함께 공격해서 에너지 균형을 만들어내고 있다. 이는 자동으로 최상급의 귀격을 만들게 된다(極等之貴也).

煞用食制, 不要露財透印, 以財能轉食生煞, 而印能去食護煞也. 然而財先食後, 財生煞而食以制之, 或印先食後, 食太旺而印制, 則格成大貴. 如脫丞相命, 壬辰, 甲辰, 丙戌, 戊戌, 辰中暗煞, 壬以透之, 戊坐四支, 食太重而透甲印, 以損太過, 豈非貴格? 若煞強食洩而印露, 則破局矣.

칠살이 자기가 상극하는 식신을 이용하면서, 식신을 상극으로 제어할 수 있을 때는(煞用食制), 이미 에너지 균형은 얻어진 상태가 된다. 그러면, 이때는 당연히 재성을 노출하거나 인성을 투출받거나 할 필요가 없게 된다(不要露財透印). 만일에 이때 재성을 이용하게 되면, 재성은 자동으로 식신에서 에너지를 설기해서 얻게 되고, 이 에너지로 칠살을 생해서 칠살의 에너지를 아주 강하게 만들어준다(以財能轉食生煞). 이는 자동으로 사주의 주인공인 일간에게는 재앙이 되고 만다. 추가로 인성이 나타나게 되면, 인성은 칠살을 상극으로 제어하는 식신을 상극으로 제거하게 되고, 그러면 자동으로 일간을 공격하는 칠살은 보호되면서(而印能去食護煞也), 이는 자동으로 사주의 주인공인 일간에게는 재앙이 되고 만다. 그러나 이때 재성이 먼저 나오고, 식신이 나중에 나오게 되면(然而財先食後), 이때는 자동으로 재성이 칠살을 생하게 되고, 그러면, 칠살은 식신을 통해서 상극으로 억제된다(財生煞而食以制之). 그러면 에너지의 균형이 잡히게 된다. 또는 인수가 먼저 나오고, 식신이 뒤에 나오게 되면(或印先食後), 이때는 자동으로 인수가 칠살의 에너지를 설기하게 된다. 그러면, 인수의 에너지는 아주 강해지게 되는데, 이런 인수를 식신이 상극으로 만나게 되면, 자동으로 인수가 식신을 상극하면서 엄청난 에너지를 식신으로 보내게 되고, 이어서 이때 식신은 칠살과 인수의 에너지를 몽땅 받게 되면서, 자동으로 식신의 에너지는 태왕(太旺)할 수밖에 없게 된다. 그러면서 인수는 식신을 통해서 상극으로 제어된다(食太旺而印制). 그러면, 이때도 역시 에너지의 균형은 잡히게 된다. 그러면, 이때도 역시 엄청나게 큰 귀격을 얻게 된다(則格成大貴). 이를 탈승상의 사주로 풀어보자(如脫丞相命). 연주는 임진이고(壬辰), 월주는 갑진이고(甲辰), 일주는 병술이고(丙戌), 시주는 무술인데(戊戌), 지지의 진토에서는 지장간으로서 칠살(煞)을 보유하고 있지는 않을(暗)지라도(辰中暗煞), 천간에서는 임수를 이용(以)해서 칠살을 투출하고 있다(壬以透之). 그리고 식신인 무토는 현재 4개의 지지인 진술(辰戌)의 지장간으로서 자리하고 있으므로, 결국에 식신인 무토는 진술이라는 4개의 지지를 깔고 앉아(坐)있는 형국이고(戊坐四支), 그래서 무토가 대표하는 식신은 4개 지지의 에너지를 대표하고 있으므로, 자동으로 식신의 에너지는 태중(太重) 상태가 되고, 월간의 갑목은 편인으로 존재하고 있고(食太重而透甲印), 이런 편인의 갑목은 태중(太重)으로서 태과(太過)한 식신의 무토가 보유한 에너지를 상극으로 손실(損)시키고 있다(以損太過). 그러면, 이 상황을 정리해보자. 이미 월지는 지장간인 무토를 투출하고 있으므로, 지지에서 제거되므로, 이제 제1 용신은 무토의 식신이 된다. 그러면, 일단, 일간의 병화는 무토의 식신을 무조건 제1 용신으로 삼아야만 한다. 이는 또 다른 의미를 보유하고 있다. 즉, 이 무토가 천간의 고유한 무토였다면, 일간이 장벽으로 작용한다는 점이다. 그러나 이는 천간의 에너지가 아닌 지지의 에너지이므로, 지금은 일간이 장벽으로 작용하지 못한다. 그러면, 이 식신을 이용해서 다른 천간의 사주와 상극과 상생을 만들 수 있게 된다. 그러면, 제1 용신인 무토의 식신은 자동으로 임수의 칠살과 상극으로 만나게 되고, 이런 임수의 칠살은 갑목의 인수가 설기(洩)하게 된다. 그러면, 이때는 자동으로 갑목, 무토, 임수라는 상극의 조합이 나오게 되면서, 에너지는 균형을 잡게 된다. 그러면, 이때 귀격은 자동으로 만들어진다. 그런데, 어찌 이 격을 귀격이 아니라고 하겠는가(豈非貴格)? 이때 만약에 임수의 칠살이 강한 상태에서 무토의 식신을 상극해서 설기를 하게 되면 즉, 강한 임수가 무토의 에너지를 설기해서 받게 되면, 임수는 엄청난 에너지를 보유하게 되고, 이때 갑목의 인수가 노출되게 되면(若煞強食洩而印露), 자동으로 엄청난 에너지를 보유한 임수의 칠살은 갑목의 인수가 설기하게 된다. 그러나 이때 갑목이 설기한 임수의 에너지는 아주 작은 일부일 뿐이다. 그러면, 이때는 자동으로 에너지 균형이 깨지고 만다. 즉, 파국이 된 것이다(則破局矣). 이 부분은 에너지로 풀어야만 풀리는 곳이다. 아니면 절대로 안 풀리게 되는데, 이는 지금도 현재 진행형이다. 그리고 이 구절의 해석에 있어서, 암(暗)이라는 글자의 해석과 이 문장(戊坐四支)의 해석이 엄청나게 중요하다. 특히 이 문장(戊坐四支)의 해석은 일간이 만드는 장벽과 연관되면서 엄청나게 중요하게 된다. 그리고 무토가 만든 식신을 무조건 제1 용신으로 써야만 한다는 사실도 엄청나게 중요하다. 그래서 이 구문은 해석이 상당히 어렵다. 덕분에 이 구절의 해석은 엉망진창이다.

有七煞用印者, 印能護煞, 本非所宜, 而印有情, 便為貴格. 如何參政命, 丙寅, 戊戌, 壬戌, 辛丑, 戊與辛同通月令, 是煞印有情也.

이번에는 칠살을 보유한 상태에서 인수를 이용하게 되면(有七煞用印者), 칠살과 인수는 서로 상극(克)하면서, 아이러니하게도, 인수는 칠살을 보호하게 된다(印能護煞). 이때는 칠살과 인수의 관계를 상생(生)으로 봐도 된다. 그러면, 인수는 칠살의 에너지를 설기하게 된다. 그러면, 에너지는 균형을 잡게 된다. 그러면, 이는 칠살을 보호하게 되므로, 본래 마땅한 것이 아니지만(本非所宜), 이때 인수가 칠살을 보호해서 일간이 의미(情)를 보유하게 되면(而印有情) 즉, 이 상황이 일간에 이익이 된다면, 이는 곧바로 귀격을 만들게 된다(便為貴格). 이를 하참정의 사주를 통해서 살펴보자(如何参政命). 연주가 병인이고(丙寅), 월주가 무술이고(戊戌), 일주가 임술이고(壬戌), 시주가 신축일 때(辛丑), 술토인 월지의 지장간에서 무토와 신금이 동시에 나오게 된다(戊與辛同通月令). 이때는 칠살과 인수가 의미를 보유하게 해준다(是煞印有情也). 일단 이때는 맨 먼저 월지가 지장간을 통해서 사라지면서, 천간으로 용신을 투출했으므로, 이 두 개의 천간 오행의 관계를 반드시 따져봐야만 한다. 그러면, 일간인 임수와 무토는 칠살을 만들고, 신금과는 정인을 만든다. 그러면, 이때 무토의 칠살을 용신으로 쓰고, 이 무토의 칠살을 신금의 정인을 통해서 상극(克)으로 제어해주게 되면, 에너지의 균형이 잡히면서, 일간의 에너지는 안정된다. 즉, 이때 일간은 의미(情)를 보유하게 된다. 이는 자동으로 귀격을 만든다. 이를 상생(生)으로 보게 되면, 무토에서 신금이 에너지를 설기해서 에너지 균형을 잡아주게 된다. 이때도 역시 귀격이 된다. 어느 쪽으로 해석해도 문제는 없게 되고, 일간은 모두 이익(情)을 얻게 된다.

亦有煞重身輕, 用食則身不能當, 不若轉而就印, 雖不通根月令, 亦為無情而有情. 格亦許貴, 但不大耳.

이번에도 역시 강한 에너지를 보유한 칠살을 보유한 상태에서 일간의 에너지가 약할 때는(亦有煞重身輕), 약한 일간은 자동으로 강한 칠살을 감당(當)할 수가 없게 된다. 그런데, 이때 설상가상으로 식신을 용신으로 이용하게 되면, 이 식신은 자동으로 이미 약해빠진 일간의 에너지를 설기(洩)하게 되고, 그러면, 일간(身)은 죽을 맛이 되면서 자동으로 이를 감당(當)할 수 없게 된다(用食則身不能當). 이는 그냥 상식이다. 이때 만약에 강한 칠살의 에너지를 설기해서 전달(轉)할 수 있는 인수를 취득(就)하지 못(不)하게 되고(不若轉而就印), 게다가 월지가 통근해서 이 상황을 돕지도 못한다면(雖不通根月令), 이때 일간의 상태는 최악으로 치닫게 되면서, 역시 일간은 의미(情)를 보유하지 못(無)하게 되지만, 이때 설사 의미(情)를 보유한다고 해도(亦為無情而有情), 이미 일간의 상태는 최악이므로, 이때는 역시 귀를 허락은 하겠지만(格亦許貴), 이 귀가 너무 작게 될 뿐이다(但不大耳).

有煞而用財者, 財以當煞, 本非所喜, 而或食被制, 不能伏煞, 而財以去印存食, 便為貴格. 如周丞相命, 戊戌, 甲子, 丁未, 庚戌, 戊被制不能伏煞, 時透庚財, 即以清食者, 生不足之煞. 生煞即以制煞, 兩得其用, 尤為大貴.

이번에도 칠살을 보유한 상태에서 재성을 이용하고 있을 때(有煞而用財者), 재성이 칠살과 상극(克)하면서, 칠살이 에너지를 재성으로 설기(洩)하게 되면, 이때 칠살은 힘이 빠지게 되면서, 이때는 재성을 이용해서 칠살을 감당(當)하게 된다(財以當煞). 이는 본래 일간이 좋아하는 경우는 아니게 된다(本非所喜). 즉, 이 경우는 칠살과 재성이 상생(生)으로도 만날 수 있기 때문이다. 이때 칠살과 재성이 상생으로 만나게 되면, 재성은 칠살로 에너지를 보내서 칠살의 힘을 더욱도 키워주고 만다. 그러면, 이는 자동으로 일간에게는 재앙이 되고 만다. 다시 본문을 보자. 이때 상황이 바뀌어서 인수가 나타났는데, 식신이 나타나서 인수를 상극으로 피습해서 제어하게 되면(而或食被制), 이때는 칠살을 굴복시킬 수가 없게 된다(不能伏煞). 이때는 칠살과 인수가 공존하는 상황을 말한다. 그래서 이때는 인수가 칠살의 에너지를 설기(洩)해서 일간을 도와주는 경우를 말하게 된다. 즉, 이때는 칠살이 인수로 인해서 굴복(伏)하게 된다. 이때 식신이 나타나서 이런 인수를 상극으로 제어하게 되면, 자동으로 칠살은 굴복(伏)하지 않게 된다. 즉, 이때는 칠살을 굴복(伏)시킬 수 없게 된다. 그러나 이때 재성이 나타나서 인수를 상극으로 제어해서 제거하게 되면, 식신만 남게 되고(而財以去印存食), 그러면, 이 식신은 칠살을 상극으로 제어하게 되고, 그러면, 곧바로 에너지는 균형이 잡히게 되면서, 곧바로 귀격을 만들게 된다(便為貴格). 여기서 보면, 칠살, 인수, 재성, 식신이라는 4

개의 격이 나오게 된다. 이는 분명히 천간에서는 일어날 수가 없는 상황이다. 그러나 지지에서 합(合)이 만들어져서 국(局)을 만들게 되면, 이 국은 일간과 격을 만들게 되므로, 지금과 같은 상황을 만들 수 있게 된다. 이때 일간과 월지가 만든 격으로 이용해도 된다. 그러면, 이때도 4개의 격이 나올 수 있게 된다. 다시 본문을 보자. 주승상의 사주를 보자(如周丞相命). 연주는 무술이고(戊戌), 월주는 갑자이고(甲子), 일주는 정미이고(丁未), 시주는 경술일 때(庚戌), 일간인 정화는 연간의 무토와는 상관을 만들고, 월간의 갑목과는 정인을 만들고, 시간의 경금과는 정재를 만든다. 추가로 일간의 정화는 월지의 자수와 칠살을 만든다. 그런데, 이때 무토의 상관이 갑목의 정인을 상극으로 피습해서 제어하게 되면, 이때 상관인 무토는 제거되면서, 자수의 칠살을 상극해서 굴복시킬 수가 없게 된다(戊被制不能伏煞). 그러나, 이때 시주에서 투출하고 있는 경금이 정재를 만들고 있으므로(時透庚財), 이 경금의 정재가 무토의 상관을 상극으로 제거해서 깨끗이 청소(淸)하게 되면(即以清食者), 이때 정재의 경금이 사라지면서, 칠살의 자수를 생해줄 수 있는 에너지가 부족하게 되고(生不足之煞), 그러면, 이는 자수의 칠살을 생해주는 경금의 정재를 이용(以)해서 칠살인 자수를 통제하는 셈이 된다(生煞即以制煞). 그러면, 이때는 경금(其)의 정재를 이용(用)해서 무토의 상관과 칠살의 자수를 동시에 통제하는 셈이 되면서, 일거양득을 말하고 있다(兩得其用). 이는 자동으로 더욱더 큰 귀를 만들게 된다(尤為大貴). 해석이 상당히 어렵다.

又有身重煞輕, 煞又化印, 用神不清, 而借財以清格, 亦為貴格. 如甲申, 乙亥, 丙戌, 庚寅. 劉運使命是也. 更有雜氣七煞, 幹頭不透財以清用, 亦可取貴.

또한 일간은 강한데, 일간을 상극하는 칠살이 약하게 될 때(又有身重煞輕), 추가로 칠살이 인수와 상생해서 화합(化)하게 되면(煞又化印), 이때도 여전히 강한 일간을 제대로 통제하지 못하고 있으므로, 이때 용신들은 격을 깨끗하게 하지 못하게 된다(用神不清). 그러면, 이때는 재성을 차용해서 강한 일간을 추가로 상극하게 해주면, 이어서 에너지의 균형이 잡히면서, 동시에 격은 깨끗해진다(而借財以清格). 그러면 역시 에너지의 균형이 잡혔으므로, 이때는 자동으로 귀격이 만들어진다(亦為貴格). 사주를 에로 보자. 연주가 갑신이고(如甲申), 월주가 을해이고(乙亥), 일주가 병술이고(丙戌), 시주가 경인인, 이 사주는(庚寅), 유운사의 사주이다(劉運使命是也). 이때 일간인 병화를 기준으로 보게 되면, 연간의 갑목과는 편인을 만들고, 월간의 을목과는 정인을 만들고, 시간의 경금과는 편재를 만든다. 추가로 월지의 해수와는 칠살을 만든다. 그러나 칠살을 만든 해수는 지지라서 천간 에너지의 1/3밖에는 안 되므로, 칠살은 에너지가 너무 약하다. 이때 월지의 해수는 지장간으로 갑목을 투출하면서 제거되는 것처럼 보이지만, 인목도 지장간을 통해서 갑목을 투출하면서, 월지의 해수는 생존하게 된다. 그리고 인목은 병화를 투출하면서 일간인 병화는 뿌리를 보유하게 되면서 강해진다. 그러면, 이때 자수의 칠살은 편인의 갑목과 상생하게 된다. 그러면, 이는 강한 일간을 제대로 통제하지 못하므로, 이때 용신들은 격을 깨끗하게 하지 못하게 된다. 이때 경금의 편재를 이용해서 일간의 병화를 상극으로 제어하게 되면, 드디어 격은 깨끗해지게 되고, 드디어 귀격을 만들게 된다. 다시 본문을 보자. 그래서 이때 보이는 것처럼, 잡기와 칠살이 공존할 때(更有雜氣七煞), 일간이 강하지 않게 되면, 이때는 천간에 재성이 투출하지 않아야만, 용신은 격을 깨끗하게 만든다(幹頭不透財以清用). 그러면 역시 이때는 귀를 얻는 것도 가능해진다(亦可取貴).

有煞而雜官者, 或去官, 或去煞, 取清則貴. 如岳統制命, 癸卯, 丁巳, 庚寅, 庚辰, 去官留煞也. 夫官為貴氣, 去官何如去煞? 豈知月令偏官? 煞為用而官非用, 各從其重. 若官格雜煞而去官留煞, 不能如是之清矣. 如沈郎中命, 丙子, 甲午, 辛亥, 辛卯, 子衝午而克煞, 是去煞留官也.

칠살을 보유한 상태에서 정관이 끼어들면서 혼잡하게 될 때(有煞而雜官者), 혹은 정관을 제거하거나(或去官), 혹은 칠살을 제거하게 되면서(或去煞), 격이 깨끗해지게 되면, 이때는 자동으로 귀격을 만들게 된다(取清則貴). 이는 그냥 상식이다. 이때는 관살이 아니더라도 격이 깨끗해지게 되면, 귀는 그냥 따라온다. 이를 악통제의 사주로 살펴보자(如岳統制命). 연주는 계묘이고(癸卯), 월주는 정사이고(丁巳), 일주는 경인이고(庚寅), 시주는 경진일 때(庚辰), 일간의 경금을 기준으로 보게 되면, 연간의 계수와는 상관을 만들고, 월간의 정화와는 정관을 만들고, 시주의 경금과는 비견을 만든다. 그리고 이때 월지의 사화는 경금을 지장간으로 투출하고 있다. 그러면, 이때는 자동으로 비견이 용신이 된다. 그러면, 이는 에너지가 너무 강하므로, 상극으로 제어해줘야만 한다. 그러면, 이때는 정화의 정관을 이용해서 경금의 비견을 상극으로 제어하는데, 이때는 정화의 정관이 에너지가 너무 약하다. 그래서 추가로 계수의 상관을 이용해서 일간인 경금의 에너지를 누설(洩)시켜주게 되면, 경금이라는 일간의 강한 에너지는 제어된다. 그러면, 드디어 격은 깨끗해지게 되고, 귀가 따라오게 된다. 이 경우를 보게 되면, 정관은 비견을 상극하면서 제거되었고, 일간의 경금과 월지의 사화가 만든 칠살은 사화가 지장간을 통해서 천간으로 경금을 투출하면서 사화의 기능이 정지(留)되고, 이어서 사화가 만든 칠살의 기능도 정지(留)되게 되었다(去官留煞也). 일반적으로 정관은 귀격의 기운을 만든다(夫官為貴氣). 그러므로 어찌 정관을 제거하는 일과 칠살을 제거하는 일이 똑같아(如) 지겠는가(去官何如去煞)? 그리고 월지의 사화가 만든 편관을 어떻게 드러낼(知) 수가 있겠는가(豈知月令偏官)? 이때 월지의 사화는 지장간으로 경금을 투출하면서 제거된다는 사실을 상기해보자. 그러면, 자동으로 사화가 만든 편관은 드러날(知) 리가 없게 된다. 그래서 칠살이 용신이 되고, 거꾸로 정관이 용신이 아닐 때도 있는데(煞為用而官非用), 이는 각각의 상황에 따라서 그(其) 중요도를 따르게 되기 때문이다(各從其重). 만약에 정관과 칠살이 섞여있을 때, 정관은 제거되고, 칠살은 여전히 남아(留)있게 되면(若官格雜煞而去官留煞), 이때는 자동으로 그(是) 격을 깨끗하게 하지 못하고 만다(不能如是之清矣). 이를 심낭중의 사주로 살펴보자(如沈郎中命). 연주는 병자이고(丙子), 월주는 갑오이고(甲午), 일주는 신해이고(辛亥), 시주는 신묘일 때(辛卯), 일간인 신금을 기준으로 보자면, 월지의 오화와는 칠살을 만들고, 연간의 병화와는 정관을 만들고, 월간의 갑목과는 정재를 만들고, 시간의 신금과는 비견을 만들고 있다. 이때 지지를 보게 되면, 자오가 서로 충돌하면서 제거되고, 이어서 칠살도 자동으로 극을 당해서 제거되었다(子衝午而克煞). 이때는 칠살이 제거되고, 정관이 남은 경우가 된다(是去煞留官也). 그리고 이 문장(去官留煞也)은 2번 나오게 되는데, 각각 유(留)의 해석이 다르게 된다는 사실을 알 필요가 있다. 아니면, 해석이 엉망진창이 되고 만다. 그리고 이는 지금도 현재 진행형이다.

有煞無食制而用印當者, 如戊辰, 甲寅, 戊寅, 戊午, 趙員外命是也. 至書有制煞不可太過之說, 雖亦有理, 然運行財印, 亦能發福, 不可執一也, 乃若棄命從煞, 則於外格詳之.

칠살이 있는데, 이를 상극으로 제어할 수 있는 식신이 없어서 칠살을 제어하지 못하게 될 때, 이때는 당연히 칠살의 에너지를 누설해서 제거하기 위해서 인수를 이용하게 된다(有煞無食制而用印當者). 이를 사주로 보자. 연주가 무진이고(如戊辰), 월주가 갑인이고(甲寅), 일주가 무인이고(戊寅), 시주가 무오인, 이 사주는(戊午), 조원외의 사주이다(趙員外命是也). 일간인 무토를 기준으로 보게 되면, 연주의 무토와는 비견을 만들고, 월주의 갑목과는 칠살을 만들고, 시간의 무토와는 비견을 만들고, 월지의 인목과는 칠살을 만들고, 지지의 오화와는 정인을 만든다. 지금 보면, 천간에서는 비견을 당연히 칠살로 상극해서 제어해주고 있다. 그러면, 천간은 에너지 균형이 맞게 된다. 이제 지지를 보게 되면, 지지의 칠살은 당연히 정인을 이용해서 에너지를 설기(洩)시켜서 문제를 해결하고 있다. 다시 본문을 보자. 책에서 이르기를 무서운 칠살을 상극이나 설기로 제어하는 일은 너무 과할 수가 없다는 이론이 있는데(至書有制煞不可太過之說), 칠살의 공포로 인해서, 이도 역시 일리가 있는 말이기는 하다(雖亦有理). 그러나 칠살이 재격과 인수를 만나게 되면(然運行財印), 이때는 재격, 칠살, 인수라는 상생의 조합이 만들어지면서, 자동으로 에너지 균형이 맞춰지게 되고, 이어서 이때도 역시 능히 복을 만들어낸다(亦能發福). 그래서 사주 명리에서는 오직 하나의 이론에만 잡착하면 안 된다(不

可執一也). 그래서 사주 명리에서 기존의 격을 버리고 오히려 칠살을 따르는 경우도 있게 되는데(乃若棄命從煞), 이는 외격에서 상세히 논의된다(則於外格詳之).

제40장 편관의 취운을 논하다(論偏官取運)

제40장 편관의 취운을 논하다(論偏官取運)

偏官取運, 即以偏官所成之局分而配之. 煞用食制, 煞重食輕則助食, 煞輕食重則助煞, 煞食均而日主根輕則助身. 忌正官之混雜, 畏印綬之奪食.

편관을 이용해서 취운할 때는(偏官取運), 편관을 이용해서 어떻게 국을 완성할 지를 살펴보고, 이를 구분해서 배합하면 된다(即以偏官所成之局分而配之). 그리고 칠살이 식신을 이용하면, 식신은 칠살을 상극으로 제어하게 된다(煞用食制). 그리고 칠살의 에너지가 강하고, 식신의 에너지가 약할 때는 식신이 칠살을 제대로 상극하지 못하므로, 이때는 식신을 도와주면 된다(煞重食輕則助食). 그리고, 칠살의 에너지가 약하고, 식신의 에너지가 강하게 되면, 이때는 거꾸로 칠살을 도와주게 되면(煞輕食重則助煞), 에너지 균형이 잡히게 된다. 그리고 칠살과 식신의 에너지가 서로 균등할 때 일간의 뿌리가 약하게 되면, 일간의 에너지가 약하게 되므로, 이때는 일간을 도와주게 되면(煞食均而日主根輕則助身), 에너지 균형이 맞춰지게 된다. 그리고 일간은 관성이 두 개가 와서 혼란을 만드는 관살 혼잡을 꺼리며, (忌正官之混雜), 관성을 견제해서 억제하는 인수와 식신이 존재할 때, 인수가 상극으로 식신의 에너지를 탈취하는 일을 두려워하게 된다(畏印綬之奪食).

煞用印綬, 不利財鄉, 傷官為美, 印綬身旺, 俱為福地. 七煞用財, 其以財而去印存食者, 不利劫財, 傷食皆吉, 喜財怕印, 透煞亦順.

칠살이 인수를 이용할 때는(煞用印綬), 인수가 칠살의 에너지를 설기해서 일간을 도와주게 되는데, 이때 갑자기 강(鄉)한 재성이 나타나게 되면, 이 재성은 칠살과 인수 모두를 상극으로 대적하게 되면서, 격을 망치고 말므로, 이때 강한 재성은 격을 만들 때 불리하게 작용하고 만다(不利財鄉). 그리고, 상관이 미격을 만들 때는(傷官為美), 인수가 일간의 에너지를 왕성하게 할 때이다(印綬身旺). 인수는 일간으로 에너지를 보낸다는 사실을 상기해보자. 그러면, 누군가는 이 일간의 왕성한 에너지를 설기(洩)해줘야만 한다. 그러면, 이때는 자동으로 상관이 강한 일간의 에너지를 설기해줘서 에너지 균형을 잡아주면서 미격을 만들게 된다. 그러면, 이때는 인수, 일간, 상관이라는 상생의 조합이 만들어지면서 에너지가 균형을 잡게 된다. 그래서 이때는 모두 자동으로 복의 지지 기반이 되면서, 복도 만들게 된다(俱為福地). 그리고 칠살이 재성을 이용하게 되면(七煞用財), 칠살(其)은 재성을 이용(以)해서 자기의 에너지를 설기하는 인수를 상극으로 제어하게 되면서, 이때는 식신이 남게 되고(其以財而去印存食者), 그러면, 식신은 칠살을 상극으로 제어해서 에너지 균형을 잡게 된다. 그러나 이때 일간이 겁재를 만들게 되면, 이때는 자동으로 칠살로 겁재를 상극해서 에너지 균형을 잡아줘야만 한다. 그러면, 이때는 식신이 문제를 만들고 만다. 그래서 이때 겁재의 출현은 일간에게 불리하게 작용한다(不利劫財). 그리고 칠살을 상극으로 제어하고, 재성을 생해주는 식상은 모두 길하게 된다(傷食皆吉). 그리고 재성을 좋아하고, 인성을 두려워하는 상황이 오게 될 때는(喜財怕印) 즉, 이 둘이 상극으로 만나는 경우에 처하게 되면서, 이때 칠살을 투출하게 되면, 에너지의 흐름이 역시 순조로워진다(透煞亦順). 왜? 이때는 재성, 칠살, 인수라는 상생의 에너지 조합이 만들어지면서, 에너지의 흐름이 순조(順)롭게 되기 때문이다. 이 구문은 에너지 흐름을 묻고 있다.

其以財而助煞不及者, 財已足, 則喜食印與幫身. 財未足, 則喜財旺而露煞.

칠살(其)이 약할 때, 재성을 이용해서, 재성이 칠살로 에너지를 보내게 해서, 칠살의 불급을 도왔는데(其以財而助煞不及者), 이때 재성의 도움이 이미 만족하게 되면(財已足), 이때는 자동으로 칠살이 에너지를 많이 보유하게 된다. 그러면, 이때는 자동으로 칠살이 상극하는 일간을 도와줘야만 한다. 그래서 이때 식신과 인수가 함께(與) 일간을 돕게 되면, 일간은 좋아서 죽는다(則喜食印與幫身). 왜? 그러면, 이때는 인수, 식신, 칠살이라는 상극의 조합이 만들어지면서, 에너지가 균형을 잡기 때문이다. 그러나 이때 약한 칠살에 대한 재성의 도움이 미흡하게 되면(財未足), 이때는 자동으로 재성의 에너지가 약했다는 뜻이므로, 이때는 재성의 에너지가 왕성하게 되면, 자동으로 좋아하게 되고, 그러면, 이 재성의 에너지는 칠살의 에너지를 많게(露) 해준다(則喜財旺而露煞). 노(露)에는 많다는 뜻이 있다.

煞帶正官, 不論去官留煞, 去煞留官, 身輕則喜助身, 食輕則喜助食. 莫去取清之物, 無傷制煞之神.

칠살이 정관을 투출(帶)받고 있어서 관살 혼잡이 되면(煞帶正官), 이때는 정관을 제거하고, 칠살을 남기든(不論去官留煞), 칠살을 제거하고 정관을 남기든지 상관하지 않고(去煞留官), 관살과 상극으로 대적하는 일간이 약할 때는 무조건 일간을 돕게 되면, 일간은 좋아하게 된다(身輕則喜助身). 이는 너무나 당연한 일이다. 이때 또한 관성을 상극으로 제어하는 식신의 에너지가 약할 때 식신을 돕게 되면, 일간은 관성의 부담을 덜게 되므로, 좋아하게 된다(食輕則喜助食). 이때는 격을 깨끗하게 해주는 용신은 제거해서는 안 되며(莫去取清之物), 칠살을 상극으로 제어하는 에너지(神)를 상하게 해서도 안 된다(無傷制煞之神).

煞無食制而用刃當煞, 煞輕刃重則喜助煞, 刃輕煞重, 則宜制伏, 無食可奪, 印運何傷? 七煞既純, 雜官不利.

칠살을 상극으로 제어하는 식신이 없다면, 이때는 일간을 양인격으로 만들어서, 이 양인격을 칠살이 상극으로 제어하게 하면 된다(煞無食制而用刃當煞). 즉, 이때는 양인이 칠살을 대적(當)하게 된다. 양인은 에너지가 너무 많아서, 이때는 자동으로 양인을 상극하는 칠살을 부르게 된다. 이때 양인의 견제 장치인 칠살이 약하고, 양인이 강하다면, 이때는 당연히 칠살을 돕는 일을 일간이 좋아하게 된다(煞

輕刃重則喜助煞). 그러면, 일간의 과도한 에너지는 균형을 잡게 된다. 이번에는 반대로 양인의 에너지는 약하고, 칠살의 에너지는 강하게 되면(刃輕煞重), 이때는 마땅히 칠살의 에너지를 상극으로 제압(制)해서 굴복(伏)시켜야만 한다(則宜制伏). 그러면, 에너지는 균형을 잡게 된다. 그러면, 이때는 식신이 없으므로, 식신이 칠살의 에너지를 상극으로 탈취할 일도 없게 되고(無食可奪), 인수 또한 칠살의 에너지를 설기해서 상하게 할 일이 있을까(印運何傷)? 즉, 이때는 칠살의 에너지가 잘 통제되고 있으므로, 칠살은 이미(旣) 순(純)한 양이 되고 있다(七煞既純). 그러나 이때 정관이 끼어들게 되면, 관살 혼잡을 만들면서, 이는 일간에게 불리하게 작용한다(雜官不利).

제41장 상관을 논하다(論傷官)

제41장 상관을 논하다(論傷官)

傷官雖非吉神, 實為秀氣, 故文人學士, 多於傷官格內得之. 而夏木見水, 冬金見火, 則又為秀之尤秀者也. 其中格局比他格多, 變化尤多, 在查其氣候, 量其強弱, 審其喜忌, 觀其純雜, 微之又微, 不可執也.

상관은 상대방의 에너지를 설기하는 에너지이므로, 비록 길한 에너지(神)는 아니지만(傷官雖非吉神), 실제로는 수려한 기운을 만든다(實為秀氣). 그래서 문인과 학사 중에(故文人學士), 많은 사람의 사주에 상관격이 들어있었다(多於傷官格內得之). 뜨거운 여름에 태어난 목이 차가운 수를 본다거나(而夏木見水), 추운 겨울에 태어난 금이 뜨거운 화를 보는 등등이(冬金見火), 또한 빼어난 경우에 더욱더 빼어난 경우이다(則又為秀之尤秀者也). 이때 이런 격국과 다른 많은 격국을 비교(比)해보게 되면(其中格局比他格多), 이 격국은 변화가 더욱더 다양하다(變化尤多). 이때 그(其) 에너지(氣)의 상태(候)를 조사하고(在查其氣候), 그(其) 에너지의 강약을 측정(量)해보게 되고(量其強弱), 그(其) 에너지의 희기를 살펴보게 되고(審其喜忌), 그(其) 에너지의 순잡을 관찰해보게 되면(觀其純雜), 미묘함은 더욱더 미묘하게 되고(微之又微), 이어서 어느 한 가지 이론에 잡착하지 못하게 만든다(不可執也).

故有傷官用財者, 蓋傷不利於官, 所以為凶, 傷官生財, 則以傷官為生官之具, 轉凶為吉, 故最利. 只要身強而有根, 便為貴格, 如壬午, 己酉, 戊午, 庚申, 史春芳命也.

그래서 월지가 만든 상관을 보유한 상태에서 재성을 이용하고 있을 때(故有傷官用財者), 이때는 일반적으로 상관은 정관을 상극하므로 정관에 불리해서(蓋傷不利於官), 이런 이유로 흉을 만든다(所以為凶). 그러나 상관이 재성을 생해주는 경우에는(傷官生財), 상관을 이용(以)해서 정관을 생해주는 도구로(則以傷官為生官之具), 재성을 이용할 수 있으므로, 이때는 흉이 변해서 길을 만들게 된다(轉凶為

吉). 그러면, 이때는 자동으로 상관, 재성, 정관이라는 상생의 조합이 만들어지면서, 에너지는 균형을 잡게 된다. 그래서 이때는 셋이 모여서 최고의 이익을 만들어낸다(故最利). 이때 단지 중요한 일은 일간이 강하고, 추가로 뿌리를 보유한 상태가 되면(只要身強而有根), 이 격은 곧바로 귀격을 만든다(便為貴格). 이를 사주를 통해서 살펴보자. 연주가 임오이고(如壬午), 월주가 기유이고(己酉), 일주가 무오이고(戊午), 시주가 경신인(庚申), 이 사주는 사춘방의 사주이다(史春芳命也). 일간인 무토를 기준으로 보게 되면, 월지인 유금은 지장간을 통해서 경금을 천간으로 투출하면서, 제거되고, 이어서 의무적으로 일간의 무토와 시간의 경금이 만든 식신이 제1 용신이 된다. 그리고 일간인 무토와 연간의 임수는 편재를 만들고, 월간의 기토와는 겁재를 만들고 있다. 그러면, 경금의 식신은 임수의 편재에 에너지를 건네주게 되고, 일간은 월지의 지장간을 통해서 뿌리를 보유하고 있고, 기토와는 겁재를 만들면서 아주 강한 상태이다. 그러면, 이때는 강한 에너지를 보유한 일간인 무토는 자동으로 식신인 경금으로 에너지를 보내게 되고, 이어서 식신인 경금은 편재인 임수로 에너지를 보내면서, 무토, 경금, 임수라는 상생의 조합이 만들어지면서, 에너지가 균형을 잡게 된다. 당연히 귀격을 만든다.

至於化傷為財, 大為秀氣. 如羅狀元命, 甲子, 乙亥, 辛未, 戊子, 幹頭之甲, 通根於亥, 然又會未成局, 化水為木, 化之生財, 尤為有情, 所以傷官生財, 冬金不貴, 以凍水不能生木. 若乃化木, 不待於生, 安得不為殿元乎?

그리고 일간이 상관과 상생으로 화합(化)해서 재성의 에너지를 강하게 만든다면(至於化傷為財), 이때 재성의 기운은 아주 크게 수려한 기운이 된다(大為秀氣). 이때는 일간, 식신, 재성이라는 상생의 조합이 만들어지기 때문이다. 그러면, 마지막에 재성에 힘이 실리는 일은 너무나도 당연하게 된다. 이를 나장원의 사주로 살펴보자(如羅狀元命). 연주가 갑자이고(甲子), 월주가 을해이고(乙亥), 일주가 신미이고(辛未), 시주가 무자일 때(戊子), 연간의 갑목은(幹頭之甲), 해수의 지장간을 대표하는 오행이므로, 해수와 통근하고 있다(通根於亥). 그러나 해수는 지지에서 미토를 만나서 해미라는 목국을 만들고 있다(然又會未成局). 이는 해수라는 수를 중화(化)해서 목국을 만들고 있다(化水為木). 그리고 일간인 신금은 이 목국과 재성을 만든다. 그리고 일간의 신금은 지지의 자수와 식신을 만든다. 그러면, 이때는 일간의 신금과 상생으로 화합(化)한 자수의 식신이 목국의 재성을 생해주고 있다(化之生財). 이는 더욱더 일간을 의미(情)있게 만들어주고 있다(尤為有情). 이렇게 해서 상관이 재성을 생해주게 되면(所以傷官生財) 즉, 지지의 자수(子)가 목국(木)을 생해주게 되면, 월지의 해수라는 겨울에 태어난 일간의 신금은, 이 자체로만 보게 되면, 당연히 귀하지 않게 되는데(冬金不貴), 이는 꽁꽁 언 자수라는 물로 목국을 생하게 할 수 없기 때문이다(以凍水不能生木). 원래는 월지의 해수가 겨울(冬)을 말하게 되지만, 해수는 이미 목국을 만들면서 제거되었고, 그 자리를 자수가 채워주고 있다. 그래서 지금은 겨울(冬)을 자수가 대신하고 있다. 그러나 해미(亥未)가 만든 목국(木)을 다시 보게 되면, 아주 재미있는 현상이 나타난다. 여기서 해수(亥)는 겨울을 말하고, 미토(未)는 여름을 대표하는 토이다. 그리고 이런 둘이 만나서(乃) 에너지가 중화(化)되면서 목국(木)이 만들어진다(若乃化木). 즉, 겨울(亥)과 여름(未)의 한가운데가 봄인 목(木)이라는 뜻이다. 그래서 목국(木局)이 만들어진 것이다. 그래서 이때 이미 꽁꽁 언 겨울이 해빙해서 봄(木)이 되어버린 것이다. 그래서 이때 목국이 만들어졌으므로, 자수가 만든 식신이 목국이 만든 재성을 생해주기를 기다릴(待) 필요도 없이(不待於生), 이미 해미(亥未)가 만든 목국(木) 안에서 해수와 목이 생(生)의 관계를 만들어서 문제를 해결하고 있다. 그래서 겉으로는 자수가 만든 식신과 목국이 만든 재성이 서로 상생(生)하고 있지만, 이런 상생 관계는 이미 목국에서 만들어졌으므로, 시험에서 말하자면, 이미 장원을 획득(得)한 것과 뭐가 다르겠는가(安得不為殿元乎)? 이 구문은 상당한 내공을 요구하고 있다. 덕분에 이 부분의 해석은 엉망진창이 되고 만다.

至於財傷有情, 與化傷為財者, 其秀氣不相上下. 如秦龍圖命, 己卯, 丁丑, 丙寅, 庚寅, 己與庚同根月令是也.

그래서 목국이 만든 재성과 상관이 서로 상생으로 만나서 일간을 의미(情)있게 해주기에 이른 과정을 보게 되면(至於財傷有情), 자동으로 지지에서 해수(亥)와 일간인 신금(辛)이 만든 상관은 미토(未)와 화합(化)해서 목국(木)을 만들고, 이어서 일간인 신금과 목국은 재성(財)을 만들어주고 있다(與化傷為財者). 그러나 여기서 보게 되면, 일간인 신금이 상관을 만든 실제 에너지는 지지의 자수(子)이다. 그리고 해미가 만든 목국(木)은 목(木)이라는 천간의 에너지를 만들면서 자동으로 천간으로 투출해서 목(木)이 된다. 그러면 이때 목국(其)의 수려(秀)한 에너지(氣)는 천간(上)에 자리하게 되고, 상관을 만든 자수라는 에너지는 지지(下)에 자리하게 되면서, 상하(上下)의 에너지 크기가 서로(相) 같지 않게(不) 된다(其秀氣不相上下). 즉, 목국은 해미라는 2개의 지지가 만든 에너지이고, 자수는 1개의 지지가 만든 에너지이기 때문이다. 여기서 진룡도의 사주를 살펴보자(如秦龍圖命). 연주가 기묘이고(己卯), 월주가 정축이고(丁丑), 일주가 병인이고(丙寅), 시주가 경인일 때(庚寅), 기토와 경금을 오행으로만 보자면, 월지인 축토에서 지장간으로 기토와 계수가 나오게 되는데, 이를 토와 금으로 보게 되면, 기토와 경금은 월지에 뿌리를 두고 있는 셈이 된다(己與庚同根月令是也). 일단 조금만 더 분석해보자. 일간인 병화를 기준으로 보면, 월지는 지장간을 투출하고 있어서 지지에서 제거되고 있고, 연간의 기토와는 상관을 만들고, 월간의 정화와는 겁재를 만들고 있고, 시간의 경금과는 편재를 만들고 있다. 그러면, 월지는 기토를 투출해서 상관을 만들고 있으므로, 이때는 상관이 제1 용신이 되고, 그러면, 일간은 겁재와 더불어 지지에서 뿌리까지 갖고 있으므로, 상당히 강력한 함을 보유하게 된다. 추가로 기토의 상관과 경금의 편재가 상생하고 있다. 이는 전형적인 조합이다.

有傷官佩印者, 印能制傷, 所以為貴, 反要傷官旺, 身稍弱, 始為秀氣. 如孛羅平章命, 壬申, 丙午, 甲午, 壬申, 傷官旺, 印根深, 身又弱, 又是夏木逢潤, 其秀百倍, 所以一品之貴. 然印旺極深, 不必多見, 偏正疊出, 反為不秀, 故傷輕身重而印綬多見, 貧窮之格也.

월지가 만든 상관을 보유하고 있는 상태에서 인수를 끼고 있게 되면(有傷官佩印者), 자동으로 인수는 상관을 상극해서 제어하게 된다(印能制傷). 이런(以) 이유(所)로 에너지의 균형이 잡히게 되면서, 이 사주는 귀하게 된다(所以為貴). 일반적으로 상관은 일간의 에너지를 누설해서 일간을 공격하기 때문이다. 이때 이런 상관이 반대로 에너지가 왕성하게 되면(反要傷官旺), 자동으로 일간의 에너지를 강하게 누설하면서, 일간은 점점 약해지게 된다(身稍弱). 그러나 덕분에 상관의 에너지는 수려한 기운을 보유하기 시작한다(始為秀氣). 이를 삭나평의 사주로 살펴보자(如孛羅平章命). 연주가 임신이고(壬申), 월주가 병오이고(丙午), 일주가 갑오이고(甲午), 시주가 임신일 때(壬申), 월지의 오화가 지장간으로 병화를 투출하고 있고, 이어서 일간의 갑목과 병화가 만든 식신이 의무적으로 제1 용신이 되고, 일간의 갑목과 연간의 임수 그리고 시간의 임수가 2개의 편인을 만들고 있다. 그래서 이 상태에서 이들을 보게 되면, 일간의 갑목과 병화가 만든 식신은 지장간에 오화라는 두 개의 뿌리를 두고 있으므로, 상관으로서 보면, 에너지가 왕성한 상태가 되고(傷官旺), 인수 역시 지장간에 신금이 2개나 있어서 뿌리를 아주 깊게 내리고 있고(印根深), 그러나 일간의 갑목은 자기를 도와줄 비견과 같은 에너지도 없고, 지장간에 뿌리도 없어서 약한 상태가 되고(身又弱), 그러나 이때 또한 갑목(木)은 월지의 오화(午)라는 여름(夏)에 태어나서 제1 용신으로 편인이라는 임수로 인해서 수분(潤)을 공급받고 있으므로(又是夏木逢潤), 무더운 여름을 이 수분으로 극복하면서, 갑목(其)의 에너지는 엄청나게 수려해지고 있다(其秀百倍). 즉, 오화는 갑목에서 에너지를 뺏어가는데, 이런 오화를 임수가 상극으로 제어하고 있다는 뜻이다. 이런 이유로 이 사주는 귀한 일품 사주가 된다(所以一品之貴). 그러나 여기서 왕성한 임수가 극단적으로 많은 뿌리를 보유해서 너무 깊은 뿌리를 보유하는 일은 불필요해 보인다(然印旺極深, 不必多見). 그리고 편과 정이 중복해서 너무 많이 나오게 되면(偏正疊出), 이 둘은 서로 에너지를 중화하게 되므로, 이때는 반대로 에너지가 수려해지지 않게 된다(反為不秀). 그래서 이때 상관이 약하고, 일간이 강하고, 인수가 많이 보이게 되면(故傷輕身重而印綬多見), 이는 빈궁의 격이 된다(貧窮之格也). 이때는 강한 일간에서 많은 인수가 에너지를 뺏어오게 되는데, 그러면, 자동으로 일간이 약해지게 된다. 그러면, 이때는 자동으로 인수를 상극으로 견제해야만 에너지 균형이 잡히게 된다. 그런데, 이때 인수를 상극하는 에너지인 상관(傷)이 약(輕)한 상태이다. 그러면, 사주의 주인공인 일간의 에너지는 약하게 되고, 그러면, 사주도 망하게 된다. 일간의 최대 목표는 에너지의 균형인데, 지금은 그 반대로 가고 있다.

有傷官兼用財印者, 財印相克, 本不並用, 只要幹頭兩清而不相礙. 又必生財者, 財太旺而帶印, 佩印者印太重而帶財, 調停中和, 遂為貴格. 如丁酉, 己酉, 戊子, 壬子, 財太重而帶印, 而丁與壬隔以戊己, 兩不礙, 且金水多而覺寒, 得火融和, 都統制命也. 又如壬戌, 己酉, 戊午, 丁巳, 印太重而隔戊己, 而丁與壬不相礙, 一丞相命也. 反是則財印不並用而不秀矣.

월지가 만든 상관을 용신으로 보유하고 있는 상태에서 추가로 재성과 인성을 보유하게 되면(有傷官兼用財印者), 이때는 자동으로 재성과 인성은 서로 상극하게 된다(財印相克). 그래서 이 둘은 본래(本) 서로 병립이 불가하다(本不並用). 이때 단지 중요한 일은 천간에서 이 둘이 만날 때, 양쪽(兩)이 서로 상극해도 문제가 없이 깨끗(淸)해질 수 있어야만, 서로(相) 장애(礙)가 되지 않는다(只要幹頭兩清而不相礙). 그러면, 이때는 문제가 되지 않는다. 그러면, 갑자기 이 말이 왜 튀어나왔을까? 해답은 이 문장(有傷官兼用財印者)에 있다. 즉, 이때는 재성, 인성, 상관이라는 상극의 조합이 만들어지면서, 재성이 인성을 상극하려고 하지만, 상관이 이 둘(兩)의 관계를 깨끗이 청소(淸)해주고 있다. 이때는 다른 가능성도 있다. 즉, 재성과 인성 사이에 일간이 장벽을 제공하게 되면, 이때는 재성과 인성이 일간이라는 장벽으로 인해서 서로 상극이 불가하게 된다. 그러면, 일간은 상관과 재성이라는 환상의 짝을 만들게 되고, 동시에 인성까지 보유할 수 있게 된다. 그러면, 또한 반드시 상관이 재성을 생해주게 될 것이고(又必生財者), 재성은 상관에서 에너지를 받아서 자동으로 엄청나게 왕성(太旺)해지게 되는데, 이런 재성은 일간이라는 장벽으로 인해서 인수도 띠(帶)처럼 동여매서 보유하게 된다(財太旺而帶印). 그러면, 일간은 엄청난 재성을 보유한 상태에서 인수까지도 보유할 수 있게 된다. 그러면, 이때는 일간, 재성, 인수라는 상극의 조합이 만들어지면서, 에너지는 균형을 잡게 된다. 다시 본문을 보자. 이번에는 정인(印)이라는 격을 이미 만들어서 품(佩)은 상태에서, 일간이라는 장벽으로 인해서, 재성을 띠(帶)처럼 동여매서 보유하게 되면(佩印者印太重而帶財), 이 두 에너지는 일간의 장벽으로 인해서 서로 상극하지 못하게 되고, 이어서 일간의 역할로 인해서, 두 에너지는 조절(調)되고, 이어서 인수와 재성의 상극은 정지(停)되고, 이어서 에너지는 중화되면서(調停中和), 따라서 이때 귀격이 만들어진다(遂為貴格). 이때는 일간의 장벽 역할이 엄청나게 중요해진다. 이를 사주로 살펴보자. 연주는 정유이고(如丁酉), 월주는 기유이고(己酉), 일주는 무자이고(戊子), 시주는 임자일 때(壬子), 지지에서 2개의 자수는 지장간으로 임수를 투출하고 있어서 임수는 뿌리가 아주 깊은 상태이고, 추가로 연간의 정화와 시간의 임수는 정임이라는 천간합의 목을 만들 수 있지만, 연주와 시주에는 일주라는 장벽이 있어서 서로 만나지 못하게 되고, 이때는 천간합이 만들어지지 않게 된다. 그리고 일간인 무토는 연간의 정화와 정인을 만들고, 월간의 기토와는 겁재를 만들고, 시간의 임수와는 편재를 만든다. 그러면, 임수의 편재는 자수(子)라는 지장간 뿌리를 2개나 보유하고 있어서, 에너지가 태중(太重) 상태가 되고, 이때 일간이라는 장벽으로 인해서, 정화의 정인을 띠(帶)처럼 동여매서 보유하게 된다(財太重而帶印). 즉, 이때 일간은 자기가 장벽을 만든 덕분에 강한 재성과 정인을 동시에 보유할 수 있게 된다. 이때는 천간합의 문제가 튀어나오게 되는데, 즉, 정임이 서로 만나게 되면서 새로운 오행인 목이 만들어진다. 그러나 지금은 일간(戊)이라는 장벽(隔)이 있어서 장애(礙)가 되고 있다(而丁與壬隔以戊己). 그리고 천간합의 문제를 떠나서, 추가로 일간이라는 장애(礙)가 없는(不) 상태였으면(兩不礙), 시간에서 태중한 임수의 편재를 연간에 있는 정화의 정인이 상극하면서, 지금과 같은 좋은 조건은 만들어지지 않았을 것이다. 또한, 이때 지지를 살펴보게 되면, 쌀쌀한 가을의 유금(酉)과 추운 겨울의 자수(子)가 2개씩 존재하면서, 이 사주는 한기(寒)를 느끼고(覺) 있는데(且金水多而覺寒), 이때 열기를 공급하는 천간합을 만들지 못한 연간의 정화(丁)를 얻어서, 이 한기를 융화할 수 있게 되면서(得火融和), 정화(丁)가 여러 문제를 통합적(統)으로 제어(制)해서 해결하는 사주가 되고 있다(都統制命也). 물론 이는 일간의 장벽 덕분이다. 이곳은 사주 분석의 종합적인 그림을 요구하고 있어서 해석이 상당히 어려운 부분이다. 또 다른 사주를 살펴보자. 연주가 임술이고(又如壬戌), 월주가 기유이고(己酉), 일주가 무오이고(戊午), 시주가 정사일 때(丁巳), 술토의 지장간에서 무토가 나오고 있고, 오화에서 기토와 정화가 지장간으로 나오고 있고, 사화에서 지장간으로 무토가 나오고 있다. 즉, 일간인 무토의 뿌리가 아주 깊다. 임수와 정화가 정임이 되면서 천간합이 될 수는 있으나, 일간이라는 장벽이 막고 있어서 천간합은 성립하지 못한다. 일간인 무토는 월지의 유금과 상관을 만들고, 연간의 임수와 편재를 만들고, 월간의 기토와 겁재를 만들고, 시간의 정화와 정인을 만들고 있다. 이때 정인의 정화는 술토와 오화에 지장간을 두고 있어서, 정인의 에너지는 태중이 되고 있으나, 임수의 편재와는 연간과 시간이라는 거리로 인해서, 일간의 무토(戊)가 장벽(隔)으로 작용하고 있고(印太重而隔戊己), 그래서 정인의 정화와 편재의 임수는 상극으로 만나지 못하고 있다. 덕분에 일간은 편재와 정인을 동시에 보유할 수 있게 된다. 또한 천간에서 보면, 연간의 임수와 시간의 정화가 만나게 되면, 천간합이 되면서 목(木)으로 바뀌게 되나, 지금은 일간이 장벽으로 막고 있다. 물론 이때 일간의 무토와 천간합의 목은 관성(官)을 만든다. 그러면, 이때 정임이 일간의 장벽이라는 장애(礙)가 없었다면(而丁與壬不相礙), 천간합으로 목(木)이 만들어지면서, 일간인 무토와 월지의 유금이 만든 상관과 기토의 겁재와 천간합의 목이 만든 관성이 있게 된다. 이를 정리해보게 되면, 유금, 목, 기토라는 상극의 조합이 만들어지면서, 이는 자동으로 일개의 승상 사주가 된다(一丞相命也). 그러나 불행히도 일간이 장벽이 되어서 천간합을 만들지 못하면서, 이는 물거품이 되고 만다. 그러면, 이 사주로는 정말 승상이 되지 못할까? 물론 아니다. 일간의 장벽 덕분에 일간은 편재와 정인을 동시에 보유할 수 있게 된다. 이는 자동으로 일개의 승상 사주가 된다(一丞相命也). 다시 본문을 보자. 반대로 이때 연간에 있는 임수의 편재와 시간에 있는 정화의 정인이 서로 만나서 병립이 불가하게 되었다면 즉, 이 둘이 서로 상극하게 되었다면, 에너지의 균형(秀)을 맞출 수 없게(不) 되면서(反是則財印不並用而不秀矣), 이 사주는 망하고 말았을 것이다. 일간의 장벽 하나가 사주를 완벽하게 바꿔주고 있다. 해석이 만만하지 않은 곳이다.

有傷官用煞印者, 傷多身弱, 賴煞生印以幫身而制傷. 如己未, 丙子, 庚子, 丙子, 蔡貴妃也. 煞因傷而有制, 兩得其宜, 只要無財, 便為貴格. 如壬寅, 丁未, 丙寅, 壬辰, 夏閣老命是也.

상관을 용신으로 보유한 상태에서 칠살과 인성를 이용하고 있을 때(有傷官用煞印者), 일간의 에너지를 설기해서 뺏어가는 상관이 많아서 일간이 약하면(傷多身弱), 이때는 보유한 칠살로 인성을 생해서, 인성에 에너지를 모은 다음에, 이 인성으로 상관을 상극해서 일간을 돕게 되면, 이 인성은 자동으로 일간의 에너지를 설기하는 상관을 제압할 수 있게 된다(賴煞生印以幫身而制傷). 사주를 예로 보자. 연주가 기미이고(如己未), 월주가 병자이고(丙子), 일주가 경자이고(庚子), 시주가 병자인(丙子), 이 사주는 채귀비의 사주이다(蔡貴妃也). 일단, 미토의 지장간인 기토가 투출해있고, 일간인 경금과 월지인 자수는 상관을 만들고, 연간인 기토는 정인을 만들고, 월간과 시간인 병화는 칠살을 만들고 있다. 그런데, 경금과 자수가 만드는 상관이 지지에서 3개가 만들어진다. 즉, 상관이 너무 많다. 이는 자동으로 일간인 경금의 에너지를 너무 많이 뺏어가면서 일간인 경금을 너무 약하게 하고 있다. 그러면, 일간은 일단 자수의 상관을 용신으로 해야 하므로, 이제 이 용신인 자수의 상관을 상극으로 견제해야만 한다. 그러면 자수를 상극하기 위해서는 기토의 정인을 이용해야만 한다. 그런데 문제는 상관이 3개나 되어서 힘이 너무 세다. 그러면, 자동으로 기토의 힘도 강화해야만 한다. 그러면, 이때는 병화의 칠살로 기토의 정인 에너지를 강화해주면 된다. 그러면, 이때 칠살의 에너지를 받은 정인의 기토는 강하게 된다. 추가로 정인의 기토는 지장간을 보유하고 있어서 이때 기토의 에너지는 자수의 상관과 대적할 수 있는 에너지를 얻을 수 있게 된다. 그래서 지금은 칠살로 인(因)해서 인수로 상관을 상극으로 제어하게 되면서(煞因傷而有制), 칠살과 인수라는 둘(兩)은 그(其) 마땅함(宜)을 얻고 있다(兩得其宜). 즉, 과한 에너지를 보유한 상관을 견제하면서 칠살과 인수가 마땅히(宜) 자기 역할을 잘 해주고 있다. 그러나 물론 여기서 상관과 환상의 짝을 만드는 재성이 없어서 아쉽지만(只要無財), 에너지 균형이 잡히면서 일간의 에너지가 정상화되고, 이어서 곧바로 귀격을 만든다(便為貴格). 또 다른 사주를 보자. 연주가 임인이고(如壬寅), 월주가 정미이고(丁未), 일주가 병인이고(丙寅), 시주가 임진인(壬辰), 이 사주는 하각로의 사주이다(夏閣老命是也). 지지에 있는 2개의 인목은 지장간으로 병화를 투출하고 있어서, 일간인 병화는 아주 깊은 뿌리를 보유하게 되고, 이어서 에너지도 아주 강하게 된다. 월지의 미토도 지장간으로 정화를 투출하고 있어서, 병화의 일간은 월간의 정화와 만든 겁재를 의무적으로 제1 용신으로 써야만 한다. 그러면 일간인 병화와 연간과 시간의 임수는 2개의 칠살을 만들고 있고, 시지의 진토는 식신을 만들고 있다. 이를 살펴보게 되면, 일간의 에너지가 너무 강하다. 추가로 시지의 진토가 상관을 만들면서 일간의 에너지를 약간은 설기하고 있다. 그러나 이는 지지의 에너지라서 너무 약하다. 그런데, 지금은 다행히도 일간을 상극하는 칠살을 2개나 보유하고 있다. 그러면, 이제 에너지의 균형이 잡히게 된다.

有傷官用官者, 他格不用, 金水獨宜, 然要財印為輔, 不可傷官並透. 如戊申, 甲子, 庚午, 丁丑, 藏癸露丁, 戊甲為輔, 官又得祿, 所以為丞相之格. 若孤官無輔, 或官傷並透, 則發福不大矣.

상관을 용신으로 보유한 상태에서 관성을 이용하게 되면(有傷官用官者), 이때는 자동으로 상관이 관성을 상극하게 되므로, 다른 격에서는 이 둘을 병용해서 이용할 수가 없게 된다(他格不用). 그러나 금수의 단독 용신은 마땅하게 된다(金水獨宜). 이는 바로 뒤에 나오는 병투(並透)와 연결된다. 이 문장은 아래 예시 문장의 해석을 잘 살펴보면 이해할 수 있게 된다. 추가로 뒤에 나오는 구절에서도 보게 된다. 그러나 이때 중요한 사실은 재성과 인성의 도움이 요구된다는 점이다(然要財印為輔). 이때 상관과 관성의 병립 투출은 불가하다(不可傷官並透). 이때 병립 투출(並透)은 월지의 지장간에서 2개의 천간을 동시에 투출하고 있다는 뜻이다. 그러면, 이때는 "무조건" 이 두 천간의 관계를 먼저 따져봐야만 한다. 그리고 이 둘은 샴쌍둥이가 된다. 이를 사주를 통해서 살펴보자. 연주가 무신이고(如戊申), 월주가 갑자이고(甲子), 일주가 경오이고(庚午), 시주가 정축일 때(丁丑), 지금은 일간인 경금이 계수와 만드는 상관은 명시적으로 나와 있지는 않고, 자수와 축토의 지장간에 묻혀(藏) 있고, 일지에 있는 오화의 지장간에서는 정관을 만드는 정화를 명시적으로 노출(露)하고 있다(藏癸露丁). 그리고 일간인 경금과 월지의 자수(子)는 상관을 만들고 있다. 일간의 경금과 지지의 신금(申)은 비견을 만들고 있다. 이는 앞에서 나온 금수(金水)의 의미를 말하고 있다. 즉, 자수(水)라는 겨울에 태어난 경금(金)을 말하고 있다. 그러면, 자동으로 신금은 자수로 에너지를 보내게 된다. 그러면 자수의 상관은 에너지가 강해진다. 그러면, 자수의 상관은 일간에서 에너지를 강하게 설기해서 뺏어오게 되는데, 이때 일간도 지지의 신금과 만든 비견이 있어서, 에너지가 강하다. 그리고, 자수의 상관은 자동으로 정화의 정관을 상극해서 제어하게 된다. 그러면, 이때는 정관을 살리면, 좋은 격을 만들 수 있으므로, 정관을 살리기 위해서 상관의 에너지를 제어할 필요가 있다. 그런데, 지금 편인인 무토와 편재인 갑목이 남아있다. 그러면, 이때는 갑목의 편재, 무토의 편인, 자수의 상관이 상극의 조합으로 엮이면서, 에너지의 균형을 만들게 된다. 그래서 지금은 편인인 무토와 편재인 갑목이 에너지 균형을 돕고 있다(戊甲為輔). 그러면, 정화의 정관은 살아남게 된다. 그리고 이때 정화의 정관은 지지의 오화로 인해서 건록(祿)을 얻게 되면서 뿌리를 한층 강화하고 있어서(官又得祿), 정화의 정관은 일간을 든든하게 받쳐주고 있다. 이런 이유로 이 격은 에너지의 균형이 잡히면서 승상의 격이 된다(所以為丞相之格). 이때 만약에 정관의 정화가 외롭게 남아서 다른 격의 도움을 받지 못했다거나(若孤官無輔), 혹은 정화의 정관과 자수의 상관이 서로 병립해서 천간으로 투출했다면(或官傷並透), 이때는 정관과 상관을 서로 분리해서 에너지를 조절할 수 없게 되면서, 지금 나온 격은 깨지게 되고, 복도 크게 없었을 것이다(則發福不大矣). 이 구문에서 특히 주의해야만 하는 문장은 이 문장(傷官並透:官傷並透)이다. 이때 병립 투출은 월지의 지장간에서 2개의 천간을 동시에 투출하고 있다는 뜻이다. 그러면, 이때는 무조건 이 두 천간의 관계를 먼저 따져봐야만 한다. 추가로 이 두 천간은 분리해서 생각할 수도 없이, 샴쌍둥이처럼, 한 몸이 되고 만다. 그래서 이때는 서로 분리가 불가능하게 된다. 그러면, 그로 인해서 순식간에 다른 격들과 관계가 엉망이 되고 만다. 그런데, 더 큰 문제는 어떤 사주쟁이도 이 문장(傷官並透:官傷並透)을 제대로 풀지 못하고 있다는 사실이다. 덕분에 이 구문의 해석은 대부분 사주쟁이가 어물쩍 넘어가고 만다. 아니면, 해석을 엉망진창으로 하고 있다.

若冬金用官, 而又化傷為財, 則尤為極秀極貴. 如丙申, 己亥, 辛未, 己亥, 鄭丞相命是也.

만일에 월지가 겨울인 수이고, 일간이 금이 되면서, 이때 제1 용신은 자동으로 금수(金水)가 만나게 되면서 상관이 되는데, 이때 추가로 정관을 이용하게 된다(若冬金用官). 그리고 이때 추가로 월지가 만든 상관(傷)과 일간이 서로 상생으로 화합(化)해서 재성을 만들게 되면(而又化傷為財), 일간은 상관으로 에너지를 보내고, 이 상관은 다시 재성으로 에너지를 보내게 되고, 이 재성은 다시 정관으로 에너지를 보내게 된다. 즉, 이때는 상관, 재성, 정관이라는 상생의 조합이 만들어진다. 그러면, 맨 뒤에서 에너지를 받은 정관은 엄청난 에너지를 보유하게 된다. 그러면, 이 결과로 더욱더 극강의 에너지와 극강의 귀를 만들게 된다(則尤為極秀極貴). 이를 사주로 살펴보자. 연주가 병신이고(如丙申), 월주가 기해이고(己亥), 일주가 신미이고(辛未), 시주가 기해인(己亥), 이 사주는 정승상의 사주이다(鄭丞相命是也). 일단 미토의 지장간에서 기토를 천간으로 투출하고 있다. 그러면, 일간인 신금과 기토가 만든 편인은 뿌리를 보유하면서 에너지가 강하게 된다. 그리고 일간의 신금과 연간의 병화는 정관을 만들고, 월간과 시간의 기토는 2개의 편인을 만들고, 월지의 해수와는 상관을 만든다. 해수가 시지에도 있어서 상관이 2개가 된다. 그리고 일간의 신금과 연지의 신금이 만나서 겁재를 만든다. 그러면, 일간의 힘도 만만하지 않게 된다. 그러면, 이때는 강한 일간을 기준으로 보게 되면, 기토가 만든 편인 2개, 해수가 만든 상관 2개, 병화가 만든 정관이 있게 되는데, 이를 정리해보게 되면, 기토, 해수, 병화라는 상극의 조합이 만들어지면서, 에너지가 균형을 잡게 되는데, 이때 기토와 해수의 강한 에너지를 병화의 정관이 받게 된다. 이는 정관이 아주 강하다는 뜻이 되고, 일간도 강한 에너지를 보유하고 있으므로, 이는 아주 강한 좋은 극강의 사주를 만들게 된다.

然亦有非金水而見官, 何也? 化傷為財, 傷非其傷, 作財旺生官而不作傷官見官. 如甲子, 壬申, 己亥, 辛未, 章丞相命也.

그러나 역시 바로 앞에서 본 금수(金水)가 만든 상관이 아닌데도(非) 정관을 보는 경우도 있는데(然亦有非金水而見官), 이는 어떤 경우인가(何也)? 앞에서 말한 경우는 월지가 만든 상관(傷)과 일간이 서로 상생으로 화합(化)해서 재성을 만들게 되는데(化傷為財), 지금 말하고 있는 상관은 월지(其)가 만든 상관이 아니다(傷非其傷). 즉, 월지가 만든 상관은 일간의 에너지를 받아서 왕성하게 된 상관이므로, 이 상관은 순수한 상관이 아니다. 그러면, 상관이 재성으로 에너지를 보내서 재성의 에너지가 왕성하게 되고, 이어서 재성이 정관을 생하게 만들게(作) 되면, 이는 순수한 상관이 에너지 균형을 맞추면서, 정관을 보게 된 경우가 아니다(作財旺生官而不作傷官見官). 사주를 예로 보자. 연주가 갑자이고(如甲子), 월주가 임신이고(壬申), 일주가 기해이고(己亥), 시주가 신미인(辛未), 이 사주는 장승상의 사주이다(章丞相命也). 일단 지장간을 보게 되면, 자수, 신금, 해수에서 모두 임수를 투출하고 있어서, 일간인 기토와 임수가 만든 정재는 너무나 깊은 뿌리를 보유하게 되면서, 엄청난 힘을 보유하게 된다. 추가로 미토는 지장간으로 기토를 투출하고 있다. 그러면, 지지가 모두 제거된다. 추가로 월지의 신금은 지지에서 제거되면서, 일간인 기토와 월지의 신금은 상관을 만들지 못하고 만다. 이는 앞의 설명에서 나오는 금수(金水)의 문제를 말하고 있다. 그러면, 월지의 신금은 지장간을 통해서 천간으로 임수를 투출하면서, 상관 대신에 정재를 만들고 만다. 그러면, 일간과 만드는 격을 살펴보자. 일간인 기토와 갑목은 정관을 만들고, 임수는 정재를 만들고, 신금은 식신을 만들고 있다. 이 식신이 월지가 만들지 않은 상관이다. 즉, 일간의 에너지를 받아서 에너지가 왕성하게 된 월지가 만든 상관이 아니라 왕성하지 않은, 그냥 순수한 상관이다. 그러면, 이때도 역시 신금의 식신, 임수의 정재, 갑목의 정관이 상생 관계를 만들면서 에너지 균형을 잡게 된다. 그래서 이 경우도 신금의 식신이 갑목의 정관을 그냥 바라볼 수 있게 된다. 즉, 이는 순수한 상관이 에너지 균형을 맞추면서, 정관을 보게 된 경우이다. 해석이 어렵다.

至於傷官而官煞並透, 只要幹頭取清, 金水得之亦清, 不然則空結構而已.

이번에는 상관이 존재하고 있는 상태에서 정관과 칠살이 동시에 투출해서 천간에 노출되면(至於傷官而官煞並透), 이때 중요한 일은 천간에서 청소를 해야만 한다는 사실이다(只要幹頭取清). 즉, 두 천간이 지장간을 통해서 함께 투출하게 되면, 이 둘의 상관관계를 반드시 먼저 따져봐야 하고, 추가로 월지가 만든 상관과의 관계도 반드시 따져봐야 한다는 뜻이다. 이는 역시 앞에서 본, 금수에서 얻은 상관에서도 똑같은 청소가 필요하다는 뜻이다(金水得之亦清). 이렇게 하지 않게 되면, 사주의 구조 분석은 공허함만 남길 뿐이다(不然則空結構而已).

제42장 상관의 취운을 논하다(論傷官取運)

제42장 상관의 취운을 논하다(論傷官取運)

傷官取運, 即以傷官所成之局, 分而配之. 傷官用財, 財旺身輕, 則利印比. 身強財淺, 則喜財運, 傷官亦宜.

상관을 이용해서 취운할 때는(傷官取運), 상관을 이용해서 어떻게 국을 완성할지를 살펴보고(即以傷官所成之局), 이를 구분해서 배합하면 된다(分而配之). 그리고 일반적으로 상관이 재성을 이용할 때는(傷官用財), 상관은 그 특성상 일간의 에너지를 받아서 재성을 생하게 하므로, 이때는 자동으로 재성의 에너지는 왕성하게 되고, 거꾸로 일간의 에너지는 약하게 되는데(財旺身輕), 이때는 인성을 이용해서 재성을 상극으로 제어하든지, 비견을 이용해서 일간의 에너지를 강하게 해주면 이롭게 된다(則利印比). 거꾸로 일간이 강한데, 재성의 에너지가 형편이 없게 되면(身強財淺), 이때는 당연히 에너지의 균형을 맞춰주기 위해서 재성을 만나게 되면, 기뻐하게 되고(則喜財運), 아니면, 상관을 통해서 강한 일간의 에너지를 뺏어서 재성으로 보내주면 되므로, 이때도 역시 상관은 마땅한 처방이 된다(傷官亦宜).

傷官佩印, 運行官煞為宜, 印運亦吉, 傷食不礙, 財地則凶. 傷官而兼用財印, 其財多而帶印者, 運喜助印, 印多而帶財者, 運喜助財.

상관이 마치 딴 주머니처럼 인수를 차고 있게 되면(傷官佩印), 이때는 상관과 인수는 서로 상극할 수 없게 된다. 이는 가운데에서 일간이 장벽이 되고 있다는 뜻이 된다. 아니면, 다른 장벽이 있다는 뜻이다. 그래서 이때는 인수를 다른 격도 상생이나 상극하지 못하게 된다. 그래서 이때는 천간(運)이나 지지(行)에서 상관을 상극으로 견제하는 정관이나 칠살을 이용해도 마땅하게 된다(運行官煞為宜). 이때는 추가로 상관을 상극하는 인수를 써도 역시 길하다(印運亦吉). 그리고 이때 식상을 쓰게 되면, 이미 존재하는 상관 만나서 에너지가 중화되므로, 이때는 식상을 써도 된다(傷食不礙). 그러나 지지(地)에서 국이 만들어낸 재성은 천간의 규칙에 얽매이지 않고서 천간의 오행을 대적할 수 있어서, 이때 국이 만든 재성은 인성을 상극으로 공격할 수 있으므로, 이때는 재성이 흉을 만든다(財地則凶). 그리고 상관이 재성과 인성을 동시에 이용하고 있는데(傷官而兼用財印), 이때 이 재성이 많고 인수를 끼고 있다면(其財多而帶印者), 이때는 당연히 에너지 균형을 맞춰주기 위해서 인성을 돕는 것을 좋아하게 된다(運喜助印). 이번에는 거꾸로 인성이 많고, 재성을 끼고 있다면(印多而帶財者), 이때도 에너지의 균형을 맞춰주기 위해서, 재성을 돕은 것을 좋아하게 된다(運喜助財).

傷官而用煞印, 印運最利, 傷食亦亨, 雜官非吉, 逢財即危. 傷官帶煞, 喜印忌財, 然傷重煞輕, 運喜印而財亦吉. 惟七煞根重, 則運喜傷食, 印綬身旺亦吉, 而逢財為凶矣.

상관이 칠살과 인성을 이용할 경우(傷官而用煞印), 상관이 칠살을 상극하게 되는데, 그러면, 이때는 칠살의 에너지를 누설시켜줘야만 한다. 그러면, 이때는 자동으로 칠살의 에너지를 누설하는 인성이 최고 많은 이익을 가져다준다(印運最利). 그리고 이때는 칠살을 상극하는 식상도 역시 좋다(傷食亦亨). 그러면, 상관은 인수와 만나서 에너지 균형을 잡게 된다. 이때는 물론 관살 혼잡은 당연히 길하지 않게 된다(雜官非吉). 이는 일간을 상극하는 인자가 하나 더 추가되기 때문이다. 이때는 재성을 만나면 즉시 위태로워진다(逢財即危). 그 이유는 재성은 상관에서 에너지를 받아서 칠살로 이를 전해주기 때문이다. 그러면, 이때는 칠살의 에너지가 엄청나게 커진다. 물론 인수가 하나 있지만, 이 하나의 인수로 강한 칠살을 상대하기는 역부족이기 때문이다. 그래서 상관이 칠살을 끼고 있을 때는(傷官帶煞), 칠살의 에너지를 누설시키는 인성은 좋아하게 되지만, 상관에서 에너지를 받아서 칠살로 에너지를 전해주는 재성은 꺼리게 되는데(喜印忌財), 이때는 칠살의 에너지가 엄청나게 강해지기 때문이다. 그러면, 이때는 자동으로 일간의 죽음을 말하게 된다. 그러나 이때 상관의 에너지가 강하고, 반면에 칠살의 에너지가 약하면(然傷

重煞輕), 이때는 강한 상관을 상극으로 제어해줄 인성도 좋고, 칠살의 에너지를 강하게 해서 강한 상관의 에너지를 상극으로 대적하게 해주는 재성도 길하게 된다(運喜印而財亦吉). 그리고 비록 칠살이 뿌리가 아주 깊어서 에너지가 강할지라도(惟七煞根重), 이를 상극으로 제어하는 식상이 오게 되면, 자동으로 좋아하게 된다(則運喜傷食). 이때는 칠살의 강한 에너지를 누설해주는 인수도 역시 길하게 되고, 강한 칠살을 힘으로 대적할 수 있게 일간의 에너지를 왕성하게 해주는 일도 역시 길하게 된다(印綬身旺亦吉). 이때 칠살의 강한 에너지에 에너지를 추가해주는 재성은 말이 필요 없이 흉을 만들고 만다(而逢財為凶矣).

傷官用官, 運喜財印, 不利食傷, 若局中官露而財印兩旺, 則比劫傷官, 未給非吉矣.

상관이 정관을 이용하고 있을 때는(傷官用官), 상관에서 에너지를 받아서 정관으로 보내주는 재성도 좋아하게 되고, 상관을 상극으로 제어해서 정관을 도와주는 인성도 좋아하게 된다(運喜財印). 그러면 이때는 자동으로 정관의 세상이 된다. 물론 이때 식상을 추가한다면, 식상은 이런 균형을 깨버리므로, 당연히 불리하게 작용한다(不利食傷). 만약에 지지에서 국을 만들어서 일간과 정관을 만들고, 이를 천간에 노출할 때, 추가로 재성과 인성의 에너지가 모두 왕성할 경우에는(若局中官露而財印兩旺), 재성은 왕성한 에너지를 정관으로 보내서 정관의 에너지를 강화시켜주게 되고, 왕성한 인성의 에너지는 정관의 에너지를 강하게 누설하면서, 정관의 에너지를 약하게 만들고 만다. 그래서 이때는 비겁으로 일간의 에너지를 강하게 해주고, 이어서 이 강한 일간의 에너지를 상관으로 보내서, 일간의 에너지를 강하게 누설하는 강한 인수를 상극하면 된다(則比劫傷官). 그러면, 이때는 사주가 길하게 되도록 하는 데 미흡함이 없게 된다(未給非吉矣).

제43장 양인을 논하다(論陽刃)

제43장 양인을 논하다(論陽刃)

陽刃者, 劫我正財之神, 乃正財之七煞也. 祿前一位, 惟六陽有之, 故為陽刃. 不曰劫而曰刃, 劫之甚也. 刃宜伏制, 官煞皆宜, 財印相隨, 尤為貴顯. 夫正官而財印相隨美矣, 七煞得之, 夫乃甚乎? 豈知他格以煞能傷身, 故喜制伏, 忌財印. 陽刃用之, 則賴以制刃, 不怕傷身, 故反喜財印, 忌制伏也.

양인은(陽刃者), 내 정재의 에너지를 빼앗아 가므로(劫我正財之神), 정재의 칠살이 되고 만다(乃正財之七煞也). 양인은 일간의 에너지를 너무 과하게 만들어버리기 때문이다. 그러면, 정재는 일간과 재성이 음양으로 만나는 경우인데, 이 음양을 음음, 양양으로 바꿔버리면서, 정재를 망가뜨려 버린다. 결국에 양인은 정재를 죽이는 칠살이 되고 만다. 양인은 건록에서 한 자리 앞으로 나간 자리인데(祿前一位), 이것이 육양 안에서 유지된다고 해서(惟六陽有之), 이를 양인이라고 한다(故為陽刃). 여기서 그럼 육양(六陽)은 뭘까? 육양의 개념을 보게 되면, 자수(子)에서 일양(一陽)이 움터서 축토(丑)에서 이양(二陽)이 되고, 인목(寅)에서 삼양(三陽)이 되고, 묘목(卯)에서 사양(四陽)이 되고, 진토(辰)에서 오양(五陽)이 되고, 사화(巳)에서 육양(六陽)이 된다. 이는 결국에 지장간의 개념이다. 지장간에서 자수를 보면, 정기에서 계수(癸)가 나오게 되는데, 원래 자수는 양이라서, 양인 임수(壬)가 정기가 되어야 하지만, 자수는 동짓달을 끼고 있어서, 동지(冬至)에 제일 긴 밤인 음(陰)이 극(極)에 달하고, 동지 다음날부터는 양기(陽氣)가 싹을 틔우기 시작한다. 그래서 이 양기로 인해서 임수라는 양의 겨울 기운이 양기의 싹을 만나서 녹게 되고, 이어서 양인 임수는 음인 계수로 변하게 되면서, 자수의 지장간 정기는 계수(癸)가 된다. 그래서 결국에 양기는 동지 다음날이 속한 자수의 달에서 시작한다. 그래서 자수가 양기가 제일 약한 일양(一陽)이 된다. 그래서 이를 따라서 봄이 지나서 여름까지 양기가 이어진다. 그리고 겉으로 보게 되면, 여름의 최대 양기는 오화(午)에서 절정을 이루게 된다. 그러면 오화는 순서상 칠양(七陽)이 된다. 그러나 오화는 칠양이 되지 못한다. 이는 오화의 지장간 정기가 정화(丁)라는 사실에서 알 수 있다. 즉, 오화는 하지(夏至)를 보유한 달을 끼고 있다. 그리고 하지는 여름의 긴 낮인 양(陽)이 최고조(極)에 달하는 시점이다. 그리고서 하지 다음날부터는 음(陰)인 밤이 서서히 길어지면서 음기(陰氣)가 싹을 틔우기 시작한다. 그래서 원래 양인 오화의 정기는 양인 병화가 맞지만, 한기의 싹으로 인해서 양인 병화가 한기의 싹을 중화하면서 음인 정화(丁)로 변하게 된다. 즉, 오화 직전인 사화(巳)에서 양기가 최고조에 달하게 된다. 그리고 이를 순서로 보면, 육양(六陽)이 된다. 그리고 양인은 이 안에서 만들어진다는 것이다. 그래서 양인이라는 것이다. 다시 본문을 보자. 이를 겁재라고 부르지 않고, 양인이라고 부르는 이유는(不曰劫而曰刃), 뺏는 겁재보다 상황이 더 심각하기 때문이다(劫之甚也). 그래서 양인은 자동으로 상극해서 제어하고 굴복시켜야만 하므로(刃宜伏制), 이때 관살의 처방은 모두 마땅한 처방이 된다(官煞皆宜). 그리고 이런 관살에 도움을 주는 인성과 재성이 따라주게 되면(財印相隨), 이때는 더욱더 귀함이 밝게 빛날 것이다(尤為貴顯). 일반적으로 정관이 있을 때, 재성은 정관에 에너지를 보태주는 역할을 하고, 인성은 강한 일간의 에너지를 뺏어서 정관을 돕게 되므로, 이 둘이 서로 따르게 되면, 자동으로 미격이 만들어진다(夫正官而財印相隨美矣). 그래서 이때 칠살이 그들을 얻게 되면(七煞得之), 일반적으로 일간을 상극하는 칠살의 힘이 더(甚) 강해지지 않겠는가(夫乃甚乎)? 그러나 우리가 일반적으로 알고 있기에는, 다른 격에서는 칠살을 사용하게 되면, 칠살이 일간을 공격해서 상하게 하므로(豈知他格以煞能傷身), 칠살을 상극해서 제어하고 굴복시켜야만 좋다고 생각한다(故喜制伏). 그러면, 이때는 칠살을 도와주는 재성과 인성은 자동으로 꺼리게 된다(忌財印). 그러나 이를 양인에서 이용하게 되면(陽刃用之), 양인을 억제할 때 의지할 수 있게 된다(則賴以制刃). 그러면, 이때는 일간을 상하게 하는 두려움과 같은 일은 신경 쓰지 않아도 된다(不怕傷身). 그래서 이때는 반대로 칠살을 돕기 위해서 재성과 인성을 이용하는 일을 좋아하게 된다(故反喜財印). 그러면, 이때는 칠살을 상극으로 제어하고 굴복시키는 일은 자동으로 꺼리게 된다(忌制伏也).

陽刃用官, 透刃不慮. 陽刃露煞, 透刃無成. 蓋官能制刃, 透而不為害. 刃能合煞, 則有何功? 如丙生午月, 透壬制刃, 而又露丁, 丁與壬合, 則七煞有貪合忘克之意, 如何制刃? 故無功也.

양인이 정관을 이용할 때는(陽刃用官), 정관도 양인을 견제할 수 있으므로, 투출한 양인을 염려하지 않아도 된다(透刃不慮). 그런데, 양인이 칠살을 노출한 상태에서(陽刃露煞), 다시 새로운 양인을 투출받아서 격을 만들지 못하는 경우가 있다(透刃無成). 이는 뒤에 나오는 예를 살펴보면 쉽게 이해가 간다. 그래서 대개 정관은 능히 양인을 상극으로 제어할 수 있으므로(蓋官能制刃), 이때 정관의 투출은 해가 없다(透而不為害). 그러나 새로 투출한 양인이 칠살과 천간합(合)을 만들면서, 둘이 동시에 사라지게 되면(刃能合煞), 처음에 있던 양인은 자동으로 제어받지 못하게 되고, 그러면, 이때는 칠살이 어떻게 양인을 상극으로 제어해서 성격을 만드는 공을 세우겠는가(則有何功)? 사주를 예로 보자면, 일간이 병화이고, 월지가 오화가 되어서 양인이 될 때(如丙生午月), 이때 칠살을 만드는 임수를 투출받게 되면, 이 임수가 만든 칠살은 당연히 양인을 상극으로 제압할 수 있게 된다(透壬制刃). 그런데 이때 추가로 양인인 정화가 노출되면(而又露丁), 자동으로 정임이라는 천간합을 만들게 되고(丁與壬合), 그러면, 양인을 상극으로 견제하는 칠살은 자동으로 사라져버리고 만다. 즉, 이때는 임수의 칠살이 천간합을 탐하는 바람에 양인을 상극한 의지를 잃어버린 것이다(則七煞有貪合忘克之意). 그런데, 어떻게 이 상태에서 임수가 양인을 극제할 수가 있겠는가(如何制刃)? 그래서 이때 임수는 양인을 제압하는 공을 세우지 못하고 만다(故無功也).

然同是官煞制刃, 而格亦有高低, 如官煞露而根深, 其貴也大. 官煞藏而不露, 或露而根淺, 其貴也小. 若己酉, 丙子, 壬寅, 丙午, 官透有力, 旺財生之, 丞相命也. 又辛酉, 甲午, 丙申, 壬辰, 透煞根淺, 財印助之, 亦丞相命也.

그러나 정관과 칠살이 동시에 양인을 상극으로 제어할 수는 있으나(然同是官煞

制刃), 그 효과 면에서 보면, 고저를 보유할 때가 있다(而格亦有高低). 즉, 효과가 강할 때와 약할 때가 있다. 이는 어차피 에너지 크기의 문제이다. 이를 예로 보자면, 관살이 노출되어서 양인을 상극으로 제어하고 있을 때, 이 관살이 지지에 뿌리를 깊게 내리고 있게 되면(如官煞露而根深), 이때 관살은 에너지가 아주 강하게 되면서, 에너지가 강한 양인을 제대로 제압할 수 있게 된다, 그러면, 이때, 이 사주는 귀함이 아주 크게 된다(其貴也大). 그러나 이런 관살의 뿌리가 지지에 암장된 채 노출되고 있지 않다거나(官煞藏而不露), 노출은 되었지만, 지장간의 중기와 같은 에너지를 보유하면서 아주 약하게 되면(或露而根淺), 이때는 관살의 에너지 크기도 적어지면서, 이 사주의 귀함이 적어질 것이다(其貴也小). 사주를 예로 보자. 연주가 기유이고(若己酉), 월주가 병자이고(丙子), 일주가 임인이고(壬寅), 시주가 병오일 때(丙午), 월지의 자수는 지장간으로 임수를 투출하고 있고, 일지의 인목은 지장간으로 병화를 투출하고 있고, 시지의 오화는 병화와 기토를 지장간으로 투출하고 있다. 그러면, 월지의 자수는 임수를 투출하고 있으므로, 자수는 지지에서 제거되고, 대신에 자수가 지장간으로 투출한 임수가 용신이 되면서, 일간인 임수는 용신에서 자유를 얻는다. 추가로 일간인 임수는 뿌리를 보유하면서 힘을 얻게 된다. 그러면, 일간인 임수와 연간인 기토가 만든 정관은 자동으로 힘을 얻게 된다(官透有力). 이때 정관의 기토도 오화라는 뿌리를 보유하고 있다는 사실을 상기해 보자. 그리고 임수와 병화는 편재가 되는데, 이 편재가 2개이고, 그리고 병화는 인목과 오화라는 2개의 뿌리를 보유하고 있어서 힘이 아주 강하다. 그리고 이런 힘이 왕성한 재성은 자동으로 기토의 정관을 생해주고 있다(旺財生之). 그러면, 자동으로 정관의 힘은 하늘을 찌르게 되고, 이는 자동으로 승상의 사주가 된다(丞相命也). 사주의 예를 하나만 더 보자. 연주가 신유이고(又辛酉), 월주가 갑오이고(甲午), 일주가 병신이고(丙申), 시주가 임진일 때(壬辰), 유금은 지장간으로 신금을 투출하고 있고, 오화는 지장간으로 병화를 투출하고 있고, 신금은 지장간으로 임수를 투출하고 있다. 그래서 일간인 병화는 임수와 칠살을 만들게 되는데, 칠살의 임수는 지지의 신금에서 지장간으로 투출은 받고 있으나, 에너지가 아주 약한 중기(中氣)에서 임수을 투출하고 있으므로, 뿌리가 약간 약하다(透煞根淺). 또한 일간의 병화는 신금과 정재를 만들고, 갑목과 편인을 만들고 있는데, 칠살의 임수를 에너지가 강한 재성의 신금과 편인의 갑목이 돕고 있다(財印助之). 이때 편인도 에너지가 강한 일간에서 에너지를 설기하고 있어서 역시 에너지가 강하다. 즉, 정재의 신금, 칠살의 임수, 편인의 갑목이 서로 상생 관계를 만들면서, 에너지 균형을 잡아주고 있다. 그래서 이 사주도 역시 승상의 사주가 된다(亦丞相命也).

然亦有官煞制刃帶傷食而貴者, 何也? 或是印護, 或是煞太重而裁損之, 官煞輕而取淸之. 如穆同知命, 甲午, 癸酉, 庚寅, 戊寅, 癸水傷寅午之官, 而戊以合之, 所謂印護也. 如賈平章命, 甲寅, 庚午, 戊申, 甲寅, 煞兩透而根太重, 食以制之, 所謂裁損也. 如丙戌, 丁酉, 庚申, 壬午, 官煞競出, 而壬合丁官, 煞純而不雜. 況陽刃之格, 利於留煞, 所謂取淸也.

또한 역시 관살을 보유해서 양인을 상극으로 제어하고 동시에 식상을 끼고 있어도 귀격을 만든다는데(然亦有官煞制刃帶傷食而貴者), 어떤 경우인가(何也)? 이때는 양인격이 완성된 상태인데, 이때 식상은 관살을 상극으로 제어해서 제거해 버린다. 그러면, 양인격은 깨져버린다. 그러나 이때 누군가가 나서서 식상을 제거해준다면, 문제는 해결된다. 그래서 이 경우는 때로는 인수가 보호되어서 식상을 상극으로 제거하는 경우이거나(或是印護), 때로는 칠살의 에너지가 엄청나게 강한 태중(太重)이어서, 칠살이 상관을 상극으로 제어해도 칠살의 에너지가 남는 경우로서, 칠살이 에너지를 중재(裁)해서 식상의 에너지를 덜어내(損) 주는 경우가 된다(或是煞太重而裁損之). 양인격의 성립 조건에서 관살은 필수라는 사실을 상기해보자. 그래서 이렇게 식상의 에너지를 힘이 엄청나게 강해서 태중인 관살로 제어해주게 되면, 이때는 자동으로 관살의 에너지는 약해질지라도, 식상이라는 문제는 깨끗이 청소되게 된다(官煞輕而取淸之). 이를 목동지의 사주를 통해서 살펴보자(如穆同知命). 연주는 갑오이고(甲午), 월주는 계묘이고(癸酉), 일주는 경인이고(庚寅), 시주는 무인일 때(戊寅), 일간의 경금과 월간의 계수가 만든 상관은 지지에서 인오가 만든 화국이 일간의 경금과 만든 관성을 상극해서 문제를 만들지만

(癸水傷寅午之官), 이때 천간에서 무계가 화로 천간합(合)을 만들면서, 계수가 만든 상관을 제거해버린다(而戊以合之), 그러면 이는 무토라는 편인이 관성을 도와주는 꼴이 되면서, 결과적으로 인성이 관성을 보호하게 된다(所謂印護也). 이번에는 가평장의 사주를 살펴보자(如賈平章命). 연주는 갑인이고(甲寅), 월주는 경오이고(庚午), 일주는 무신이고(戊申), 시주는 갑인일 때(甲寅), 일간인 무토와 갑목이 만든 칠살은 2개가 존재하고 있고, 추가로 지지의 인목은 지장간으로 갑목을 투출하고 있는데, 이도 역시 2개이어서, 칠살의 뿌리는 엄청나게 깊게 되고, 이어서 칠살의 에너지는 자동으로 태중(太重) 상태가 되고 있다(煞兩透而根太重). 그래서 일간의 무토와 경금이 만든 식신을 태중한 칠살이 상극으로 제어해주고 있다(食以制之). 이것을 소위 재손(裁損)이라고 부른다(所謂裁損也). 즉, 재손(裁損)은 칠살이 에너지를 중재(裁)해서 식상의 에너지를 덜어내(損) 주는 경우이다. 사주를 하나 더 살펴보자. 연주가 병술이고(如丙戌), 월주가 정유이고(丁酉), 일주가 경신이고(庚申), 시주가 임오일 때(壬午), 일간의 경금과 병화, 그리고 정화가 만나면서, 소위 관살이 경쟁적을 출현하고 있다(官煞競出). 그런데, 여기서 반전이 있다. 즉, 임수가 존재해서 정관의 정화와 정임이라는 천간합을 만들게 되고(而壬合丁官), 결국에는 관살 혼잡이 사라지고 순수하게 칠살 하나만 남게 된다(煞純而不雜). 그러면 지금 상황(況)에서는 경금과 유금이 만든 양인격은 칠살의 존재로 인해서 격을 완성하게 된다(況陽刃之格). 그래서 이때는 칠살이 남는 경우가 유리하게 된다(利於留煞). 그리고 이렇게 양인격이 깨끗하게 청소되는 경우를 취청(取清)이라고 부른다(所謂取清也). 즉, 취청은 문제가 깨끗이 청소되었다는 뜻이다.

其於丙生午月, 內藏己土, 可以克水, 尤宜帶財佩印, 若戊生午月, 乾透丙火, 支會火局, 則化刃為印, 或官或煞, 透則去刃存印其格愈清. 倘或財煞並透露, 則犯去印存煞之忌, 不作生煞制煞之例, 富貴兩空矣.

만약(其)에 일간이 병화이고, 월지가 오화일 때는(其於丙生午月), 양인이 되는데, 오화는 지장간에 기토를 내장하고 있어서(內藏己土), 이는 수가 만든 관살을 상극할 수 있으므로(可以克水), 이때는 양인격을 완성하기 위해서 관살을 살려야 하므로, 추가로 재성과 인성을 끼고 있는 일이 마땅하게 된다(尤宜帶財佩印). 이 문제는 앞에서 이미 설명했다. 만약에 일간이 무토이고, 월지가 오화일 때(若戊生午月), 월지의 오화가 병화를 지장간으로 투출하고 있고(乾透丙火), 동시에 지지에서 지지가 만나서 화국을 만든다면(支會火局), 이는 일간의 무토와 만나서 인성을 만들게 된다. 그런데, 이 화국은 천간에 있는 병화와도 반응하게 된다. 그러면, 화국과 병화가 만나게 되면, 이때는 에너지가 양인화(化刃)된다. 그러면, 이 양인화된 에너지는 자동으로 인성을 만드는 에너지가 되게 된다(則化刃為印). 즉, 이때는 인성에 엄청난 에너지가 실리게 된다. 그런데, 이때 정관이나 칠살이 투출(透)하게 되면(或官或煞), 이 관살이 양인화된 에너지 일부를 제거해주게 되면서, 결국에는 순수한 인성만 남게 되고, 그러면, 이때 만들어진 격의 에너지는 더욱더 깨끗해지게 된다(透則去刃存印其格愈清). 만약에 이때 재성과 칠살이 병립해서 투출하고 노출되면(倘或財煞並透露), 이때는 재성의 상극으로 인해서 자동으로 인성은 제거될 것이고, 결국에는 꺼리는 칠살만 남게 되는 상황을 만들어버리는데(則犯去印存煞之忌), 그러면, 이때는 인성과 칠살이 상생(生)하고, 이어서 인성이 칠살의 에너지를 설기해서 칠살의 에너지를 제어(制)하는 예가 작동(作)하지 않게(不) 된다(不作生煞制煞之例). 그러면, 이때는 자동으로 격은 망하게 되고, 이어서 부귀 양쪽은 모두 공허한 메아리가 되고 말 것이다(富貴兩空矣).

更若陽刃用財, 格所不喜, 然財根深而用傷食, 以轉刃生財, 雖不比建祿月劫, 可以取貴, 亦可就富. 不然, 則刃與財相搏, 不成局矣.

다시 만약에 양인이 재성을 쓰게 되면(更若陽刃用財), 이때 재성은 칠살만큼 양인을 제어하지 못하므로, 이때 이 격은 재성을 좋아할 이유(所)가 없게 된다(格所不喜). 그러나 재성이 뿌리를 아주 깊게 내려서 에너지가 강하고, 추가로 식상을 이용할 수 있게 되면(然財根深而用傷食), 양인의 에너지는 식상으로 전(轉)해지게 되고, 이어서 식상은 재성을 생해서(以轉刃生財), 결국에는 양인의 에너지를 중화할 수 있게 된다. 이는 물론 에너지를 중화한다는 측면에서 보게 되면, 건록이나 월겁과 비교할 바는 아니지만(雖不比建祿月劫), 그래도 상생의 설기(洩)를 통해서 양인의 에너지를 어느 정도는 중화한 상태이므로, 이때도 귀를 취할 수 있게 되고(可以取貴), 추가로 역시 부도 취득할 수 있게 된다(亦可就富). 그런데, 이 경우가 나오지 않게 되면(不然), 양인과 재성은 서로 상극하면서 피 터지게 싸우게 될 것이고(則刃與財相搏), 그러면, 이때 격국의 완성은 물 건너가게 된다(不成局矣).

제44장 양인의 취운을 논하다(論陽刃取運)

제44장 양인의 취운을 논하다(論陽刃取運)

陽刃用官, 則運喜助官, 然命中官星根深, 則印綬比劫之方, 反為美運, 但不喜傷食合官耳.

양인이 정관을 이용하고 있을 때는(陽刃用官), 이미 격이 완성된 상태이므로, 이때는 운이 정관을 돕는 쪽으로 흐르는 것을 좋아하게 된다(則運喜助官). 그러나 사주 중에서 관성의 뿌리가 깊어서 에너지가 강하다면(然命中官星根深), 이때는 관성의 에너지를 설기하는 인수나 관성의 에너지와 정면으로 대결하는 비겁이 오는 처방도 괜찮다(則印綬比劫之方). 물론 이때 핵심은 관성의 에너지가 강하다는 조건이다. 그러면, 이때도 좋은 운을 만들 수 있게 된다(反為美運). 그러나 이때 관성과 상극으로 부딪히는 식상이나 관성을 아예 제거해버리는 합이 만들어지게 되면, 이때는 격 자체가 망하게 되므로, 이런 상황은 자동으로 싫어하게 된다(但不喜傷食合官耳). 너무나도 당연한 말을 하고 있다.

陽刃用煞, 煞不甚旺, 則運喜助煞. 煞若太重, 則運喜身旺印綬, 傷食亦不為忌.

양인이 칠살을 용신으로 쓰고 있다면(陽刃用煞), 이때는 자동으로 양인격이 완성된 상태이므로, 이때 칠살의 에너지가 심하게 과도해지지만 않게 되면(煞不甚旺), 운이 칠살을 돕는 쪽으로 흘러도 좋아하게 된다(則運喜助煞). 그러나 만약에 칠살의 에너지가 엄청나게 강한 태중의 상태가 되면(煞若太重), 이때는 강한 칠살의 에너지와 균형을 맞춰주기 위해서 일간의 에너지를 왕성하게 해주거나, 인수를 동원해서 칠살의 에너지를 설기해주는 것도 좋아하게 된다(則運喜身旺印綬). 그러면, 자동으로 이때는 엄청나게 강한 칠살을 상극하는 식상도 꺼릴 이유가 없게 된다(傷食亦不為忌). 너무나도 당연한 이야기이다.

陽刃而官煞並出, 不論去官去煞, 運喜制伏, 身旺亦利, 財地官鄕反為不吉也.

양인이 정관과 칠살을 동시에 투출받고 있을 때(陽刃而官煞並出), 정관을 제거하고 칠살을 남기든, 칠살을 제거하고 정관을 남기든지 간에 상관없이(不論去官去煞), 운은 강한 에너지를 보유한 양인을 상극으로 제어해서 굴복시키는 일을 좋아하게 되고(運喜制伏), 이때 관살이 동시에 나오게 되면, 일간이 강한 경우도 격을 만들 때 역시 유리하게 작용한다(身旺亦利). 그러나 이때 지지에 뿌리를 둔 강한 재성이나 에너지가 강한 정관은 불리하게 작용한다(財地官鄕反為不吉也). 이때 재성은 일간과 상극으로 피 터지게 싸우므로, 좋지 않게 되고, 강한 정관은 일간과 에너지 균형을 깨버린다.

제45장 건록과 월겁을 논하다(論建祿月劫)

제45장 건록과 월겁을 논하다(論建祿月劫)

建祿者, 月建逢祿堂也, 祿即是劫. 或以祿堂秀出, 即可依以用者, 非也. 故建祿與月劫, 可同一格, 不必加分, 皆以透干支, 別取財官煞食為用.

건록은(建祿者), 월지에서 건록을 만나는 경우이다(月建逢祿堂也). 여기서 말하는 록은 비겁을 말한다(祿即是劫). 때로 건록은 같은 오행이 겹치면서 자동으로 강한 에너지로서 이용되지만(或以祿堂秀出), 에너지가 너무 강한 바람에, 이를 용신으로 이용해서 의지하지는 않는다(即可依以用者, 非也). 사주 명리의 핵심은 에너지의 균형이기 때문이다. 그래서 같은 오행을 모두 이용하는 건록과 더불어 월겁은(故建祿與月劫), 똑같은 하나의 격으로 취급하므로(可同一格), 이 둘을 구분하는 일은 불필요하다(不必加分). 이 둘이 천간과 지지에 투출해있게 되면(皆以透干支), 이 둘의 에너지를 상극으로 견제해주거나 상생으로 설기해줄 수 있는 오행을 별도로 잡아서 용신으로 쓰게 되므로, 이때는 별도로 재성, 정관, 칠살, 식상을 용신으로 이용하게 된다(別取財官煞食為用).

祿格用官, 幹頭透出為奇, 又要財印相隨, 不可孤官無輔. 有用官而印護者, 如庚戌, 戊子, 癸酉, 癸亥, 金丞相命是也. 有用官而財助者, 如丁酉, 丙午, 丁巳, 壬寅, 李知府命是也.

건록월겁격이 정관을 용신으로 이용할 때는(祿格用官), 정관 하나로는 건록월겁의 강한 에너지를 감당하기가 쉽지 않으므로, 천간에 투출해있는 다른 격에 의지(奇)하게 된다(幹頭透出為奇). 그래서 이때 또한 중요한 일은 재성이나 인성이 함께 동반되어야지(又要財印相隨), 외로운 정관은 도움이 없이 단독 용신으로는 견디기가 쉽지 않다(不可孤官無輔). 그래서 용신으로 정관을 보유한 상태에서 에너지의 균형을 잡아서 인수는 정관을 보호해준다(有用官而印護者). 사주를 하나 살펴보자. 연주가 경술이고(如庚戌), 월주가 무자이고(戊子), 일주가 계유이고(癸酉),

시주가 계해인(癸亥), 이 사주는 금승상의 사주이다(金丞相命是也). 지금 보면, 계자라는 건록월겁격이 무토의 정관을 용신으로 이용하고 있는데, 경금의 인수가 에너지 균형을 잡아주면서 무토의 정관을 돕고 있다. 즉, 경금의 인수가 무토의 정관, 경금의 인수, 수의 건록월겁이라는 상생의 조합을 만들어서 에너지 균형을 만들어주고 있다. 다시 본문을 보자. 이번에는 건록월겁격이 정관을 용신으로 이용하고 있을 때, 일간을 상극하는 재성이 돕는 경우를 보자(有用官而財助者). 연주가 정유이고(如丁酉), 월주가 병오이고(丙午), 일주가 정사이고(丁巳), 시주가 임인인(壬寅), 이 사주는 이지부의 사주이다(李知府命是也). 여기서 보면, 정오라는 건록월겁이 임수의 정관을 용신으로 쓰고 있고, 유금의 편재를 추가로 이용하고 있다. 이때 유금의 편재는 일간을 상극해서 임수의 정관을 돕고 있다.

有官而兼帶財印者, 所謂身強值三奇, 尤為貴氣. 三奇者, 財官印也, 只要以官隔之, 使財印兩不相傷, 其格便大. 如庚午, 戊子, 癸卯, 丁巳, 王少師命是也.

건록월겁에서 정관을 용신으로 보유한 상태에서, 재성과 인성을 겸해서 보유하게 되면(有官而兼帶財印者), 이때는 자동으로 일간의 에너지 균형은 강(强)해지게 되는데, 이때를 보고, 일간은 3가지 가치(值)에 의지(奇)한다고 한다(所謂身強值三奇). 그러면, 이때는 자동으로 귀한 기운이 만들어진다(尤為貴氣). 여기서 삼기는(三奇者), 재성, 정관, 인성이라는 3가지를 말한다(財官印也). 이는 상생의 조합을 만들고 있다. 그러면, 에너지 균형은 자동으로 만들어지고, 이어서 귀는 자동으로 따라온다. 이 시점에서 중요한 사실은 가운데에서 정관이 에너지 중재자가 되면서, 재성과 인성이 서로 상극으로 충돌하는 일을 막아(隔)주고 있다는 점이다(只要以官隔之). 결국에 정관은 재성과 인성이 서로 상극해서 상하게 하는 일을 막고 있다(使財印兩不相傷). 그러면, 이 격은 곧바로 크게 된다(其格便大). 이를 사주로 살펴보자. 연주가 경오이고(如庚午), 월주가 무자이고(戊子), 일주가 계묘이고(癸卯), 시주가 정사인(丁巳), 이 사주는 왕소사의 사주이다(王少師命是也).

여기서는 계자가 건록월겁을 만들고 있고, 무토의 정관은 정화의 편재와 경금의 인수라는 짝을 만나서 격을 만들고 있다.

祿劫用財, 須帶食傷, 蓋月令為劫而以財作用, 二物相克, 必以傷食化之, 始可轉劫生財. 如甲子, 丙子, 癸丑, 壬辰, 張都統命是也.

건록월겁이 재성을 이용할 때(祿劫用財), 모름지기 식상을 끼고 있으면(須帶食傷), 재성의 약한 고리를 식상이 일간의 에너지를 설기해서 도와준다. 일반적으로 월령이 비겁을 만들고 있을 때, 재성을 이용해서 용신의 작용을 만들게 되면(蓋月令為劫而以財作用), 이때는 월겁과 재성은 자동으로 서로 상극하게 되고(二物相克), 그러면, 이때는 반드시 식상을 이용해서 이들을 상생으로 화합(化)하게 만들어줘야만 한다(必以傷食化之). 그러면, 이때는 자동으로 월겁, 식상, 재성이라는 상생의 화합이 만들어지면서, 에너지는 균형을 잡게 된다. 그러면, 비로소(始) 월겁의 에너지는 식상으로 전해지게 되고, 이어서 식상은 재성을 생하게 된다(始可轉劫生財). 이를 사주로 살펴보자. 연주가 갑자이고(如甲子), 월주가 병자이고(丙子), 일주가 계축이고(癸丑), 시주가 임진인(壬辰), 이 사주는 장도통의 사주이다(張都統命是也). 여기서 보게 되면, 계자라는 건록월겁은 갑목과 상관을 만들고, 병화와 정재를 만들고 있다. 이는 자동으로 월겁, 식상, 재성이라는 상생의 조합을 만들고 있다. 이는 자동으로 에너지 균형으로 가고 있다.

至於化劫為財, 與化劫為生, 尤為秀氣. 如己未, 己巳, 丁未, 辛丑, 丑與巳會, 即以劫財之火為金局之財, 安得不為大貴? 所謂化劫為財也. 如高尚書命, 庚子, 甲申, 庚子, 甲申, 即以劫財之金, 化為生財之水, 所謂化劫為生也.

건록월겁에서 월겁이 합을 만들어서 재성을 만들어주고 있을 때는(至於化劫為

財), 월겁이 만든 합이 재성을 만들어주고 있으므로(與化劫為生), 일간의 에너지를 더욱더 수려한 에너지로 만들어준다(尤為秀氣). 이를 사주를 통해서 살펴보자. 연주가 기미이고(如己未), 월주가 기사이고(己巳), 일주가 정미이고(丁未), 시주가 신축일 때(辛丑), 지지에서 사축이 만나서 금국을 만든다(丑與巳會). 그러면, 비겁의 정화는 자동으로 금국과 재성을 만든다(即以劫財之火為金局之財). 그러면, 건록월겁은 자동으로 사라지게 되고, 이제 재성이 정화의 용신이 된다. 그러면, 이때는 어찌 큰 귀를 얻지 못하겠는가(安得不為大貴)? 소위 월겁이 합으로 변해서 재성을 만드는(所謂化劫為財也), 고상서의 사주를 살펴보자(如高尚書命). 연주가 경자이고(庚子), 월주가 갑신이고(甲申), 일주가 경자이고(庚子), 시주가 갑신일 때(甲申), 지지에서 신자는 수국(水)이라는 삼합을 만든다. 즉, 월겁을 만드는 신금이(即以劫財之金), 삼합이 되면서 재성이라는 수국을 만든 것이다(化為生財之水). 그래서 이를 보고, 소위 월겁이 삼합으로 변화(化)해서 재성을 만들었다고 한다(所謂化劫為生也). 즉, 격 자체가 건록월겁격에서 재격으로 변해버린 것이다.

祿劫用煞, 必須制伏, 如婁參政命, 丁巳, 壬子, 癸卯, 己未, 壬合丁財以去其黨煞, 卯未會局以制伏是也.

건록월겁이 용신으로 칠살을 이용하고 있을 때(祿劫用煞), 칠살이 모름지기 반드시 상극되어서 제어되고, 이어서 굴복되는 경우도 있다(必須制伏). 이를 루참정의 사주를 통해서 살펴보자(如婁參政命). 연주가 정사이고(丁巳), 월주가 임자이고(壬子), 일주가 계묘이고(癸卯), 시주가 기미일 때(己未), 월지인 자수의 지장간에서 임수를 투출하고 있어서, 이때는 계자라는 월겁은 만들어지지 않게 되고, 천간에서 정임이 만나서 목(木)으로 변하게 되면, 자동으로 일간의 계수와 정화가 만든 편재는 제거되고, 일간의 계수와 임수가 만든 겁재도 동시에 제거되면서, 이때는 정화의 편재가 자기(其)의 당살(黨煞)인 임수를 제거(去)한 셈이 된다(壬合丁財以去其黨煞). 정화와 임수는 관성(黨煞)으로 엮인다는 사실을 상기해보자. 그리고 지지에서 묘미가 삼합을 만들면서, 목국(木)으로 변하게 되고, 그러면, 시주의 기토와 일간의 계수가 만든 칠살은 천간에서 천간합으로 만들어진 목(木)이나, 지지에서 삼합으로 만들어진 목국(木)이 일간의 계수와 식상을 만들게 되고, 이는 자동으로 기토의 칠살을 상극해서 제어하면서 굴복시키게 된다(卯未會局以制伏是也). 이 부분은 해석이 쉽지만은 않다.

至用煞而又逢財, 本為不美, 然能去煞存財, 又成貴格. 戊辰, 癸亥, 壬午, 丙午, 合煞存財, 袁內閣命是也.

건록월겁에서 용신으로 칠살을 이용하고 있는 상태에서 추가로 재성을 만나게 되면(至用煞而又逢財), 이 재성은 칠살로 에너지를 보내서 칠살의 에너지를 너무 강하게 만들어버리므로, 이 조합은 본래 좋은 조합이 아니다(本為不美). 그러나 이때 칠살이 제거되는 상황을 만나게 되면서 재성만 남을 경우에는(然能去煞存財), 재성이 건록월겁을 상극으로 제어하므로, 이때는 거꾸로 재성이 귀격을 완성하게 된다(又成貴格). 이를 사주로 살펴보자. 연주가 무진이고(戊辰), 월주가 계해이고(癸亥), 일주가 임오이고(壬午), 시주가 병오일 때(丙午), 임수의 칠살인 무토가 계수와 합쳐지면서 천간합인 화가 되면서 제거되고, 일간인 임수와 병화가 만든 정재는 남아서 존재하게 된다(合煞存財). 이는 원내각의 사주이다(袁內閣命是也).

其祿劫之格, 無財官而用傷食, 洩其太過, 亦為秀氣. 唯春木秋金, 用之則貴, 蓋木逢火則明, 金生水則靈. 如張狀元命, 甲子, 丙寅, 甲子, 丙寅, 木火通明也. 又癸卯, 庚申, 庚子, 庚辰, 金水相涵也.

만약(其)에 건록월겁격이(其祿劫之格), 재성도 없고 관살도 없는 상태에서 식상을 용신으로 이용하게 되면(無財官而用傷食), 이때 건록월겁(其)의 에너지 태과를 누설해서 견제할 수 있으므로(洩其太過), 이때도 역시 일간의 에너지는 수려한 기운이 된다(亦為秀氣). 이를 봄의 목과 가을의 금을 가지고 추정해보자면(唯春木秋金), 쓸모가 있으면 귀해지게 되는 원리이다(用之則貴). 일반적으로 목이 화를 만나게 되면, 목이 화의 불쏘시개가 되면서 밝아지는 원리와 같고(蓋木逢火則明), 금이 수를 만나게 되면, 수가 금을 깨끗이 씻어주면서 영롱해지는 원리와 같다(金生水則靈). 즉, 쓰임새(用)에 따라서 귀(貴)해지는 것이다. 잠시 장장원의 사주를 살펴보자(如張狀元命). 연주가 갑자이고(甲子), 월주가 병인이고(丙寅), 일주가 갑자이고(甲子), 시주가 병인일 때(丙寅), 천간을 보면, 갑목과 병화가 전형적인 목화 통명을 하고 있다(木火通明也). 사주를 하나 더 살펴보자. 연주가 계묘이고(又癸卯), 월주가 경신이고(庚申), 일주가 경자이고(庚子), 시주가 경진인(庚辰), 이 사주는 금수가 서로 물을 머금고 있다(金水相涵也). 진(辰)의 지장간에도 계수(癸)가 있고, 신(申)의 지장간에는 임수(壬)가 있다. 한마디로 금과 수의 천국이다.

更有祿劫而官煞競出, 必取清方為貴格. 如一平章命, 辛丑, 庚寅, 甲辰, 乙亥, 合煞留官也. 如辛亥, 庚寅, 甲申, 丙寅, 制煞留官也.

또는 건록월겁이 관살을 경쟁적으로 투출받고 있다면(更有祿劫而官煞競出), 이때는 반드시 둘 중 하나를 깨끗이 청소해서 격을 깨끗하게 만들게 되면, 자동으로 귀격을 만들게 된다(必取清方為貴格). 일평장의 사주를 예로 살펴보자(如一平章命). 연주가 신축이고(辛丑), 월주가 경인이고(庚寅), 일주가 갑진이고(甲辰), 시주가 을해일 때(乙亥), 일간인 갑목의 칠살인 경금은 천간합으로서 을경이 되면서 사라지고, 일간인 갑목과 신금이 만나면서 만들어진 정관만 남게 된다(合煞留官也). 사주를 하나 더 보자. 연주가 신해이고(如辛亥), 월주가 경인이고(庚寅), 일주가 갑신이고(甲申), 시주가 병인일 때(丙寅), 일간인 갑목과 경금이 만든 칠살은 갑목과 병화가 만든 식신이 상극으로 제어하면서 제거되고, 신금의 정관만 남게 된다(制煞留官也). 물론 결과는 귀격이다.

倘或兩官競出, 亦須制伏, 所謂爭正官不可無傷也. 若夫用官而孤官無輔, 格局更小, 難於取貴, 若透傷食便爲破格. 然亦有官傷並透而貴者, 何也? 如己酉, 乙亥, 壬戌, 庚子, 庚合乙而去傷存官, 王總兵命也.

만약에 2개의 정관이 함께 투출하고 있다면(倘或兩官競出), 정관도 역시 일간을 상극하기는 마찬가지이므로, 역시나 하나는 제어해서 굴복시켜야만 한다(亦須制伏). 소위 정관이 서로 일간과 싸우고 있다면, 일간이 상하지 않을 수가 없기 때문이다(所謂爭正官不可無傷也). 만약에 정관을 용신으로 쓰고 있는 상태에서 정관이 홀로 도움을 받지 못하고 있다면(若夫用官而孤官無輔), 이때 격국의 에너지는 자동으로 작아지게 되고(格局更小), 이어서 격은 귀함을 얻지 못하고 어려움을 겪게 된다(難於取貴). 만약에 이때 정관을 상극하는 식상을 투출받게 되면, 자동으로 파격을 만들고 만다(若透傷食便爲破格). 그러나 역시 정관과 식상이 함께 투출해도 귀를 얻는 때가 있는데(然亦有官傷並透而貴者), 어느 때인가(何也)? 이를 사주로 살펴보자. 연주가 기유이고(如己酉), 월주가 을해이고(乙亥), 일주가 임술이고(壬戌), 시주가 경자일 때(庚子), 일간인 임수와 을목이 만나서 상관을 만들게 되는데, 이때 천간에서 을경이라는 천간합이 만들어지게 되면, 자동으로 상관이 제거되고, 기토의 정관만 남게 된다(庚合乙而去傷存官). 이 사주는 왕총병의 사주이다(王總兵命也). 즉, 정관을 상극하던 상관이 합으로 제거된 경우이다.

用財而不透傷食, 便難於發福, 然幹頭透一位而不雜, 地支根多, 亦可取富, 但不貴耳. 用官煞重而無制伏, 運行制伏, 亦可發財, 但不可官煞太重, 致令身危也.

건록비겁에서 견제하는 에너지가 약한 재성을 용신으로 이용하고 있을 때, 식상을 투출받고 있지 않게 되면(用財而不透傷食), 재성은 식상에서 에너지를 받지 못하게 되면서, 재성의 견제하는 에너지는 강화되지 못하게 된다. 그러면, 이 격은 즉시 복을 만들어내기는 어렵게 되고 만다(便難於發福). 그래서 천간에서 식상이 하나 정도는 출현해줘야만, 문제가 깨끗이 정리된다(然幹頭透一位而不雜). 이때 천간에서 식상은 출현하지 않았지만, 재성이 지지에서 뿌리를 많이 보유하고 있다면(地支根多), 이때는 역시 복은 취할 수 있게 된다(亦可取富). 그러나 식상의 부재로 인해서 에너지가 약한 바람에 귀까지 취득하기는 어렵게 된다(但不貴耳). 그리고, 이때 건록월겁을 상극으로 제어하는 관살이 중복(重)해서 출현하고 있을 때, 이를 상극으로 제어해서 굴복시키지 못할 경우에는(用官煞重而無制伏), 문제가 심각해진다. 그러나 이때 해마다 돌아오는 세운의 운행(運行)에서 관살을 상극으로 제어해서 굴복시킬 수 있는 세운의 오행을 만나게 되면(運行制伏), 역시 이때는 재산이 많은 복을 만들 수 있게 된다(亦可發財). 그러나, 이때 관살의 에너지가 엄청나게 강한 태중이 되어버리면(但不可官煞太重), 이는 자동으로 감당이 불가하게 되고, 그러면, 건록월겁이라는 아무리 강한 에너지일지라도, 거꾸로 관살의 공격을 받게 되면서, 자동으로 일간의 에너지는 거꾸로 위험에 처하고 만다(致令身危也). 즉, 제어가 거꾸로 들어온 것이다. 한마디로 역풍이 분 것이다.

제46장 건록월겁의 취운을 논하다(論建祿月劫取運)

제46장 건록월겁의 취운을 논하다(論建祿月劫取運)

祿劫取運, 即以祿劫所成之局, 分而配之. 祿劫用官, 印護者喜財, 怕官星之逢合, 畏七煞之相乘. 傷食不能為害, 劫比未即為凶.

건록월겁을 이용해서 취운할 때는(祿劫取運), 건록월겁을 이용해서 어떻게 국을 완성할지를 살펴보고(即以祿劫所成之局), 이를 구분해서 배합하면 된다(分而配之). 그리고 건록월겁이 정관을 용신으로 쓰게 될 때(祿劫用官), 인수가 정관을 보호하게 하려면, 이때는 재성을 이용하면 좋아하게 된다(印護者喜財). 그러면, 자동으로 재성, 정관, 인수라는 상생의 조합이 만들어지면서, 에너지가 균형을 잡게 된다. 즉, 이때는 정관을 앞뒤에서 도와주고 있다. 그리고 관성이 합을 만나서 제거되는 경우를 두려워하는 때는(怕官星之逢合), 칠살의 에너지가 상대적으로 상승할 경우를 무서워할 때이다(畏七煞之相乘). 여기서 말하는 상승(相乘)의 개념을 한의학 대사전을 통해서 살펴보자. 상승은 오행(五行)의 상극 관계에서 한 사물이 다른 한 사물을 정상보다 더 심하게 제약하고 억제하는 관계를 이르는 말이다. 예를 들면 목극토(木克土)의 관계에서 목(木)이 지나치게 승(勝)하면 정상보다 더 심하게 토(土)를 제약하거나 억제한다고 보는 것 등이다. 옛 의학서에는 상승 관계로 병리 기전을 설명하였는데, 간목(肝木)의 기가 횡역(橫逆)하거나 지나치게 울결(鬱結)되면 토(土)에 속한 비위(脾胃)에 영향을 주어서 식욕이 부진하고 소화불량과 설사를 하는 등 비위(脾胃) 장애 증상과 함께 간기(肝氣) 장애 증상이 나타난다고 하였다. 다시 본문을 보자. 그러면, 이때는 칠살의 과도한 기운을 상극으로 제어하는 식상도 해가 되지 않게 되고(傷食不能為害), 칠살이 공격하는 일간의 힘을 강화해주는 비겁도 역시 나쁘게 작용하지 않는다(劫比未即為凶).

財生喜印, 宜官星之植根, 畏傷食之相侮, 逢財愈見其功, 雜煞豈能無礙?

이미 앞에서 본 것처럼, 정관이 건록월겁의 용신으로 이용될 때는 재성이 정관을 생하고, 정관이 인성을 생하는 경우를 좋아하게 된다(財生喜印). 또한 이때는 당연히 관성이 지지에 뿌리를 내리고 있어서 관성의 에너지가 강해지는 경우도 좋아하게 된다(宜官星之植根). 그러나 관성을 상극하는 식상이 에너지가 너무 약해서 관성이 식상을 업신여기는 경우도 두려워하게 된다(畏傷食之相侮). 이 문장은 해석의 오류가 자주 나오는 경우이다. 먼저 상모(相侮)라는 의미를 한의학 대사전을 통해서 알아보자. 상모는 달리 반극(反克) · 반모(反侮)라고도 부른다. 오행(五行)의 상극 관계에서 제약을 받던 사물이 반대로 제약하던 사물을 제약하고 억제하는 관계를 이르는 말이다. 예를 들면 금극목(金克木)의 관계에서 금(金)이 지나치게 편쇠(偏衰)하면, 목(木)이 도리어 금을 제약한다고 보는 것 등이다. 옛 의학서에는 상모 관계로 병리기전을 설명하였는데, 금(金)에 속한 폐금(肺金)이 허해서 숙강(肅降) 기능이 약해지면, 목(木)에 속한 간(肝)의 승발소설(升發疏泄) 기능이 항진되고, 간화(肝火)가 왕성해지면서 폐음(肺陰)을 상하기 때문에 마른기침이 나고, 가슴이 답답하며 옆구리가 아프고, 입이 마르며 눈이 충혈되는 등 목화형금(木火刑金)의 증상이 나타난다고 하였다. 그래서 지금처럼 상모의 개념을 보게 되면, 분명히 식상은 관성을 상극으로 제어하게 된다. 이때 상모를 적용하게 되면, 거꾸로 관성이 식상을 상극하게 된다. 이는 자동으로 관성의 에너지 과다를 말하게 된다. 그러면 자동으로 에너지가 많은 관성은 에너지가 상대적으로 적은 식상을 업신(侮)여기게 될 것이다. 그러면, 이때 일간은 관성의 과다 제약을 받게 될 것이다. 그러면, 이때는 자동으로 파격이 되고 만다. 그래서 지금은 관성의 에너지가 너무 과해서 파격이 되는 경우를 두려워(畏)하고 있는 상태가 된다. 다시 본문을 보자. 그러나 이때 재성을 만나게 되면, 상관, 재성, 관성이라는 상생의 조합을 만들게 되면서, 재성(其)의 공은 더욱더 빛이 날 것이다(逢財愈見其功). 그래서 결국에는 관살 혼잡은 자동으로 문제를 만들므로, 이 관살 혼잡이 어찌 장애가 안 될까(雜煞豈能無礙)? 즉, 관살 혼잡은 격을 만들 때 장애가 된다.

祿劫用財而帶傷食, 財食重則喜印綬, 而不忌比肩. 財食輕則宜助財, 而不喜印比. 逢煞無傷, 遇官非福.

건록월겁이 재성을 용신으로 사용하면서 동시에 식상을 끼고 있게 되면(祿劫用財而帶傷食), 건록월겁은 식상으로 에너지를 보내서 식상의 에너지를 강(重)하게 만들고, 이어서 식상은 재성으로 에너지를 보내서 재성의 에너지를 강(重)하게 만들게 되면, 이때는 자동으로 과도한 재성의 에너지를 상극으로 견제해줄 인수를 좋아하게 된다(財食重則喜印綬). 그러면, 이때는 재성, 인수, 식상이라는 상극의 조합이 만들어지면서, 에너지가 균형을 잡게 된다. 그러면, 이때는 일간의 에너지가 강해지는 비견도 꺼릴 이유가 없게 된다(而不忌比肩). 즉, 이때는 강해진 일간의 에너지를 인수가 설기해서 중화해주기 때문이다. 그러나 이때 재성과 식상의 에너지가 약(輕)하게 되면, 식상의 에너지를 받는 재성을 마땅히 도와줘야만 한다(財食輕則宜助財). 그러면, 이때는 자동으로 에너지가 균형을 잡게 된다. 그래서 이때는 이 에너지 균형을 깨버리는 인수나 비견은 좋아하지 않게 된다(而不喜印比). 그러나 이때 식상과 재성이 공존하면서 에너지가 균형을 이루고 있는 상태에서는 칠살을 만나도 해가 없으며(逢煞無傷), 그렇다고 정관을 만나도 특별히 부가 추가되지도 않는다(遇官非福). 그 이유는 식상, 재성, 관성이라는 상생의 관계가 만들어지면서, 똑같이 에너지가 균형을 잡기 때문이다. 이는 결국에 재성(財)을 도와(助)주는 역할이기 때문이다.

祿劫用煞食制, 食重煞輕, 則運宜助煞. 食輕煞重, 則運喜助食.

건록월겁이 칠살을 용신으로 쓰고 있으면서, 칠살을 상극으로 제압하는 식상을 동시에 쓰고 있을 때(祿劫用煞食制), 칠살을 상극하는 식상의 에너지가 강하고, 반면에 칠살의 에너지가 약하게 되면(食重煞輕), 이때는 에너지 균형을 맞춰주기 위해서 마땅히 운이 칠살을 돕는 쪽으로 흘러야만 하다(則運宜助煞). 이번에는 식상의 에너지가 약하고, 칠살의 에너지가 강하게 되면(食輕煞重), 이때는 반대로 운이 식상을 돕는 쪽으로 흘러야만 좋아하게 된다(則運喜助食).

若用煞而帶財, 命中合煞存財, 則傷食為宜, 財運不忌, 透官無慮, 身旺亦亨. 若命中合財存煞, 而用食制, 煞輕則助煞, 食輕則助食則已.

만약에 건록월겁이 칠살을 용신으로 쓰면서 재성을 끼고 있는데(若用煞而帶財), 사주 중에서 칠살을 합으로 제거하고, 재성만 남게 되었을 때는(命中合煞存財), 재성의 견제 능력이 다소 약하므로, 이때는 재성으로 에너지를 보내서 재성의 에너지를 강화시켜주는 식상은 마땅한 처방이 된다(則傷食為宜). 그리고 다소 약한 재성을 도와주는 재성 운도 꺼릴 이유가 없고(財運不忌), 정관을 투출해서 재성이 정관을 돕게 해서 건록월겁에 대항하게 하는 것도 염려할 일이 없고(透官無慮), 그러면, 자동으로 이때 일간이 지지에 뿌리를 둬서 에너지가 왕성한 상태도 역시 좋은 경우가 된다(身旺亦亨). 이는 천간에서 정관과 재성이 합쳐지면서, 정관의 힘이 강해졌다는 사실을 상기해보면 된다. 만약에 이때 사주 중에서 재성이 합을 만들어서 제거되고, 칠살만 남게 되면서(若命中合財存煞), 식상을 용신으로 쓸 때는, 이 식상을 상극으로 제어하기 위해서(而用食制), 칠살을 이용하게 된다. 이때 만약에 칠살의 에너지가 약하게 되면, 이때는 당연히 칠살의 에너지를 도와주면 되고(煞輕則助煞), 반대로 식상의 에너지가 약하게 되면, 식상을 도와주면 된다(食輕則助食則已).

祿劫而用傷食, 財運最宜, 煞亦不忌, 行印非吉, 透官不美. 若命中傷食太重, 則財運固利, 而印亦不忌矣.

건록월겁이 용신으로 일간의 에너지를 누설하는 식상을 이용할 때는(祿劫而用傷食), 건록월겁을 상극으로 제어하는 재성의 운이 최고로 마땅하게 된다(財運最

宜). 그러면, 재성이 건록월겁을 상극으로 제어하고, 이런 재성을 식상이 에너지를 보내서 돕게 된다. 이때는 칠살도 꺼릴 이유가 없게 된다(煞亦不忌). 이때는 칠살이 건록월겁을 상극으로 제어하고, 이런 칠살을 식상이 제어하게 된다. 그러면, 자동으로 에너지는 균형을 잡게 된다. 이때 인수가 나타나게 되면, 인수는 식상을 상극하게 되면서, 에너지 균형을 깨뜨리게 되므로, 길하게 작용하지 않는다(行印非吉). 물론 이때 정관의 투출도, 관살 혼잡을 만들게 되면서, 좋은 선택은 아니게 된다(透官不美). 만약에 사주 중에 식상의 에너지가 엄청나게 강한 태중 상태가 되면(若命中傷食太重), 이때는 태중의 식상에서 에너지를 누설하는 재성 운도 확실한 이익을 가져다준다(則財運固利). 그리고 이런 강한 식상을 상극으로 제어하는 인수도 역시 꺼릴 이유가 없게 된다(而印亦不忌矣).

祿劫而官煞並出, 不論合煞留官, 存官制煞, 運喜傷食, 比肩亦宜, 印綬未為良圖, 財官亦非福運.

건록월겁이 정관과 칠살을 동시에 투출받고 있을 때(祿劫而官煞並出), 칠살이 합으로 제거되면서 정관만 남게 되든(不論合煞留官), 아니면, 칠살이 상극으로 제어되고, 정관만 남게 되든 상관없이(存官制煞), 운이 식상으로 흐르게 되면, 식상은 일간의 에너지를 누설해서 정관을 돕게 되므로, 정관은 식상을 당연히 좋아하게 된다(運喜傷食). 그러면, 일간의 에너지는 양쪽으로 공격받게 되면서, 일간은 아주 약해지므로, 이때는 비견 역시 마땅하게 된다(比肩亦宜). 그러나 이때 인수는 상관을 상극으로 제거해버리므로, 별 도움이 안 되고(印綬未為良圖), 재성이나 정관 역시 에너지 균형을 깨뜨리므로, 역시 복이 들어오는 운은 아니게 된다(財官亦非福運).

제47장 잡격을 논하다(論雜格)

제47장 잡격을 논하다(論雜格)

雜格者, 月令無用, 以外格而用之, 其格甚多, 故謂之雜. 大約要幹頭無官無煞, 方成格, 如有官煞, 則自有官煞為用, 列外格矣. 若透財尚可取格, 然財根深, 或財透兩位, 則亦以財為重, 不取外格也.

잡격은(雜格者), 월령이 지장간을 천간으로 투출해서 월지가 무용지물이 될 때나, 합을 만들어서 무용지물이 될 때(月令無用), 다른 격을 이용해서 용신으로 쓰는 경우를 말한다(以外格而用之). 즉, 용신의 중심인 월지가 용신을 만들지 못할 경우를 말한다. 이렇게 만들어진 외격은 너무나도 많고(其格甚多), 제대로 구분할 수가 없이 복잡해서(故謂之雜), 이렇게 잡격이라고 부르게 된다. 이때 대략 중요한 사실은 천간에 관살이 없어야만(大約要幹頭無官無煞), 비로소(方) 잡격이라는 격을 완성하게 된다는 점이다(方成格). 만약에 이때 천간이 관살을 보유하고 있어서(如有官煞), 스스로 보유한 관살을 용신으로 쓰게 되면(則自有官煞為用), 이는 잡격이 아닌 예외격(列外格)이라고 부르게 된다(列外格矣). 추가로 만약에 재성이 투출해있다면, 이는 그런대로(尚可) 격으로 취급할 수가 있다(若透財尚可取格). 그러나 재격이 뿌리가 깊어서 에너지가 강하거나(然財根深), 혹은 재격이 동시에 2개가 투출해서 존재하게 되면(或財透兩位), 이때는 역시 재성의 에너지가 너무 강하므로(則亦以財為重), 이도 역시 외격으로 취급하지 않게 된다(不取外格也). 그러면, 재성과 관성이 문제가 되고 있는데, 그 이유는 뭘까? 일단 이 둘은 모두 일간과 상극으로 엮인다. 그리고 이때 조건은 투출(透)이라는 점이다. 그리고 천간으로 오행을 투출(透)한 경우는 모두 지장간을 말하게 된다. 그러면, 이 오행은 자동으로 지장간의 에너지를 대표하게 된다. 그런데, 지장간의 에너지는 천간 에너지의 1/3밖에는 안 된다. 심지어 중기(中氣)는 아주 약한 에너지이다. 그리고 상극(克)은 에너지의 싸움이다. 그러면, 이렇게 약한 에너지가 천간 오행을 상극할 수는 없게 된다. 물론 이들이 겹쳐(重)도 또한 에너지를 문제를 만들고 만다.

試以諸格論之, 有取五行一方秀氣者, 取甲乙全亥卯未, 寅卯辰, 又生春月之類, 本是一派劫財, 以五行各得其全體, 所以成格, 喜印露而體純. 如癸亥, 乙卯, 乙未, 壬午, 吳相公命是也. 運亦喜印綬比劫之鄉, 財食亦吉, 官煞則忌矣.

이런 격들을 시험 삼아 논의해보자면(試以諸格論之), 한 개의 오행 처방(方)이 에너지를 수려하게 만드는 경우를 보자(有取五行一方秀氣者). 일간이 갑을인데, 지지에서 해묘미라는 삼합이 만들어지면서, 목국(木)이 되거나(取甲乙全亥卯未), 인묘진이라는 방합이 만들어지면서 목국(木)이 되면(寅卯辰), 이는 또한 목이 봄에 태어난 부류가 되고(又生春月之類), 이는 또한 본래 일종의 겁재가 되고(本是一派劫財), 이로써 목이라는 오행 각각이 이 사주 전체에서 얻어지고(以五行各得其全體), 이렇게 해서 성격을 이루려면(所以成格), 이는 에너지가 강한 상태를 말하게 되고, 이때는 이 에너지를 설기해주는 인수가 노출되면서, 사주의 에너지가 너무 강하지 않고 순수하게 만들어주는 경우를 좋아하게 된다(喜印露而體純). 이를 사주로 살펴보자. 연주가 계해이고(如癸亥), 월주가 을묘이고(乙卯), 일주가 을미이고(乙未), 시주가 임오인(壬午), 이 사주는 오상공의 사주이다(吳相公命是也). 이를 보게 되면, 지지에서 해묘미가 목국(木)을 만들고, 천간에는 을목이 2개가 있다. 한마디로 목(木)이 이 사주를 뒤흔들고 있다. 운도 역시 계수가 만든 인수가 힘이 강(鄕)한 비겁에서 에너지를 누설하고 있다(運亦喜印綬比劫之鄕). 이 경우에는 재성이나 식상이 나와도 역시 길하게 된다(財食亦吉). 즉, 이때는 재성, 인수, 식상이라는 상극의 조합이 나오면서, 에너지가 균형을 잡게 된다. 그러나 이때 관살은 재성과 식상을 상극으로 만나면서, 에너지 균형을 깨버리므로, 꺼리게 된다(官煞則忌矣). 이는 나무나 당연한 일이다.

有從化取格者, 要化出之物, 得時乘令, 四支局全. 如丁壬化木, 地支全亥卯未, 寅卯辰, 而又生於春月, 方為大貴. 否則, 亥未之月亦是木地, 次等之貴. 如甲戌, 丁卯, 壬寅, 甲辰, 一品貴格命也. 運喜所化之物, 與所化之印綬, 財傷亦可, 不利官煞.

기존 오행이 합을 만나서 화합(化)하고, 이어서 새로운 오행으로 변화(化)되면, 이에 따라서(從) 자동으로 다른 격을 취득(取)하게 된다(有從化取格者). 이때 중요한 사실은 이렇게 화합하고 변화해서 나온 새로운 물건인 새로운 오행은(要化出之物), 지지에서 때(時)를 얻게 되면, 이에 편승해서 자기 힘을 발휘할 수 있게 된다는 점이다(得時乘令). 이때는 물론 4개의 지지 모두(全)를 이용해서 국을 만들 수 있게 된다(四支局全). 예를 들어서 설명해보자면, 천간에서 정임이 서로 화합해서 목이라는 새로운 오행으로 변화하고(如丁壬化木), 지지에서도 해묘미가 서로 화합해서 삼합의 목국이라는 새로운 오행으로 변화하거나(地支全亥卯未), 임묘진이라는 방합이 새로운 오행인 목으로 변화하게 되면서(寅卯辰), 추가로 이들 오행이 봄이라는 월령에 맞춰지게 되면(而又生於春月), 비로소 대귀를 얻게 된다(方為大貴). 즉, 운이 때를 만난 것이다. 아니면(否則), 해묘미에서 묘가 빠진 해미도 역시 지지에서 목국을 만들 수 있는데(亥未之月亦是木地), 이는 해묘미라는 3개의 지지가 모여서 만든 에너지의 2/3밖에 안 되므로, 해묘미의 목국이 얻은 귀와 비교해서 보면, 차등의 귀를 만들게 된다(次等之貴). 이를 사주로 살펴보자. 연주가 갑술이고(如甲戌), 월주가 정묘이고(丁卯), 일주가 임인이고(壬寅), 시주가 갑진인(甲辰), 이 사주는 말 그대로 일품의 격을 보유한 사주이다(一品貴格命也). 이를 보게 되면, 천간에서 정임이 천간합을 만들면서, 새로운 목(木)으로 변화하게 되고, 지지에서는 삼합의 인술과 육합의 묘술이 모두 합이 되면서, 화(火)라는 새로운 오행으로 변하고, 그리고 방합의 인묘진으로 보게 되면, 새로운 목국(木)으로 변하게 된다. 그러면, 천간의 일간은 임수에서 목으로 변하게 된다. 그러면, 천간에서는 목이 3개가 된다. 즉, 천간 전체를 목이 통일하고 있다. 즉, 천간은 목(木)의 세상이다. 그런데 지지를 보게 되면, 새로운 화(火)나 새로운 목(木)이 기다리고 있다. 이때 목은 술토와 재성을 만들게 된다. 아니면, 화와 식상을 만들게 된다. 이때 더 중요한 사실은 천간의 새로운 목(木)이 지지의 새로운 목국(木)을 만나게 되면, 말 그대로 천간의 목(木)이 지지라는 때를 받았는데, 이도 역시 목(木)이라는 사실이다. 즉, 목(木)이 자기와 에너지가 맞는 봄(春:木)에 태어난(生) 것이다. 그리고 이때 식상은 과한 일간의 에너지를 누설해주면서 좋은 격을 만들어주고,

재성은 말 그대로 재성이 된다. 그래서 운이 지금처럼 흘러서 새로운 물건인 새로운 오행을 만들게 되면(運喜所化之物), 이때 지지의 새로운 오행이 화가 되면, 화를 제어해주는 인수와 더불고 싶어하고(與所化之印綬), 물론 이때 새로운 오행이 목이 되어도, 인수는 목의 과한 에너지를 누설해서 균형을 잡아주므로, 인수도 좋은 작용을 하게 된다. 그리고 새로운 오행이 목이 되면, 목의 강한 에너지를 식상이 누설해서 재성으로 보내주므로, 이때는 재성과 식상도 역시 이용이 가능하게 되나(財傷亦可), 이때 관살이 함께 나오는 경우는 새로운 오행이 화가 되든 목이 되든지 간에 관살은 이들과 상극으로 충돌하게 되면서, 에너지의 혼란을 초래하므로, 이때 관살은 모두 자동으로 불리하게 작용한다(不利官煞).

有倒衝成格者, 以四柱列財官而對面以衝之, 要支中字多, 方衝得動. 譬如以弱主邀強官, 主不眾則賓不從. 如戊午, 戊午, 戊午, 戊午, 是衝子財也. 甲寅, 庚午, 丙午, 甲午, 是衝子官也, 運忌填實, 餘俱可行.

이번에는 에너지의 충돌(衝)이 깨지(倒)면서 격(格)을 완성(成)하는 경우이다(有倒衝成格者). 예를 들면, 사주에서 예외격인 재성과 관성이 끼어(列)들어서, 이 둘이 직접 대면(對面)했을 때, 충돌하는 에너지와 충돌(衝)이 생기는 경우이다(以四柱列財官而對面以衝之). 이때 중요한 사실은 지지에 일간과 충돌하는 글자가 많다는 점이다(要支中字多). 그러면, 이때는 비로소(方) 일간과 충돌(衝)이라는 문제가 작동(動)하기 시작한다(方衝得動). 이를 비유적으로 설명해보자면, 약한 주인이 강한 손님을 맞이할 때(譬如以弱主邀強官), 약한 주인일지라도 많지 않게 되면, 강한 손님은 약한 주인을 따르지 않는다는 사실이다((主不眾則賓不從). 즉, 이때는 주객이 전도된 것이다. 이를 사주로 살펴보자. 연주에서 시주까지 모두 무오일 때를 보게 되면(如戊午, 戊午, 戊午, 戊午), 일간인 무토와 오화의 관계는 인수로서, 무토는 오화의 에너지를 몽땅 설기해서 자기한테로 가져온다. 그런데, 무토는 이미 많은 무토와 비견을 만들고 있다. 이때 이 사주의 주인장인 무토는 에너지 과잉으로 인해서 미치고 환장하게 된다. 즉, 이때 에너지 충돌(衝)이 생긴 것이다. 이제 남은 과제는 이 충돌(衝)을 깨뜨리는(倒) 일이다. 그러면, 이때는 분명히 무토로 에너지를 보내는 오화를 상극으로 충돌(衝)해서 견제해주기를 바랄 것이다. 그러면, 자동으로 에너지는 균형에 도달하면서, 드디어 격(格)이 완성(成)될 것이다. 그래서 이때 오화(是)와 상극으로 충돌(衝)하는 에너지는 자수(子)의 재성(財)이 된다(是衝子財也). 이는 결국에 에너지 균형을 잡아줄 에너지 균형추가 재성의 자수라는 뜻이다. 그래서 이때는 자수의 재성이 끼어들고, 이어서 일간과 지지의 에너지 충돌(衝)이 깨지(倒)면서 격(格)을 완성(成)하는 경우이다(有倒衝成格者). 이곳은 사주 명리를 체질 의학에 도입할 때 엄청나게 중요한 부분이다. 이를 체질 의학으로 풀어보게 되면, 무토인 비장과 우 심장의 오화인 정맥혈이 부딪힐 때, 신장의 자수인 정맥혈의 해결사 역할을 말하고 있다. 신장과 심장은 수화기제로 통한다는 사실을 상기해보자. 이 문제는 이 책의 맨 뒤에서 다시 간단히 기술될 것이다. 다시 본문을 보자. 사주의 예를 하나만 더 살펴보자. 연주가 갑인이고(甲寅), 월주가 경오이고(庚午), 일주가 병오이고(丙午), 시주가 갑오일 때(甲午), 일간인 병화를 기준으로 보게 되면, 먼저 천간에서 2개의 갑목과 경금은 2개의 편인과 편재가 되면서, 일간인 병화의 에너지를 약화시키고 있다. 또한 지지를 보게 되면, 아예 오화가 3개라서 비겁이 3개가 되고 있고, 인목은 편인을 추가하고 있다. 물론 이때 하나의 오화는 지장간을 통해서 천간으로 병화를 투출하고 있기는 하다. 그러나, 이 상황은 일간에게 거의 재앙의 수준이다. 그러면, 이때 지지의 오화 3개를 상극으로 충돌(衝)해서 제어하기 위해서는 자동으로 자수(子)의 정관(官)이 요구된다. 이때 자수의 정관은 갑목의 편인과 경금의 편재 사이에서 에너지의 균형추가 된다. 즉, 이때는 경금의 편재, 자수의 정관, 갑목의 편인이라는 상생의 조합이 만들어지면서, 에너지는 균형을 잡게 된다. 그래서 이때 오화(是)와 상극으로 충돌(衝)하는 에너지는 자수(子)의 정관(官)이 된다(是衝子官也). 이때 이 자수를 합으로 만들어서 제거해버리는 전실(填實)은 자동으로 꺼리게 된다(運忌填實). 전실(填實)의 문제는 이미 전에 설명했었다. 이런 전실의 경우가 아니라면, 나머지는 모두 운행이 가능해진다(餘俱可行). 이 부분은 해석이 상당히 어려워서 대부분 주석은 이 부분을 정확히 해석하지 못하고 있다.

有朝陽成格者, 戊去朝丙, 辛日得官, 以丙戊同祿於巳, 即以引汲之意. 要幹頭無木火, 方成其格, 蓋有火則無待於朝, 有木財觸戊之怒, 而不為我朝. 如戊辰, 辛酉, 戊子, 張知縣命是也. 運喜土金水, 木運平平, 火則忌矣.

조양이라는 성격을 보유한다는 말은(有朝陽成格者), 예를 들면, 무토가 병화를 불러서(朝) 거두어(去)들인다는 뜻이다(戊去朝丙). 즉, 무토가 병화의 에너지를 거두어들인다는 뜻이다. 즉, 무토가 병화의 에너지를 설기해서 모은다는 뜻이다. 조양격은 전에 이미 설명했다. 일간의 신금이 병화를 얻어서 정관을 만들 때(辛日得官), 병화와 무토는 모두 사화의 지장간이므로, 사화에 똑같이 신세(祿)를 지고 있다(以丙戊同祿於巳). 그러면, 신금과 사화(巳)가 정관을 만들므로, 병화과 무토의 에너지는 정관의 에너지와 똑같은 에너지가 된다는 뜻이다. 이를 다시 쉽게 표현해서, 병화와 무토의 관계를 보자면, 이 둘은 편인의 관계이므로, 무토가 병화의 에너지를 끌어(引汲)당겨서 설기하고, 이어서 이를 흡수했다는 뜻이다(即以引汲之意). 즉, 무토의 에너지가 엄청나게 강해졌다는 뜻이다. 이때 중요한 사실은 천간에서 사주의 주인공인 신금을 상극하는 화도 없고, 에너지를 몽땅 받은 무토를 상극하는 목도 없게 되면(要幹頭無木火), 이때 일간의 신금은 2개의 정관 에너지를 얻게 되면서, 아주 강한 정관격 즉, 조양격(其)을 비로소(方) 완성하게 된다는 점이다(方成其格). 이는 결국에 양인 무토의 에너지와 양인 병화의 에너지가 합쳐져서 에너지가 아주 강한 격이라는 뜻이다. 일반적으로 일간이 이미 화를 보유하게 되면, 일간은 병화를 불러서(朝) 화를 기다릴(待) 필요가 없고(蓋有火則無待於朝), 일간이 목을 보유하게 되면, 재성의 목이 무토를 상극하므로, 무토의 분노를 촉발시킬 것이다(有木財觸戊之怒). 그러면, 신금인 나(我)는 병화의 에너지와 무토의 에너지를 불러(朝)들일 수 없게 된다(而不為我朝). 사주를 예로 살펴보자. 연주가 무진이고(如戊辰), 월주와 일주가 신유이고(辛酉), 시주가 무자인(戊子),

이 사주는 장지현의 사주이다(張知縣命是也). 먼저, 지지를 보게 되면, 진유가 육합을 만들면서 금(金)을 만들고, 유자는 파(破)로서 합을 만들면서, 지지는 깨끗이 청소되고, 일간인 신금은 무토와 2개의 정인을 만들고, 신금과는 비견을 만들고, 지지에서 만들어진 육합으로 만들어진 금(金)과는 비겁을 만들고 있다. 그러면, 신금은 2개의 무토에서 에너지를 받게 되고, 비견과 비겁에서 에너지가 추가되면, 신금의 에너지는 엄청나게 강해진다. 이것이 힘이 아주 강한 조양격이다. 이때 운이 토금수를 불러서 이 조양격과 합치게 되면, 토금수는 신금과 자동으로 상생의 관계를 만들므로, 좋아하게 되고(運喜土金水), 목운은 신금이 상극할 수 있으므로, 그저 그렇고(木運平平), 화운은 신금을 상극하므로, 꺼리게 된다(火則忌矣).

有合祿成格者, 命無官星, 借干支以合之. 戊日庚申, 以庚合乙, 因其主而得其偶. 如己未, 戊辰, 戊辰, 庚申, 蜀王命是也. 癸日庚申, 以申合巳, 因其主而得其朋, 如己酉, 癸未, 癸未, 庚申, 趙丞相命是也. 運亦忌填實, 不利官煞, 理會不宜以火克金, 使彼受制而不能合, 餘則吉矣.

합록을 보유하면서 성격을 이루는 경우가 있는데(有合祿成格者), 이는 사주에서 합을 만들 때 필요한 관성이 없을 때(命無官星), 합을 만들 때 필요한 관성을 지지나 천간에서 차용(借)해서 이용하는 경우이다(借干支以合之). 여기서 관성에 주목할 필요가 있다. 관살은 월지가 무용지물이 될 때 예외격이 되기 때문이다. 예를 들면, 무토의 일간이 경신을 만났을 때(戊日庚申), 을경이 천간합을 이루면서 금(金)이라는 새로운 오행을 만들 때(以庚合乙), 을목이라는 배우자(偶)가 없을 때는(因), 경금(其)이 주도(主)하는 천간합을 만들기 위해서, 경금(其)이 을목(偶)이라는 배우자(偶)를 지지를 통해서 얻는 경우이다(因其主而得其偶). 즉, 합(合)을 만들 때 지지나 천간의 신세(祿)를 지는 것이다. 즉, 이것이 합록(合祿)이다. 이를 사주를 통해서 살펴보자. 연주가 기미이고(如己未), 월주가 무진이고(戊辰), 일주도 무진이고(戊辰), 시주가 경신일 때(庚申), 이 사주는 촉왕의 사주이다(蜀王

命是也). 이때 지지를 보면, 지지는 모두 지장간을 투출하고 있다. 그러면, 지지는 모두 자동으로 제거된다. 또한, 을경의 천간합을 만들려고 하면, 경금은 있지만, 을목은 없다. 그런데, 이때 지지의 지장간을 보게 되면, 진토와 미토에 을목이 지장간으로 존재하고 있다. 이때 월지인 진토는 무토를 지장간으로 투출하고 있으므로, 월지는 용신을 만들 때 무용지물이 되고 만다는 사실을 상기해보자. 그래서 관성이라는 말이 나온 것이다. 즉, 관살은 월지가 무용지물이 될 때 예외격이 되기 때문이다. 그러면, 이때 경금이 을경이라는 천간합을 만들고자 한다면, 지지에서 진토나 미토를 차용(借)하면 된다는 것이다. 그러면, 경미나 경진이 천간합이 되는 것이다. 즉, 천간합이 합을 만들 때, 천간의 오행이 부족하게 되면, 이때는 지지의 신세(祿)를 지는 것이다. 그런데, 지지는 지장간을 투출하면서, 이미 모두 제거된 상태이다. 그러면, 자동으로 진토나 미토가 투출해 놓은 기토나 무토를 경금이 을경이라는 천간합을 만들 때, 이용하면 된다는 뜻이다. 그러면, 을경(乙庚)이라는 천간합은 경기(庚己)가 될 수도 있고, 경무(庚戊)가 될 수도 있게 된다. 그리고 이때 을목은 일간인 무토의 정관이 된다. 즉, 지금은 정관이 없는 상태이다. 그래서 이때는 새로 만들어진 천간합의 금은 일간인 무토와 식상을 만들게 된다. 그러면, 일간은 나머지 오행의 도움을 받아서 자동으로 격을 완성하게 된다. 여기서 주의할 점은 경금은 곧바로 제거되고, 기토나 무토도 하나는 제거된다는 사실이다. 이 부분은 해석이 상당히 어려워서 대부분 사주쟁이는 이 부분을 제대로 해석하지 못하고 만다. 다시 본문을 보자. 이번에는 일간이 계수일 때 경신이 존재하고 있는데(癸日庚申), 지지에서 사신이 만나면서 육합으로서 수를 만들 때(以申合巳), 사화이라는 벗(朋)이 없을 때는(因), 신금(其)이 주도(主)하는 육합을 만들기 위해서, 신금(其)이 사화(偶)라는 벗(朋)을 천간을 통해서 얻는 경우이다(因其主而得其朋). 사주를 통해서 살펴보자. 연주가 기유이고(如己酉), 월주가 계미이고(癸未), 일주도 계미이고(癸未), 시주가 경신인(庚申), 이 사주는 조승상의 사주이다(趙丞相命是也). 여기서 보면, 육합으로서 사신을 만들기 위해서는 사화가 필요한데, 현재는 지지에 사화가 없다. 그러면, 이때는 사화를 천간에서 찾아야만 한다. 즉, 사화의 지장간이 무토, 경금, 병화이므로, 천간에 존재하고 있는 사화의 지장간을 찾으면 된다는 뜻이다. 다행히도 시간에 경금이 존재하고 있다. 그러면, 이때는 사신(巳申)이 육합이 되는 대신에 경신(庚申)이 육합이 된다. 즉, 지지의 합이 천간을 이용한 것이다. 앞에서는 천간의 합이 지지를 이용했다. 그리고 이 가운데에는 지장간이 자리하고 있다. 다시 말하지만, 이 부분은 해석이 굉장히 어렵다. 나머지 성격의 여부는 그렇게 어려운 일이 아니므로, 독자 여러분에게 숙제로 남긴다. 다시 본문을 보자. 물론 이때도 역시 합을 만들 때 도움을 주는 에너지를 다른 합으로 잃어버리는 전실(填實)은 자동으로 꺼리게 된다(運亦忌填實). 전실의 개념은 이미 설명했다. 그리고 관살도 에너지 균형을 깨뜨리므로, 이때는 당연히 이익이 안 된다(不利官煞). 이는 구절이 관성(官星)이 없을(無) 때를 가정하고 있다는 사실을 상기해보면, 이해가 쉬울 것이다. 그리고 지금은 모두 경금을 포함하고 있으므로, 경금을 상극(克)으로 제거해버리는 화도 합(會)의 원리(理)에 마땅하지 않게 된다(理會不宜以火克金). 즉, 상대를 상극으로 제압해서 합을 만들지 못하게 만들어버린다(使彼受制而不能合). 그 외 나머지 에너지는 길하다(餘則吉矣).

有棄命保(從)財者, 四柱皆財而身無氣, 舍而從之, 格成大貴. 若透印則身賴印生而不從, 有官煞則亦無從財兼從煞之理, 其格不成. 如庚申, 乙酉, 丙申, 乙丑, 王十萬命造也. 運喜傷食財鄉, 不宜身旺. 有棄命從煞者, 四柱皆煞, 而日主無根, 舍而從之, 格成大貴. 若有傷食, 則煞受制而不從, 有印則印以化煞而不從. 如乙酉, 乙酉, 乙酉, 甲申, 李侍郎命是也. 運喜財官, 不宜身旺, 食傷則尤忌矣.

기명종재격은(有棄命保(從)財者), 사주가 모두 재성이어서, 일간은 재성으로 에너지를 모두 보내는 바람에 무기력한 상태이다(四柱皆財而身無氣). 그래서 이는 다른 격은 모두 버리고, 재성을 좇는 경우가 된다(舍而從之). 이는 당연히 재성이 모였으니 대귀하게 된다(格成大貴). 그러나 이때 만약에 재성을 상극으로 맞서는 인성을 투출하고 있다면, 이때 일간은 재성을 의지해서 서로 상생하게 되고, 오직 재성만 좇지는 않게 된다(若透印則身賴印生而不從). 그리고 이때 관살을 보유하게 되면, 역시 재성이 관살을 겸해서 쫓는다는 원리는 없으므로(有官煞則亦無從財兼從煞之理), 이때는 격이 성립하지 않게 된다(其格不成). 이를 사주로 살펴보자. 연주가 경신이고(如庚申), 월주가 을유이고(乙酉), 일주가 병신이고(丙申), 시주가 을축일 때(乙丑), 이 사주는 왕십만의 사주이다(王十萬命造也). 이를 보게 되면, 지지의 신금과 유금이 지장간을 통해서 경금을 천간으로 투출하고 있다. 그러면, 월지가 무용지물이 되고 만다. 그러면, 제1 용신은 자동으로 일간의 병화와 경금이 만든 편재가 된다. 그런데 여기서 을경이 천간합을 만들면서 새로운 금을 만들고 있다. 그러면, 편재는 재성으로 변하게 된다. 추가로 유축이 금(金)으로서 삼합을 만들고 있다. 그러면, 이도 역시 일간의 병화와 만나서 재성을 만든다. 그러면, 지지는 모두 깨끗이 청소된다. 그리고 일간이 병화는 을목과는 정인을 만들고 있다. 그래서 이때 일간의 병화는 지지의 금국을 통해서 재성을 깔고 앉아서 천간의 새로운 금이 만든 재성을 보유하게 된다. 여기에 추가로 을목과 만든 정인까지 보유하게 된다. 그리고 이 을목의 정인은 일간이 장벽이 되면서 재성과 상극으로 만나지 못하게 된다는 사실도 상기해보자. 그러면, 일간은 엄청나게 좋은 에너지를 줄줄이 꿰차고 있게 된다. 무슨 말을 더 덧붙이겠는가? 다시 본문을 보자. 이때 운이 식상으로 흘러도 식상이 재성으로 에너지를 보내서 재성을 강(鄕)하게 해준다(運喜傷食財鄕). 그러면, 이때는 자동으로 식상으로 에너지를 보낸 일간은 약해지므로, 이때 일간의 에너지가 왕성하다는 말은 마땅한 말이 아니게 된다(不宜身旺). 이번에는 기명종살격을 보자(有棄命從煞者). 이 경우는 사주가 모두 칠살을 보유하고 있고(四柱皆煞), 일간이 지지에 뿌리를 보유하지 못한 경우이다(而日主無根). 즉, 이때 일간은 에너지가 약하다는 뜻이다. 그래서 이는 다른 격은 모두 버리고, 칠살을 쫓는 경우가 된다(舍而從之). 그러나 이런 칠살이 성격을 만들게 되면, 자동으로 에너지 균형이 잡히면서 대귀를 만들게 된다(格成大貴). 만약에 이때 칠살을 상극하는 식상을 보유하게 되면(若有傷食), 칠살은 식상의 제어를 받게 되고, 그러면, 일간은 칠살만 쫓지는 않게 된다(則煞受制而不從). 이때 인수를 보유하게 되면, 인수는 칠살과 상생으로 엮이면서 칠살의 에너지를 누설하게 되고, 이어서 일간은 칠살만 쫓지 않게 된다(有印則印以化煞而不從). 이를 사주로 살펴보자. 연주, 월주, 일주가 모두 을유이고(如乙酉, 乙酉, 乙酉), 시주가 갑신인(甲申), 이 사주는 이시랑의 사주이다(李侍郎命是也). 그러면, 이때는 일간의 을목과 지지의 유금이 3개의 칠살을 만든다. 그리고 일간의 을목은 천간의 을목과는 2개의 비견을 만든다. 추가로 갑목과는 겁재를 만들고, 지지의 신금과는 정관을 만든다. 그러면, 자동으로 3개의 칠살은 3개의 비겁과 상대하게 되고, 그러면, 자동으로 정관만 남게 된다. 이는 에너지 균형을 잘 맞추고 있다. 이는 당연히 귀격을 만든다. 이때 운이 재성과 정관으로 흐르게 되면, 재성이 정관에게 에너지를 건네주면서, 정관의 에너지가 강화되므로, 당연히 이런 상태를 좋아하게 된다(運喜財官). 물론 지금은 일간이 비겁으로 인해서 에너지가 강한 상태이므로, 이때 일간을 왕성하게 하는 운은 마땅하지 않게 된다(不宜身旺). 그리고 이 격의 핵심인 정관과 상극으로 부딪히는 식상은 죽도록 싫어하게 된다(食傷則尤忌矣).

有井欄成格者, 庚金生三七月, 方用此格. 以申子辰衝寅午戌, 財官印綬, 合而衝之, 若透丙丁, 有巳午, 以現有財官, 而無待於衝, 乃非井欄之格矣. 如戊子, 庚申, 庚申, 庚申, 郭統制命也. 運喜財, 不利填實, 餘亦吉也.

경란이라는 성격을 보유할 때(有井欄成格者), 경금이 3월(辰)이나 7월(申)에 태어나게 되면(庚金生三七月), 경금은 비로소 이 격을 이용할 수 있게 된다(方用此格). 이때는 경금이 인수의 진토로부터 에너지를 받으면서 강해지고, 경금과 신금이 만나면서 비견이 되고, 이어서 경금의 힘이 강해진다. 결국에 3월이나 7월은 경금의 에너지가 강해지는 시기이다. 이때 지지에서 신자진이라는 삼합의 수국(水)과 인오술이라는 삼합의 화국(火)이 서로 충돌하게 되면(以申子辰衝寅午戌), 이때는 화국에서 경금과 인목은 재성(財)을 만들고, 오화는 관성(官)을 만들고, 술토는 인수(印)를 만들게 되는데(財官印綬), 이들이 삼합(合)이 만든 수국과 충돌하고 있다(合而衝之). 이는 화국에 들어있는 관성과 재성이 수국과 충돌(衝)한다는 뜻도 된다. 이는 또한 화국과 수국의 충돌이기도 하다. 이때 만약에 천간에서 병정이라는 화(火)를 투출하고 있거나(若透丙丁), 지지에서 사오라는 화(火)를 보유하고 있다고 해도(有巳午), 현재로서는 인오술이라는 삼합의 화국(火)이 이미 재성과 관성을 보유하면서(以現有財官), 신자진이라는 삼합의 수국(水)과 이미 충돌(衝)하고 있다. 즉, 지금은 충돌을 기다릴 것도 없이(而無待於衝), 재성과 관성이 이미 수국과 충돌(衝)하고 있다. 그래서 충돌하지 않아야만, 정란격인데, 이미 충돌하고 있으므로, 이는 자동으로 정란격이 아니다(乃非井欄之格矣). 그러면, 경금과 수국은 식상을 만들므로, 이들이 충돌하지 않았다면, 식상, 재성, 관성이라는 상생의 조합을 만들면서 아주 좋은 에너지 균형을 만들었을 것이다. 그런데 불행히도 삼합끼리 서로 부딪히면서 휩쓸려서, 이들은 서로 충돌하고 말았다. 즉, 삼합을 만들지 않았다면, 식상, 재성, 관성이 서로 충돌하지 않았을 것이다. 결국에 여기서 정란격은 식상, 재성, 관성이라는 상생의 조합을 말하게 된다. 즉, 일반적으로 정란격은 3개의 격이 모여서 상생의 조합을 만들건 상극의 조합을 만들건 간에, 3개의 격이 에너지 균형을 만들고 있는 경우를 말하게 된다. 여기서도 재성과 관성의 예외격을 말하고 있다. 이를 사주를 통해서 살펴보자. 연주가 무자이고(如戊子), 월주, 일주, 시주가 모두 경신일 때(庚申, 庚申, 庚申), 이 사주는 곽통제의 사주이다(郭統制命也). 이때 지장간을 보게 되면, 지지의 신금에서 지장간을 통해서 경금을 투출하고 있다. 그래서 자동으로 월지는 용신을 만들지 못하고 만다. 그리고 3개의 신금은 자동으로 지지에서 제거된다. 그러면, 일간인 경금은 2개의 경금과 비견을 만들고, 무토와 편인을 만들고, 자수와는 상관을 만들게 된다. 이는 이 구문의 맨 앞에서 말한 경금이 편인의 3월(辰)이나 비견의 7월(申)에 태어난 경우를 말하고 있다. 그러면, 이때는 비견의 경금, 편인의 무토, 상관의 자수라는 상극의 조합을 만들면서 에너지 균형을 만들게 된다. 그러면, 이는 자동으로 정란격(井欄格)을 만들게 된다. 여기서 란(欄)은 난간을 말하다. 그래서 정란(井欄)은 깊은 우물(井)의 난간(欄)에서 서로 피 터지게 싸우고 있는 위험한 상태를 말한다. 그러나 이때도 아슬아슬하게 균형은 잡아주고 있다. 이 상태가 3개의 격이 만든 상극의 조합이 된다. 다행히 두 놈이 서로 협동하지 않아서, 세 놈이 잘못하면 천 길의 우물에 빠질지도 모르는 우물의 난간에서 아슬아슬하게 힘의 균형을 만들고 있다. 다시 본문을 보자. 이때 운이 재성으로 흐르게 되면, 이때는 비견이나 인수를 재성이 견제하면서 에너지 균형을 잡아주므로, 자동으로 재성을 좋아하게 된다(運喜財). 그리고 이때 합을 만드는 에너지를 망쳐버리는 전실은 자동으로 이 격에 불리하게 작용한다(不利塡實). 그 외에 나머지 격은 길하다(餘亦吉也).

有刑合成格者, 癸日甲寅時, 寅刑巳而得財官, 格與合祿相似, 但合祿則喜以合之, 而刑合則硬以致之也. 命有庚申, 則木被衝克而不能刑. 有戊己字, 則現透官煞而無待於刑, 非此格矣. 如乙未, 癸卯, 癸卯, 甲寅, 十二節度使命是也. 運忌塡實, 不利金鄕, 餘則吉矣.

형합을 보유하고 있어도 성격을 만드는 경우가 있다(有刑合成格者). 일간의 계수가 시주의 갑인을 보유할 때(癸日甲寅時), 지지에서 사화를 만나서 시지의 인목과 인사라는 형합을 만들고, 동시에 형합을 만든 사화의 지장간에 있는 병화와 무토를 이용해서 병화의 정재(財)와 무토의 정관(官)을 얻는 경우라서(寅刑巳而得財官), 지장간을 이용한다는 측면으로 보게 되면, 이 격은 합을 만들 때 지장간을 통해서 지지와 천간에 신세를 지는 합록격과 서로 유사하지만(格與合祿相似), 단지 합록은 합을 만드는 일만 좋아하지만(但合祿則喜以合之), 형합은 형합도 굳히(硬)면서, 재성과 관성에 도달(致)하는 일까지 하게 된다(而刑合則硬以致之也). 즉, 합록격은 합을 만드는 일에 그치지만, 형합격은 형합과 재성 그리고 관성을 동시에 만들게 된다는 뜻이다. 그래서 계수의 일간에 시주에서 경신을 보유하고 있을 때(命有庚申), 천간에서 목을 만나게 되면, 이 목은 경금의 피습을 받아서 상극으로 충돌하게 되고, 그러면, 이때는 자동으로 경금과 목이 만나서 만드는 경목이라는 형충을 만들 수가 없게 된다(則木被衝克而不能刑). 그러면, 자동으로 형충을 유지하면서 재성과 관성을 만드는 형합격은 만들지 못하게 된다. 이때 천간에서 무기를 보유한다면(有戊己字), 이때는 당장 현장(現)에서 계수와 무기가 만나서 관살을 만들면서 서로 형충으로 충돌하고 있어서, 이때는 추가로 형충을 기다릴 필요가 없게 된다(則現透官煞而無待於刑). 즉, 이때는 형충을 유지하면서,

동시에 재성과 관살을 만들지를 못하고 있다. 이는 관살이 이미 형충을 포함하고 있기 때문이다. 그래서 이는 형합격이 아니게 된다(非此格矣). 사주를 예로 살펴보자. 연주가 을미이고(如乙未), 월주도 계묘이고(癸卯), 일주도 계묘이고(癸卯), 시주는 갑인일 때(甲寅), 이 사주는 12 절도사의 사주이다(十二節度使命是也). 지지에서 인목의 지장간을 보게 되면, 정재의 병화와 정관의 무토가 있다. 그러면, 이제 형충만 찾으면 된다. 즉, 시지의 인목과 형충을 찾으면 된다. 그러나 지금은 인목과 만들어지는 형충이 없다. 그래서 이 사주에는 형합격이 없게 된다. 다시 본문을 보자. 이때는 물론 합을 만드는 인자를 망쳐버리는 전실은 자동으로 꺼리게 된다(運忌填實). 추가로 이때 금이 강(鄉)하게 되면, 이 금은 정재의 병화와 정관의 무토를 모두 상극하면서, 이 격을 망치게 되므로, 강한 금은 이 격에 불리하게 작용한다(不利金鄉). 그 외 나머지는 길하게 작용한다(餘則吉矣).

有遙合成格者, 巳與丑會, 本同一局, 丑多則會巳而辛丑處官, 亦合祿之意也. 如辛丑, 辛丑, 辛丑, 庚寅, 章統制命是也. 若命是有子字, 則丑與子合而不遙, 有丙丁戊己, 則辛癸之官煞已透, 而無待於遙, 另有取用, 非此格矣. 至於甲子遙巳, 轉輾求俱, 似覺無情, 此格可廢, 因羅御史命, 聊複存之. 為甲申, 甲戌, 甲子, 甲子, 羅御史命是也.

요합을 보유하고 있으면서 성격을 이루는 경우가 있다(有遙合成格者). 그래서 사화와 축토가 만나서 삼합(會)을 만들게 되면(巳與丑會), 이때 사화와 축토는 본래 똑같은 하나의 국을 만드는 지지이다(本同一局). 그래서 이때 축토가 많다면, 하나의 축토는 사화와 만나서 삼합으로서 금국을 만들고, 하나 남은 축토는 지장간을 통해서 신금의 용도로 이용해서 정관을 만들게 하는 것이다(丑多則會巳而辛丑處官). 즉, 여기서 축토는 천간으로 신금이 투출하고 있지 않게 되면, 신금과 똑같은 기능을 하게 된다. 축토의 지장간에 신금이 있다는 사실을 상기해보자. 이도 역시 지장간을 이용한다는 측면에서 보게 되면, 합록의 의미이다(亦合祿之意也). 이를 사주를 통해서 살펴보자. 연주, 월주, 일주가 모두 신축이고(如辛丑, 辛丑,

辛丑), 시주가 경인일 때(庚寅), 이 사주는 장통제의 사주이다(章統制命是也). 축토가 많다는 사실을 인지해보자. 그리고 축토의 지장간에서 신금을 천간으로 투출하고 있다. 이때 만약에 사주에 자수라는 글자가 있었다면(若命是有子字), 자수와 축토가 만나서 육합을 만들면 되므로, 축토는 괜히 지장간에 숨어있는 자수를 찾아서 정처 없이 떠돌 필요가 없게 된다(則丑與子合而不遙). 그리고 병정이라는 화가 이미 존재하고 있고, 무기라는 토가 이미 존재하고 있다면(有丙丁戊己), 이 두 오행을 신금과 계수라는 오행과 짝을 맞춰주게 되면, 자동으로 관살의 투출이 있게 되므로(則辛癸之官煞已透), 신금과 계수는 관살을 만드는 지장간에 암장된 오행을 찾기 위해서 괜히 정처 없이 떠돌면서 기다릴 필요가 없게 된다(而無待於遙). 그러면, 이때는 암장된 오행에서 나온 용신이 아닌 별도의 용신을 취할 수 있게 된다(另有取用). 잡격은 월지가 무용지물이 될 때 쓴다는 사실을 상기해보자. 그리고 이때는 암장된 오행도 활용한다는 사실도 상기해보자. 그래서 이 격은 암장된 오행을 용신으로 쓰지 않았으므로, 요합격이 아니다(非此格矣). 즉, 지장간에서 암장된 오행을 찾아야만 요합격인데, 지금은 지장간에 암장된 오행을 찾으면서 괜히 정처 없이 떠돌지 않고 있다. 이때 시주가 갑자에서 정처 없이 떠돌게 되면(至於甲子遙巳), 합을 구하기 위해서 아무리 크게 굴러도(轉輾求俁), 의미가 없어지면서(似覺無情), 이 격은 폐기가 가능해지게 되나(此格可廢), 아래에 나어사의 사주가 있으므로 인해서(因羅御史命), 다시 한번 나어사의 사주에 귀를 기울여보자(聊複存之). 연주는 갑신이고(為甲申), 월주는 갑술이고(甲戌), 일주도 갑자이고(甲子), 시주도 갑자인(甲子), 이 사주는 나어사의 사주이다(羅御史命是也). 여기서 보게 되면, 신자(申子)는 수국(水)을 만들면서, 일간인 갑목과 인성을 만들고 있고, 갑자는 정인을 만들고 있고, 갑술은 편재를 만들고 있다. 그러면, 이제 남은 문제는 관살을 찾아야만 한다. 지금은 월지가 쓸모없게 되면서 예외격인 재성과 관성을 찾아야만 한다는 사실을 상기해보자. 그런데, 명시적으로는 관살을 만들 수 있는 금이 없다. 이제 지장간에 암장된 관살을 찾아야만 한다. 그러면, 신자는 이미 합을 만들었으므로, 지지에서 제거되고, 남은 지지는 술토와 자수이다. 그런데, 술토와 자수의 지장간에는 일간인 갑목과 관살을 만들 수 있는 금이 없다. 그래서 나어사의 사주는 갑자에서 정처 없이 떠돌고 있지만(至於甲子遙已), 관살을 만들 수 있는 금이라는 합을 구하기 위해서 아무리 크게 굴러도(轉輾求俁), 의미가 없어지면서(似覺無情), 이 격은 폐기가 가능해지게 된다(此格可廢). 즉, 요합을 보유하고 있는 상태에서 성격을 이루지 못하고 있다는 뜻이다. 즉, 지장간을 통해서 암장된 관살을 찾지 못하고 있다는 뜻이다. 해석이 상당히 어렵다.

若夫拱祿, 拱貴, 趨乾, 歸祿, 夾戌, 鼠貴, 騎龍, 日貴, 日德, 富祿, 魁罡, 金神, 時墓, 兩干不雜, 干支一氣, 五行俱足之類, 一切無理之格, 既置勿取. 即古人格內, 亦有成式, 總之意為牽就, 硬填入格, 百無一是, 徒誤後學而已. 乃若天地雙飛, 雖富貴亦有自有格, 不全賴此. 而亦能增重基格, 即用神不甚有用, 偶有依以為用, 亦成美格. 然而有用神不吉, 即以為凶, 不可執也.

일반적으로 공록(若夫拱祿), 공귀(拱貴), 추건(趨乾), 귀록(歸祿), 협술(夾戌), 서귀(鼠貴), 기룡(騎龍), 일귀(日貴), 일덕(日德), 복록(富祿), 괴강(魁罡), 금신(金神), 시묘(時墓), 양간부잡(兩干不雜), 간지일기(干支一氣), 오행구족과 같은 종류의 격들은(五行俱足之類), 모두 이치에 맞지 않는 격이어서(一切無理之格), 취하지 말아야 한다(既置勿取). 고대 우리 조상들이 격 안에 포함시킨 격 중에는(即古人格內), 역시 형식을 갖춘 격도 있기는 하지만(亦有成式), 종합적으로 볼 때 의미를 억지로 끌어다 쓴 것들도 있고(總之意為牽就), 억지로 격 안에 밀어 넣어서 채운 것도 있어서(硬填入格), 100가지 예 중에서 하나도 맞는 것이 없게 되고(百無一是), 추가로 사주 명리를 배우는 후학들은 이런 오류를 그대로 쫓고 있기도 하다(徒誤後學而已). 이때 천지쌍비격을 예로 들어보자면(乃若天地雙飛), 모름지기 이 격은 역시 부귀를 스스로 보유하고 있어서 격을 갖추고 있다고 말하지만(雖富貴亦有自有格), 이를 완전하게 신뢰할 수는 없다(不全賴此). 역시 격은 격의 기본에 더 무게를 실어줘야만 하는데(而亦能增重基格), 중요하지도 않은 용신을 이용하고 있고(即用神不甚有用), 의지할 수 있는 짝을 이용해서(偶有依以為用),

역시 아름다운 격을 완성하고 있기도 하다(亦成美格). 그러나 짝이 되는 용신이 있다고 해도, 불길하게 되면(然而有用神不吉), 이 역시 흉을 만들게 되므로(即以為凶), 사주 명리에서는 한 가지 이론에 너무 집착하는 것도 불가하다(不可執也).

其於傷官傷盡, 謂是傷盡, 不宜一見官, 必盡力以傷之, 使之無地容身, 現行傷運, 便能富貴, 不知官有何罪, 而惡之如此? 況見官而傷, 則以官非美物, 而傷以制之, 又何傷官之謂凶神, 而見官之為禍百端乎? 予用是術以歷試, 但有貧賤, 並無富貴, 未輕信也, 近亦見有大貴者, 不知何故. 然要之極賤者多, 不得不觀其人物以衡之.

만약(其)에 상관상진을 보게 되면(其於傷官傷盡), 이것의 핵심은 상진이라고 부르는 것이다(謂是傷盡). 여기서 상진(傷盡)은 나의 에너지를 설기해서 뺏어가거나 정관을 상극해서 제거하거나 정인과 상극으로 부딪혀서 정인을 제거하는 상관(傷)을 제거(盡)해버리는 것을 말한다. 그래서 이때는 이런 상관을 제거하기 위해서 단 하나의 정관을 보는 일로는 마땅하지 않다(不宜一見官). 그래서 이런 경우를 만나게 되면, 반드시 전심전력을 다해서 상관을 상(傷)하게 해줘야만 한다(必盡力以傷之). 즉, 상관이 몸을 의지할 곳이 없게 만들어야만 한다(使之無地容身). 이런 식으로 식상의 운을 실행시키게 되면(現行傷運), 식상의 방해를 피해서, 다시 능히 부귀를 얻을 수 있게 된다(便能富貴). 그러면, 자동으로 이런 사실도 모르고서 일간을 다스리는 관성이 무슨 죄가 있다고(不知官有何罪), 이처럼 관성을 악하게 취급할 수 있는가(而惡之如此)? 더군다나(況) 상관이 정관을 보게 되면, 상한다고 하면서(況見官而傷), 정관을 이용(以)하게 되면, 아름다운 격이 나올 수 없다고 하는데(則以官非美物), 이는 정관을 이용해서 상관을 상극으로 제어하기 때문이다(而傷以制之). 또한 상관을 흉신이라고 부르면서(又何傷官之謂凶神), 어찌 정관을 보면, 정관이 모든 화의 시작을 만든다고 하는가(而見官之為禍百端乎)? 이런 서술을 이용해서 여러 역사적(歷) 사실들을 검증(試)해 해보게 되면(予用是術以歷試), 역시나 빈천만 보유하고 있었고(但有貧賤), 부귀는 병립하고 있지 않았다(並無富貴). 이는 사주 명리에서 절대로 가벼운 말이 아니다(未輕信也). 추가로 옛날뿐만이 아니라 근래에서도 역시 대귀를 보유한 사람들을 분석해보게 되면(近亦見有大貴者), 이런 요상한 서술을 이용해서는 어떻게 대귀를 보유했는지 그 이유(故)를 알 수가 없었다(不知何故). 그래서 이런 요상한 이론을 가지고 사주의 요지를 살펴보게 되면, 극단적으로 빈천한 자가 다수였다(然要之極賤者多). 그래서 이런 요상한 이론을 가지고 부귀를 보유한 사람들의 사주를 분석할 때는 부득불 그 사람의 현재 상태를 파악해서 사주와 현재 상태와의 균형(衡)을 맞춰서 보지 않으면 안 된다(不得不觀其人物以衡之). 즉, 사주 명리의 원리가 맞지 않게 되면, 이렇게 억지로 꿰맞추게 된다는 뜻이다. 이는 현재 상황이기도 하다. 이는 자동으로 사주 명리를 미신으로 만들고 만다.

徐注. 用傷官之忌見官星, 亦猶用官之忌傷, 用印之忌財, 用財之忌劫也. 何格無喜忌, 豈獨傷官? 況官星有喜見不喜見之別乎? 至於格局之不可解者甚多. 我人學識不足, 未窮奧妙, 知之為知之, 不知為不知, 正不必曲為諱飾也.

여기서 잠깐 이 부분에 대한 고금명인명감(古今名人名鑑)의 저자인 유명한 서락오(徐樂吾)의 주석을 하나만 소개하고, 이 장을 마치자(徐注). 상관을 용신으로 쓸 때는 당연히 상관을 상극으로 제어하는 관성을 꺼리는데(用傷官之忌見官星), 또한, 역시 정관을 용신으로 쓸 때도 정관을 상극해서 제어하는 상관을 꺼리게 된다(亦猶用官之忌傷). 또한 인성을 용신으로 쓸 때는 인성을 상극해서 제어하는 재성을 꺼리게 된다(用印之忌財). 재성을 용신으로 쓸 때는 재성을 상극하는 겁재를 당연히 꺼리게 된다(用財之忌劫也). 이때 재성은 이미 일간으로부터 상극 당하고 있으므로, 겁재까지 달려들게 되면, 이중으로 상극 당하기 때문이다. 그래서 어떤 격이든지 간에 희기가 있는 법인데, 유독 상관이라고 희기가 없겠는가(何格無喜忌, 豈獨傷官)? 그래서 상황(況)에 따라서 관성이 희신을 보유하는 때가 보이기도 하도, 기신을 보유하는 때가 보이기도 하면서, 차별화되지 않겠는가(況官星

有喜見不喜見之别乎)? 사실 격국을 분석하다가 보면, 격국의 해석이 불가한 경우가 아주 많다(至於格局之不可解者甚多). 나 자신은 학식이 부족해서(我人學識不足), 오묘한 내용을 모두 탐구하지 못하고 있다(未窮奧妙). 그리고 학문을 하면서는 자신의 자아를 모두 빼고서 아는 것은 안다고 하고(知之為知之), 모르는 것은 모른다고 할 수 있어야만(不知為不知), 반드시 정론을 왜곡하지 않게 되고, 모르는 것을 감추지 않게 된다(正不必曲為諱飾也). 이는 학문하는 사람들의 철칙이건만, 관종의 성격을 가지게 되면, 자기 잘 난 맛에 살게 되고, 이어서 세상의 모든 일을 아는 것처럼 설쳐 대면서, 학문과 자신을 동시에 망치게 된다. 이런 현상은 동서고금 여전하다. 이때는 학문과 진리라는 주제는 완전히 사라지고, 오직 자신의 자아만 남게 된다. 이런 사고방식의 이면에는 진리와 상식은 사치가 되면서 오직 이기는 게임만이 최고라고 생각하기 때문이다. 그러나 현명한 사람은 절대로 이기는 게임을 하지 않고, 배우는 게임만 한다. 왜? 배우면, 이기는 것은 부수적으로 따라오니까! 이때는 힘들이지 않고도 이길 수 있게 된다. 즉, 이기려고만 하면, 하나만 보유할 수 있지만, 배우려고 하면, 두 개를 보유할 수 있기 때문이다.

제48장 잡격의 취운을 논하다(論雜格取運)

제48장 잡격의 취운을 논하다(論雜格取運)

雜格不一, 大都氣勢偏旺, 出於五行常理之外. 昔人評命, 泥於財官之說, 四柱無財可取, 則不惜遙合倒衝, 牽強附會, 以期合於財官, 未免可嗤. 命理不外乎五行, 氣勢雖為偏旺, 而偏旺之中, 仍有正理可取, 詳《滴天髓徵義》. 偏旺之格, 取運大都須順其氣勢, 雖干支喜忌, 須察四柱之配合, 而順勢取運, 大致有定. 茲就本篇所引各造. 約略言之.

지금 보고 있는 48장은 본래 자평진전 본문에는 없는 서락오가 쓴 부록(附錄)이다. 그래서 원래 자평진전만 해석하게 되면, 이 부분은 자동으로 해석할 필요가 없다. 그래서 잡격 취운의 개념만 소개한다. 서락오는 잡격 취운의 경우를 11개나 소개하고 있으나, 많은 부분이 자평진전의 내용과는 많이 다르다. 이는 잡격의 해석이 엄청난 내공을 요구하고 있기 때문이다. 사실 잡격을 완벽하게 해석할 정도가 되면, 사주 명리의 대가가 되고도 남을 것이다. 이는 잡격의 해석을 보면, 쉽게 이해되는 부분이다. 그만큼 잡격의 해석은 어렵다. 그래서 잡격을 완벽하게 해석하지도 못한 상태에서 잡격의 취운을 논한다는 것은 어불성설이 되고 만다. 그래서 서락오가 쓴 부록은 개념만 소개하고 마칠까 한다. 아래는 그 개념이다.

잡격은 당연히 한 가지가 아니다(雜格不一). 일반적으로 사주에서 에너지의 기세가 어느 한쪽으로 쏠려있게 되면(大都氣勢偏旺), 이는 사주에서 이용하는 오행의 일상적인 원리의 밖으로 벗어나게 된다(出於五行常理之外). 옛날 사람들의 사주 명리를 평하면서 잡격을 취급하는 모양새들을 보면(昔人評命), 잡격에서 예외격인 재성과 관성이 아주 중요한데, 왜 중요한지를 모르고, 오직 재성과 관성의 이론에만 빠져서 행동하게 된다(泥於財官之說). 그리고 사주에서 재성을 명시적으로 취할 수가 없게 되면(四柱無財可取), 이때는 지장간을 이용해서 암장된 오행을 찾고, 이어서 이를 이용해서 재성을 만들게 되는데, 이런 과정인 요합이나 도충은 탐색(惜)도 해보지 않고(則不惜遙合倒衝), 맞지도 않는 논리를 억지로 끌어다가 합을 만들고(牽強附會), 이 합을 이용(期)해서 재성과 관성을 만든다(以期合於財

官). 이는 자동으로 비웃음(嗤)을 면하지 못하게 만든다(未免可嗤). 사주 명리에서 오행이라고 불리는 원리를 벗어나는 예외는 없다(命理不外乎五行). 비록 사주 명리에서 에너지가 어느 한쪽으로 편중되더라도(氣勢雖為偏旺), 이렇게 편중되는 와중에도(而偏旺之中), 정상적인 원리에 따라서 오행의 원리를 취할 수 있다(仍有正理可取). 이는 적천수징의를 상세히 살펴보면 된다(詳《滴天髓徵義》). 이처럼 에너지가 어느 한쪽으로 치우치게 되면(偏旺之格), 이때는 일반적으로 그 치우친 기세를 따라서 순응하게 된다(取運大都須順其氣勢). 비록 간지의 희기는(雖干支喜忌), 사주의 배합을 살펴서 판단하지만(須察四柱之配合), 취운할 때는 기세에 순응하면서 살펴보게 되면(而順勢取運), 대체로 확정된 법칙이 있게 마련이다(大致有定). 잡격에 대한 취운은 본 편에서 이미 논했던 부분을 끌어다가((茲就本篇所引各造), 간략하게 말할 것이다(約略言之).

체질의학에서 사주 명리 이용하기

사주 명리를 보게 되면, 중간중간에 건강과 체액에 관한 이야기가 나온다. 특히 궁통보감에는 명시적으로 나온다. 그러나 사주 명리를 말하는 어떤 누구도 이를 지적하지 않는다. 즉, 사주쟁이 중에서 이를 말하는 사람은 단 한 명도 없다. 이 문제는 사주 명리의 근본도 에너지 문제이고, 건강의 근본도 에너지 문제이고, 체액의 근본도 에너지 문제이기 때문에, 너무나 자연스럽게 사주 명리에서 나오게 된다. 그러나 에너지라는 연결 고리를 이해하지 못하게 되면, 사주 명리와 건강은 전혀 관계가 없는 일이 되고 만다. 이것이 현재 사주 명리가 처한 현실이다. 이는 또한 인체에 대해서 모든 것을 아는 체하는 말만 최첨단인 현대의학의 공이 크다. 즉, 생체의 에너지를, 눈에 명확히 보이면서 손으로도 잡을 수 있는, ATP라고 호도(糊塗)한 일 말이다. 그러나 생체를 다스리는 에너지는 눈에 보이지 않는 에너지이다. 그리고 눈에 보이지 않는 에너지 문제를 전문으로 다루는 양자역학으로 세상을 바라보게 되면, 세상은 모두 눈에 보이지 않는 에너지가 다스리게 된다. 즉, 태양계 아래 존재하는 모든 물체는 에너지의 장난감이다. 그리고 눈에 보이지 않는 에너지 중에는 동력(動力)을 제공하는 에너지가 있고, 서로 결합만 하는 에너지가 있다. 이때 생명체가 주로 이용하는 에너지는 주로 동력(動力)을 제공하는 에너지이다. 그리고 우리는 살아서 활동하는 존재이므로, 자동으로 동력(動力)을 제공하는 에너지를 요구한다. 또한, 이 동력을 제공하는 에너지는 음양오행과 연결된다. 그러면 선천적 에너지를 연구하는 사주 명리와 건강을 연구하는 의학은 자동으로 연결된다. 그러면, 특히 체액이 근본인 체질의학과 사주 명리는 자동으로 연결된다. 그러면, 사주 명리는 선천적 에너지 문제이므로, 음양오행이라는 에너지는 자동으로 선천적 에너지를 간섭하게 되고, 이는 자동으로 건강으로 연결된다. 그래서 필자가 사주 명리를 해석하게 된 이유도 이제마의 동의수세보원을 해석했기 때문이다. 즉, 이제마의 사상의학을 완성하려면, 자동으로 사주 명리는 필수가 된다는 뜻이다. 이 시점에서 문제는 또 있다. 즉, 이제마의 사상의학이 어떻게 굴러가는지를 모른다는 사실이다. 즉, 이제마의 체질의학이 에너지로 작동하고 있다는 사실을 모른다는 뜻이다. 이는 자동으로 이제마의 체질의학은 체액이 근본이라는 사실도 모르게 만들어버린다. 이 상태에서 사주 명리와 체질의학을 연결하려는 시도는 자동으로 볼 수 없게 된다. 사실 이제마의 사상의학은 체액이 핵심이다. 여기서 말하는 체액은 동맥혈, 정맥혈, 림프액을 말한다. 인체에서 체액은 이들이 전부이다. 즉, 이제마의 사상의학의 핵심을 이 세 가지의 체액이 주도한다. 이는 결국에 인체의 건강을 지키는 핵심인 오장도 체액이라는 도구를 이용해서 자기의 기능을 수행하게 된다. 결국에 인체의 건강은 체액과 오장이라는 두 인자가 핵심이 된다. 여기서 오장은 자동으로 하늘에서 활동하는 오성이 만들어주는 오행과 에너지로 소통하게 된다. 이는 사주 명리의 원리와 똑같다. 사주 명리에서도 천간이 핵심이 되고, 이 천간은 지지라는 도구를 이용해서 자기의 기능을 수행하게 된다. 즉, 오장은 체액을 통해서 자기의 기능을 펼치고, 천간은 지지를 통해서 자기의 기능을 펼친다. 즉, 천간은 지지가 없으면, 자동으로 무용지물이 되고, 오장은 체액이 없으면, 무용지물이 되고 만다. 이때 사주 명리와 인체를 짝 지우게 되면, 오장은 오행의 문제이고, 체액은 지지의 문제가 된다. 즉, 오행은 오장으로 표시되고, 지지는 체액으로 표시된다는 뜻이다. 여기서 지지는 토라는 붙박이를 가지고 있다. 그리고 이때 지지의 토는 비장이 통제하는 림프액을 말한다. 그래서 12 지지에서 토를 붙박이로 보게 되면, 12 지지는 자동으로 4개의 구역으로 나눠진다. 즉, 12 지지는 목화금수라는 4개의 구역으로 나뉜다. 여기에 토가 붙박이로 따라붙게 된다. 그러면, 3개의 지지가 모여서 하나의 구역을 만든다. 그러면, 이는 무슨 의미일까? 지지는 체액을 말하므로, 이는 자동으로 체액을 말하게 된다. 그러면, 인묘진(寅卯辰)이라는 목(木)을 보게 되면, 이는 목(木)인 간(肝)의 체액을 말하게 된다. 그러면, 간의 체액에는 자동으로 정맥혈, 동맥혈, 림프액이 있게 된다. 그리고 동맥혈은 알칼리로서 음(陰)이고, 정맥혈은 산으로서 양(陽)이다. 그리고 림프액은 붙박이로서 토(土)이다. 그러면, 인묘진(寅卯辰)이라는 간의 체액에서 양(陽)인 인(寅)은 정맥혈이 되고, 음(陰)인 묘(卯)는 동맥혈이 되고, 붙박이인 진토(辰)는 림프액이 된다. 이 원리는 다른 지지의 화금수(火金水)에서도 똑같이 적용된다. 이는 다른 오장에서도 이 3가지 체액이 오장의 활동 기반이 된다는 뜻이다.

천간의 활동에서 지지가 천간의 활동 기반이 되는 것처럼 말이다. 그리고 천간의 음양은 인체 오장의 음양으로 바라보면 된다. 그러면 오장은 음(陰)이 되고, 육부에서 오부는 양(陽)이 된다. 이렇게 해서 사주 명리에서 오행과 지지를 인체에서 오장과 체액으로 대비시켜주면 된다. 그러면, 이때는 자동으로 최고로 좋은 격(格)이 나오게 된다. 그리고 이때 최고로 좋은 격을 만들 때, 지지를 이용해도 되고, 천간을 이용해도 되므로, 최고로 좋은 건강을 만들 때, 오장을 이용해도 되고, 체액을 이용해도 된다. 이는 물론 한의학 기초 지식을 요구한다. 그래서 이때 최상의 격을 만든다는 말은 최상의 건강을 만든다는 뜻이 된다. 예를 들자면, 갑목인 간(肝)이 비견이 되었다면, 이때는 자동으로 비견을 상극으로 제어해줘야만 한다. 그리고 이때 비견의 의미는 간(肝)에 산성 체액에 실린 에너지(神)가 엄청나게 모여있다는 뜻이 된다. 그러면, 이때 최고 좋은 오행은 목의 비견을 상극하는 금의 칠살이 된다. 이를 인체 생리로 보게 되면, 금인 폐(肺)가 된다. 그러면 자동으로 금인 폐와 목인 간의 상태를 봐야만 한다. 그러면, 지금은 간에 엄청나게 많은 산성 체액이 모여있으므로, 이때는 간이 문제가 된다. 이때 폐를 통해서 간을 돕는 방법은 폐는 산성 담즙을 만들어서 간으로 이를 보내서 간을 상극하므로, 이때는 자동으로 폐를 도와서 간으로 산성 담즙을 보내지 않게 해야만 한다. 즉, 폐에 보법을 쓰는 것이다. 그리고 간에서는 사법을 쓰는 것이다. 즉, 폐에는 알칼리를 보충해서 산성 담즙을 적게 만들게 해야만 하고, 간에서는 알칼리를 이용해서 산성 체액을 잘 중화하도록 해줘야만 한다는 뜻이다. 이때 칠살인 금이 사주의 오행에 없더라도 이렇게 해주면 된다. 이 문제가 지지로 오게 되면, 최고로 좋은 격을 만드는 지지를 선택하고서, 해당 체액을 조절해주면 된다. 이때도 마찬가지로 칠살인 금이 지지의 오행에 없더라도 이렇게 해주면 된다. 이 예시는 잡격의 4번째 구절에서 자수의 문제를 참고하면 된다. 다른 구절에서는 " ~ ~ 오행이나 지지가 있었더라면 좋았을 텐데"를 응용하면 된다. 이때는 자동으로 사주 명리를 분석할 때 사주 여덟 글자를 얼마나 정확히 뽑아내느냐의 문제로도 향한다. 이때 사주 여덟 글자를 제대로 뽑아내지 못하게 되면, 이는 현실에 잘 안 맞게 된다. 물론 이때 오장의 상태도 진단을 통해서 정확히 파악할 수 있어야만 한다. 이때는 자동으로 한의학이 필수가 된다. 그리고 이때 필요한 보조 도구가 관상이다. 관상은 망진의 도구라는 사실을 상기해보자. 그래서 한의학적 진단. 사주 명리적 진단. 관상적 진단이 서로 어울리게 되면, 아주 좋은 진단 결과가 도출되어서 나올 것이다. 물론 이는 처음에는 상당히 어려운 과정일 것이다. 물론 이때 사상 체질의학인 동의수세보원도 참고해야만 할 것이다. 마지막으로 식습관이다. 즉, 간과 폐에 도움이 되는 음식을 먹어야만 한다는 뜻이다. 간에는 신맛인데, 이때 신맛은 간이 해독할 때 이용하게 되고, 폐에는 매운맛인데, 이는 폐가 만든 에너지 쓰레기를 체외로 날려 보낼 때 이용하게 된다. 즉, 이때는 식료본초가 필수가 된다. 아무튼, 이 부분은 추가 연구가 필요한 부분이다.

자평진전(子平眞詮) 인체 에너지 지문(指紋) DNA 에너지 보고서 양자역학의 르네상스

출판일 | 2024년 7월 30일
저 자 | D. J. O 동양의철학 연구소
펴낸이 | 한건희
펴낸곳 | 주식회사 부크크
출판사등록 | 2014.07.15.(제2014-16호)
주 소 | 서울특별시 금천구 가산디지털1로 119 SK트윈타워 A동 305호
전 화 | 1670-8316
이메일 | info@bookk.co.kr

ISBN | 979-11-410-9810-0

www.bookk.co.kr